중등 1-2

구성과 특징

대단원 도입

대단원별 학습 계획을 세워 자기주도학습을 할 수 있도록 하였습니다.

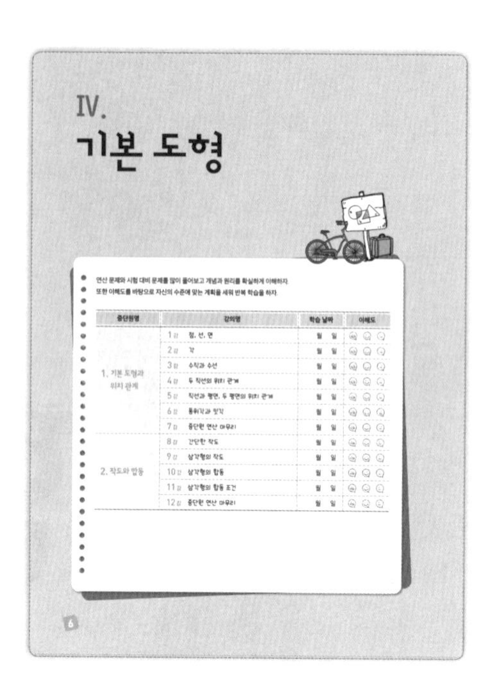

힘수 점검

연산을 다시 풀어보기

이전에 배운 내용 중에서 본 학습과 연계된 연산 문제를 제공함으로써 본 학습 내용을 쉽게 이해하고 수학의 흐름을 한눈에 볼 수 있도록 하였습니다.

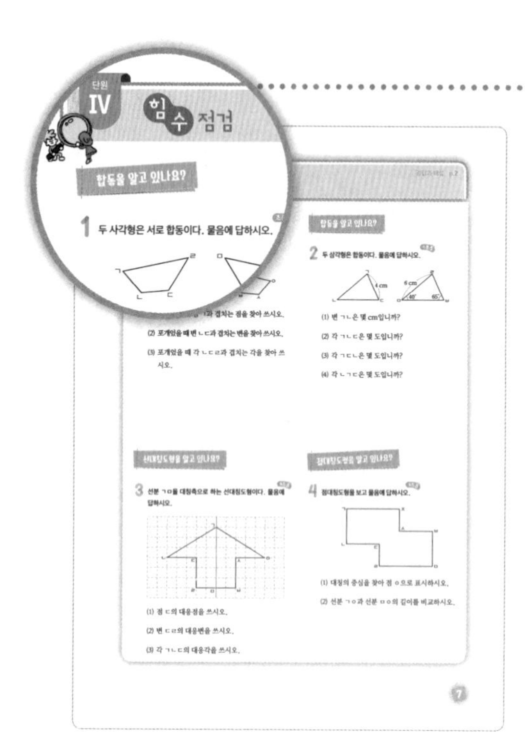

교과서 핵심 개념 이해

각 단원에서 교과서 핵심을 세분화하여 정리하였고 그 개념을 도식화, 도표화하여 보다 쉽게 개념을 이해할 수 있도록 하였습니다.

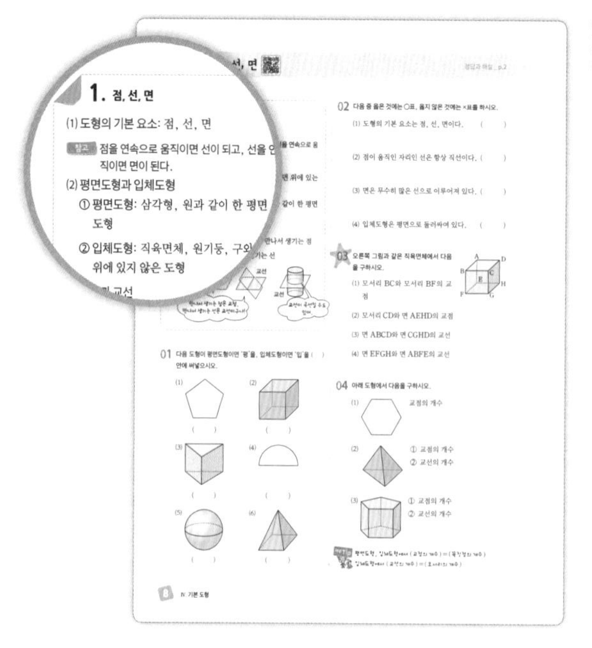

힘이 붙는 수학은

- 교과서 개념에서 나올 수 있는 연산 관련된 개념을 세분화해서 정리하여 공부할 수 있도록 하였습니다.
- 각 강마다 연산 문제를 2~4쪽씩 제공하여 많이 풀 수 있도록 하였고, 중단원마다 그 연산 문제를 반복할 수 있도록 하였습니다.

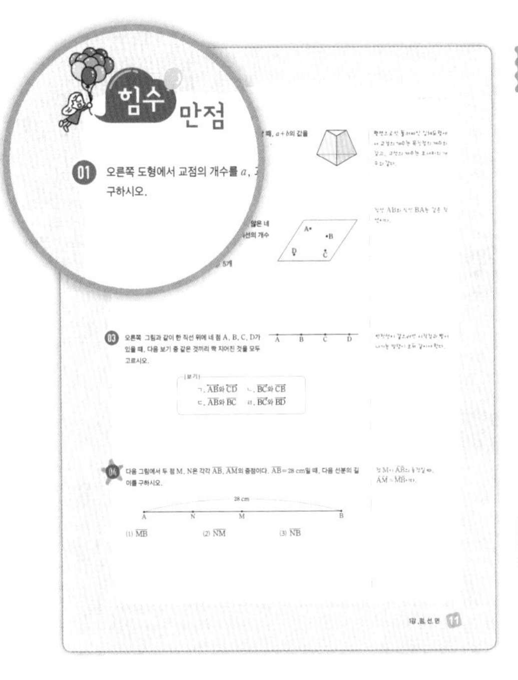

힘수 만점

연산을 적용한 문제 풀기

앞에서 배운 연산 문제를 이용하여 풀 수 있는 문제들로 구성하여 개념을 쉽게 익힐 수 있도록 하였습니다.

중단원 연산 마무리

중단원마다 앞에서 나왔던 연산 문제보다 난이도가 있는 문제들로 구성하여 내신 대비를 할 수 있도록 하였습니다.

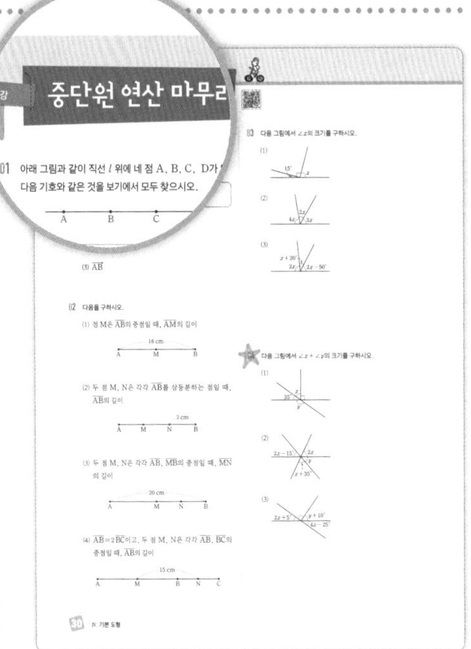

정답과 해설

혼자서도 쉽게 이해할 수 있도록 자세하고 친절한 풀이를 제시하였습니다.

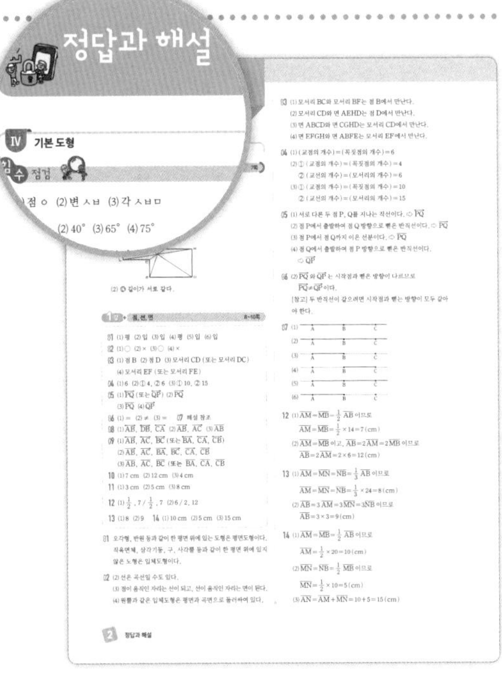

Ⅳ 기본 도형

V 도형의 성질

1 평면도형의 성질

2 입체도형의 성질

VI 자료의 정리와 해석

1 자료의 정리와 해석

Ⅳ. 기본 도형

연산 문제와 시험 대비 문제를 많이 풀어보고 개념과 원리를 확실하게 이해하자.
또한 이해도를 바탕으로 자신의 수준에 맞는 계획을 세워 반복 학습을 하자.

중단원명	강의명	학습 날짜	이해도
1. 기본 도형과 위치 관계	1강 점, 선, 면	월 일	
	2강 각	월 일	
	3강 수직과 수선	월 일	
	4강 두 직선의 위치 관계	월 일	
	5강 직선과 평면, 두 평면의 위치 관계	월 일	
	6강 동위각과 엇각	월 일	
	7강 중단원 연산 마무리	월 일	
2. 작도와 합동	8강 간단한 작도	월 일	
	9강 삼각형의 작도	월 일	
	10강 삼각형의 합동	월 일	
	11강 삼각형의 합동 조건	월 일	
	12강 중단원 연산 마무리	월 일	

단원 IV 함수 점검

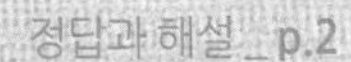

합동을 알고 있나요?

1 두 사각형은 서로 합동이다. 물음에 답하시오. 초등5

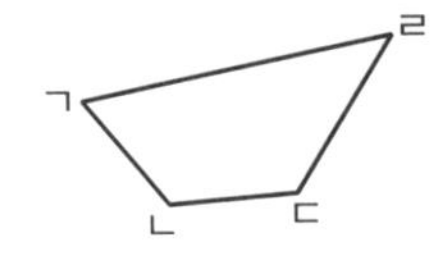

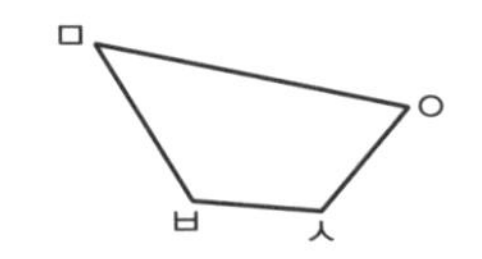

(1) 포개었을 때 점 ㄱ과 겹치는 점을 찾아 쓰시오.

(2) 포개었을 때 변 ㄴㄷ과 겹치는 변을 찾아 쓰시오.

(3) 포개었을 때 각 ㄴㄷㄹ과 겹치는 각을 찾아 쓰시오.

합동을 알고 있나요?

2 두 삼각형은 합동이다. 물음에 답하시오. 초등5

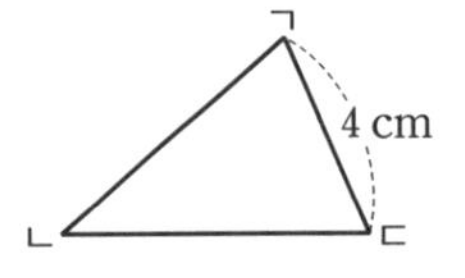

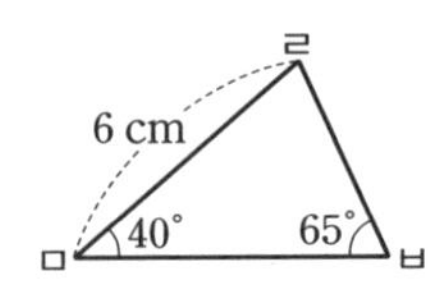

(1) 변 ㄱㄴ은 몇 cm입니까?

(2) 각 ㄱㄴㄷ은 몇 도입니까?

(3) 각 ㄱㄷㄴ은 몇 도입니까?

(4) 각 ㄴㄱㄷ은 몇 도입니까?

선대칭도형을 알고 있나요?

3 선분 ㄱㅁ을 대칭축으로 하는 선대칭도형이다. 물음에 답하시오. 초등5

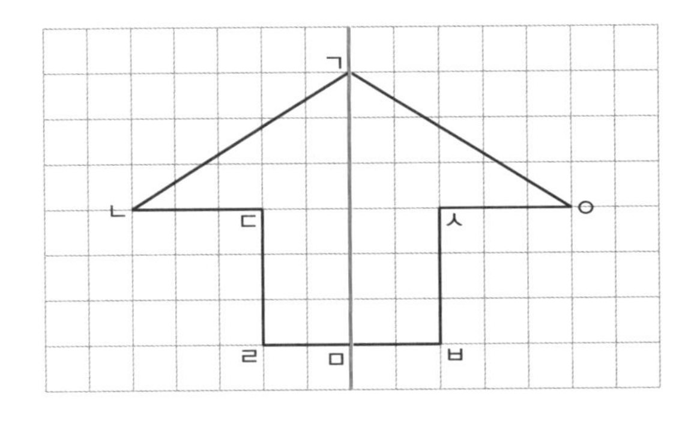

(1) 점 ㄷ의 대응점을 쓰시오.

(2) 변 ㄷㄹ의 대응변을 쓰시오.

(3) 각 ㄱㄴㄷ의 대응각을 쓰시오.

점대칭도형을 알고 있나요?

4 점대칭도형을 보고 물음에 답하시오. 초등5

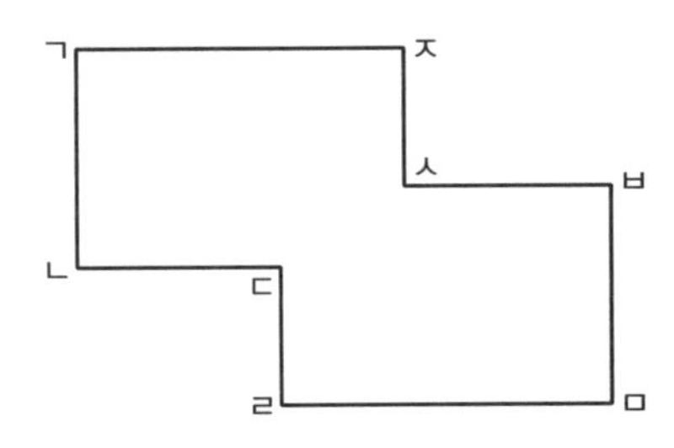

(1) 대칭의 중심을 찾아 점 ㅇ으로 표시하시오.

(2) 선분 ㄱㅇ과 선분 ㅁㅇ의 길이를 비교하시오.

1강 ••• 점, 선, 면

1. 점, 선, 면

(1) 도형의 기본 요소: 점, 선, 면

참고 점을 연속으로 움직이면 선이 되고, 선을 연속으로 움직이면 면이 된다.

(2) 평면도형과 입체도형

① 평면도형: 삼각형, 원과 같이 한 평면 위에 있는 도형

② 입체도형: 직육면체, 원기둥, 구와 같이 한 평면 위에 있지 않은 도형

(3) 교점과 교선

① 교점: 선과 선 또는 선과 면이 만나서 생기는 점

② 교선: 면과 면이 만나서 생기는 선

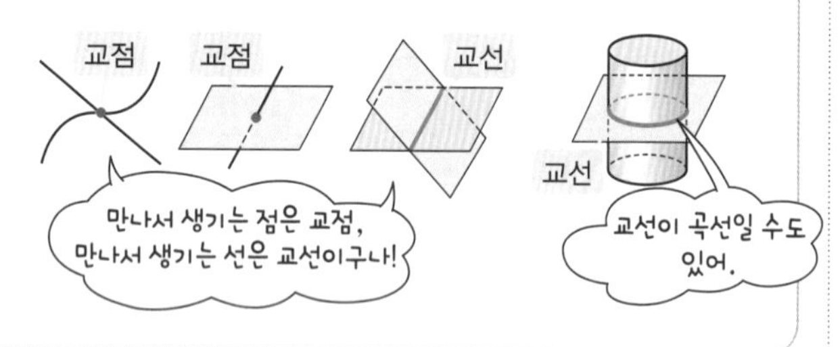

교점
교점
교선
교선
만나서 생기는 점은 교점,
만나서 생기는 선은 교선이구나!
교선이 곡선일 수도 있어.

01 다음 도형이 평면도형이면 '평'을, 입체도형이면 '입'을 ( ) 안에 써넣으시오.

(1) 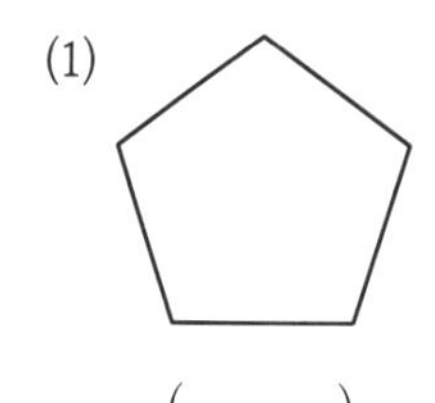 ( )

(2) 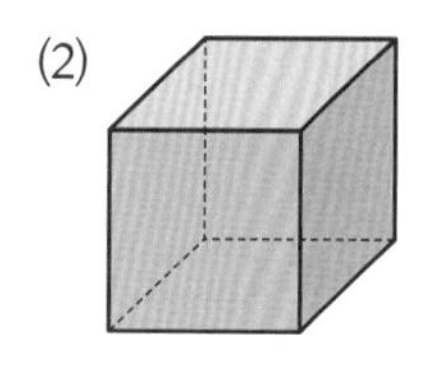 ( )

(3) 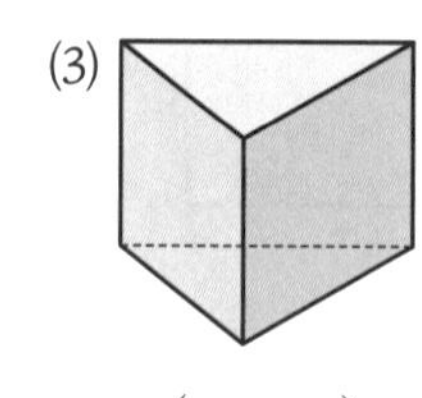 ( )

(4) 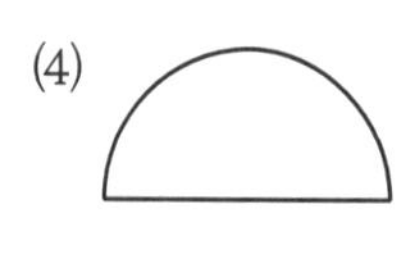 ( )

(5) 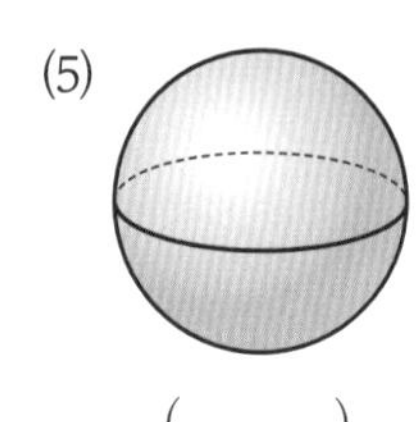 ( )

(6) 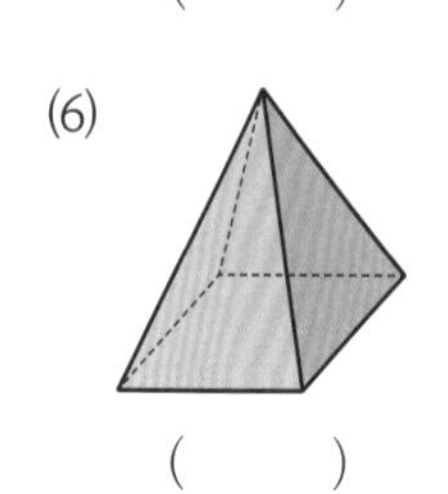 ( )

02 다음 중 옳은 것에는 ○표, 옳지 않은 것에는 ×표를 하시오.

(1) 도형의 기본 요소는 점, 선, 면이다. ( )

(2) 점이 움직인 자리인 선은 항상 직선이다. ( )

(3) 면은 무수히 많은 선으로 이루어져 있다. ( )

(4) 입체도형은 평면으로 둘러싸여 있다. ( )

03 오른쪽 그림과 같은 직육면체에서 다음을 구하시오.

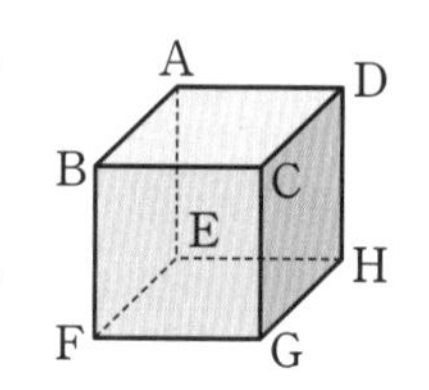

(1) 모서리 BC와 모서리 BF의 교점

(2) 모서리 CD와 면 AEHD의 교점

(3) 면 ABCD와 면 CGHD의 교선

(4) 면 EFGH와 면 ABFE의 교선

04 아래 도형에서 다음을 구하시오.

(1) 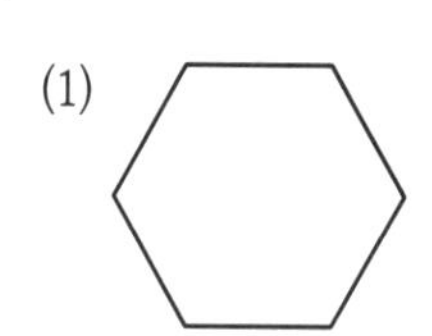 교점의 개수

(2) 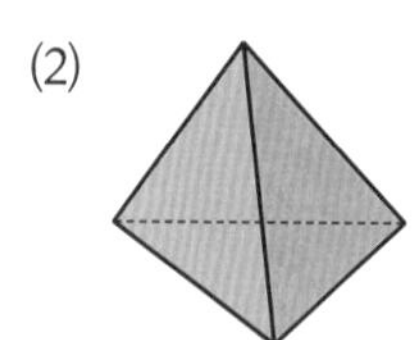
① 교점의 개수
② 교선의 개수

(3) 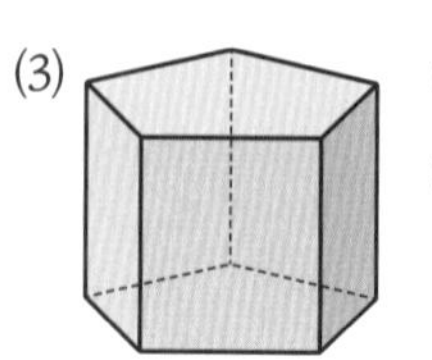
① 교점의 개수
② 교선의 개수

평면도형, 입체도형에서 (교점의 개수)=(꼭짓점의 개수)
입체도형에서 (교선의 개수)=(모서리의 개수)

2. 직선, 반직선, 선분

(1) 직선이 정해질 조건
한 점을 지나는 직선은 무수히 많지만 서로 다른 두 점을 지나는 직선은 오직 하나뿐이다.

(2) 직선, 반직선, 선분

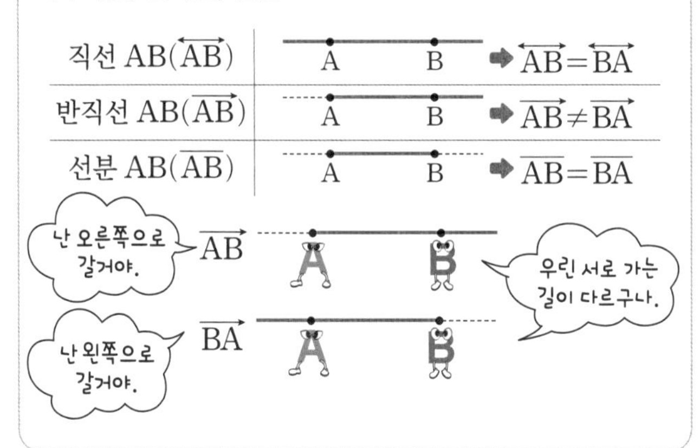

직선 AB($\overleftrightarrow{AB}$)	A B	➡ $\overleftrightarrow{AB}=\overleftrightarrow{BA}$
반직선 AB($\overrightarrow{AB}$)	A B	➡ $\overrightarrow{AB}\neq\overrightarrow{BA}$
선분 AB($\overline{AB}$)	A B	➡ $\overline{AB}=\overline{BA}$

05 다음 도형을 기호로 나타내시오.

(1)

(2)
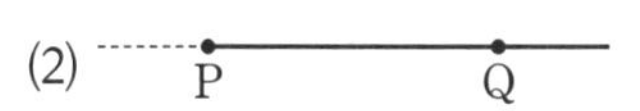

(3)

(4)

06 다음 ○ 안에 = 또는 ≠를 써넣으시오.

(1) $\overleftrightarrow{PQ}$ ○ $\overleftrightarrow{QP}$

(2) $\overrightarrow{PQ}$ ○ $\overrightarrow{QP}$

(3) $\overline{PQ}$ ○ $\overline{QP}$

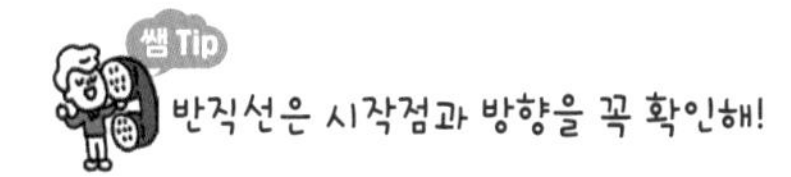

쌤 Tip
반직선은 시작점과 방향을 꼭 확인해!

07 다음 기호가 나타내는 도형을 주어진 그림 위에 나타내시오.

(1) $\overleftrightarrow{AB}$ A B C

(2) $\overleftrightarrow{BC}$ A B C

(3) $\overline{AB}$ A B C

(4) $\overline{BC}$ A B C

(5) $\overrightarrow{AB}$ A B C

(6) $\overrightarrow{BA}$ A B C

08 아래 그림과 같이 한 직선 위에 네 점 A, B, C, D가 있을 때, 다음과 같은 것을 보기에서 고르시오.

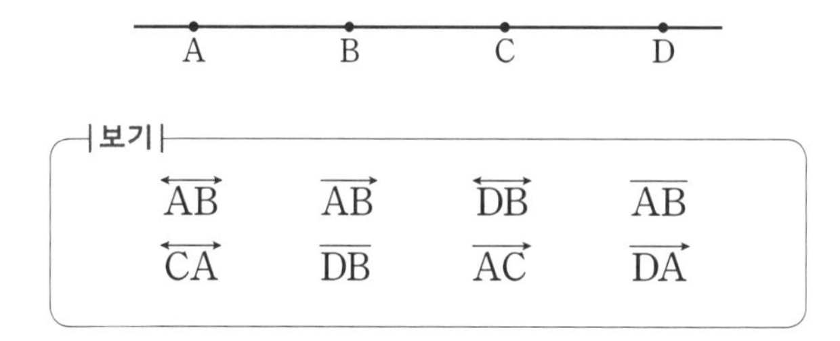

보기

$\overleftrightarrow{AB}$	$\overrightarrow{AB}$	$\overleftrightarrow{DB}$	$\overline{AB}$
$\overleftrightarrow{CA}$	$\overline{DB}$	$\overrightarrow{AC}$	$\overrightarrow{DA}$

(1) $\overleftrightarrow{AC}$

(2) $\overrightarrow{AD}$

(3) $\overline{BA}$

09 오른쪽 그림과 같이 한 직선 위에 있지 않은 세 점 A, B, C가 있다. 세 점 중 두 점을 이어서 만들 수 있는 서로 다른 직선, 반직선, 선분을 모두 기호로 나타내시오.

A• •C B•

(1) 직선

(2) 반직선

(3) 선분

3. 두 점 사이의 거리와 선분의 중점 up+

(1) 두 점 A, B 사이의 거리: 두 점 A, B를 잇는 선 중에서 길이가 가장 짧은 선분 AB의 길이

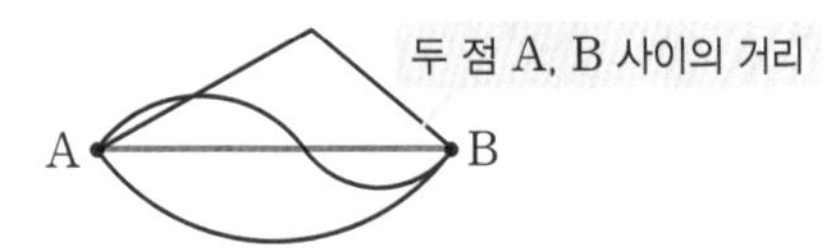

(2) 선분 AB의 중점: 선분 AB를 이등분하는 점

$\overline{AB}$의 중점이 M일 때 $\overline{AM}=\overline{MB}=\frac{1}{2}\overline{AB}$

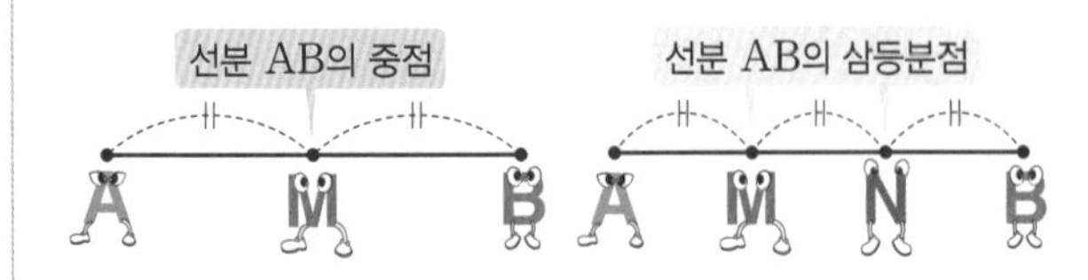

10 아래 그림에서 다음을 구하시오.

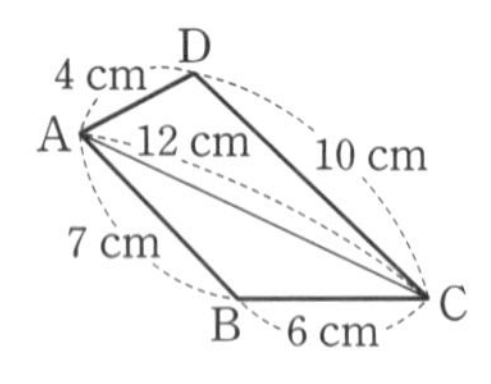

(1) 두 점 A, B 사이의 거리

(2) 두 점 A, C 사이의 거리

(3) 두 점 A, D 사이의 거리

11 아래 그림에서 다음을 구하시오.

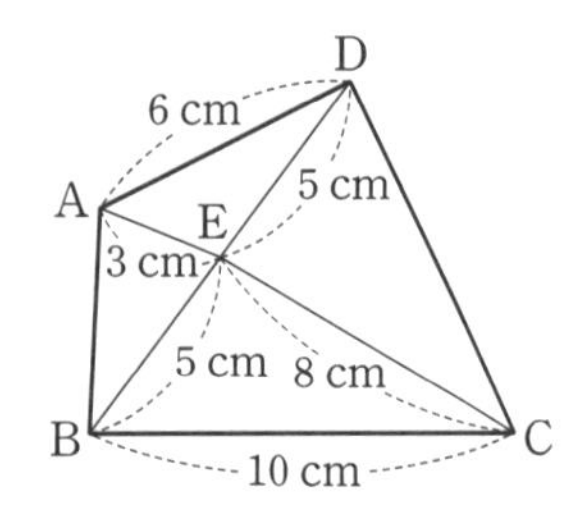

(1) 두 점 A, E 사이의 거리

(2) 두 점 B, E 사이의 거리

(3) 두 점 E, C 사이의 거리

12 다음 그림에서 점 M이 선분 AB의 중점일 때, □ 안에 알맞은 수를 써넣으시오.

(1)

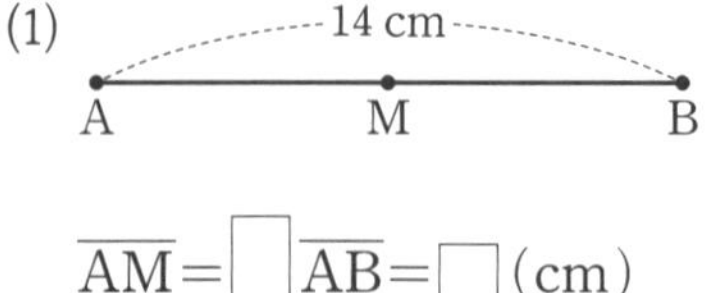

$\overline{AM}=\square\,\overline{AB}=\square$(cm)

$\overline{MB}=\square\,\overline{AB}=\square$(cm)

(2) 6 cm

A M B

$\overline{MB}=\overline{AM}=\square$(cm)

$\overline{AB}=\square\,\overline{AM}=\square$(cm)

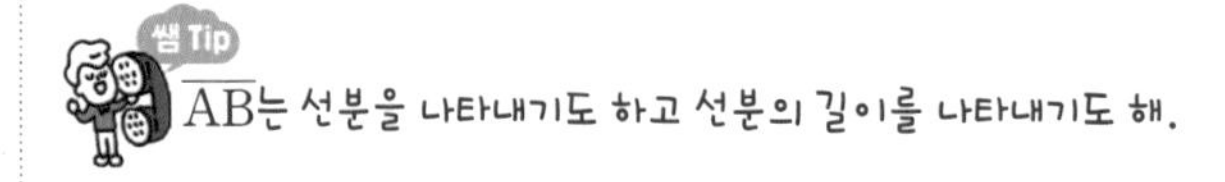

쌤 Tip
AB는 선분을 나타내기도 하고 선분의 길이를 나타내기도 해.

13 다음 그림에서 두 점 M, N은 $\overline{AB}$를 삼등분하는 점일 때, □ 안에 알맞은 수를 써넣으시오.

(1)

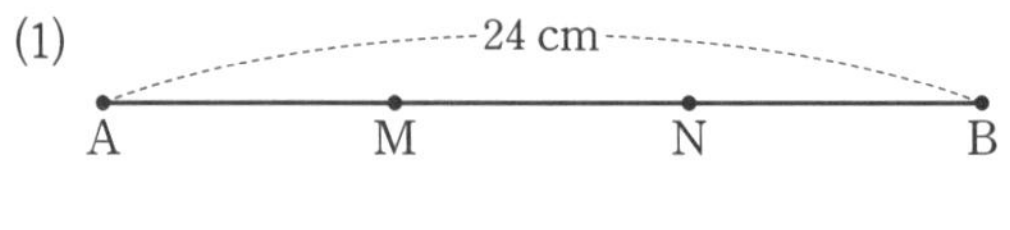

$\overline{AM}=\overline{MN}=\overline{NB}=\square$(cm)

(2)

$\overline{AB}=\square$ cm

14 다음 그림에서 점 M은 $\overline{AB}$의 중점이고, 점 N은 $\overline{MB}$의 중점이다. $\overline{AB}=20$ cm일 때, 다음을 구하시오.

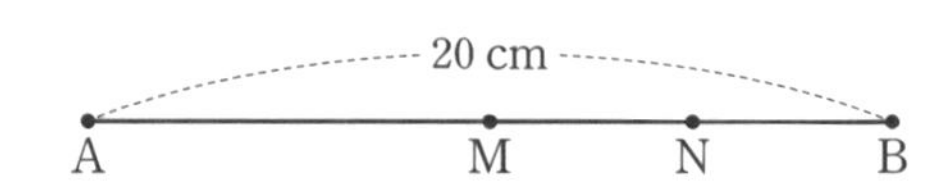

(1) $\overline{AM}$의 길이

(2) $\overline{MN}$의 길이

(3) $\overline{AN}$의 길이

정답과 해설 _ p.3

01 오른쪽 도형에서 교점의 개수를 a, 교선의 개수를 b라 할 때, $a+b$의 값을 구하시오.

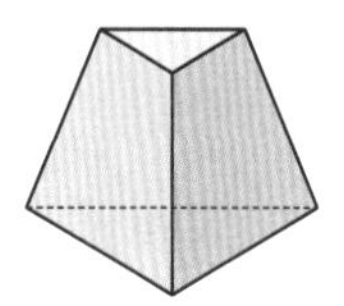

평면으로만 둘러싸인 입체도형에서 교점의 개수는 꼭짓점의 개수와 같고, 교선의 개수는 모서리의 개수와 같다.

02 오른쪽 그림과 같이 어느 세 점도 한 직선 위에 있지 않은 네 점 A, B, C, D가 있다. 이 중 두 점을 지나는 직선의 개수는?

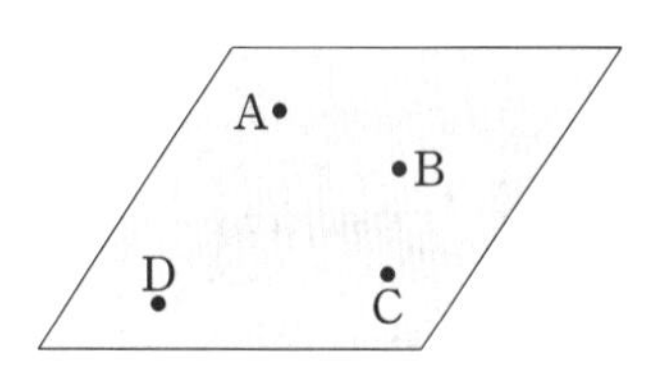

① 3개　② 4개　③ 5개
④ 6개　⑤ 7개

직선 AB와 직선 BA는 같은 직선이다.

03 오른쪽 그림과 같이 한 직선 위에 네 점 A, B, C, D가 있을 때, 다음 보기 중 같은 것끼리 짝 지어진 것을 모두 고르시오.

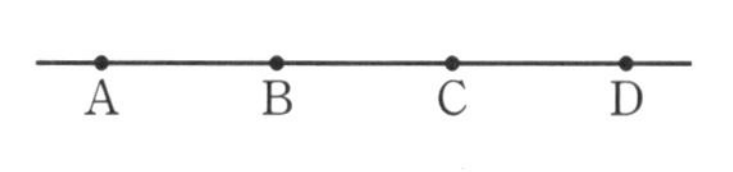

| 보기 |

ㄱ. $\overleftrightarrow{AB}$와 $\overleftrightarrow{CD}$　ㄴ. $\overrightarrow{BC}$와 $\overrightarrow{CB}$
ㄷ. $\overline{AB}$와 $\overline{BC}$　ㄹ. $\overrightarrow{BC}$와 $\overrightarrow{BD}$

반직선이 같으려면 시작점과 뻗어 나가는 방향이 모두 같아야 한다.

04 다음 그림에서 두 점 M, N은 각각 $\overline{AB}$, $\overline{AM}$의 중점이다. $\overline{AB}=28$ cm일 때, 다음 선분의 길이를 구하시오.

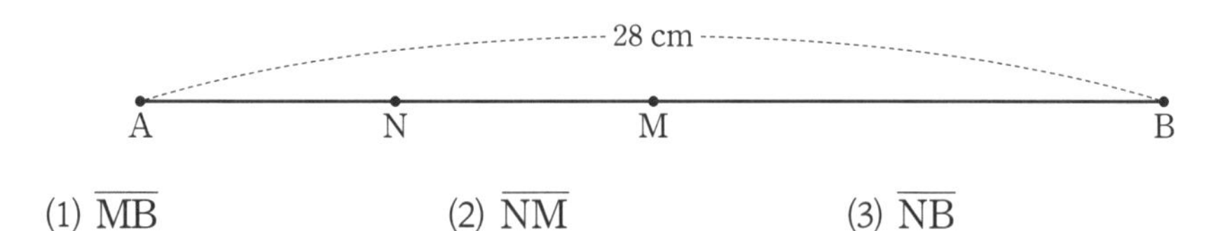

(1) $\overline{MB}$　(2) $\overline{NM}$　(3) $\overline{NB}$

점 M이 $\overline{AB}$의 중점일 때, $\overline{AM}=\overline{MB}$이다.

1. 각

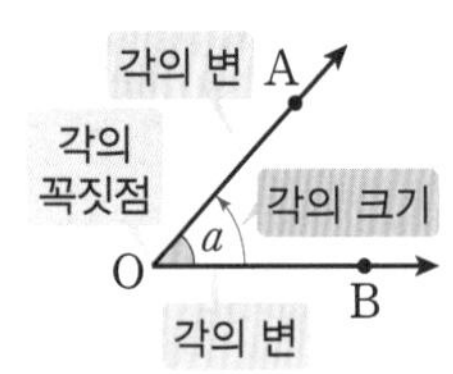

(1) 각 AOB: 한 점 O에서 시작하는 두 반직선 OA, OB로 이루어진 도형 ➡ ∠AOB

(2) 각 AOB의 크기
∠AOB의 꼭짓점 O를 중심으로 반직선 OB가 반직선 OA까지 회전한 양

(3) 각의 분류

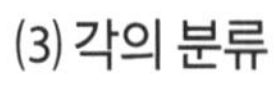

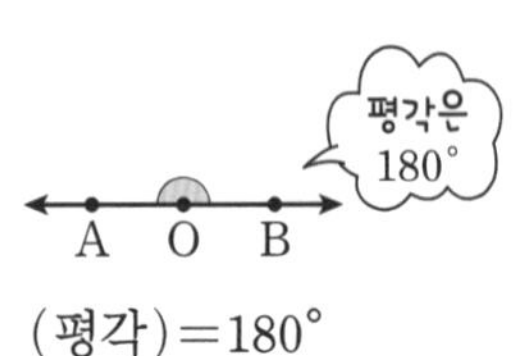

(평각)=180°

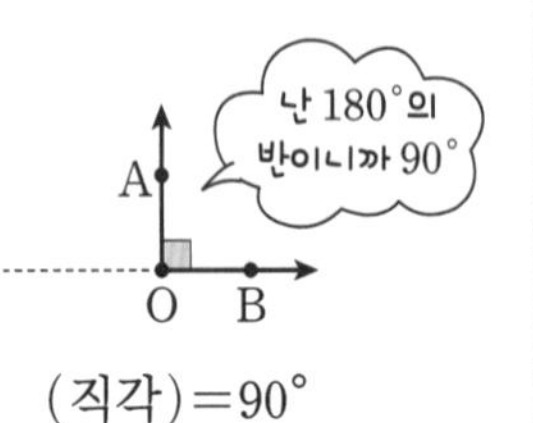

(직각)=90°

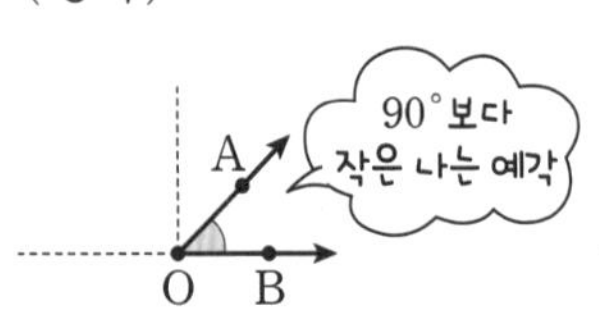

0°<(예각)<90°

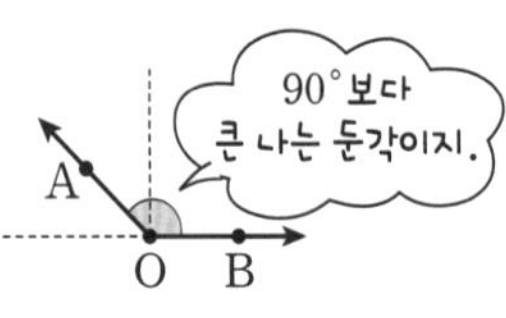

90°<(둔각)<180°

01 오른쪽 그림에서 ∠a, ∠b, ∠c를 세 점 A, B, C를 이용하여 나타내시오.

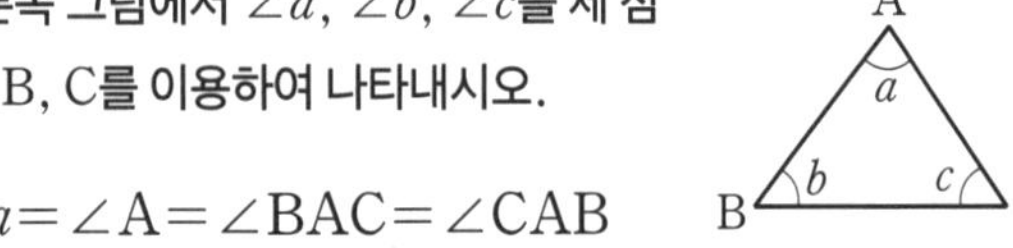

∠a=∠A=∠BAC=∠CAB

∠b=∠B=∠ABC=☐

∠c=∠C=☐=☐

02 다음 각을 보기에서 모두 골라 기호를 쓰시오.

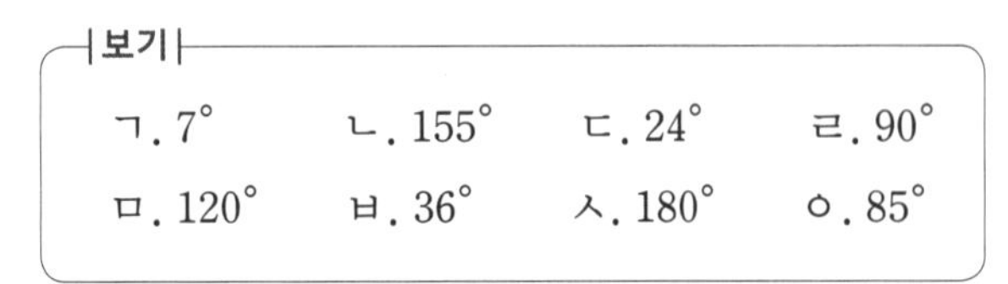

보기

ㄱ. 7°　ㄴ. 155°　ㄷ. 24°　ㄹ. 90°

ㅁ. 120°　ㅂ. 36°　ㅅ. 180°　ㅇ. 85°

(1) 예각　(2) 직각

(3) 둔각　(4) 평각

03 다음 그림에서 ∠x의 크기를 구하시오.

(1)

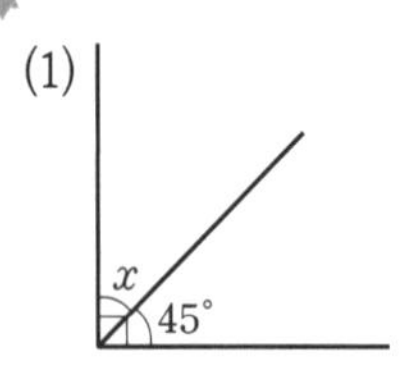

(2)

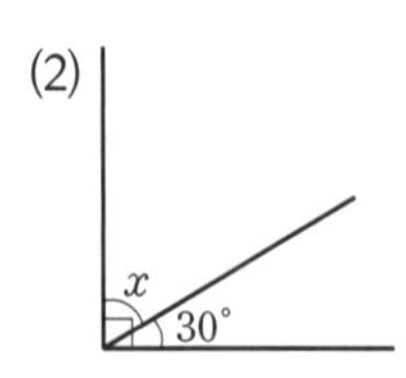

(3)

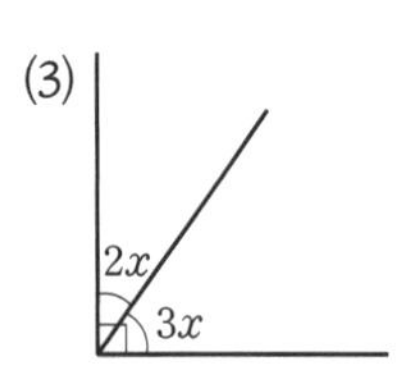

(4)

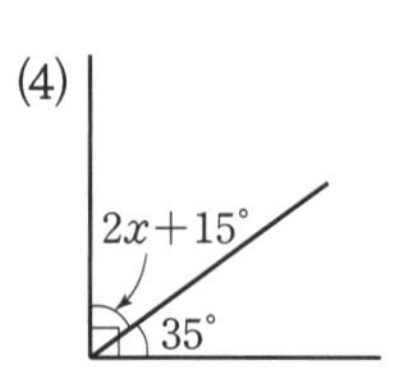

(5)

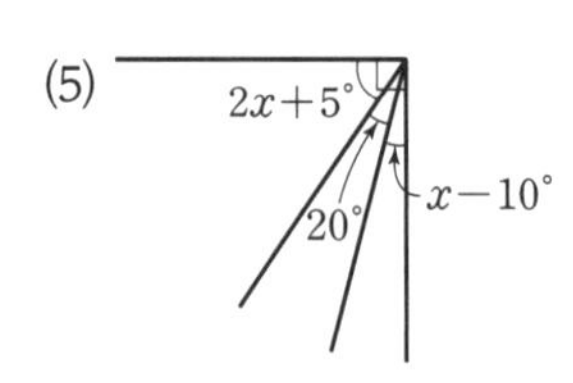

(6)

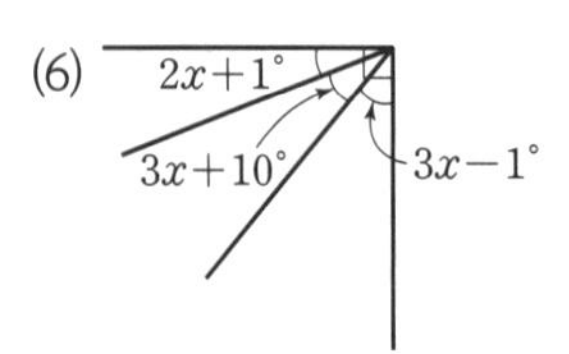

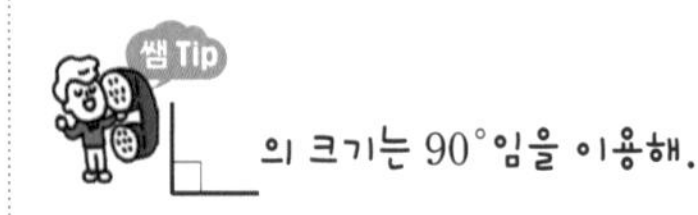

04 다음 그림에서 $\angle x$의 크기를 구하시오.

(1)

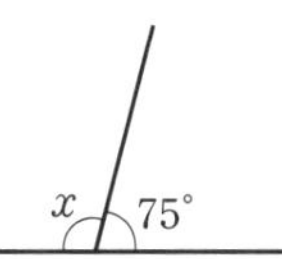

(2)

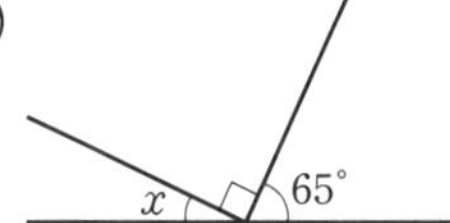

(3)

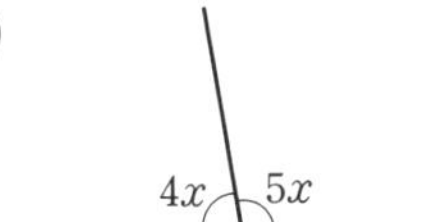

(4)

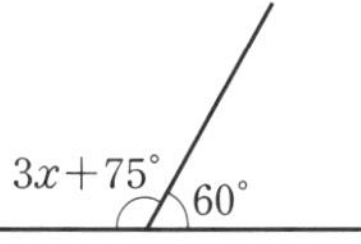

(5)

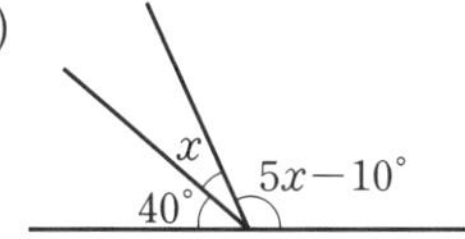

(6)

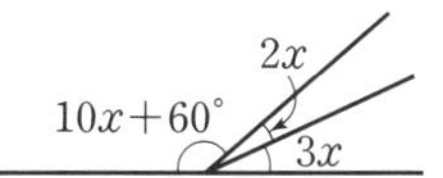

평각의 크기는 180°임을 이용해.

2. 맞꼭지각 up+

(1) 교각: 서로 다른 두 직선이 한 점에서 만날 때 생기는 네 개의 각 ➡ $\angle a$, $\angle b$, $\angle c$, $\angle d$

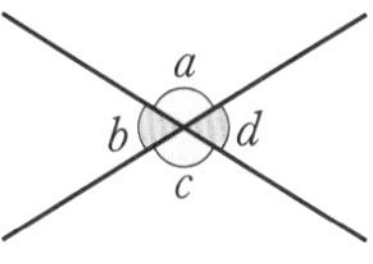

(2) 맞꼭지각: 교각 중에서 서로 마주 보는 두 각
➡ $\angle a$와 $\angle c$, $\angle b$와 $\angle d$

(3) 맞꼭지각의 성질: 맞꼭지각의 크기는 서로 같다.
➡ $\angle a=\angle c$, $\angle b=\angle d$

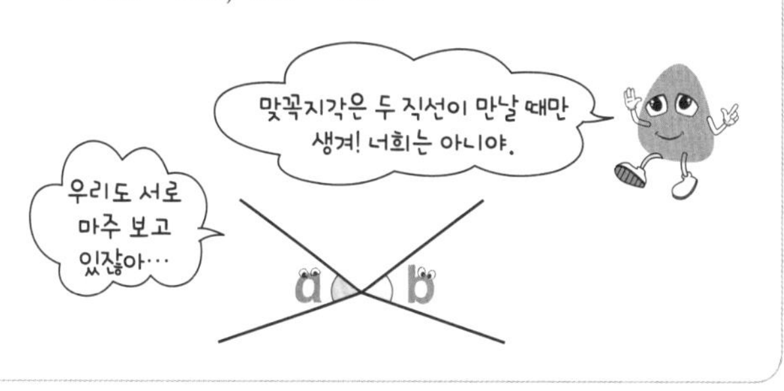

맞꼭지각은 두 직선이 만날 때만 생겨! 너희는 아니야.
우리도 서로 마주 보고 있잖아…
a
b

05 오른쪽 그림과 같이 세 직선이 한 점에서 만날 때, 다음 각의 맞꼭지각을 구하시오.

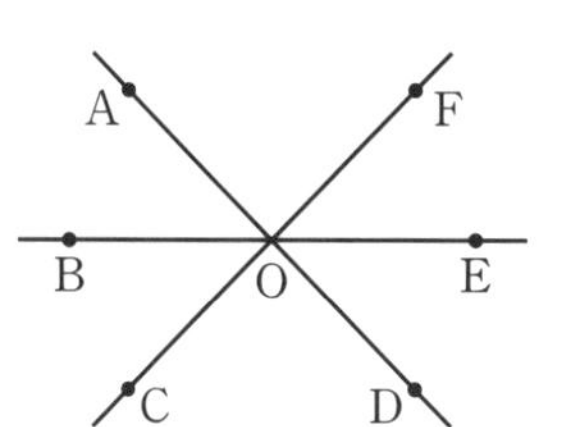

(1) $\angle$AOB

(2) $\angle$AOF

(3) $\angle$BOD

(4) $\angle$EOC

(5) $\angle$FOE

(6) $\angle$DOF

06 다음 그림에서 $\angle x$, $\angle y$의 크기를 각각 구하시오.

(1)

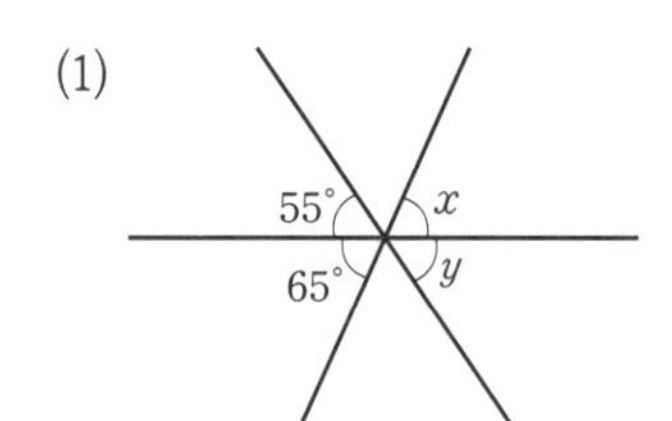

(2)

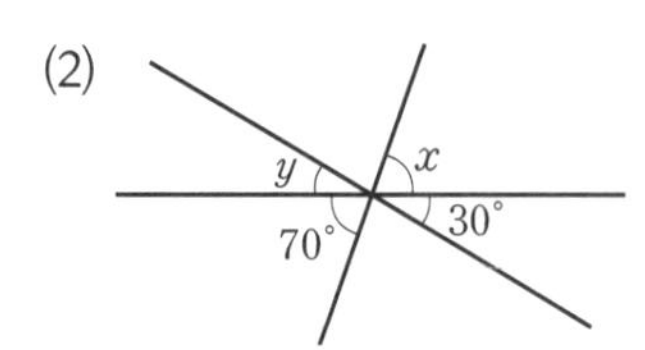

(3)

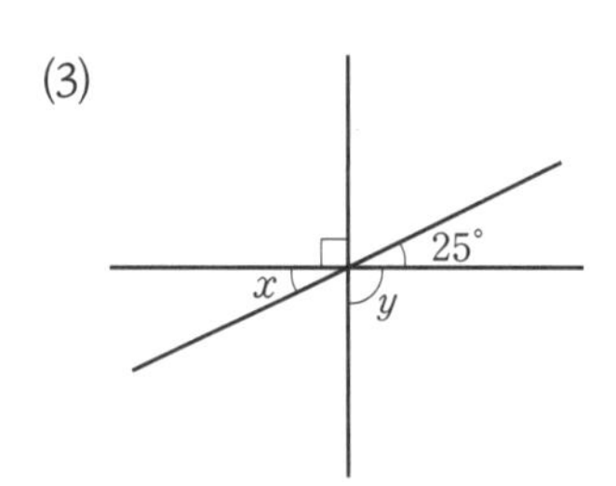

07 다음 그림에서 $\angle x$의 크기를 구하시오.

(1)

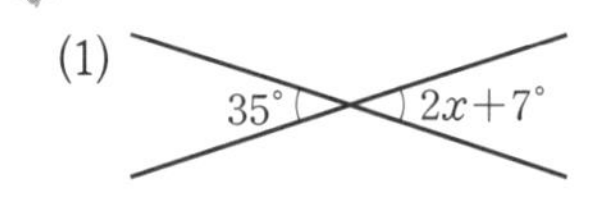

(2)

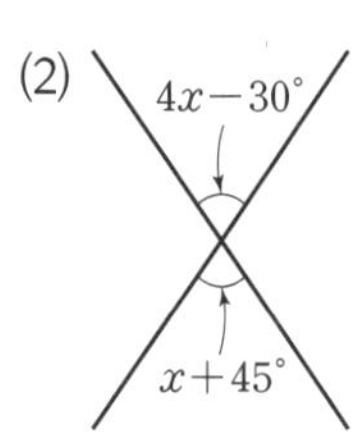

(3)

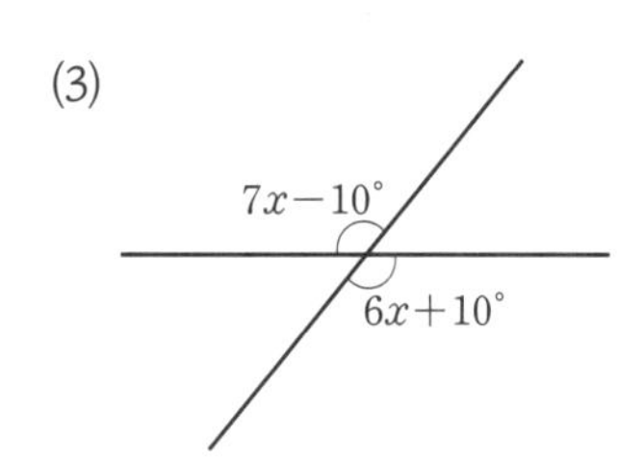

08 다음 그림에서 $\angle x$, $\angle y$의 크기를 각각 구하시오.

(1)

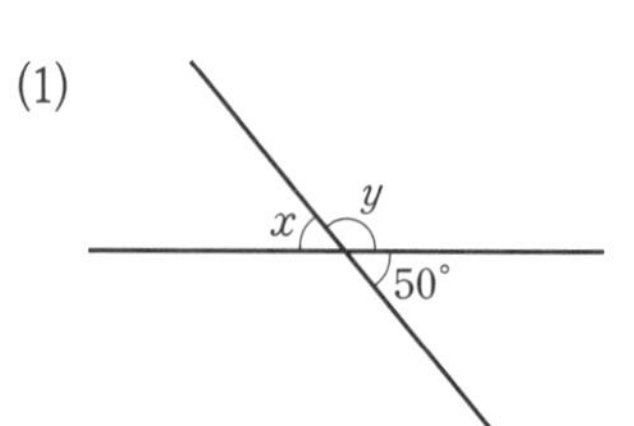

(2)

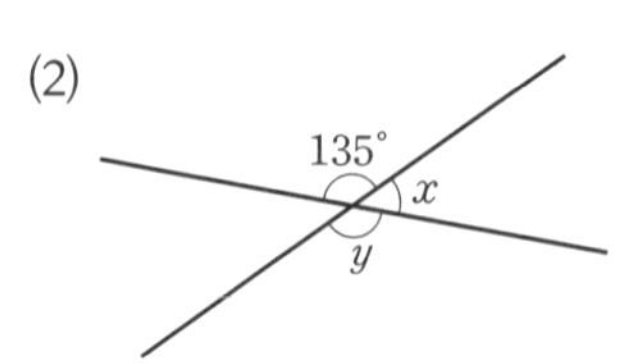

(3)

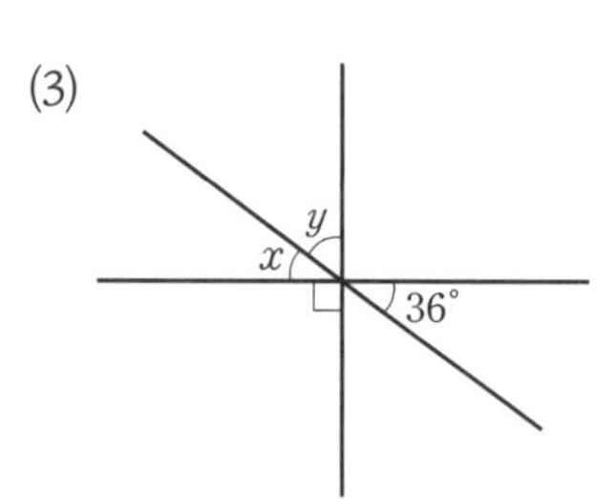

09 다음 그림에서 $\angle x$의 크기를 구하시오.

(1)

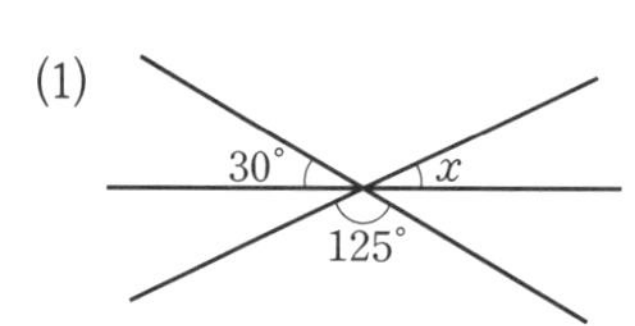

(2)

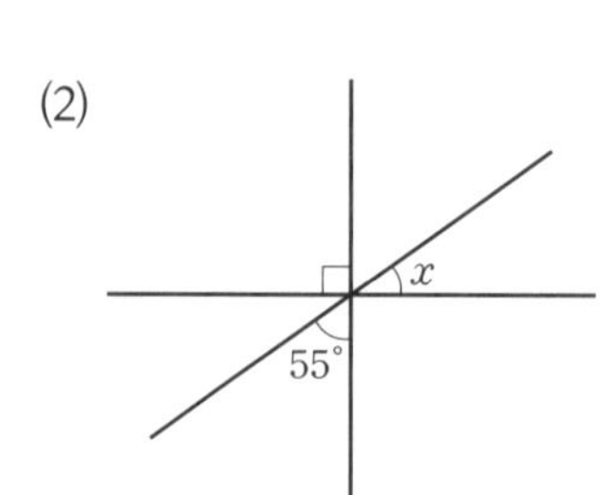

(3)

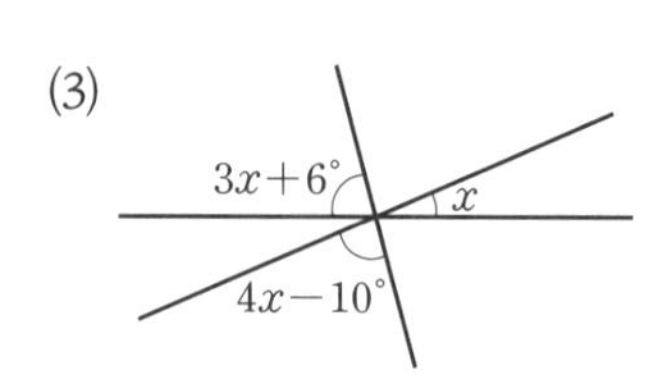

정답과 해설 _ p.4

01 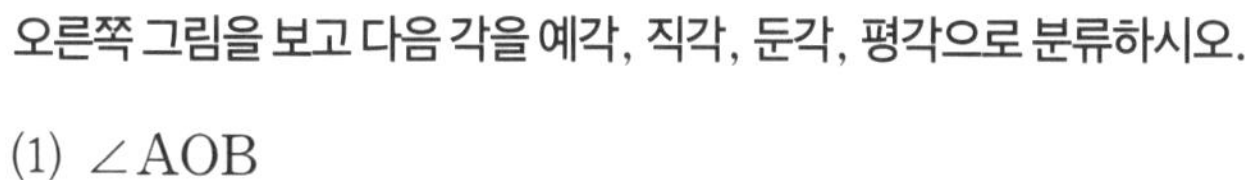
오른쪽 그림을 보고 다음 각을 예각, 직각, 둔각, 평각으로 분류하시오.

(1) $\angle$AOB

(2) $\angle$AOC

(3) $\angle$AOD

(4) $\angle$BOC

• 예각: 크기가 0°보다 크고 90°보다 작은 각
• 둔각: 크기가 90°보다 크고 180°보다 작은 각

02 다음 그림에서 $\angle x$의 크기를 구하시오.

(1)
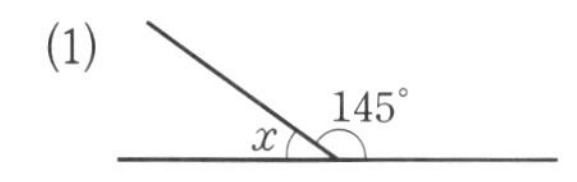

(2)
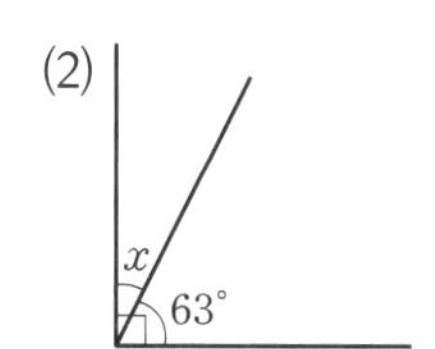

평각의 크기는 180°이고, 직각의 크기는 90°이다.

03 오른쪽 그림에서 $\angle x : \angle y = 4 : 5$일 때, $\angle y$의 크기를 구하시오.

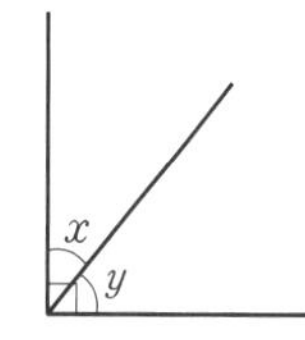

$\angle x + \angle y = 90^\circ$,
$\angle x : \angle y = a : b$일 때,
$\angle x = \frac{a}{a+b} \times 90^\circ$,
$\angle y = \frac{b}{a+b} \times 90^\circ$

04 오른쪽 그림과 같이 세 직선이 한 점에서 만날 때 생기는 맞꼭지각은 모두 몇 쌍인지 구하시오.

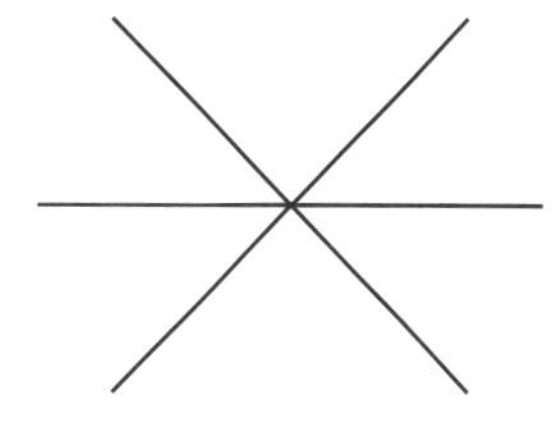

두 개의 직선이 만날 때 생기는 맞꼭지각은 2쌍이다.

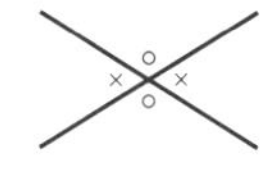

05 오른쪽 그림에서 $\angle y - \angle x$의 크기를 구하시오.

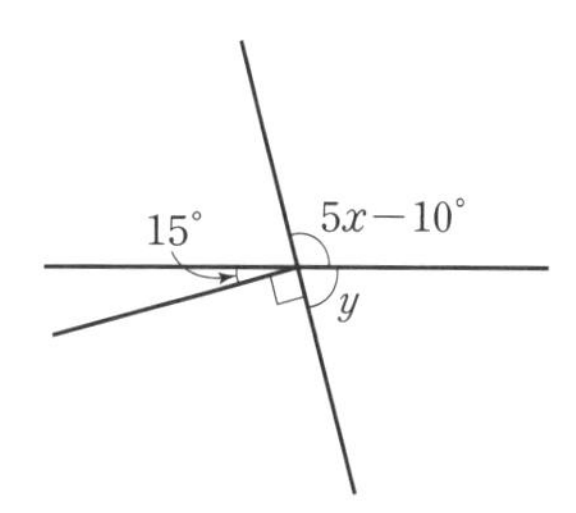

3강 수직과 수선

정답과 해설 _ p.4

1. 수직과 수선

(1) 직교: 두 직선 AB, CD의 교각이 직각일 때, 이 두 직선은 직교한다고 한다.

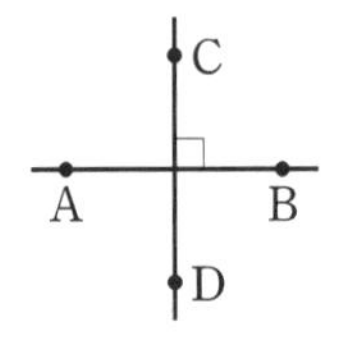

➡ $\overleftrightarrow{AB}\perp\overleftrightarrow{CD}$

(2) 수직과 수선: 두 직선이 직교할 때 두 직선은 서로 수직이라 하고, 직선이나 선분에 직교하는 직선을 수선이라 한다.

(3) 수직이등분선: 선분 AB의 중점 M을 지나고 선분 AB에 수직인 직선 l을 선분 AB의 수직이등분선이라 한다.

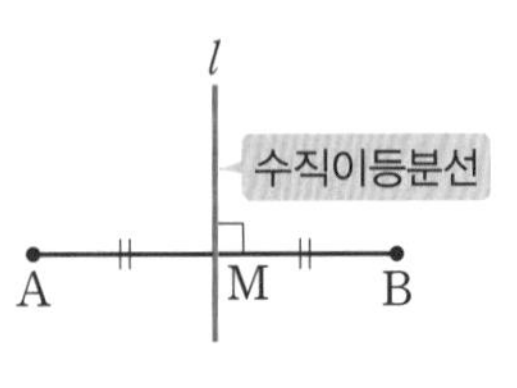

➡ $l\perp\overline{AB}$, $\overline{AM}=\overline{BM}$

l이 $\overline{AB}$의 수직이등분선
➡ $l\perp\overline{AB}$, $\overline{AM}=\overline{BM}$
└ 수직 └ 이등분

01 오른쪽 그림에서 $\angle AOC=90°$, $\overline{AO}=\overline{BO}$일 때, □ 안에 알맞은 것을 써넣으시오.

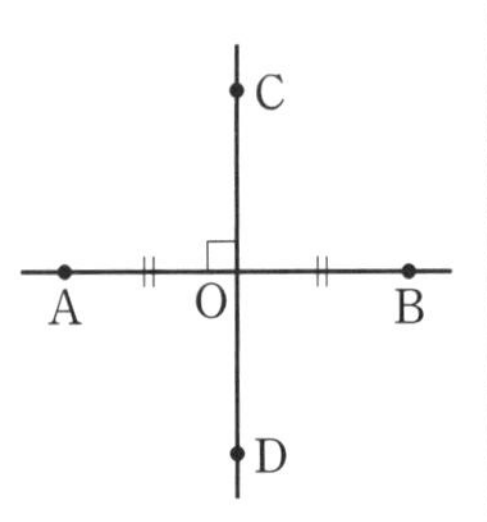

(1) $\overleftrightarrow{AB}$와 $\overleftrightarrow{CD}$는 □한다.

(2) $\overleftrightarrow{AB}$와 $\overleftrightarrow{CD}$의 관계를 기호로 나타내면 $\overleftrightarrow{AB}$ □ $\overleftrightarrow{CD}$이다.

(3) $\overleftrightarrow{AB}\perp\overleftrightarrow{CD}$, $\overline{AO}=\overline{BO}$이므로 $\overleftrightarrow{CD}$는 $\overline{AB}$의 □이다.

(4) $\overline{AB}=8$ cm일 때, $\overline{AO}=$ □ cm이다.

02 오른쪽 그림에서 직선 CD가 선분 AB의 수직이등분선일 때, 다음을 구하시오.

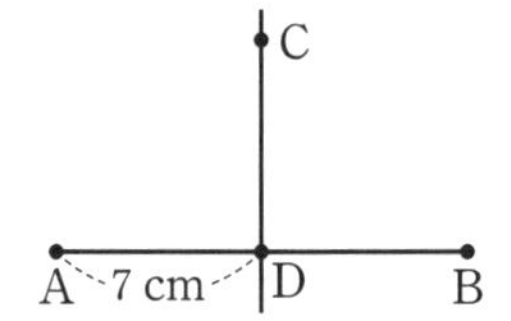

(1) $\overline{AB}$의 길이

(2) $\angle CDB$의 크기

2. 점과 직선 사이의 거리

(1) 수선의 발: 직선 l 위에 있지 않은 한 점 P에서 직선 l에 그은 수선과 직선 l의 교점 H

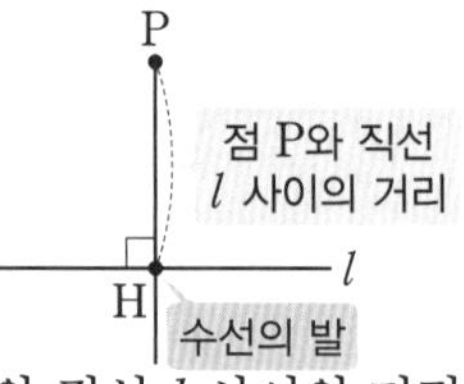

(2) 점과 직선 사이의 거리: 점 P와 직선 l 사이의 거리는 $\overline{PH}$의 길이이다.

➡ 점 P와 직선 l 사이의 거리: 점 P에서 직선 l에 내린 수선의 발까지의 거리

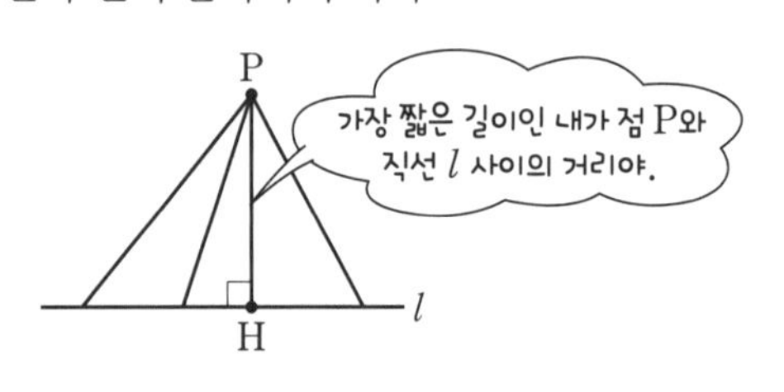

03 오른쪽 그림에서 $\angle AOC=90°$, $\overline{AO}=\overline{BO}$일 때, □ 안에 알맞은 것을 써넣으시오.

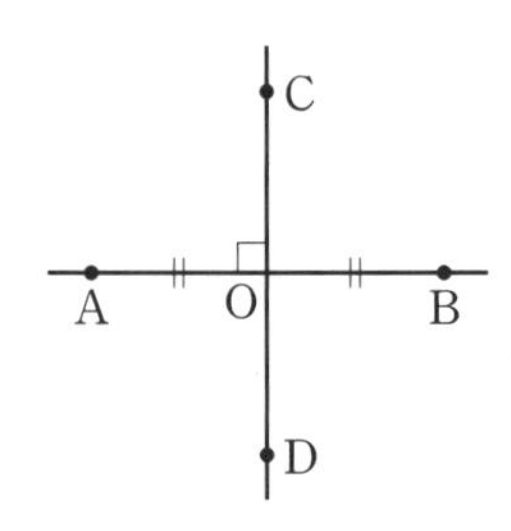

(1) 점 C에서 $\overleftrightarrow{AB}$에 내린 수선의 발은 점 □이다.

(2) 점 A와 $\overleftrightarrow{CD}$ 사이의 거리를 나타내는 선분은 □이다.

04 그림과 같은 직사각형 ABCD에서 다음을 구하시오.

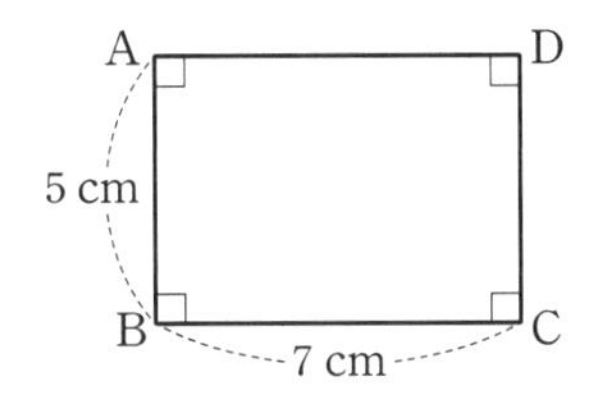

(1) $\overline{AD}$와 직교하는 선분

(2) 점 A에서 $\overline{BC}$에 내린 수선의 발

(3) 점 B에서 $\overline{DC}$에 내린 수선의 발

(4) 점 B와 $\overline{DC}$ 사이의 거리

05 그림과 같은 사다리꼴 ABCD에서 다음을 구하시오.

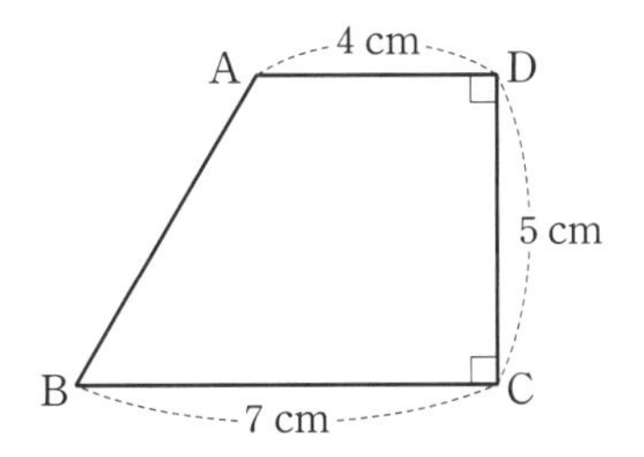

(1) $\overline{DC}$와 직교하는 선분

(2) $\overline{AD}$와 직교하는 선분

(3) 점 D에서 $\overline{BC}$에 내린 수선의 발

(4) 점 D와 $\overline{BC}$ 사이의 거리

(5) 점 A와 $\overline{DC}$ 사이의 거리

06 오른쪽 그림에서 다음을 구하시오.

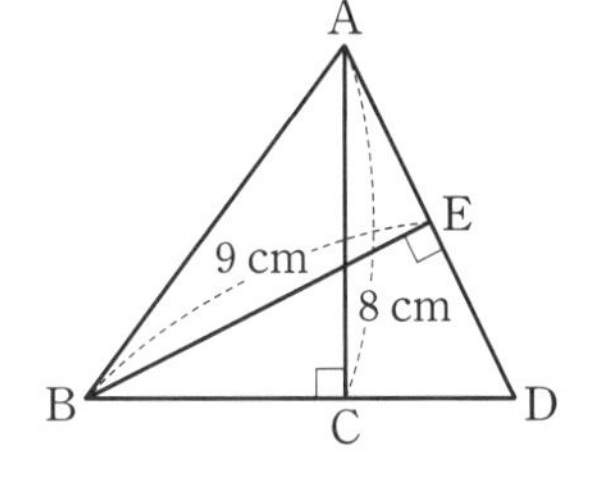

(1) 점 A에서 $\overline{BD}$에 내린 수선의 발

(2) 점 A와 $\overline{BD}$ 사이의 거리

(3) 점 B와 $\overline{AD}$ 사이의 거리

07 오른쪽 그림에서 다음을 구하시오.

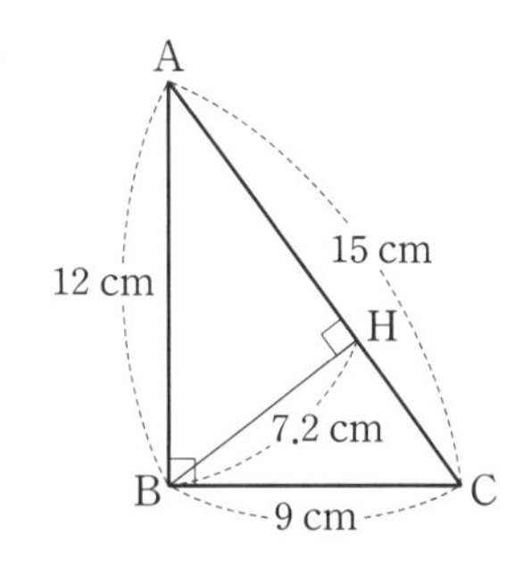

(1) 점 A에서 $\overline{BC}$에 내린 수선의 발

(2) 점 B와 $\overline{AC}$ 사이의 거리

(3) 점 C와 $\overline{AB}$ 사이의 거리

08 오른쪽 그림에서 다음을 구하시오.

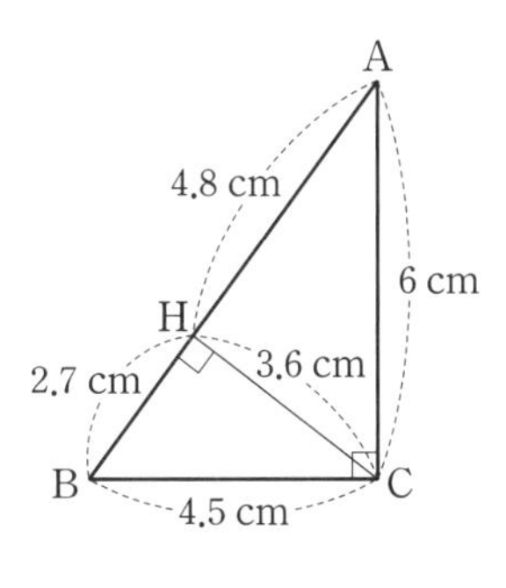

(1) 점 C에서 $\overline{AB}$에 내린 수선의 발

(2) 점 C와 $\overline{AB}$ 사이의 거리

(3) 점 B와 $\overline{AC}$ 사이의 거리

정답과 해설 _ p.4

01 오른쪽 그림에서 직선 PM은 선분 AB의 수직이등분선이다. 물음에 답하시오.

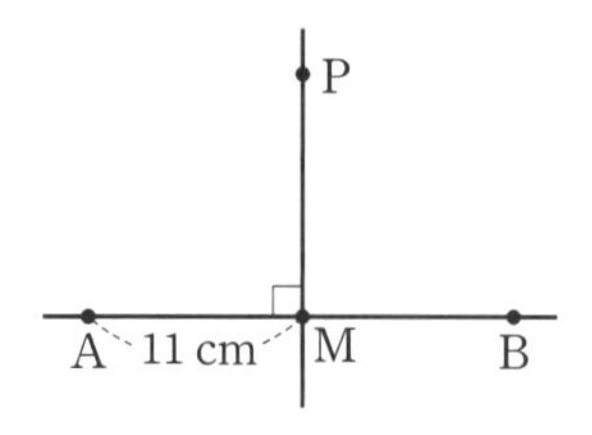

(1) 직교하는 두 직선을 찾아 기호 ⊥를 사용하여 나타내시오.

(2) $\overline{MB}$의 길이를 구하시오.

(3) $\overline{AB}$의 길이를 구하시오.

$\overleftrightarrow{PM}$이 $\overline{AB}$의 수직이등분선이므로 $\overline{AM}=\overline{MB}$

02 오른쪽 그림에서 직선 AB가 선분 CD의 수직이등분선일 때, 다음 중 옳지 않은 것은?

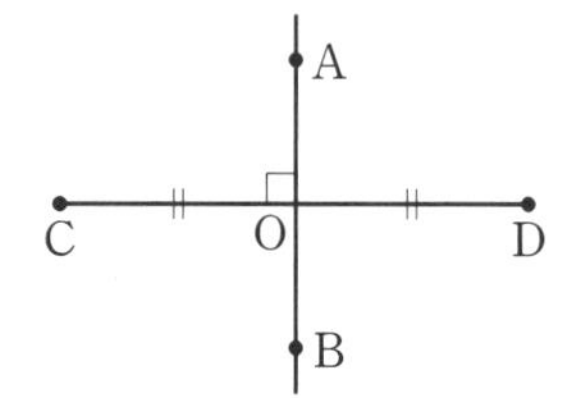

① $\overleftrightarrow{AB}\perp\overline{CD}$

② $\overline{AB}=2\overline{OA}$

③ $\angle AOC=\angle AOD$

④ 점 C와 $\overleftrightarrow{AB}$ 사이의 거리는 점 D와 $\overleftrightarrow{AB}$ 사이의 거리와 같다.

⑤ 점 A에서 $\overline{CD}$에 내린 수선의 발은 점 O이다.

03 오른쪽 그림과 같은 사다리꼴 ABCD에서 다음을 구하시오.

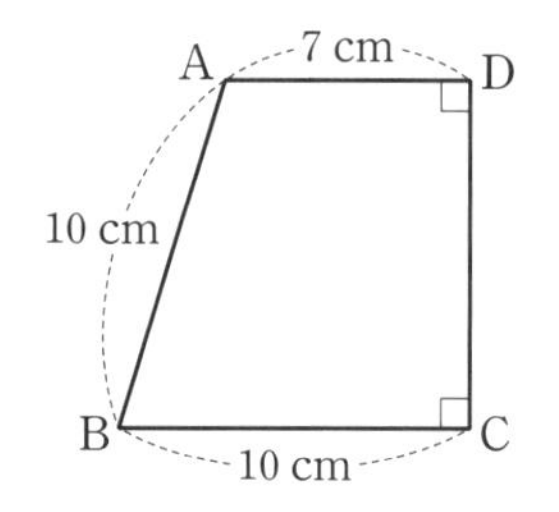

(1) 점 B에서 $\overline{DC}$에 내린 수선의 발

(2) 점 B와 $\overline{DC}$ 사이의 거리

점 B와 직선 $\overline{DC}$ 사이의 거리는 점 B에서 $\overline{DC}$에 수선의 발을 내렸을 때 점 B에서 $\overline{DC}$에 내린 수선의 발까지의 거리이다.

오른쪽 그림과 같은 사각형 ABCD에서 점 D와 $\overline{BC}$ 사이의 거리를 구하시오.

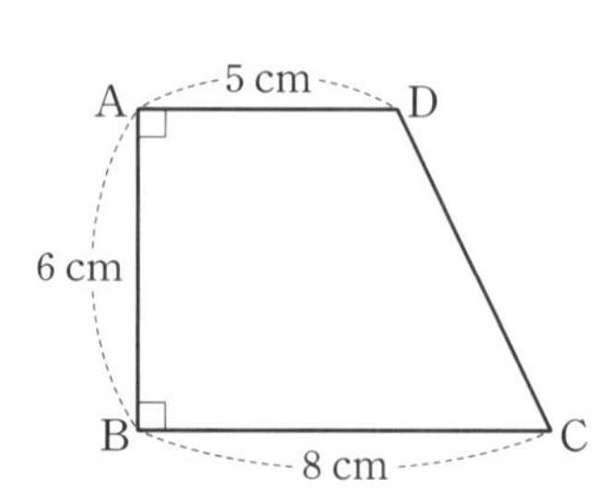

점 D에서 $\overline{BC}$에 수선의 발을 내려 본다.

4강 ••• 두 직선의 위치 관계

정답과 해설 _ p.5

1. 점과 직선, 점과 평면의 위치 관계

(1) 점과 직선의 위치 관계

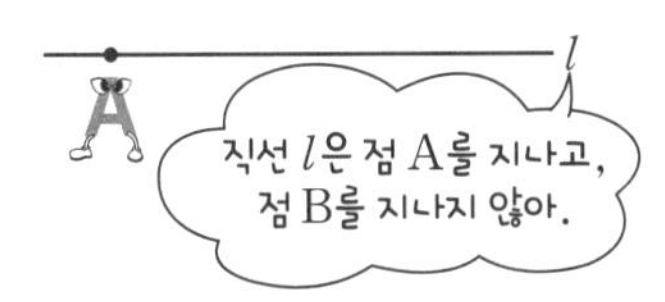

l
A
직선 l은 점 A를 지나고, 점 B를 지나지 않아.

① 점 A는 직선 l 위에 있다.

② 점 B는 직선 l 위에 있지 않다.

(2) 점과 평면의 위치 관계

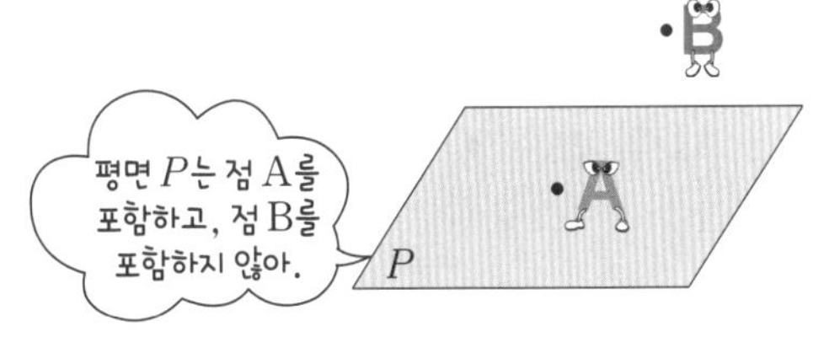

B
평면 P는 점 A를 포함하고, 점 B를 포함하지 않아.
A
P

① 점 A는 평면 P 위에 있다.

② 점 B는 평면 P 위에 있지 않다.

01 오른쪽 그림에 대한 다음 설명 중 옳은 것에는 ○표, 옳지 않은 것에는 ×표를 하시오.

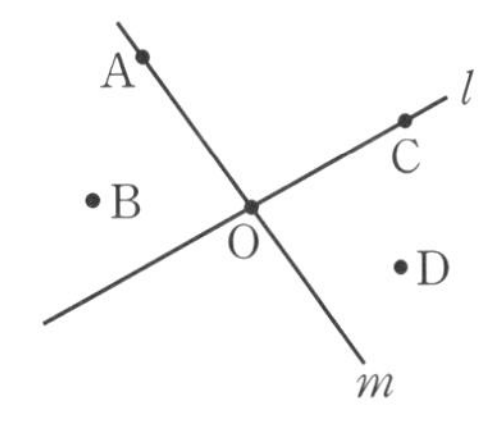

(1) 점 C는 직선 l 위에 있지 않다. (　　)

(2) 직선 m은 점 B를 지나지 않는다. (　　)

(3) 직선 l은 점 C를 지난다. (　　)

(4) 점 D는 직선 m 위에 있다. (　　)

(5) 점 O는 직선 l 위에 있으면서 직선 m 위에도 있다. (　　)

02 오른쪽 그림에서 다음을 모두 구하시오.

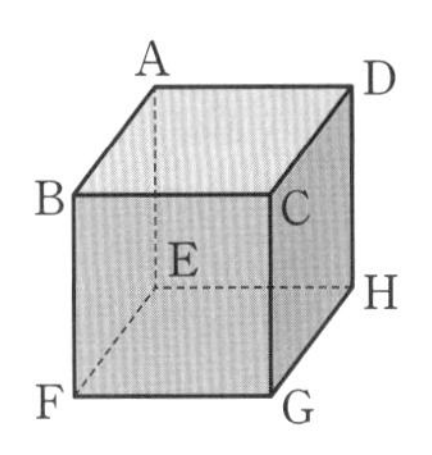

(1) 꼭짓점 A를 지나는 모서리

(2) 모서리 DH 위에 있는 꼭짓점

(3) 면 ABFE 위에 있는 꼭짓점

(4) 면 ABCD 위에 있지 않은 꼭짓점

(점 A는 직선 l 위에 있다.)
=(직선 l이 점 A를 지난다.)
(점 A는 평면 P 위에 있다.)
=(평면 P는 점 A를 포함한다.)

03 오른쪽 그림에서 다음을 모두 구하시오.

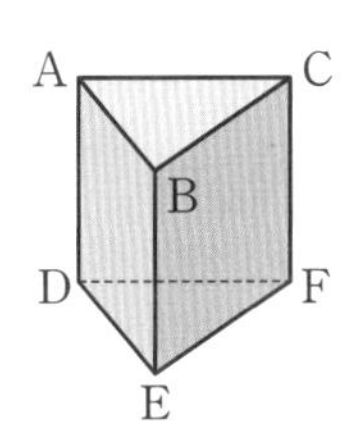

(1) 꼭짓점 B를 포함하는 모서리

(2) 모서리 DF 위에 있는 꼭짓점

(3) 면 ABC 위에 있는 꼭짓점

(4) 면 BEFC 위에 있지 않은 꼭짓점

(5) 꼭짓점 C를 포함하는 면

(6) 두 꼭짓점 A, B를 동시에 포함하는 면

2. 평면에서 두 직선의 위치 관계

(1) 두 직선의 평행: 한 평면 위에 있는 두 직선 l, m이 만나지 않을 때, 두 직선 l, m은 평행하다고 한다.

➡ $l /\!/ m$

(2) 평면에서 두 직선의 위치 관계

① 한 점에서 만난다.

② 일치한다.

③ 평행하다. ($l /\!/ m$)

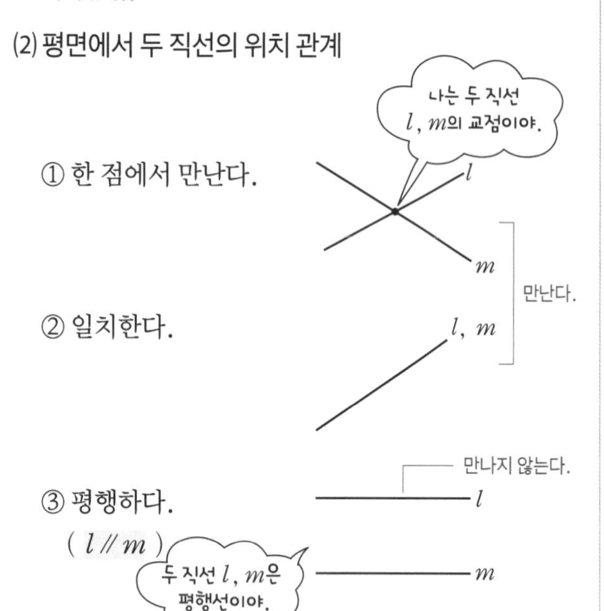

04 오른쪽 그림과 같은 직선에 대하여 $m /\!/ n$일 때, 다음 두 직선의 위치 관계로 알맞은 것을 보기에서 찾아 기호를 쓰시오.

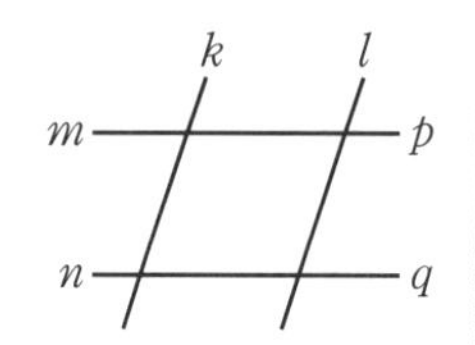

보기
ㄱ. 한 점에서 만난다. ㄴ. 평행하다.
ㄷ. 일치한다.

(1) 직선 k와 직선 m

(2) 직선 p와 직선 q

(3) 직선 n과 직선 l

(4) 직선 m과 직선 p

(5) 직선 m과 직선 q

05 오른쪽 그림의 직사각형 ABCD에 대하여 다음 두 직선의 위치 관계를 쓰시오.

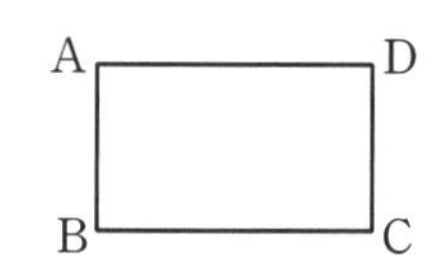

(1) 직선 AB와 직선 DC

(2) 직선 AD와 직선 BC

(3) 직선 BC와 직선 AB

평면에서 두 직선의 위치 관계는 '한 점에서 만난다.', '일치한다.', '평행하다.'의 세 가지 경우가 있다.

06 오른쪽 그림의 평행사변형에서 다음을 모두 구하시오.

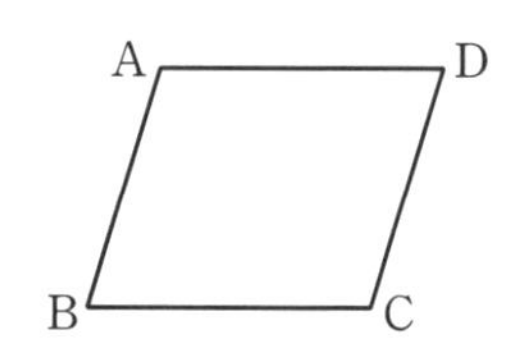

(1) 변 AD와 한 점에서 만나는 변

(2) 변 AB와 평행한 변

(3) 점 D가 교점인 두 변

(4) 변 AD와 만나지 않는 변

07 오른쪽 그림의 정육각형에서 다음을 모두 구하시오.

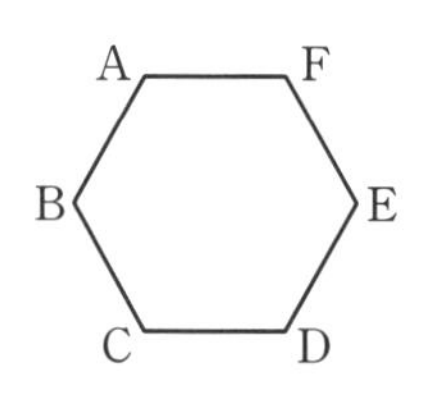

(1) 변 AB와 한 점 A에서 만나는 변

(2) 변 AF와 한 점 F에서 만나는 변

(3) 변 FE와 평행한 변

(4) 변 CD와 평행한 변

(5) 교점이 E인 두 변

3. 공간에서 두 직선의 위치 관계 up+

(1) 꼬인 위치: 공간에서 두 직선이 만나지도 않고 평행하지도 않을 때, 두 직선은 꼬인 위치에 있다고 한다.

(2) 공간에서 두 직선의 위치 관계

① 한 점에서 만난다. ② 일치한다.

③ 평행하다. ($l /\!/ m$) ④ 꼬인 위치에 있다.

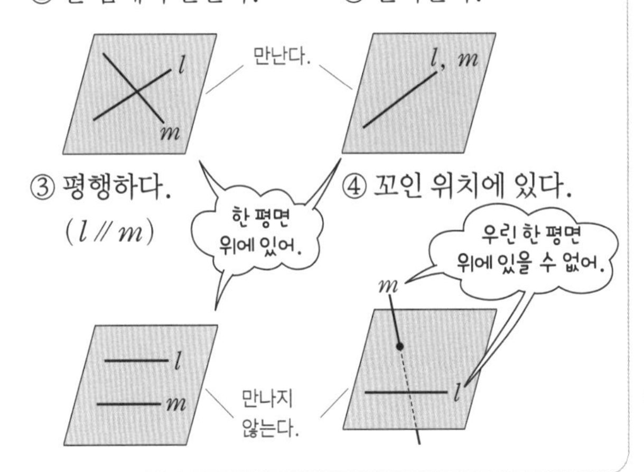

08 오른쪽 그림의 육각기둥에 대한 설명으로 옳은 것에는 ○표, 옳지 않은 것에는 ×표를 하시오.

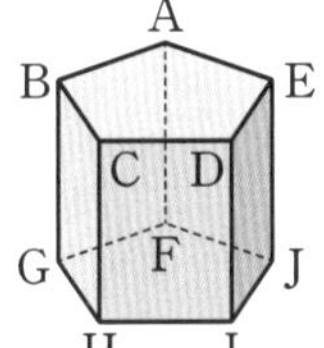
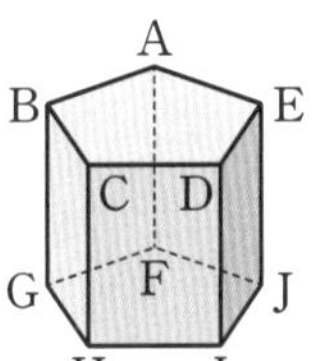

(1) $\overline{AB} /\!/ \overline{IJ}$ ( )

(2) $\overline{BC} \perp \overline{CH}$ ( )

(3) $\overline{AB}$와 $\overline{DI}$는 만나지 않는다. ( )

(4) $\overline{EJ}$와 $\overline{DE}$는 한 평면 위에 있다. ( )

(5) $\overline{AF}$와 평행한 모서리는 6개이다. ( )

(6) $\overline{BC}$와 $\overline{FA}$은 꼬인 위치에 있다. ( )

(7) $\overline{EJ}$와 꼬인 위치에 있는 모서리는 4개이다. ( )

09 오른쪽 그림의 직육면체에서 다음을 모두 구하시오.

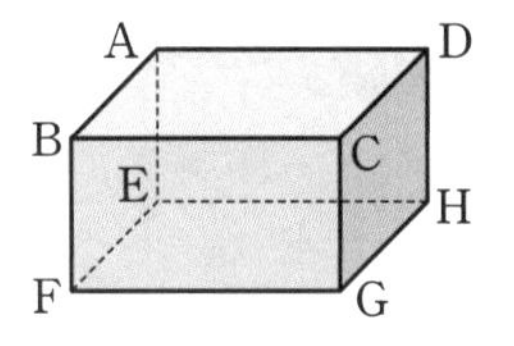

(1) 모서리 AD와 한 점에서 만나는 모서리

(2) 모서리 AE와 평행한 모서리

(3) 모서리 FG와 만나지도 않고 평행하지도 않는 모서리

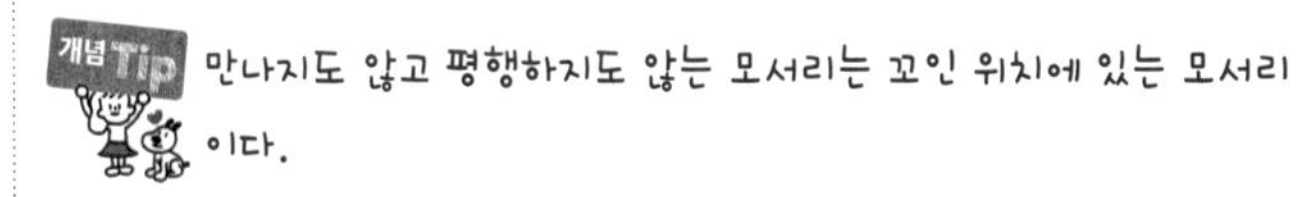

개념 Tip 만나지도 않고 평행하지도 않는 모서리는 꼬인 위치에 있는 모서리이다.

10 오른쪽 그림의 삼각뿔에서 다음 모서리와 꼬인 위치에 있는 모서리를 구하시오.

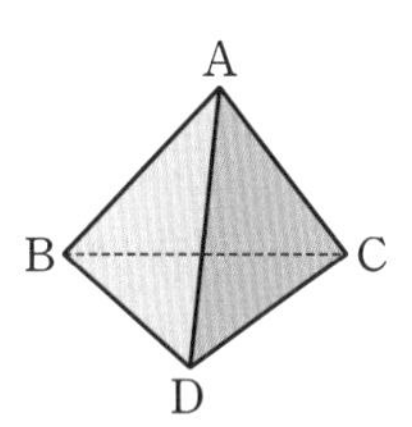

(1) 모서리 AB

(2) 모서리 BD

(3) 모서리 AD

11 오른쪽 그림의 삼각기둥에서 다음 모서리와 꼬인 위치에 있는 모서리를 모두 구하시오.

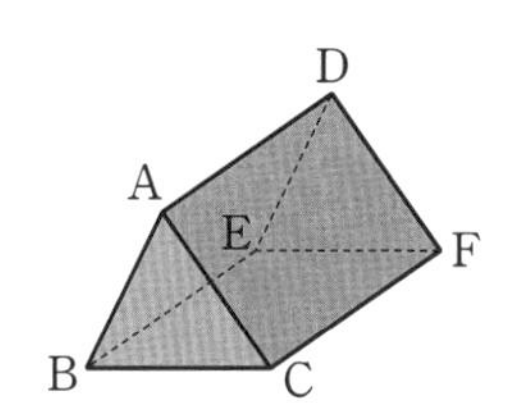

(1) 모서리 AB

(2) 모서리 AD

(3) 모서리 DF

쌤 Tip 꼬인 위치에 있는 모서리를 구할 때는 한 점에서 만나는 모서리와 평행한 모서리를 모두 지워 봐!

01 오른쪽 그림에서 다음을 모두 구하시오.

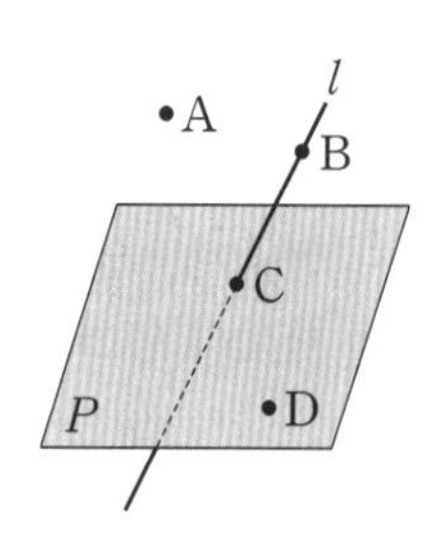

(1) 직선 l 위에 있는 점

(2) 직선 l 위에 있지 않은 점

(3) 평면 P 위에 있지 않은 점

- 직선 l 위에 있는 점
  ⇨ 직선 l이 지나는 점
- 직선 P 위에 있지 않은 점
  ⇨ 평면 P가 포함하지 않는 점

02 다음 중 한 평면 위에 있는 두 직선의 위치 관계가 될 수 없는 것은?

① 일치한다. ② 평행하다. ③ 수직으로 만난다.
④ 한 점에서 만난다. ⑤ 꼬인 위치에 있다.

03 오른쪽 그림과 같은 사다리꼴에서 다음을 모두 구하시오.

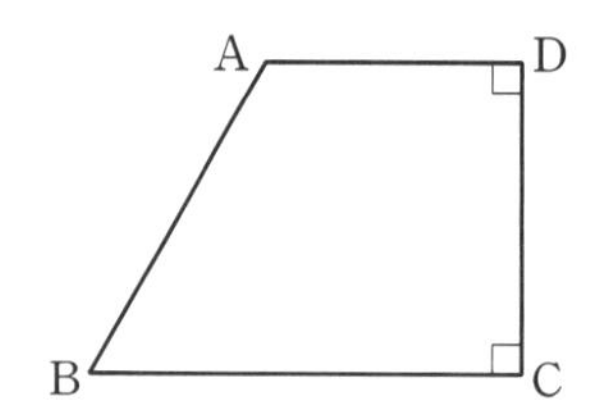

(1) 변 AD와 평행한 변

(2) 교점이 D인 두 변

(3) 변 BC와 한 점에 만나는 변

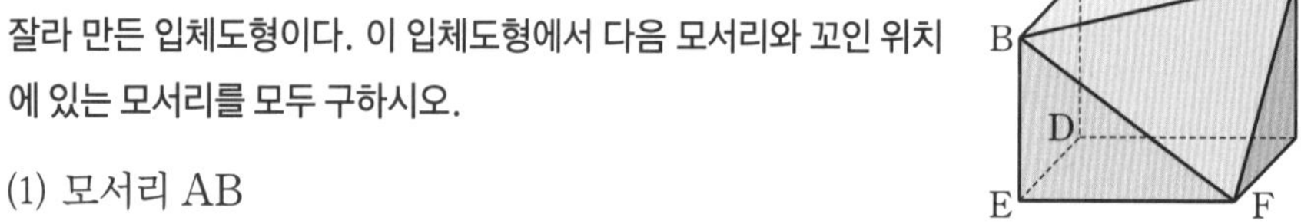

04 오른쪽 그림은 직육면체를 세 꼭짓점 B, F, C를 지나는 평면으로 잘라 만든 입체도형이다. 이 입체도형에서 다음 모서리와 꼬인 위치에 있는 모서리를 모두 구하시오.

(1) 모서리 AB

(2) 모서리 BF

(3) 모서리 CG

한 점에서 만나는 모서리와 평행한 모서리를 모두 지우면 꼬인 위치에 있는 모서리가 남는다.

05 오른쪽 그림과 같이 밑면이 정육각형인 각기둥에서 모서리 GH와 평행한 모서리의 개수를 a, 모서리 FL과 꼬인 위치에 있는 모서리의 개수를 b라 할 때, $a+b$의 값을 구하시오.

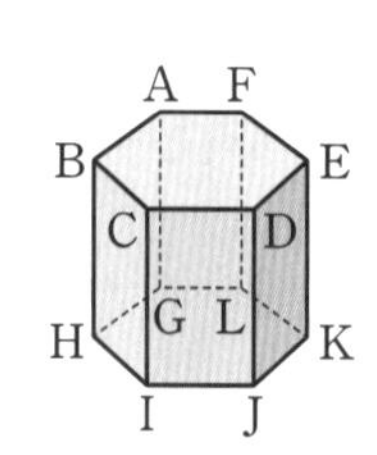

1. 직선과 평면의 위치 관계

(1) 공간에서 직선과 평면의 위치 관계

① 한 점에서 만난다.

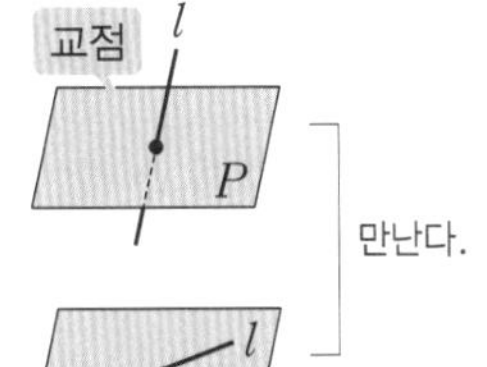

② 직선이 평면에 포함된다.

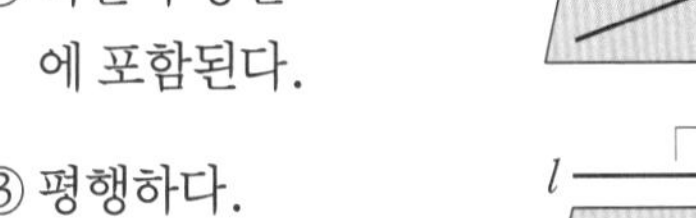

③ 평행하다. $(l \parallel P)$

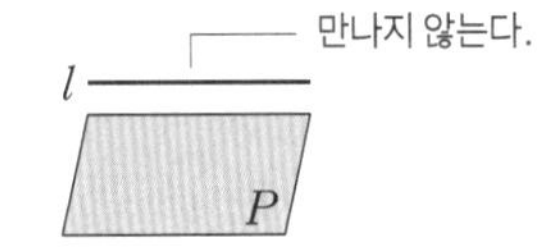

(2) 직선과 평면의 수직

직선 l이 평면 P와 한 점 O에서 만나고, 점 O를 지나는 평면 P 위의 모든 직선과 수직일 때, 직선 l과 평면 P는 수직이다 또는 직교한다고 한다. ➡ $l \perp P$

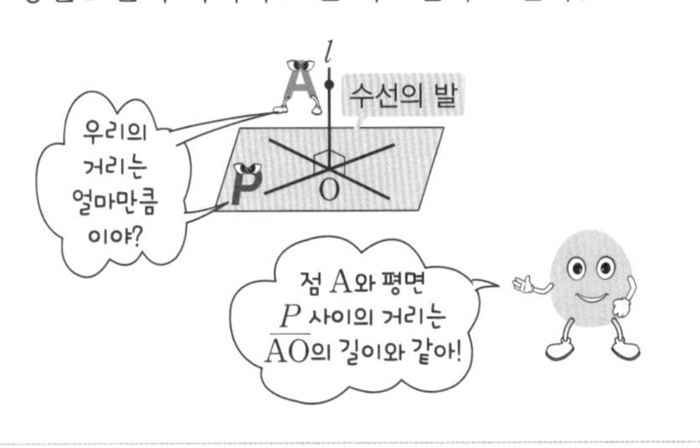

01 오른쪽 그림의 직육면체에서 다음을 모두 구하시오.

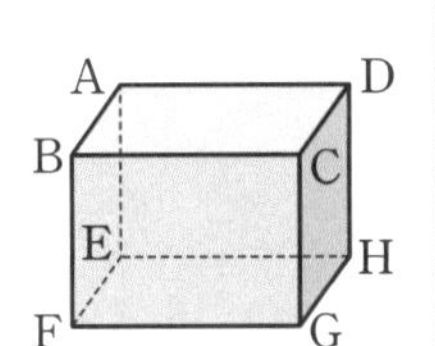

(1) 면 ABFE와 한 점에서 만나는 모서리

(2) 면 ABCD와 수직인 모서리

(3) 면 ABCD와 평행한 모서리

(4) 면 ABCD에 포함된 모서리

02 오른쪽 그림과 같이 밑면이 정오각형인 오각기둥에서 다음을 모두 구하시오.

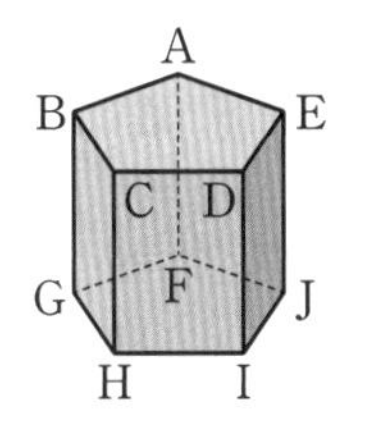

(1) 면 ABCDE와 평행한 모서리

(2) 면 FGHIJ와 수직인 모서리

(3) 점 E에서 면 FGHIJ에 내린 수선의 발

03 오른쪽 그림과 같이 밑면이 직각삼각형인 삼각기둥에서 다음을 모두 구하시오.

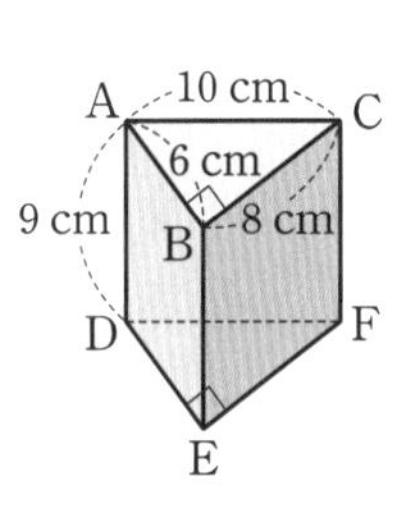

(1) 모서리 BC와 한 점에서 만나는 면

(2) 모서리 AC를 포함하는 면

(3) 면 BEFC에 포함된 모서리

(4) 면 ADEB와 수직인 모서리

(5) 점 C와 면 DEF 사이의 거리

(6) 점 C와 면 ADEB 사이의 거리

2. 공간에서 두 평면의 위치 관계 up+

(1) 공간에서 두 평면의 위치 관계

① 한 직선에서 만난다.

② 일치한다.

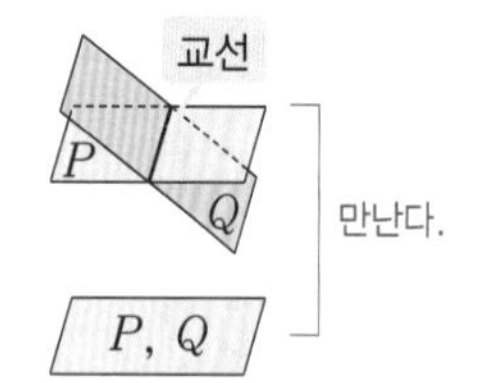

만나지 않는다.

③ 평행하다.
($P /\!/ Q$)

P

Q

(2) 평면과 평면의 수직

두 평면 P와 Q가 만나고, 평면 P가 평면 Q에 수직인 직선 l을 포함할 때, 두 평면은 수직이다 또는 직교한다고 한다. ➡ $P \perp Q$

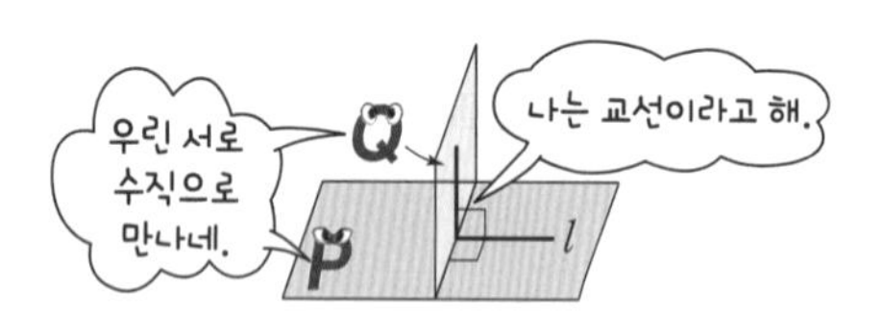

우린 서로
수직으로
만나네.
Q
P
나는 교선이라고 해.
l

04 오른쪽 그림의 직육면체에서 다음을 모두 구하시오.

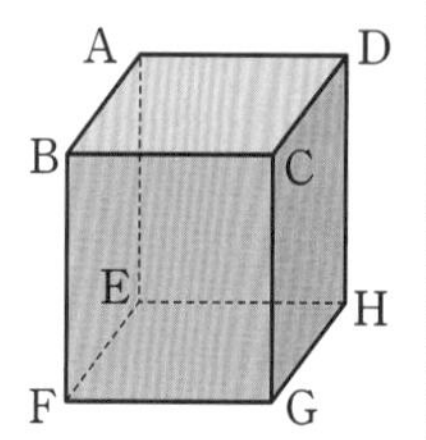

(1) 면 AEHD와 만나는 면

(2) 면 AEHD와 평행한 면

(3) 면 ABCD와 수직인 면

(4) 모서리 CG를 교선으로 하는 두 면

05 오른쪽 그림의 삼각기둥에서 다음을 모두 구하시오.

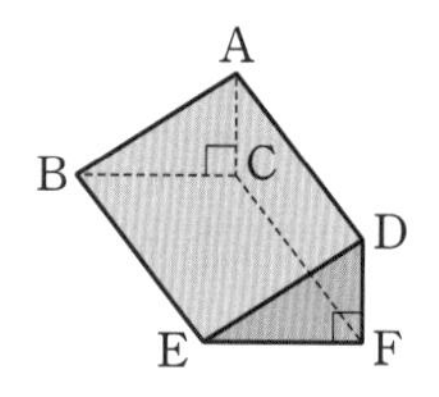

(1) 면 ABC와 평행한 면

(2) 면 DEF와 수직인 면

(3) 면 ACFD와 면 ABC의 교선

(4) 모서리 BE를 교선으로 하는 두 면

06 오른쪽 그림은 직육면체를 선분 PQ와 GH가 포함되는 평면으로 자르고 남은 입체도형이다. 다음을 구하시오

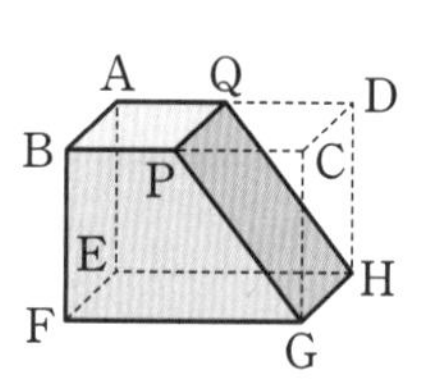

(1) 면 ABPQ와 면 BFGP의 교선의 개수

(2) 면 AEHQ와 만나지 않는 면의 개수

(3) 면 BFGP와 수직인 면의 개수

(4) 면 ABPQ와 수직인 면의 개수

정답과 해설 _ p.6

01 오른쪽 그림과 같은 직육면체에 대한 설명으로 옳은 것을 모두 고르면? (정답 2개)

① $\overline{AD}$와 평행한 면은 3개이다.

② $\overline{AE}$를 포함하는 면은 2개이다.

③ 면 BFGC와 $\overline{EH}$는 수직이다.

④ $\overline{FG}$와 한 점에서 만나는 면은 2개이다.

⑤ 면 ABCD와 면 BFGC는 한 점에서 만난다.

02 오른쪽 그림은 정육면체를 잘라 만든 입체도형이다. 모서리 BF와 만나지 않는 면의 개수를 a, 면 ABC와 평행한 모서리의 개수를 b라 할 때, $a+b$의 값을 구하시오.

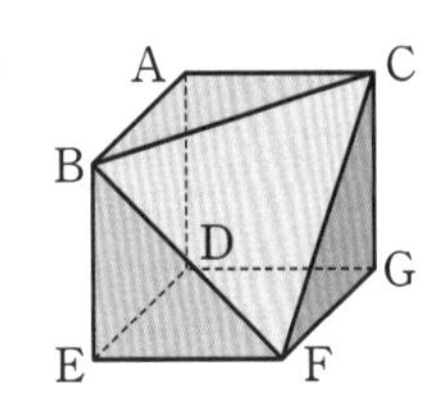

03 오른쪽 그림과 같이 밑면이 정육각형인 육각기둥에서 서로 평행한 두 면은 모두 몇 쌍인지 구하시오.

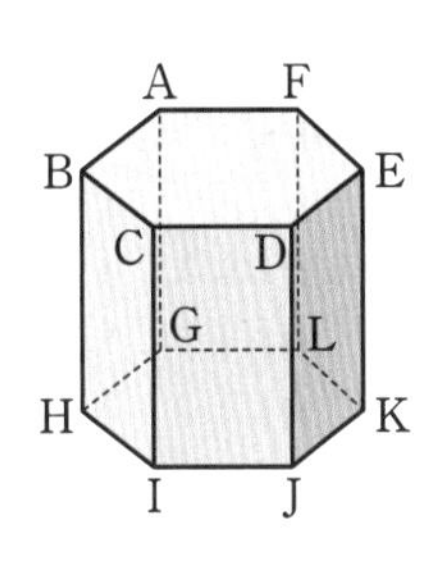

두 면을 확장하여 만나지 않으면 두 면은 평행하다.

공간에서 서로 다른 세 직선 l, m, n과 서로 다른 두 평면 P, Q에 대하여 보기에서 옳은 것을 고르시오.

보기
ㄱ. $l \parallel m$, $l \parallel P$이면 $m \parallel P$이다.
ㄴ. $l \parallel P$, $l \parallel Q$이면 $P \parallel Q$이다.
ㄷ. $l \parallel m$, $l \perp n$이면 $m \parallel n$이다.
ㄹ. $l \perp P$, $P \parallel Q$이면 $l \perp Q$이다.

직육면체에서 서로 다른 모서리와 면으로 예를 들어 생각해 본다.

6강 ••• 동위각과 엇각

정답과 해설 _ p.6

1. 동위각과 엇각

한 평면 위에서 서로 다른 두 직선이 한 직선과 만나서 생기는 각 중에서

(1) 동위각: 서로 같은 위치에 있는 두 각
➡ $\angle a$와 $\angle e$, $\angle b$와 $\angle f$, $\angle c$와 $\angle g$, $\angle d$와 $\angle h$

(2) 엇각: 서로 엇갈린 위치에 있는 두 각
➡ $\angle b$와 $\angle h$, $\angle c$와 $\angle e$

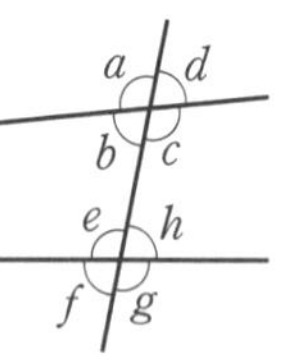

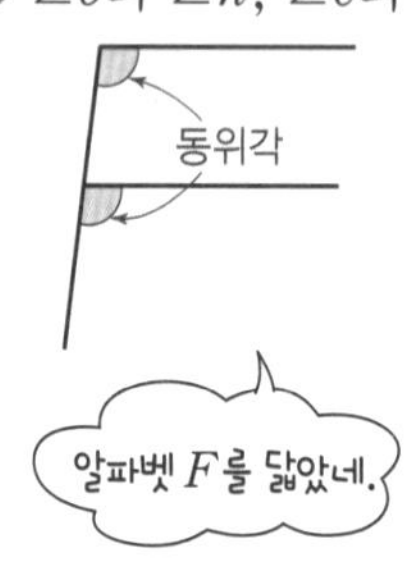

동위각
알파벳 F를 닮았네.

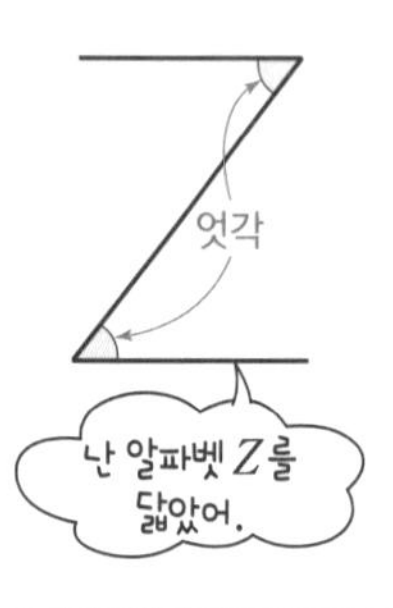

엇각
난 알파벳 Z를 닮았어.

01 오른쪽 그림과 같이 세 직선이 만나서 생기는 각에 대하여 다음 설명 중 옳은 것에는 ○표, 옳지 않은 것에는 ×표를 하시오.

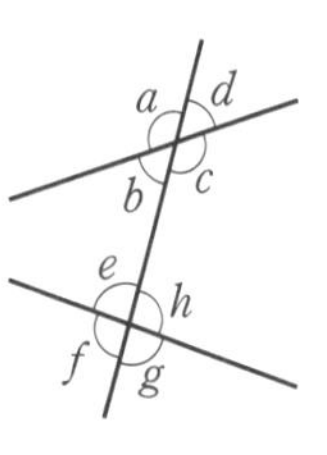

(1) $\angle a$와 $\angle e$는 동위각이다. (　　)

(2) $\angle a$의 엇각은 $\angle g$이다. (　　)

(3) $\angle c$와 $\angle e$는 엇각이다. (　　)

02 오른쪽 그림과 같이 세 직선이 만날 때, 다음을 구하시오.

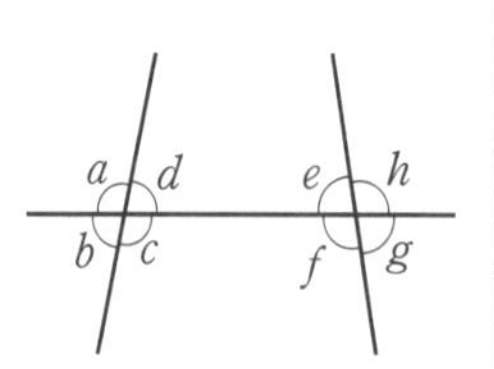

(1) $\angle a$의 동위각

(2) $\angle d$의 동위각

(3) $\angle d$의 엇각

(4) $\angle e$의 엇각

03 오른쪽 그림과 같이 세 직선이 만날 때, 다음 각의 크기를 구하시오.

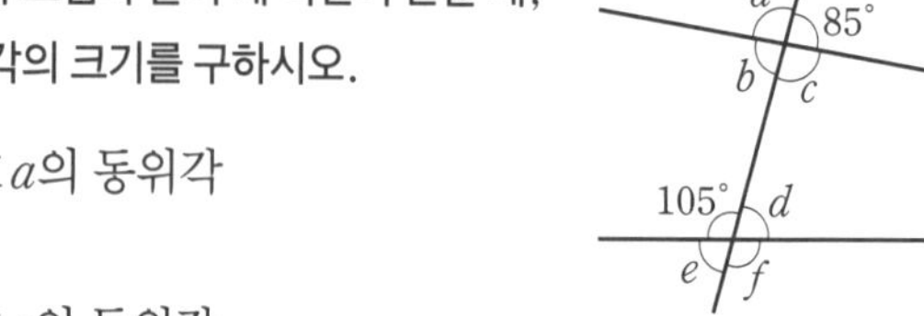

(1) $\angle a$의 동위각

(2) $\angle e$의 동위각

(3) $\angle c$의 엇각

2. 평행선의 성질

서로 다른 두 직선 l, m이 다른 한 직선 n과 만날 때

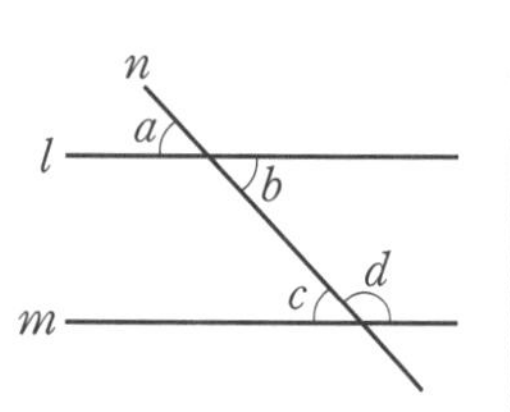

(1) 두 직선이 평행하면 동위각의 크기는 서로 같다.
➡ $l /\!/ m$이면 $\angle a=\angle c$이다.

(2) 두 직선이 평행하면 엇각의 크기는 서로 같다.
➡ $l /\!/ m$이면 $\angle b=\angle c$이다.

참고 $l /\!/ m$이면 $\angle b+\angle d=180°$이다.

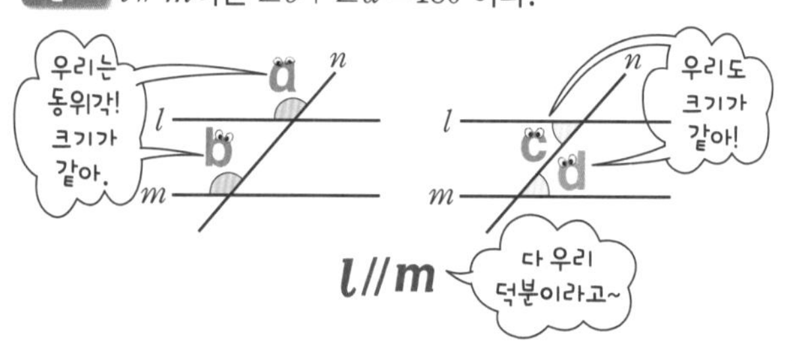

우리는 동위각! 크기가 같아.
우리도 크기가 같아!
l//m
다 우리 덕분이라고~

04 다음 그림에서 $l /\!/ m$일 때, $\angle x$의 크기를 구하시오.

(1)

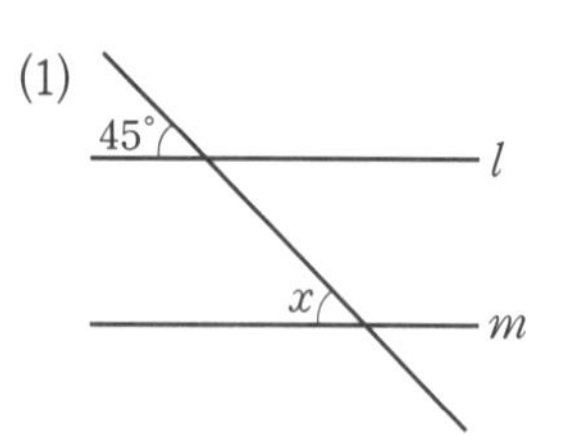

(2)

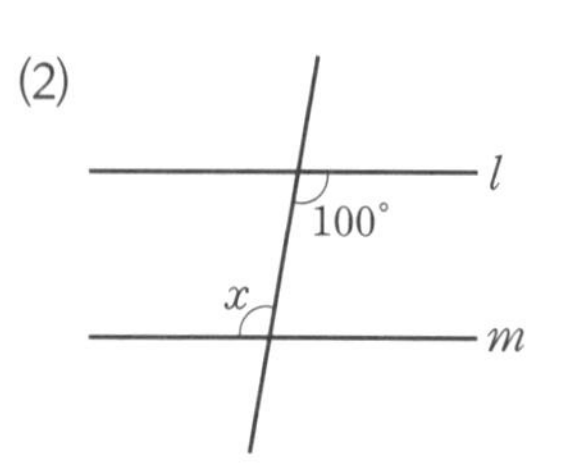

05 다음 그림에서 $l /\!/ m$일 때, $\angle x$의 크기를 구하시오.

(1)

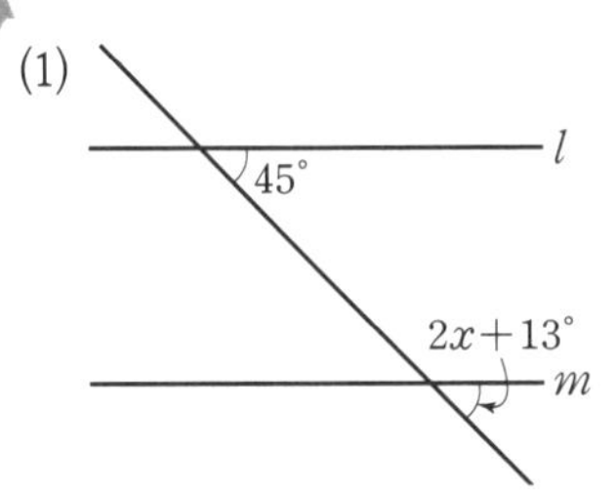

(2)

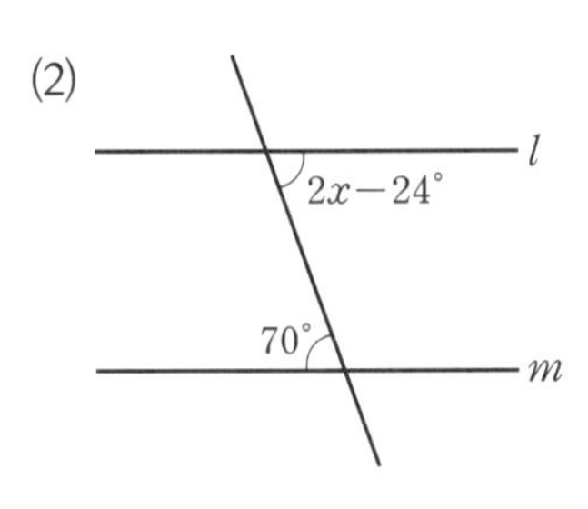

06 다음 그림에서 $l /\!/ m$일 때, $\angle x$, $\angle y$의 크기를 각각 구하시오.

(1)

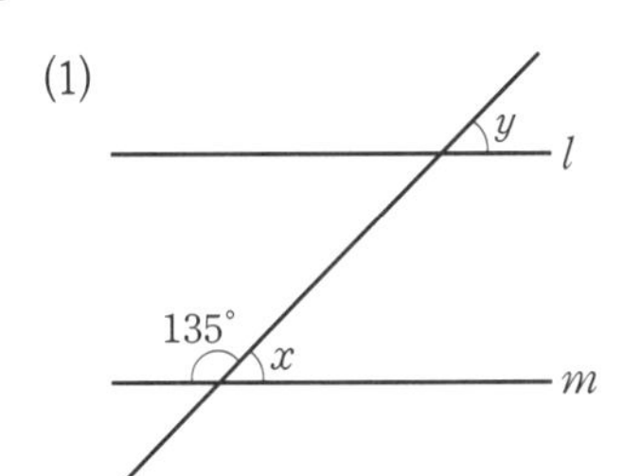

(2)

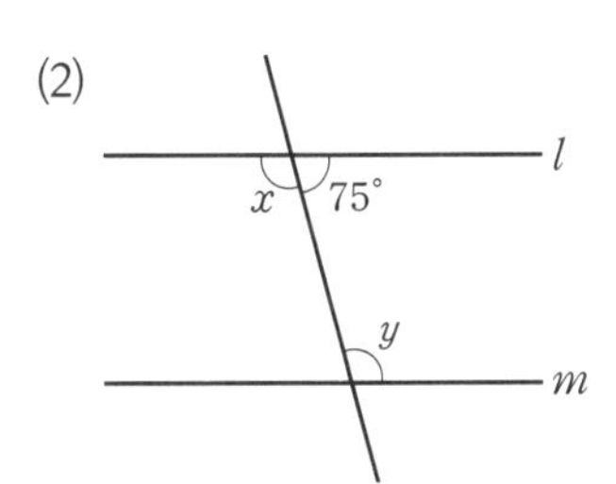

(3)

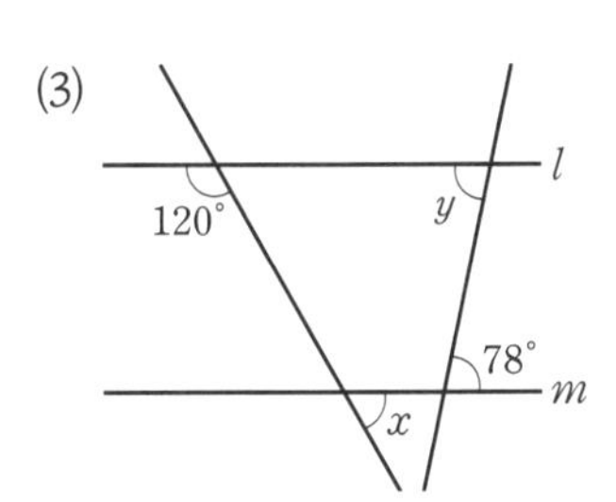

(4)

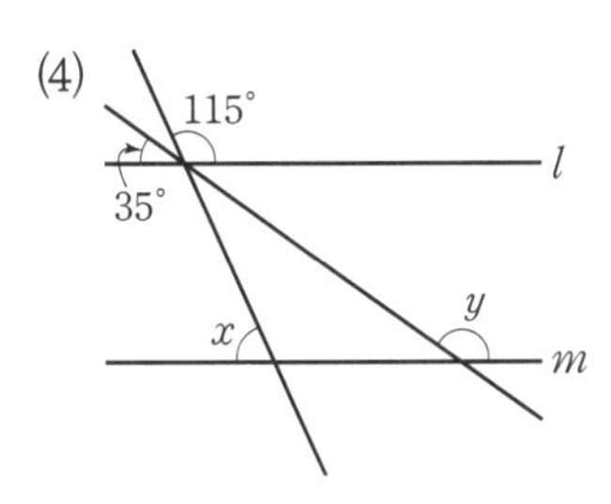

3. 꺾인 선에서의 평행선의 성질 up+

평행선 사이에 꺾인 선이 있는 경우에 각의 크기 구하기

❶ 꺾인 점을 지나면서 평행선에 평행한 직선 긋기

❷ 동위각과 엇각의 크기는 각각 같음을 이용하기

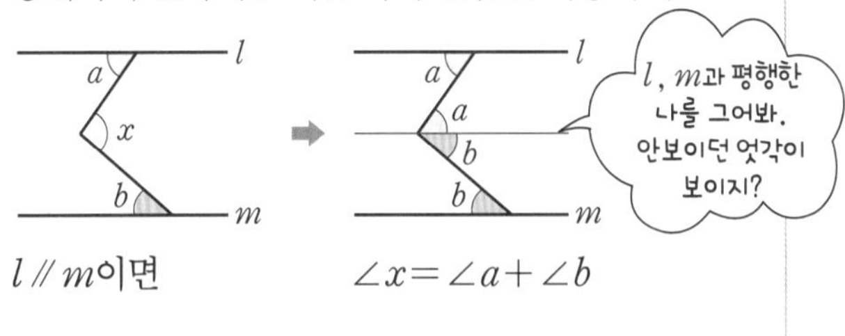

$l /\!/ m$이면 $\angle x = \angle a + \angle b$

07 다음 그림에서 $l /\!/ m$일 때, $\angle x$의 크기를 구하시오.

(1)

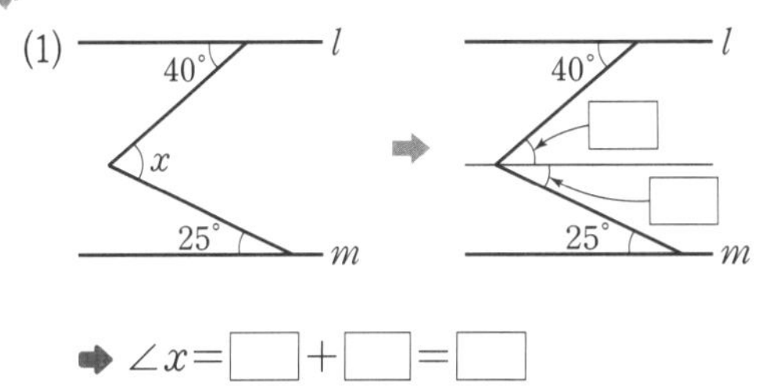

➡ $\angle x =$ ☐ $+$ ☐ $=$ ☐

(2)

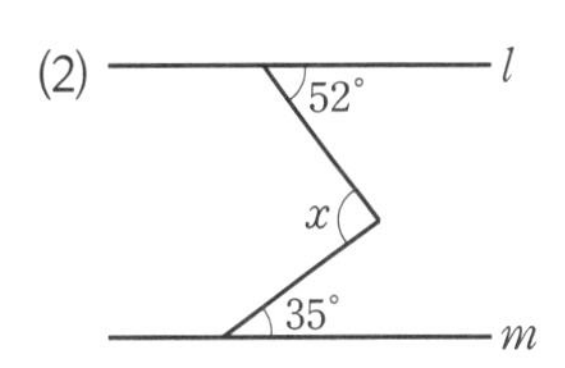

(3)

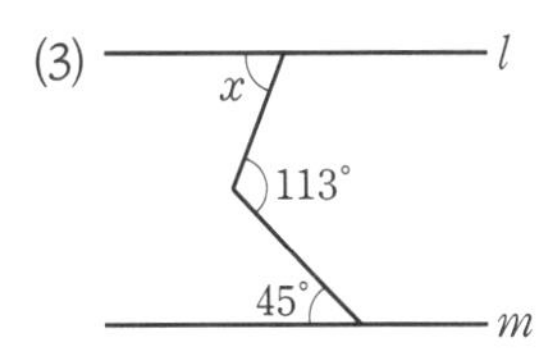

(4)

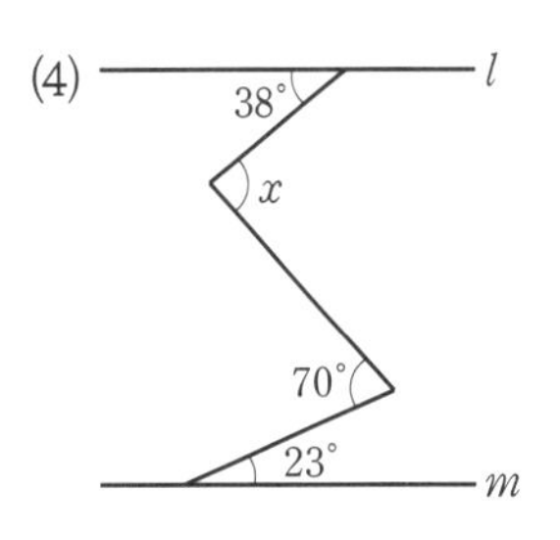

4. 평행선과 종이 접기 up+

직사각형 모양의 종이를 접었을 때, 다음과 같은 성질을 이용하여 각의 크기를 구한다.

(1) 접은 각의 크기는 같다. ➡ $\angle\mathrm{FEG}=\angle\mathrm{GED}$

(2) 엇각의 크기는 같다. ➡ $\angle\mathrm{GED}=\angle\mathrm{EGF}$

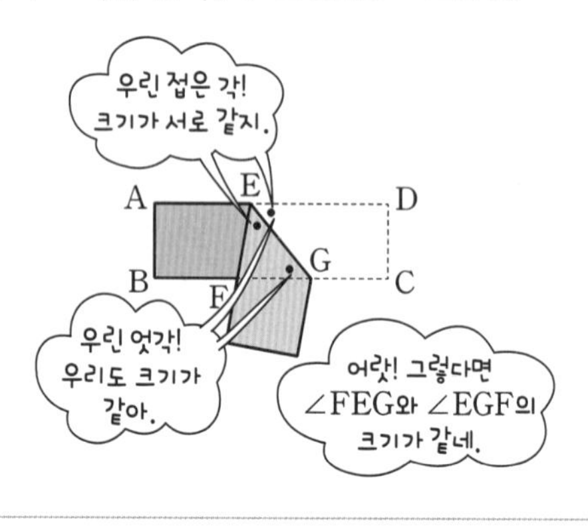

5. 두 직선이 평행할 조건

서로 다른 두 직선이 다른 한 직선과 만날 때

(1) 동위각의 크기가 같으면 두 직선은 평행하다.

(2) 엇각의 크기가 같으면 두 직선은 평행하다.

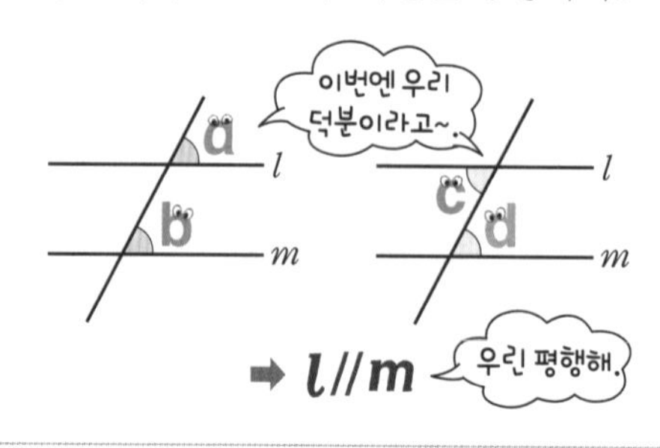

08 다음 그림과 같이 직사각형 모양의 종이를 접었을 때, $\angle x$의 크기를 구하시오.

(1)

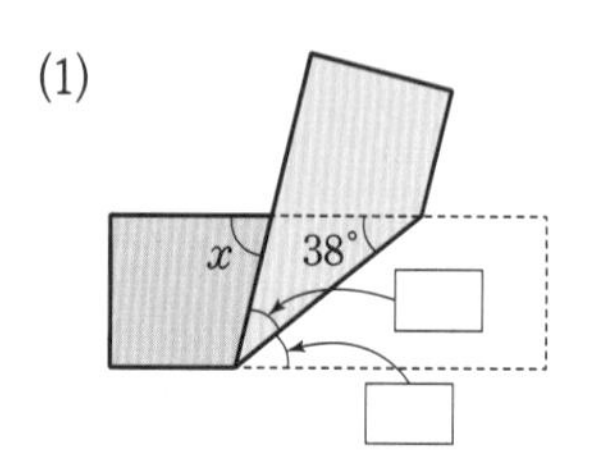

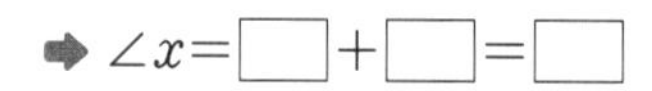

(2)

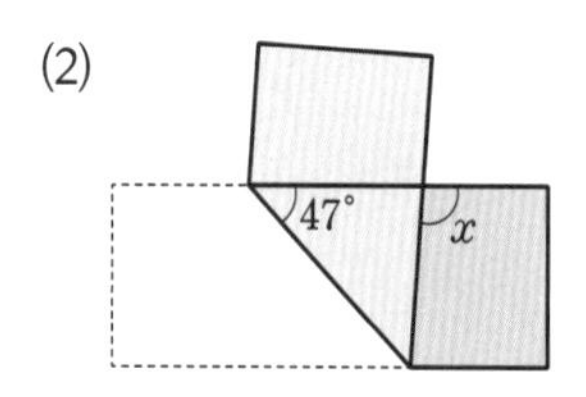

(3)

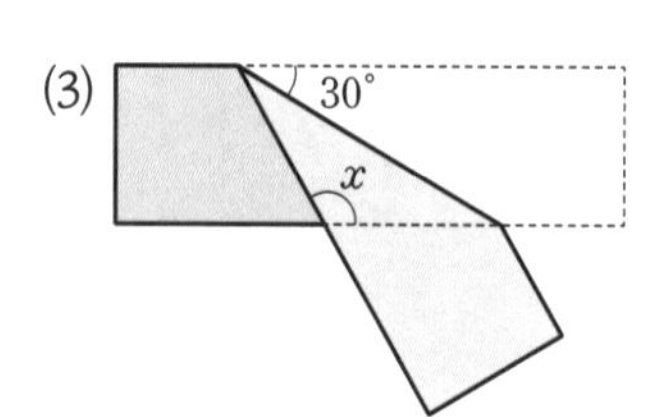

(4)

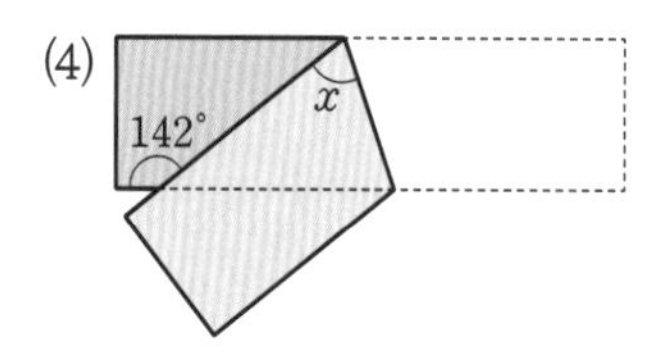

09 다음 그림에서 평행한 두 직선을 찾아 기호로 나타내시오.

(1)

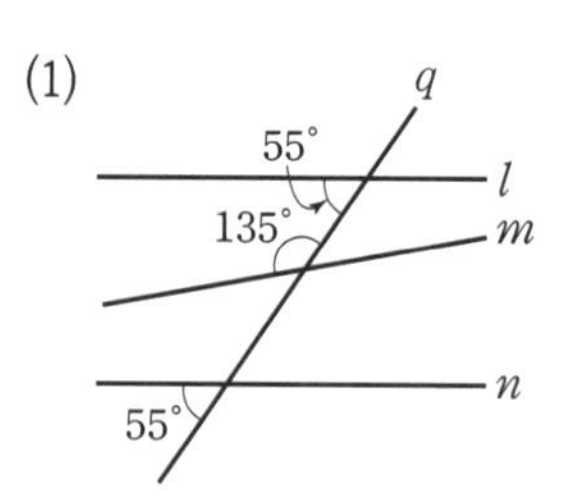

(2)

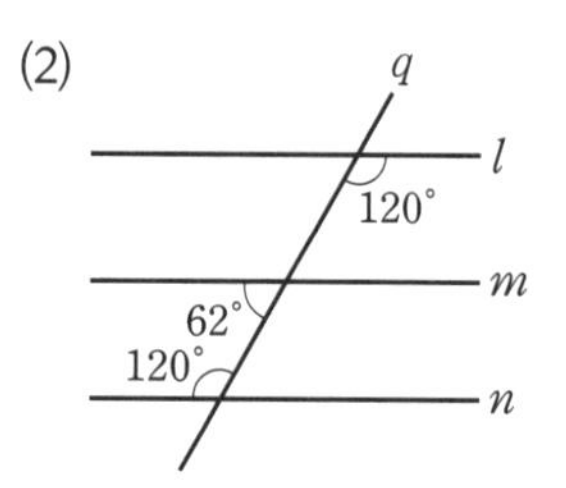

(3)

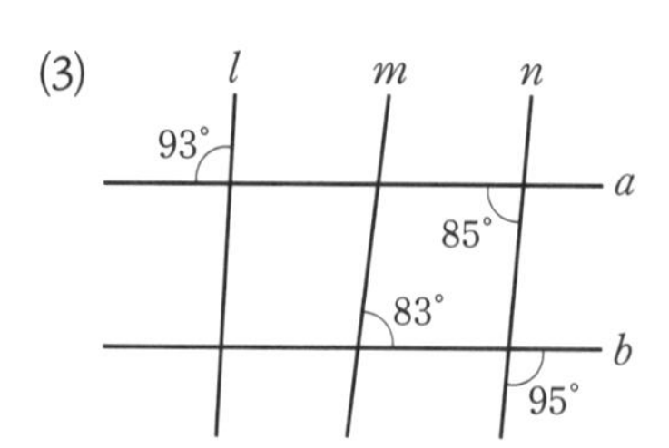

(4)

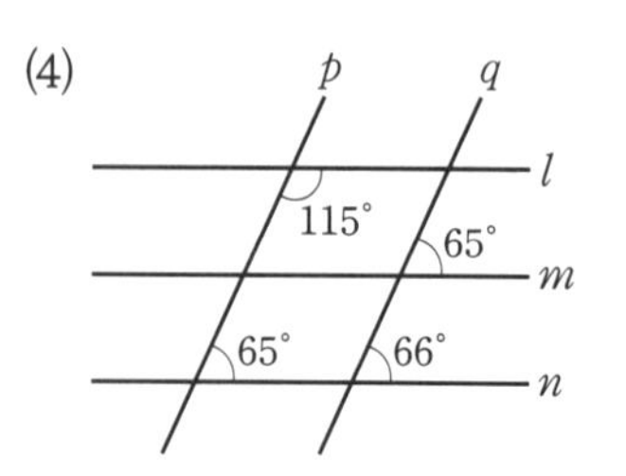

01 오른쪽 그림과 같이 세 직선이 만날 때, 다음 중 옳은 것을 모두 고르면? (정답 2개)

① $\angle a$와 $\angle f$는 동위각이다.
② $\angle b$와 $\angle d$는 엇각이다.
③ $\angle c$의 동위각의 크기는 $80°$이다.
④ $\angle d$의 엇각의 크기는 $63°$이다.
⑤ $\angle a$의 동위각의 크기는 $80°$이다.

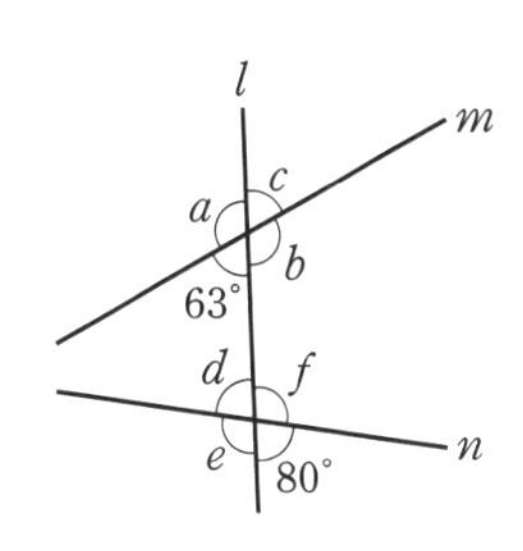

교각 중에서 동위각은 서로 같은 위치에 있는 각이고, 엇각은 서로 엇갈린 위치에 있는 각이다.

02 오른쪽 그림에서 $l \mathbin{/\!/} m$일 때, $\angle x + \angle y$의 크기를 구하시오.

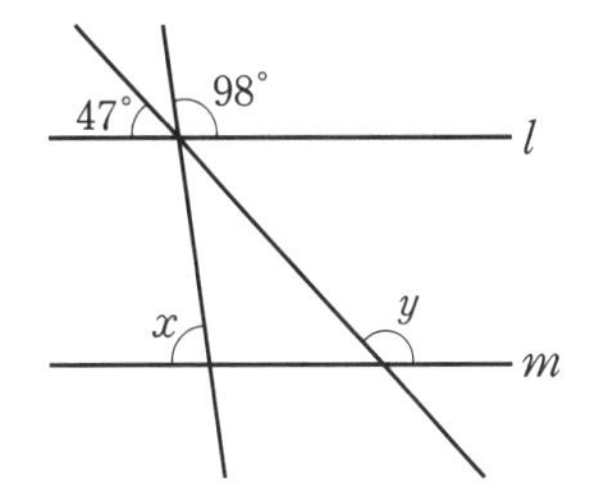

03 오른쪽 그림에서 $l \mathbin{/\!/} m$일 때, $\angle x$의 크기를 구하시오.

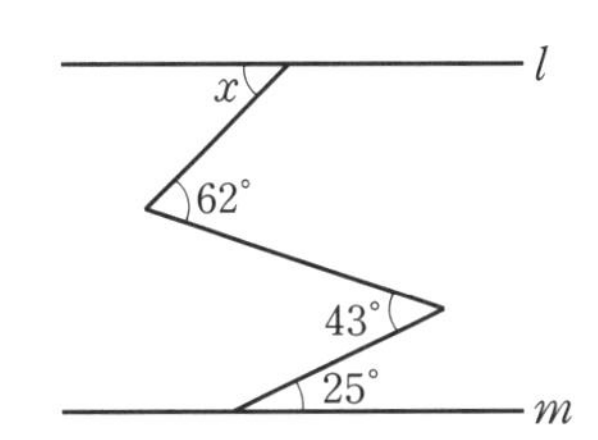

꺾인 점을 지나면서 평행선에 평행한 직선을 모두 그어 본다.

04 오른쪽 그림과 같이 직사각형 모양의 종이를 접었을 때, $\angle x$의 크기를 구하시오.

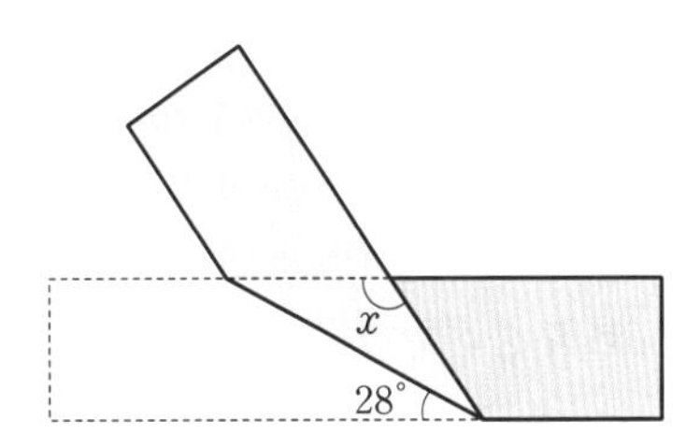

직사각형 모양의 종이에서 마주 보는 두 변은 평행하고, 접힌 각의 크기는 같다.

05 오른쪽 그림을 보고 옳은 것을 모두 고르면? (정답 2개)

① $l \mathbin{/\!/} m$ ② $l \mathbin{/\!/} n$ ③ $m \mathbin{/\!/} n$
④ $p \mathbin{/\!/} q$ ⑤ $l \mathbin{/\!/} q$

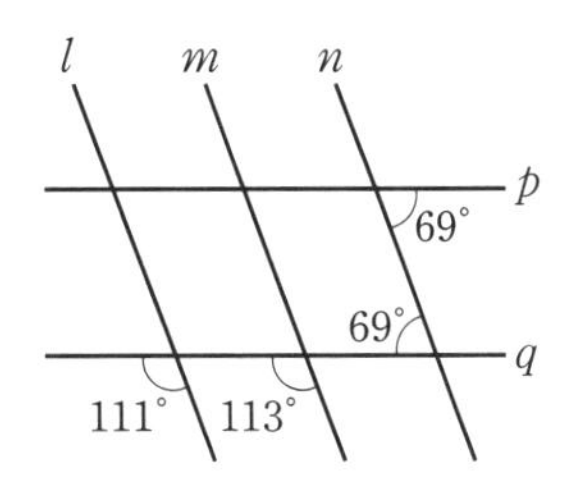

동위각이나 엇각의 크기가 같은 두 직선은 평행하다.

7강 중단원 연산 마무리

01 아래 그림과 같이 직선 l 위에 네 점 A, B, C, D가 있을 때, 다음 기호와 같은 것을 보기에서 모두 찾으시오.

보기

$\overrightarrow{AC}$, $\overline{BC}$, $\overrightarrow{BC}$, $\overrightarrow{BA}$, $\overline{BA}$, $\overleftrightarrow{BA}$, $\overrightarrow{AD}$, $\overleftrightarrow{DC}$

(1) $\overline{AB}$

(2) $\overleftrightarrow{AC}$

(3) $\overrightarrow{AB}$

02 다음을 구하시오.

(1) 점 M은 $\overline{AB}$의 중점일 때, $\overline{AM}$의 길이

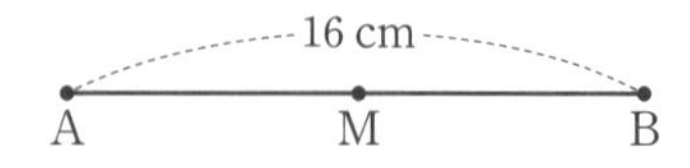

(2) 두 점 M, N은 각각 $\overline{AB}$를 삼등분하는 점일 때, $\overline{AB}$의 길이

(3) 두 점 M, N은 각각 $\overline{AB}$, $\overline{MB}$의 중점일 때, $\overline{MN}$의 길이

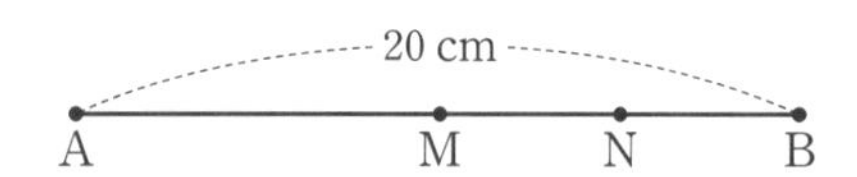

(4) $\overline{AB}=2\overline{BC}$이고, 두 점 M, N은 각각 $\overline{AB}$, $\overline{BC}$의 중점일 때, $\overline{AB}$의 길이

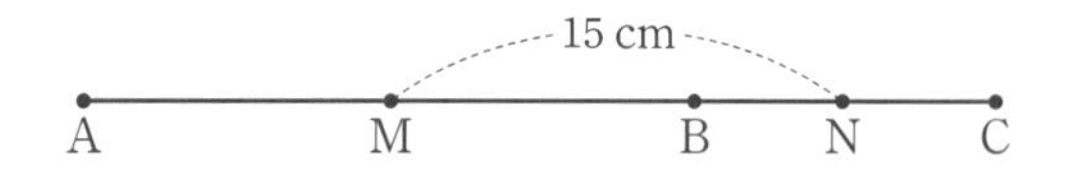

03 다음 그림에서 $\angle x$의 크기를 구하시오.

(1)

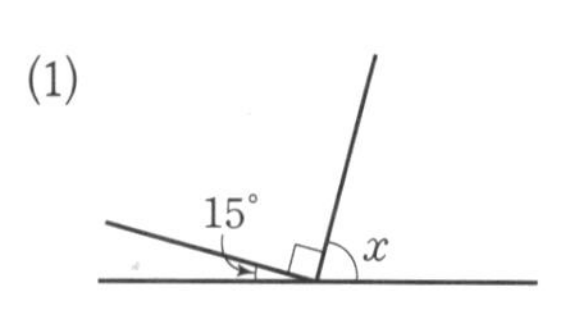

(2)

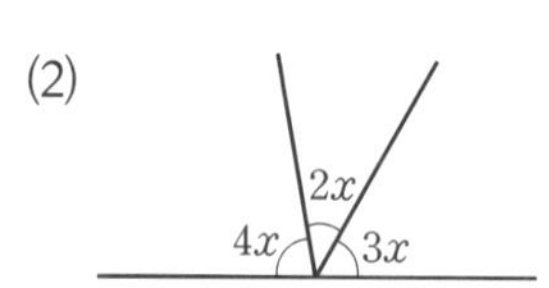

(3)

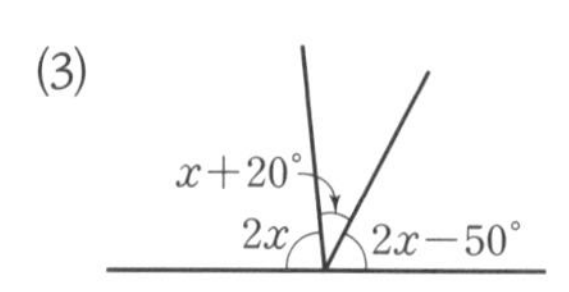

04 다음 그림에서 $\angle x+\angle y$의 크기를 구하시오.

(1)

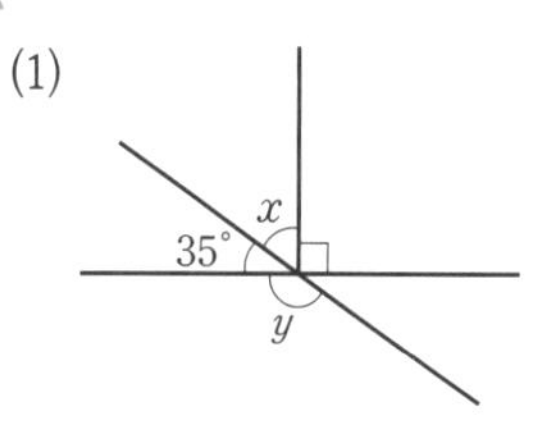

(2)

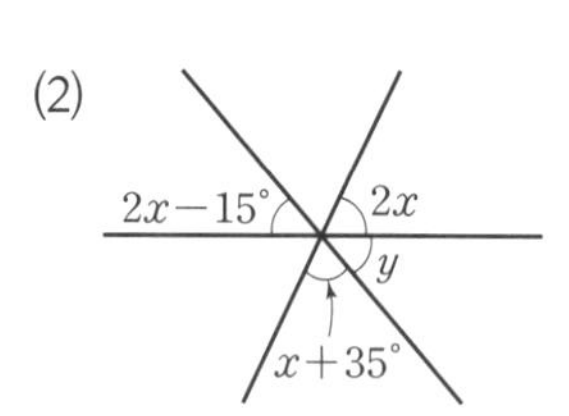

(3)

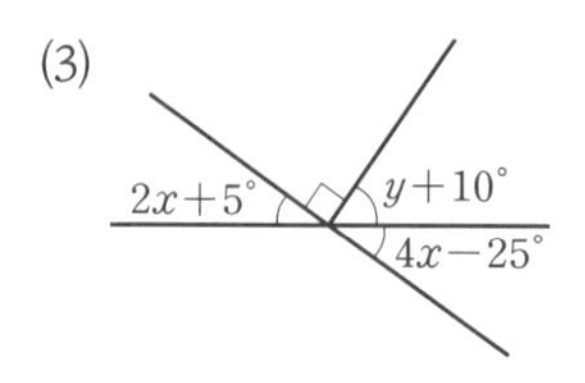

05 오른쪽 그림과 같은 사다리꼴 ABCD에 대하여 다음 설명 중 옳은 것에는 ○표, 옳지 않은 것에는 ×표를 하시오.

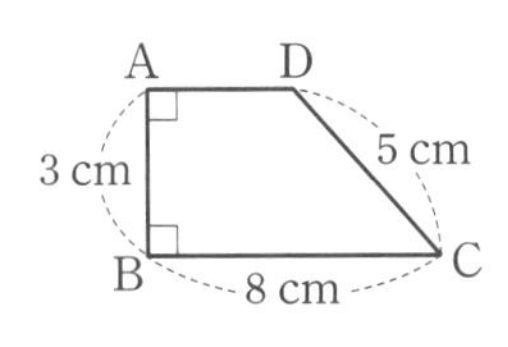

(1) $\overline{BC}$의 수선은 $\overline{AB}$이다. ( )

(2) 점 D에서 $\overline{AB}$에 내린 수선의 발은 B이다. ( )

(3) 점 A와 $\overline{BC}$ 사이의 거리는 3 cm이다. ( )

(4) 점 C와 $\overline{AD}$ 사이의 거리는 5 cm이다. ( )

06 오른쪽 그림과 같은 사다리꼴 ABCD에서 다음 설명 중 옳은 것에는 ○표, 옳지 않은 것에는 ×표를 하시오.

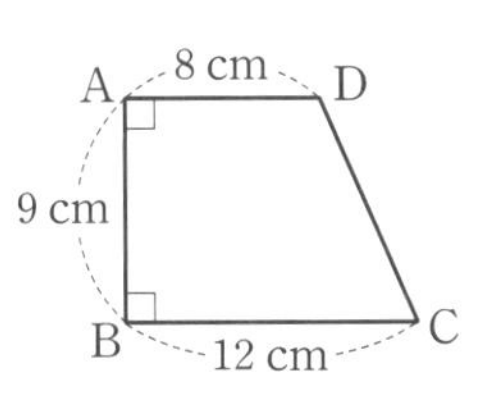

(1) $\overline{AD}\perp\overline{BC}$ ( )

(2) $\overline{BC}\perp\overline{DC}$ ( )

(3) 점 A에서 $\overline{BC}$에 내린 수선의 발은 점 B이다. ( )

(4) 점 A와 $\overline{BC}$ 사이의 거리는 8 cm이다. ( )

(5) 점 C와 $\overline{AB}$ 사이의 거리는 12 cm이다. ( )

07 오른쪽 그림에서 다음을 구하시오.

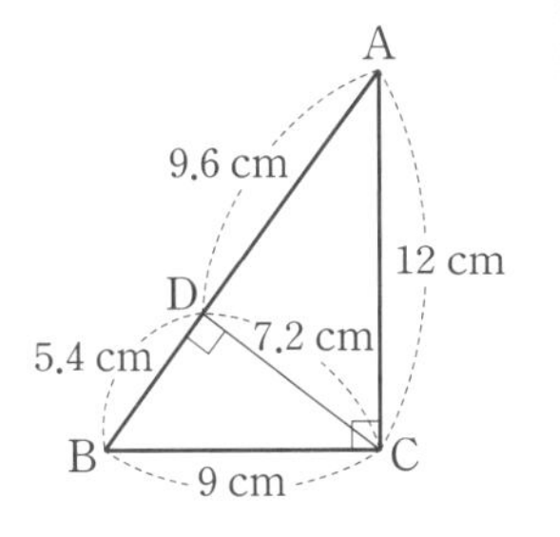

(1) 점 C에서 $\overline{AB}$에 내린 수선의 발

(2) 점 C와 $\overline{AB}$ 사이의 거리

(3) 점 A와 $\overline{BC}$ 사이의 거리

08 오른쪽 그림에서 다음을 구하시오.

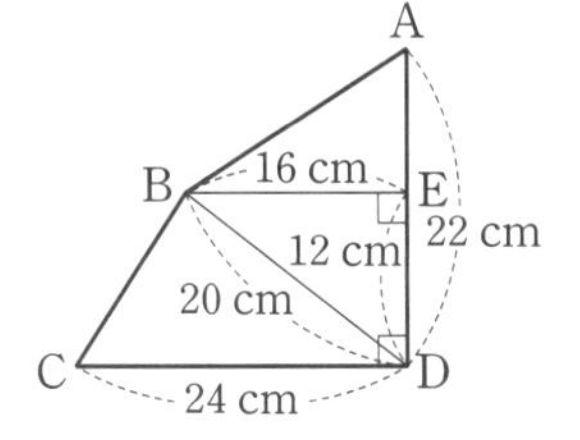

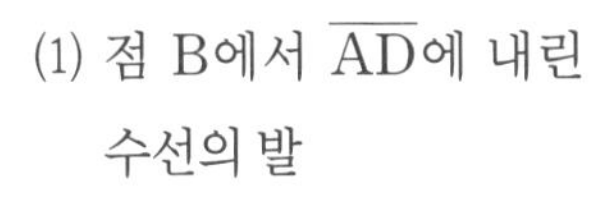

(1) 점 B에서 $\overline{AD}$에 내린 수선의 발

(2) 점 D와 $\overline{BE}$ 사이의 거리

(3) 점 B와 $\overline{CD}$ 사이의 거리

09 오른쪽 그림과 같은 평행사변형 ABCD에 대하여 물음에 답하시오.

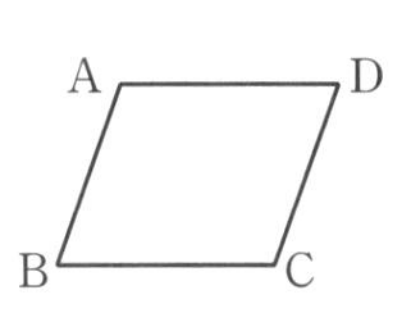

(1) 변 AB와 한 점에서 만나는 변을 모두 구하시오.

(2) $\overline{AD}$와 평행한 선분을 찾아 기호 $/\!/$를 사용하여 나타내시오.

10 오른쪽 그림과 같은 사다리꼴 ABCD에 대하여 물음에 답하시오.

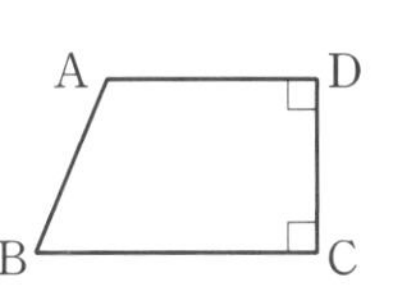

(1) 변 AB와 한 점에서 만나는 변을 모두 구하시오.

(2) 변 CD와 한 점에서 만나는 변을 모두 구하시오.

(3) 서로 평행한 두 선분을 찾아 기호 $/\!/$를 사용하여 나타내시오.

11 공간에 있는 서로 다른 세 직선 l, m, n과 서로 다른 세 평면 P, Q, R의 위치 관계에 대한 설명 중 옳은 것에는 ○표, 옳지 않은 것에는 ×표를 하시오.

(1) $P\perp l$, $P\perp m$이면 $l/\!/m$이다. ( )

(2) $P/\!/l$, $P/\!/m$이면 $l/\!/m$이다. ( )

(3) $l\perp m$, $m\perp n$이면 $l/\!/n$이다. ( )

(4) $P\perp l$, $l/\!/m$이면 $P\perp m$이다. ( )

(5) $P\perp l$, $P/\!/Q$이면 $Q/\!/l$이다. ( )

정답과 해설 _ p.8

12 다음 그림에서 $l \parallel m$일 때, $\angle x$의 크기를 구하시오.

(1)

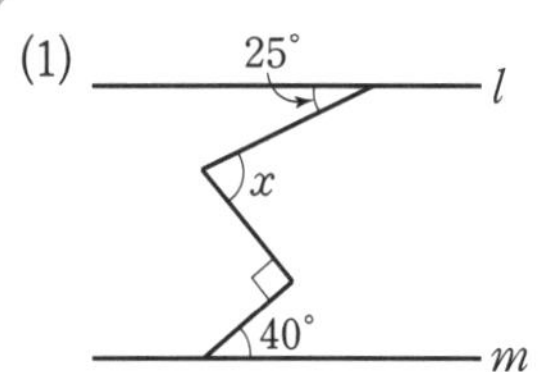

(2)

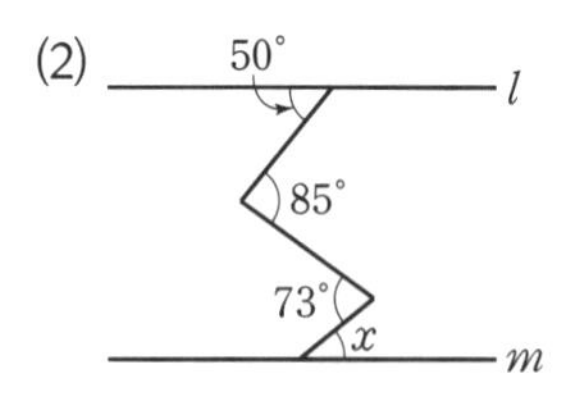

(3)

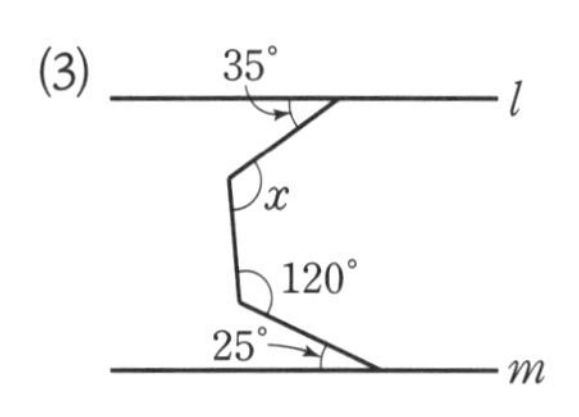

13 다음 그림과 같이 직사각형 모양의 종이를 접었을 때, $\angle x$의 크기를 구하시오.

(1)

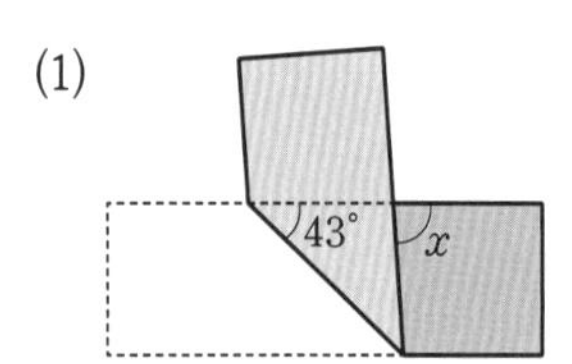

(2)

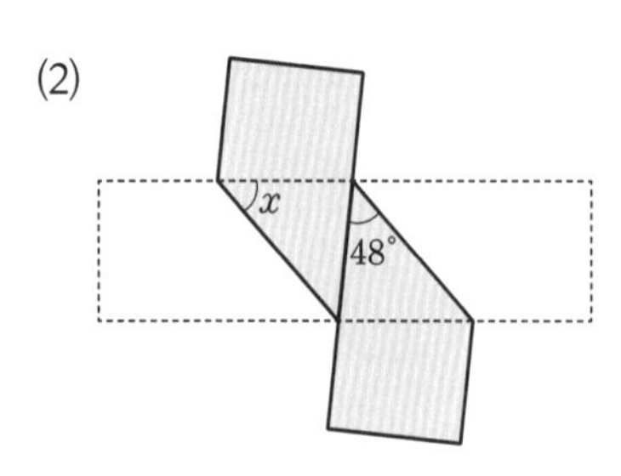

14 오른쪽 그림과 같은 입체도형에서 교점의 개수를 a, 교선의 개수를 b, 면의 개수를 c라고 할 때, $a+b+c$의 값을 구하시오.

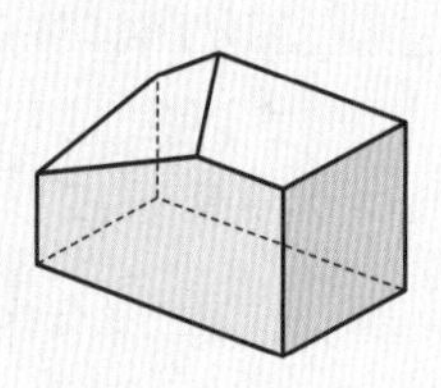

15 다음 그림에서 $\overline{AB}=36$ cm이고 $\overline{AB}=3\overline{AC}$, $\overline{DC}=\frac{3}{4}\overline{AC}$, $8\overline{CE}=\overline{CB}$일 때, $\overline{DE}$의 길이를 구하시오.

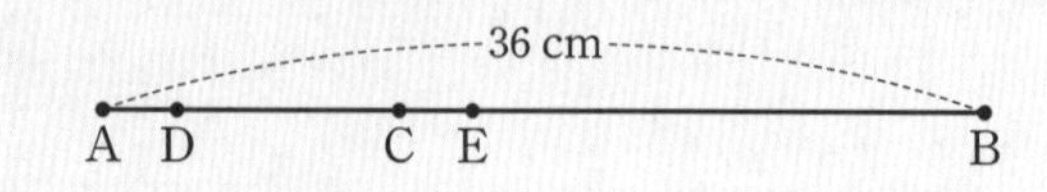

16 아래 그림과 같은 전개도로 삼각기둥을 만들었을 때, 다음을 구하시오.

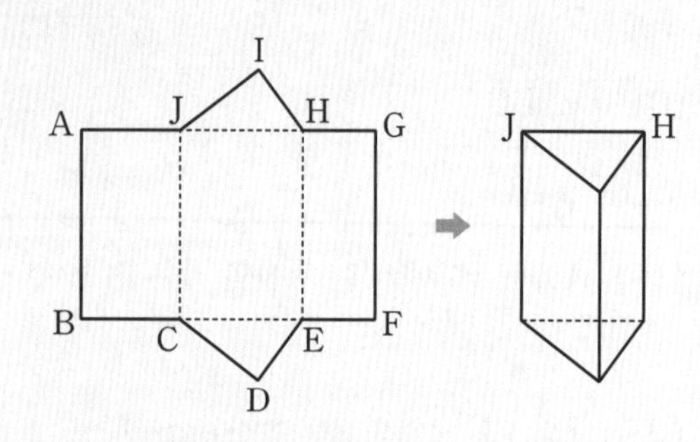

(1) 모서리 HE와 꼬인 위치에 있는 모서리의 개수

(2) 면 HEFG와 평행한 모서리

(3) 모서리 CD와 평행한 면

17 오른쪽 그림에서 $l \parallel m$이고 $\angle BAC=\frac{2}{3}\angle BAD$, $\angle ABC=\frac{2}{3}\angle ABE$일 때, $\angle ACB$의 크기를 구하시오.

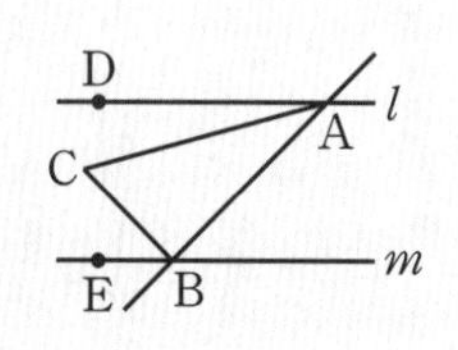

8강 ••• 간단한 작도

정답과 해설 _ p.9

1. 길이가 같은 선분의 작도

(1) 작도: 눈금 없는 자와 컴퍼스만을 사용하여 도형을 그리는 것

① 눈금 없는 자: 두 점을 연결하여 선분을 그리거나 선분을 연장할 때 사용한다.

② 컴퍼스: 원을 그리거나 주어진 선분의 길이를 재어서 옮길 때 사용한다.

(2) 길이가 같은 선분의 작도

$\overline{AB}$와 길이가 같은 선분 $\overline{PQ}$의 작도

컴퍼스로 AB의 길이를 재어 똑같이 옮겨!

❶ 눈금 없는 자를 사용하여 직선 l을 긋고, 그 위에 한 점 P를 잡는다.

❷ 컴퍼스를 사용하여 $\overline{AB}$의 길이를 잰다.

❸ 점 P를 중심으로 하고 반지름의 길이가 $\overline{AB}$인 원을 그려 직선 l과 만나는 점을 Q라 하면 $\overline{AB}$와 길이가 같은 $\overline{PQ}$가 작도된다.

01 작도에 대한 설명으로 옳은 것에는 ○표, 옳지 않은 것에는 ×표를 하시오.

(1) 눈금 있는 자와 컴퍼스만을 이용하여 도형을 그리는 것을 작도라고 한다. (　　)

(2) 선분을 연장할 때는 눈금 없는 자를 사용한다. (　　)

(3) 선분의 길이를 재어 다른 직선으로 옮길 때에는 자를 사용할 수 있다. (　　)

02 다음 그림의 선분 AB와 길이가 같은 선분 PQ를 작도하시오.

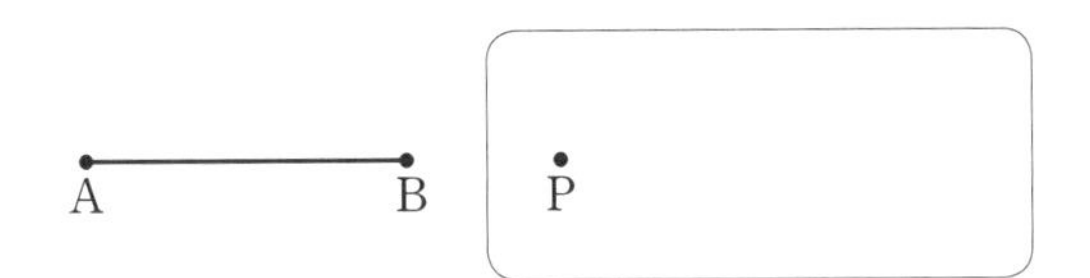

03 다음은 $\overline{CD}=2\overline{AB}$인 $\overline{CD}$를 작도하는 과정이다. □ 안에 알맞은 것을 써넣으시오.

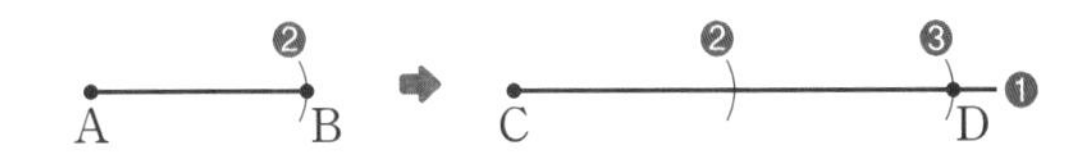

❶ 눈금 없는 자로 직선을 긋고 그 위에 점 C를 잡는다.

❷ □를 사용하여 $\overline{AB}$의 길이를 재어 점 C를 중심으로 반지름의 길이가 □인 원을 그려 직선에 표시한다.

❸ ❷에서 표시한 점을 중심으로 반지름의 길이가 $\overline{AB}$인 원을 그려 직선과 만나는 점들 중 점 C가 아닌 점을 점 □라 하면 $\overline{CD}$가 작도된다.

04 주어진 $\overline{AB}$를 점 B의 방향으로 연장하여 길이가 $\overline{AB}$의 2배인 $\overline{AC}$를 작도하시오.

A ——— B

05 직선 l 위에 $\overline{AB}$의 길이의 2배인 $\overline{CD}$를 작도한 것을 보고 옳은 것에는 ○표, 옳지 않은 것에는 ×표를 하시오.

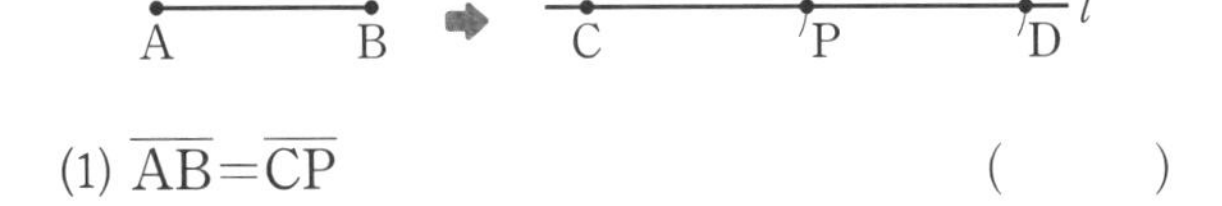

(1) $\overline{AB}=\overline{CP}$ (　　)

(2) $\overline{CP}=\overline{PD}$ (　　)

(3) $\overline{CD}=2\overline{PD}$ (　　)

(4) $\overline{AB}$의 길이를 잴 때 눈금 있는 자를 이용한다. (　　)

2. 크기가 같은 각의 작도 up+

$\angle XOY$와 크기가 같고 $\overrightarrow{PQ}$를 한 변으로 하는 각을 작도하는 방법

각의 크기도 컴퍼스로 재는구나.

❶ 점 O를 중심으로 하는 원을 그려 $\overrightarrow{OX}$, $\overrightarrow{OY}$와 만나는 점을 각각 A, B라 한다.

❷ 점 P를 중심으로 하고 반지름의 길이가 $\overline{OA}$인 원을 그려 $\overrightarrow{PQ}$와 만나는 점을 C라 한다.

❸ 컴퍼스를 사용하여 $\overline{AB}$의 길이를 잰다.

❹ 점 C를 중심으로 하고 반지름의 길이가 $\overline{AB}$인 원을 그려 ❷에서 그린 원과의 교점을 D라 한다.

❺ 두 점 P, D를 잇는 반직선을 긋는다.

06 다음은 $\angle XOY$와 크기가 같고 $\overrightarrow{PQ}$를 한 변으로 하는 $\angle CPD$를 작도하는 과정이다. □ 안에 알맞은 것을 써넣으시오.

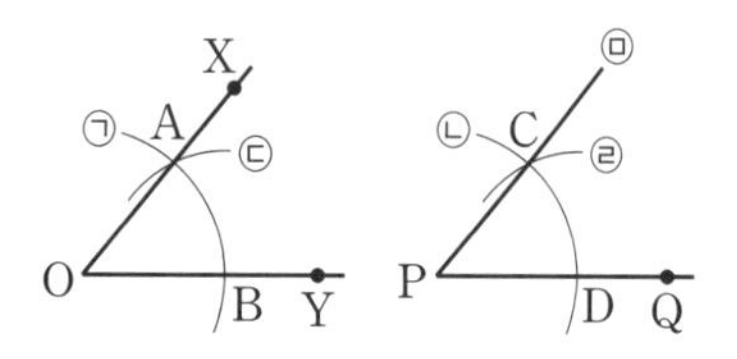

㉠ 점 O를 중심으로 하는 적당한 원을 그려 $\overrightarrow{OX}$, $\overrightarrow{OY}$와의 교점을 각각 □, □라 한다.

㉡ 점 P를 중심으로 하고 반지름의 길이가 $\overline{OA}$인 원을 그려 $\overrightarrow{PQ}$와의 교점을 □라 한다.

㉢ 컴퍼스로 □의 길이를 잰다.

㉣ 점 D를 중심으로 하고 반지름의 길이가 $\overline{AB}$인 원을 그려 ㉡에서 그린 원과의 교점을 □라 한다.

㉤ □를 그으면 $\angle CPD$가 작도된다.

07 다음에 주어진 각과 크기가 같고 $\overrightarrow{PQ}$를 한 변으로 하는 각을 작도하시오.

(1)

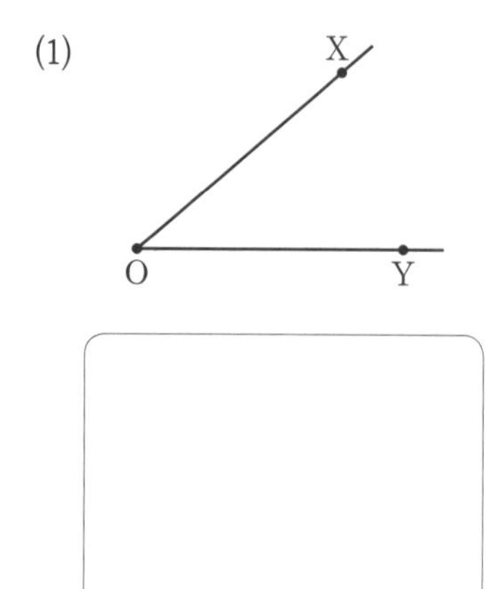

P Q

(2)

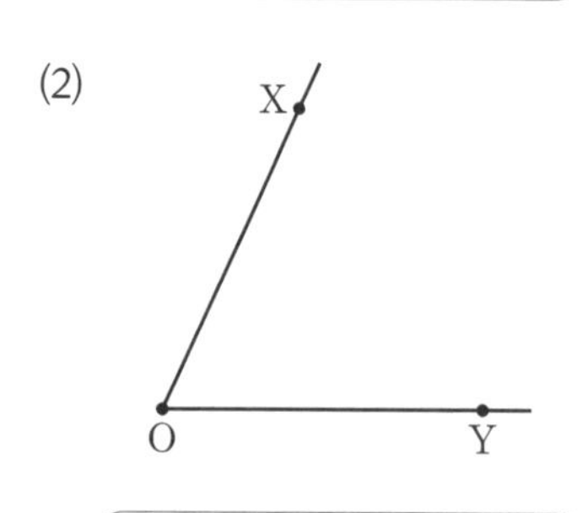

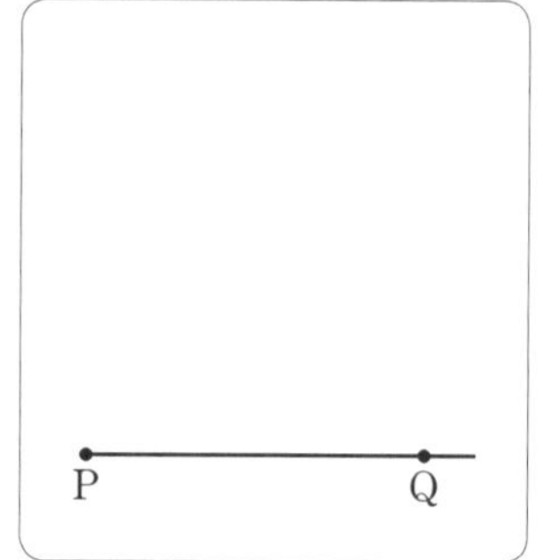

(3)

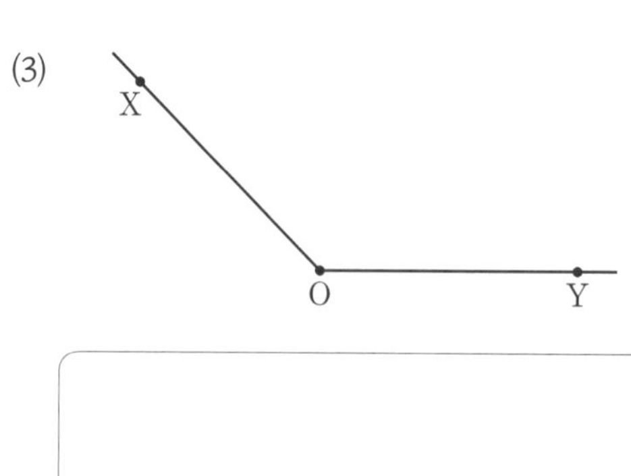

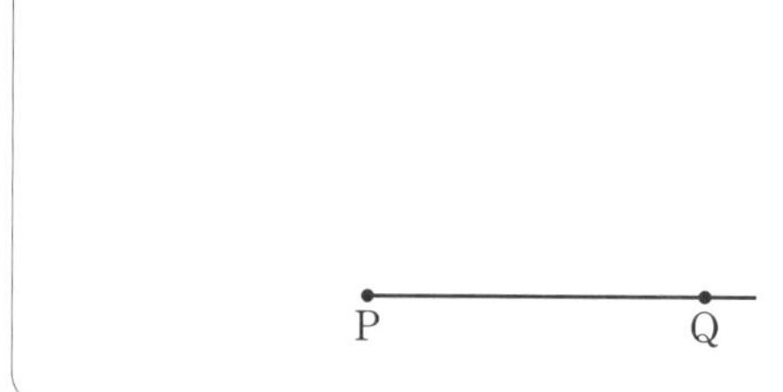

01 다음 보기 중 작도할 때 사용하는 도구를 모두 고르시오.

| 보기 |

㉠ 눈금 있는 자　㉡ 눈금 없는 자　㉢ 컴퍼스
㉣ 삼각자　㉤ 각도기

직선을 그릴 때는 눈금 없는 자를, 선분의 길이를 재어 다른 곳으로 옮길 때는 컴퍼스를 사용한다.

02 다음은 선분 AB를 점 B의 방향으로 연장하여 그 길이가 선분 AB의 길이의 4배인 선분 AC를 작도하는 과정이다. 작도 순서를 나열하시오.

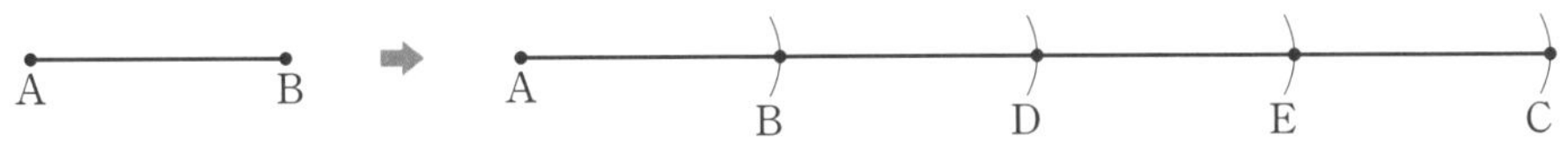

㉠ 컴퍼스로 $\overline{AB}$의 길이를 잰다.
㉡ $\overline{AB}$를 점 B의 방향으로 연장한다.
㉢ 점 E를 중심으로 반지름의 길이가 $\overline{AB}$인 원을 그려 $\overline{AB}$의 연장선과의 교점을 C라 한다.
㉣ 점 B를 중심으로 반지름의 길이가 $\overline{AB}$인 원을 그려 $\overline{AB}$의 연장선과의 교점을 D라 한다.
㉤ 점 D를 중심으로 반지름의 길이가 $\overline{AB}$인 원을 그려 $\overline{AB}$의 연장선과의 교점을 E라 한다.

$\overline{AB}$의 길이를 재어 점 B, D, E에서 차례로 길이가 같은 선분을 작도한다.

03 오른쪽 그림은 ∠AOB와 크기가 같은 각을 반직선 PQ를 한 변으로 하여 작도한 것이다. 작도 순서로 옳은 것은?

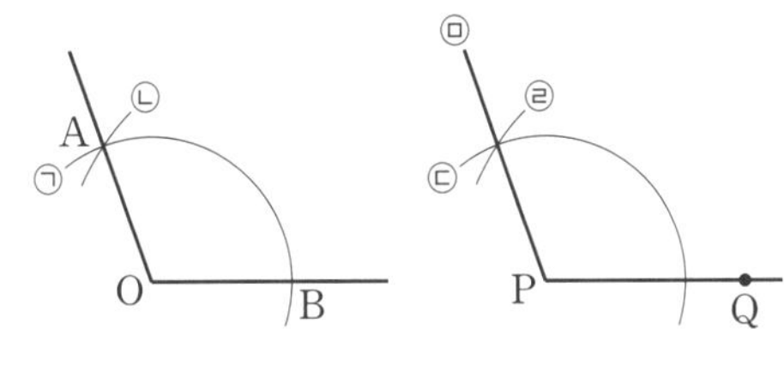

① ㉠→㉡→㉢→㉣→㉤
② ㉠→㉢→㉡→㉤→㉣
③ ㉠→㉢→㉡→㉣→㉤
④ ㉢→㉠→㉣→㉡→㉤
⑤ ㉤→㉠→㉢→㉡→㉣

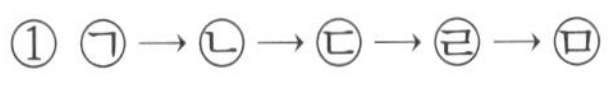

  정답과 해설 _ p.10

1. 삼각형

(1) 삼각형 ABC: 세 변 AB, BC, CA로 이루어진 도형

➡ △ABC

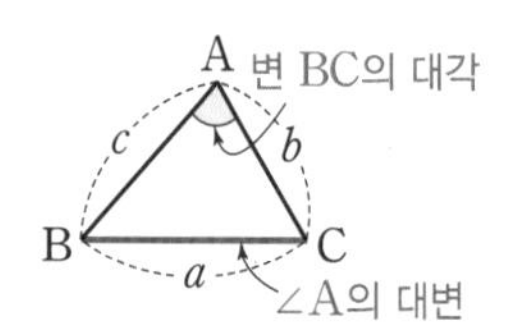

(2) 대변: 한 각과 마주 보는 변

➡ ∠A의 대변: $\overline{BC}$

(3) 대각: 한 변과 마주 보는 각

➡ $\overline{BC}$의 대각: ∠A

(4) 삼각형의 변의 길이 사이의 관계

삼각형의 두 변의 길이의 합은 나머지 한 변의 길이보다 크다.

➡ $a+b>c$, $b+c>a$, $c+a>b$

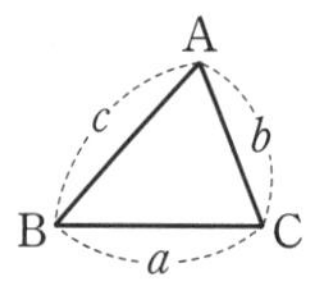

두 변의 길이의 합이 나머지 한 변의 길이보다 작거나 같으면 삼각형을 작도할 수 없어.

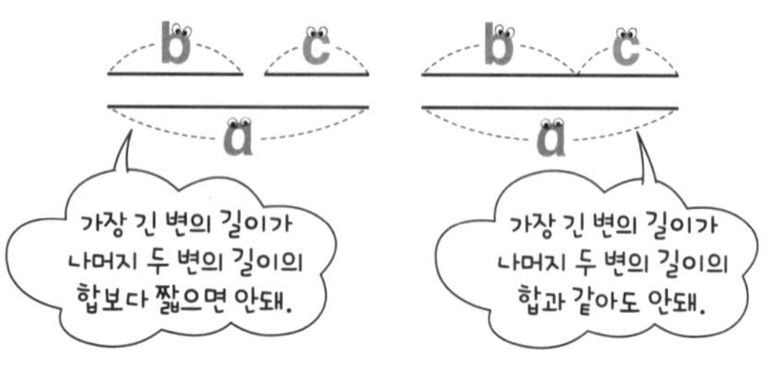

01 오른쪽 그림의 △ABC에서 다음을 구하시오.

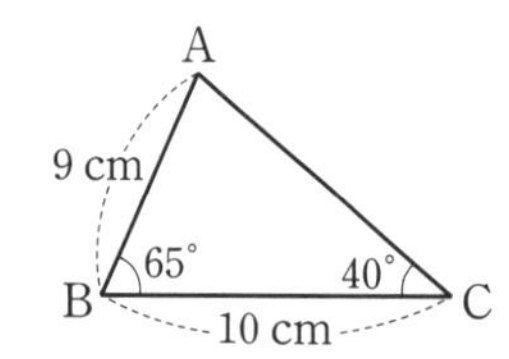

(1) ∠A의 대변의 길이

(2) ∠C의 대변의 길이

(3) $\overline{AB}$의 대각의 크기

(4) $\overline{AC}$의 대각의 크기

개념 Tip 대변은 한 각과 마주 보는 변이고, 대각은 한 변과 마주 보는 각이다.

02 세 변의 길이가 다음과 같을 때, 삼각형을 만들 수 있는 것에는 ○표, 만들 수 없는 것에는 ×표를 하시오.

(1) 1 cm, 2 cm, 3 cm ( )

(2) 5 cm, 6 cm, 9 cm ( )

(3) 9 cm, 9 cm, 9 cm ( )

2. 삼각형의 작도 (1) up+

세 변의 길이가 주어질 때 a b c

❶ 한 직선 l을 긋고, 그 위에 길이가 a인 선분 BC를 작도한다.

❷ 점 B를 중심으로 하고 반지름의 길이가 c인 원과 점 C를 중심으로 하고 반지름의 길이가 b인 원을 각각 그려 두 원이 만나는 점을 A라 한다.

❸ 점 A와 점 B, 점 A와 점 C를 각각 이으면 △ABC가 작도된다.

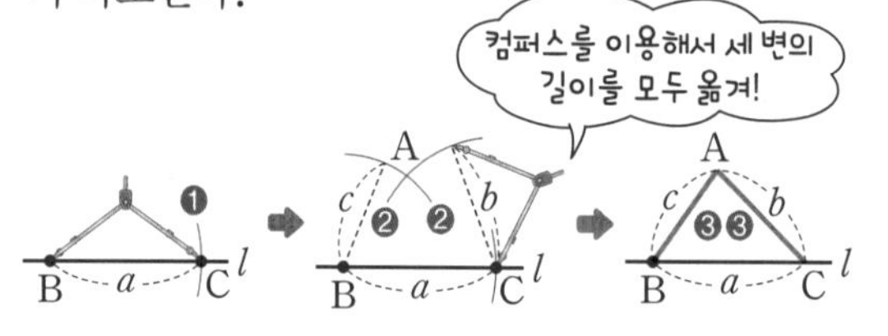

컴퍼스를 이용해서 세 변의 길이를 모두 옮겨!

03 다음은 세 변의 길이가 a, b, c인 삼각형을 작도하는 과정이다. □ 안에 알맞은 것을 써넣으시오.

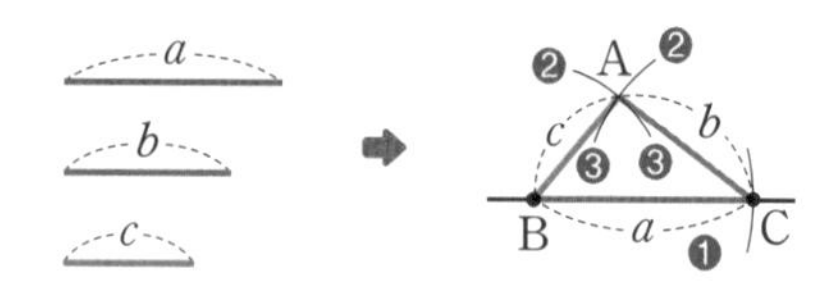

❶ 길이가 □인 $\overline{BC}$를 작도한다.

❷ 두 점 □, C를 중심으로 하고 반지름의 길이가 □, b인 원을 각각 그려 그 교점을 □라 한다.

❸ $\overline{AB}$, □를 그으면 △ABC가 작도된다.

04 그림과 같이 세 변의 길이 a, b, c가 주어졌을 때, $\triangle ABC$를 작도하는 순서에서 □ 안에 알맞은 것을 써넣으시오.

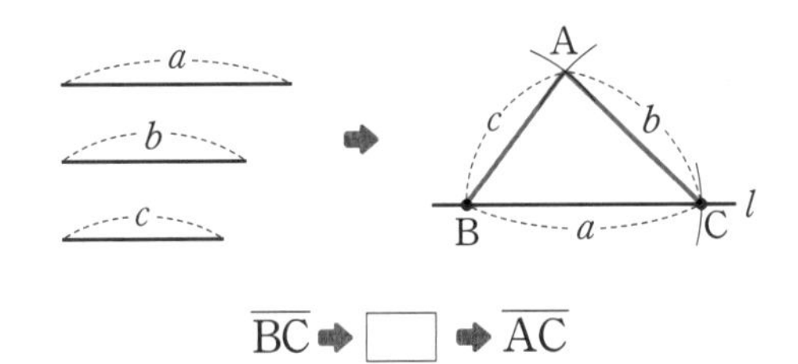

$\overline{BC}$ ➡ □ ➡ $\overline{AC}$

05 세 변의 길이가 다음과 같은 $\triangle ABC$를 작도하시오.

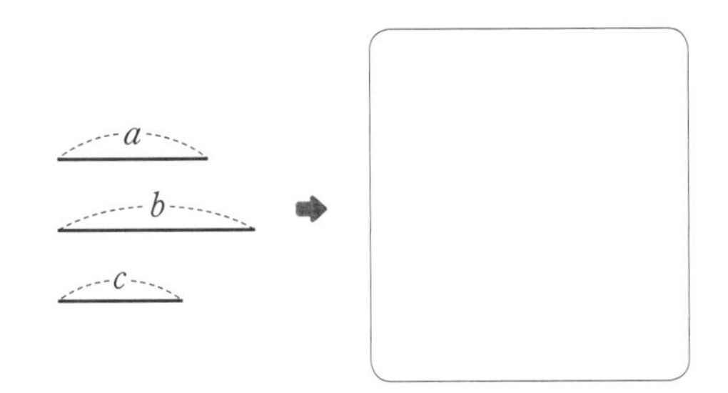

3. 삼각형의 작도 (2)

두 변의 길이와 그 끼인각의 크기가 주어질 때

❶ $\angle B$와 크기가 같은 $\angle PBQ$를 작도한다.

❷ 점 B를 중심으로 하고 반지름의 길이가 a인 원을 그려 $\overrightarrow{BQ}$와 만나는 점을 C라 한다.

❸ 점 B를 중심으로 하고 반지름의 길이가 c인 원을 그려 $\overrightarrow{BP}$와 만나는 점을 A라 한다.

❹ 두 점 A와 C를 이으면 $\triangle ABC$가 된다.

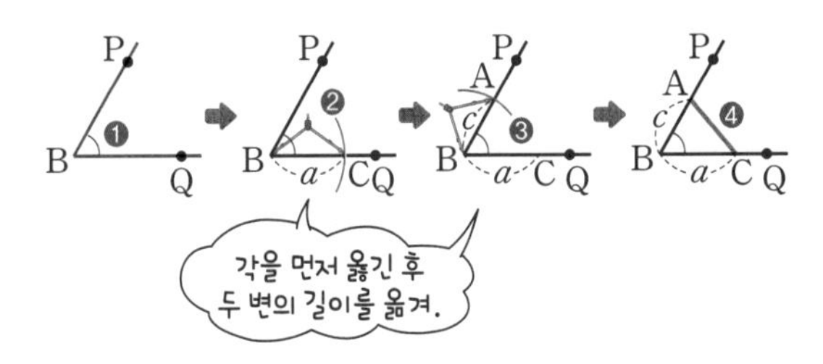

06 다음은 두 변의 길이가 a, c이고 그 끼인각의 크기가 $\angle B$인 삼각형을 작도하는 과정이다. □ 안에 알맞은 것을 써넣으시오.

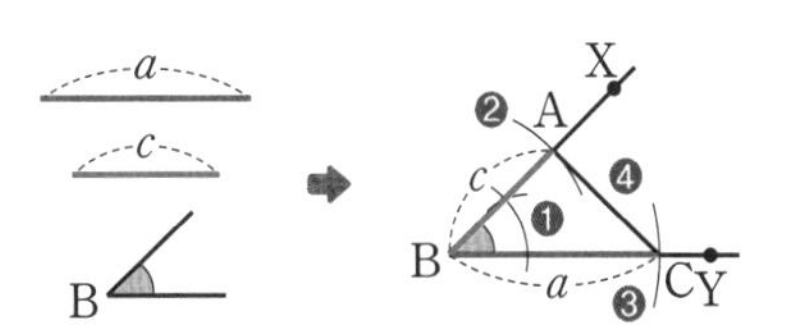

❶ $\angle B$와 크기가 같은 $\angle XBY$를 작도한다.
❷ 점 B를 중심으로 하고 반지름의 길이가 □인 원을 그려 $\overrightarrow{BX}$와 만나는 점을 A라 한다.
❸ 점 B를 중심으로 하고 반지름의 길이가 □인 원을 그려 $\overrightarrow{BY}$와의 교점을 C라 한다.
❹ □를 그으면 $\triangle ABC$가 작도된다.

07 그림과 같이 두 변의 길이 b, c와 $\angle A$의 크기가 주어졌을 때, $\triangle ABC$를 작도하는 순서에서 □ 안에 알맞은 것을 써넣으시오.

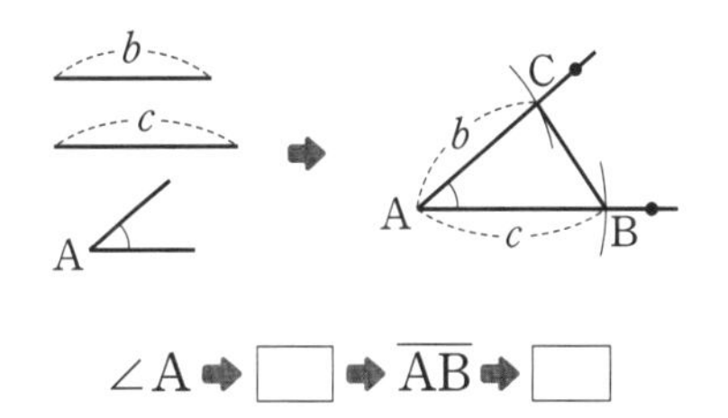

$\angle A$ ➡ □ ➡ $\overline{AB}$ ➡ □

08 두 변의 길이와 그 끼인각의 크기가 다음과 같은 $\triangle ABC$를 작도하시오.

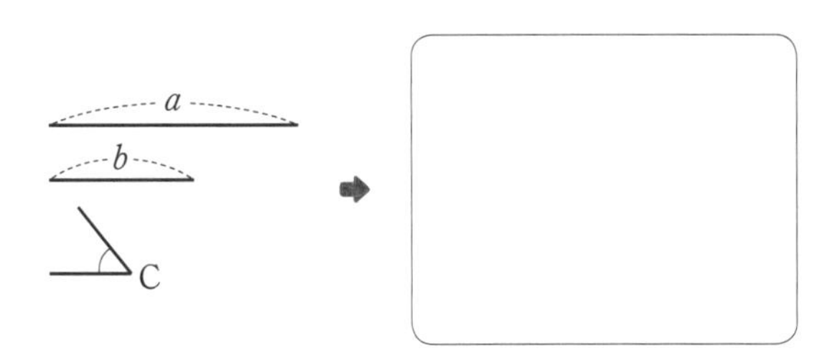

4. 삼각형의 작도 (3) up+

한 변의 길이와 그 양 끝 각의 크기가 주어질 때

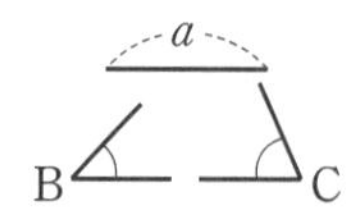

❶ 한 직선 l을 긋고, 그 위에 길이가 a인 $\overline{BC}$를 작도한다.

❷ $\overrightarrow{BC}$를 한 변으로 하고 ∠B와 크기가 같은 ∠PBC를 작도한다.

❸ $\overrightarrow{CB}$를 한 변으로 하고 ∠C와 크기가 같은 ∠QCB를 작도한다.

❹ $\overrightarrow{BP}$와 $\overrightarrow{CQ}$의 교점을 A라 하면 △ABC가 작도된다.

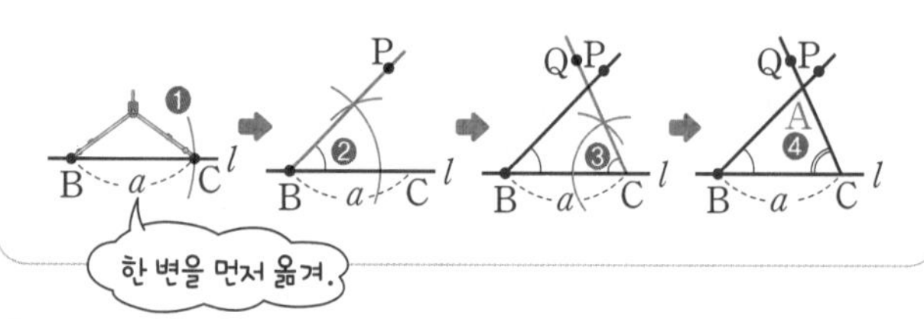

5. 삼각형이 하나로 정해지는 이유

다음과 같은 세 가지 경우에 삼각형의 모양과 크기가 하나로 정해진다.

① 세 변의 길이가 주어질 때

주의 (가장 긴 변의 길이) < (나머지 두 변의 길이의 합)

② 두 변의 길이와 그 끼인각의 크기가 주어질 때

주의 반드시 끼인각이어야 한다.

③ 한 변의 길이와 그 양 끝 각의 크기가 주어질 때

주의 양 끝 각의 크기의 합이 180°보다 작아야 한다.

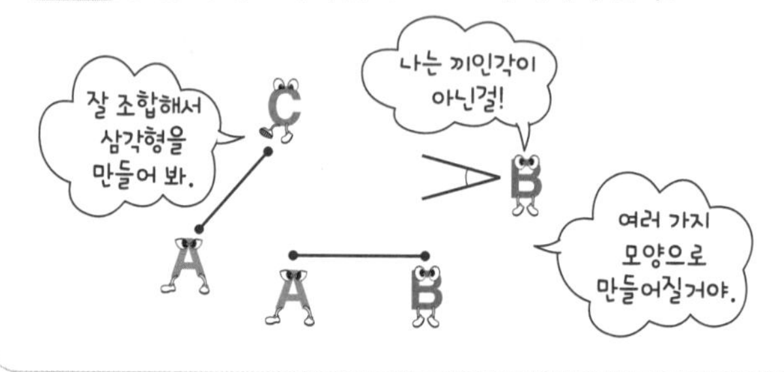

09 다음은 한 변의 길이가 a이고 그 양 끝 각의 크기가 ∠B, ∠C인 삼각형을 작도하는 과정이다. □ 안에 알맞은 것을 써넣으시오.

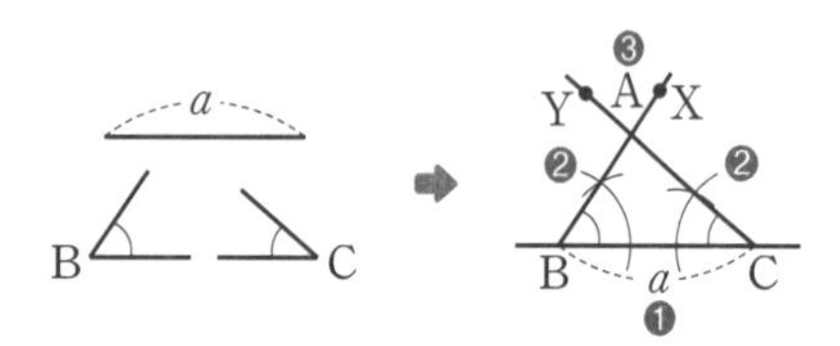

❶ 길이가 □인 $\overline{BC}$를 작도한다.

❷ □와 크기가 같은 ∠XBC, ∠c와 크기가 같은 ∠YCB를 작도한다.

❸ $\overrightarrow{BX}$, $\overrightarrow{CY}$의 교점을 □라 하면 △ABC가 작도된다.

10 한 변의 길이와 그 양 끝 각의 크기가 다음과 같은 △ABC를 작도하시오.

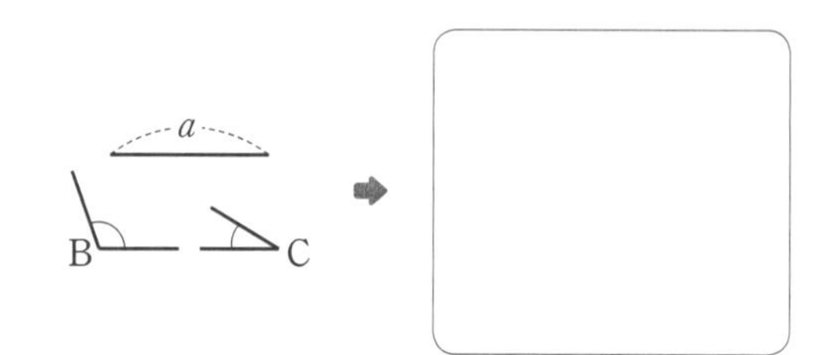

11 다음과 같은 조건이 주어질 때, △ABC가 하나로 정해지는 것에는 ○표, 하나로 정해지지 않는 것에는 ×표를 하시오.

(1) $\overline{AB}$=4 cm, $\overline{BC}$=10 cm, $\overline{AC}$=11 cm ( )

(2) $\overline{AB}$=6 cm, $\overline{BC}$=3 cm, $\overline{AC}$=9 cm ( )

(3) $\overline{AB}$=8 cm, $\overline{BC}$=8 cm, ∠A=60° ( )

(4) $\overline{BC}$=7 cm, ∠B=45°, ∠C=40° ( )

12 오른쪽 그림과 같이 $\overline{AB}$의 길이가 주어졌을 때, △ABC가 하나로 정해지기 위해 필요한 조건인 것에는 ○표, 필요한 조건이 아닌 것에는 ×표를 하시오.

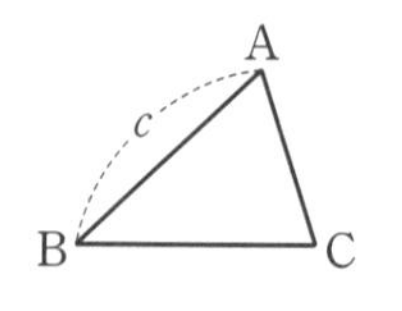

(1) $\overline{AC}$, $\overline{BC}$ ( ) (2) $\overline{AC}$, ∠B ( )

(3) $\overline{BC}$, ∠B ( ) (4) $\overline{BC}$, ∠C ( )

(5) ∠A, ∠B ( ) (6) ∠A, ∠C ( )

정답과 해설 _ p.11

01 다음 중 삼각형의 세 변의 길이가 될 수 있는 것은?

① 7 cm, 5 cm, 2 cm ② 9 cm, 8 cm, 1 cm ③ 6 cm, 3 cm, 2 cm
④ 3 cm, 4 cm, 5 cm ⑤ 12 cm, 6 cm, 5 cm

가장 긴 변의 길이가 나머지 두 변의 길이의 합보다 짧은지 확인한다.

02 길이가 2 cm, 3 cm, 4 cm, 5 cm인 네 개의 막대가 주어졌을 때, 이 막대로 만들 수 있는 삼각형의 개수를 구하시오.

네 개의 막대 중 세 개를 골라 삼각형을 만들 수 있는지 모두 확인해 본다.

03 삼각형의 세 변의 길이가 각각 8, 5, x일 때, x의 값이 될 수 있는 자연수는 모두 몇 개인지 구하시오.

8이 가장 긴 변의 길이일 때와, x가 가장 긴 변의 길이일 때로 나누어 생각한다.

04 오른쪽 그림과 같이 $\overline{AB}$의 길이와 $\angle A$, $\angle B$의 크기가 주어졌을 때, $\triangle ABC$를 작도하려고 한다. $\triangle ABC$를 작도하는 순서로 옳지 않은 것은?

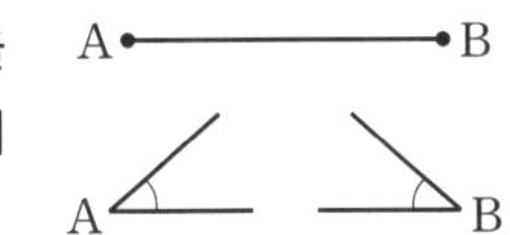

① $\overline{AB} \to \angle A \to \angle B$ ② $\overline{AB} \to \angle B \to \angle A$
③ $\angle A \to \angle B \to \overline{AB}$ ④ $\angle A \to \overline{AB} \to \angle B$
⑤ $\angle B \to \overline{AB} \to \angle A$

05 $\overline{AB}$의 길이와 $\angle B$의 크기가 주어졌을 때, $\triangle ABC$가 하나로 정해지기 위해 필요한 나머지 한 조건을 다음 보기에서 모두 고르시오.

보기			
㉠ $\overline{BC}$	㉡ $\overline{AC}$	㉢ $\angle A$	㉣ $\angle C$

삼각형에서는 두 각의 크기를 알면 나머지 한 각의 크기를 알 수 있다.

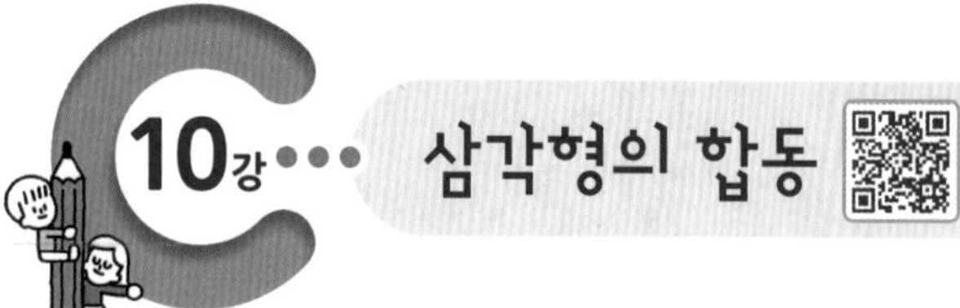

10강 삼각형의 합동

정답과 해설 _ p.11

1. 도형의 합동

(1) 합동: 한 도형을 모양과 크기를 바꾸지 않고 다른 도형에 완전히 포갤 수 있을 때, 두 도형을 서로 합동이라고 한다.

(2) △ABC와 △DEF가 합동일 때,
△ABC≡△DEF와 같이 나타낸다.

기호 ≡를 사용하여 두 도형을 나타낼 때에는 두 도형의 대응점의 순서를 맞춰서 써야 해!

(3) 합동인 도형의 성질

△ABC와 △DEF가 서로 합동이면

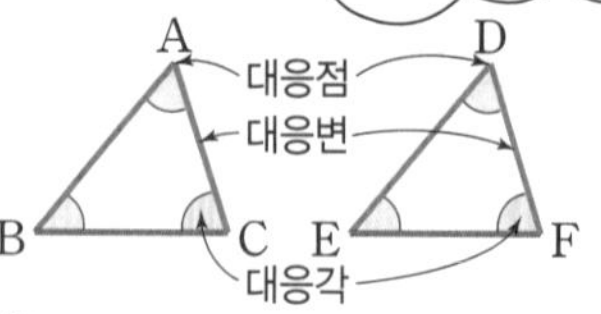

① 대응변의 길이가 같다.
➡ $\overline{AB}=\overline{DE}$, $\overline{BC}=\overline{EF}$, $\overline{CA}=\overline{FD}$

② 대응각의 크기가 같다.
➡ $\angle A=\angle D$, $\angle B=\angle E$, $\angle C=\angle F$

참고 대응: 합동인 두 도형에서 완전히 겹쳐지는 꼭짓점과 꼭짓점, 변과 변, 각과 각은 서로 대응한다고 한다.

01 다음 그림에서 합동인 도형을 찾아 기호 ≡를 사용하여 나타내시오.

(1)
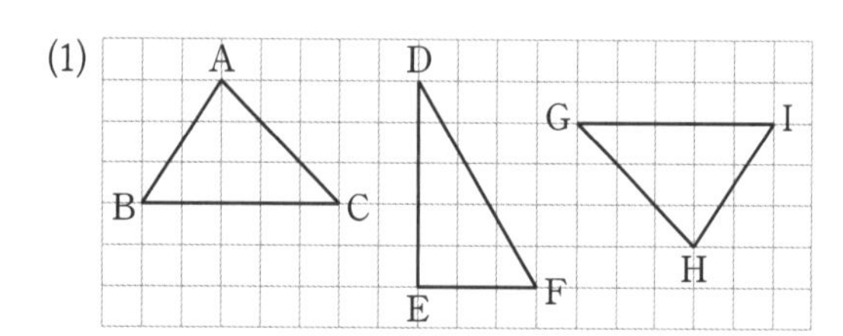

(2)
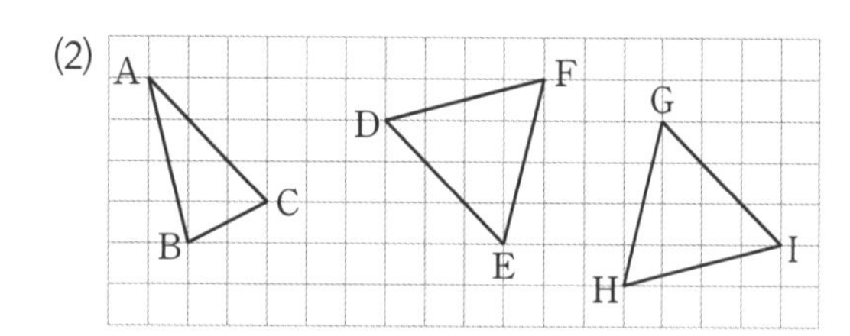

(3)
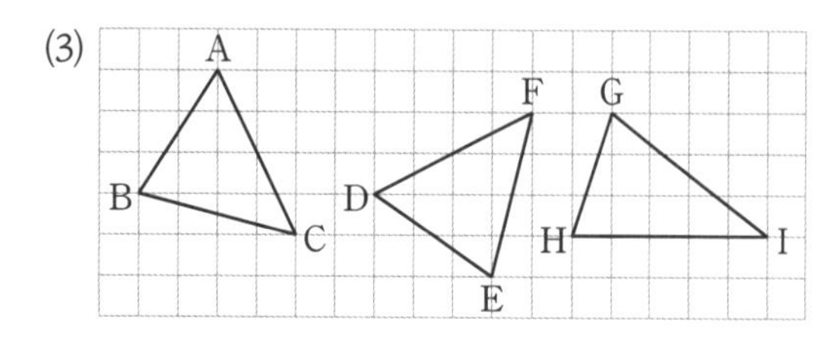

02 다음 그림에서 △ABC와 △DEF가 합동일 때, 다음을 구하시오.

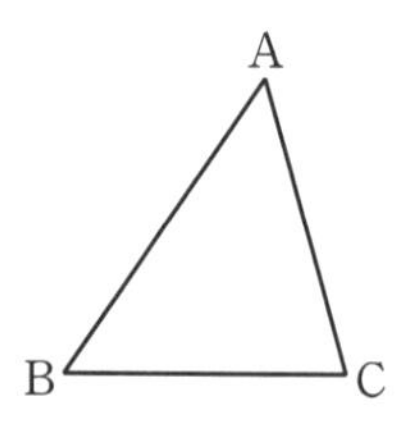

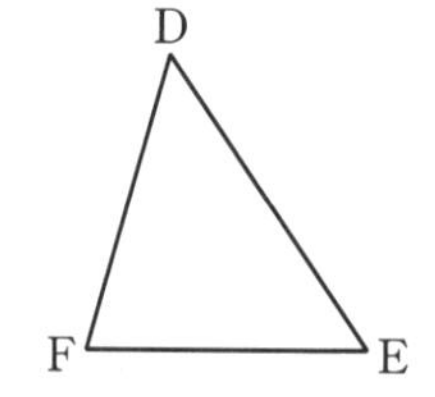

(1) 점 A의 대응점

(2) $\overline{BC}$의 대응변

(3) ∠C의 대응각

03 다음 그림에서 △ABC와 △DEF가 합동일 때, 다음을 구하시오.

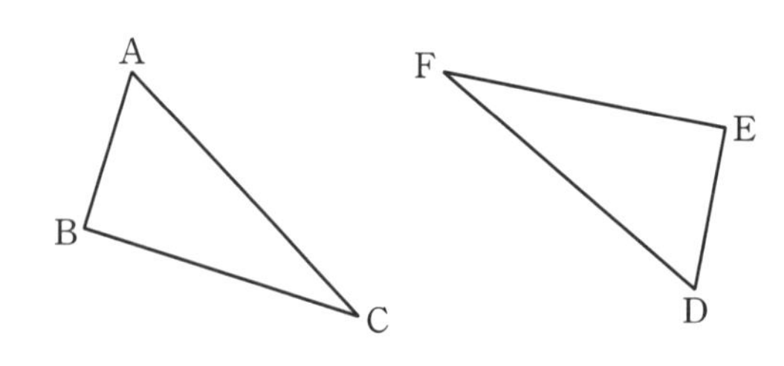

(1) 점 F의 대응점

(2) $\overline{DE}$의 대응변

(3) ∠B의 대응각

04 다음 그림에서 사각형 ABCD와 사각형 EFGH가 합동일 때, 다음을 구하시오.

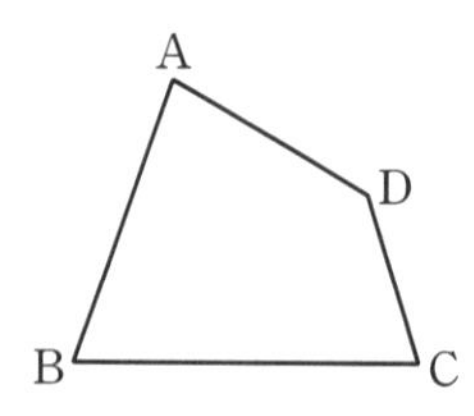

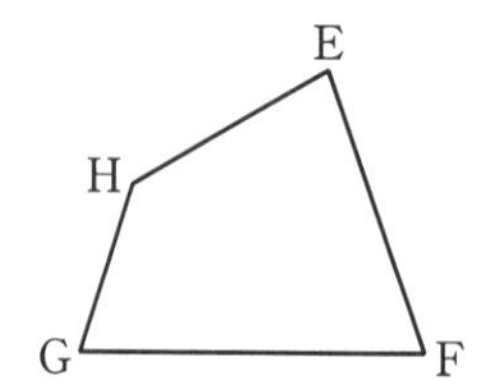

(1) 점 D의 대응점

(2) $\overline{FG}$의 대응변

(3) ∠H의 대응각

05 다음 그림에서 △ABC와 △DEF가 합동일 때, 다음을 구하시오.

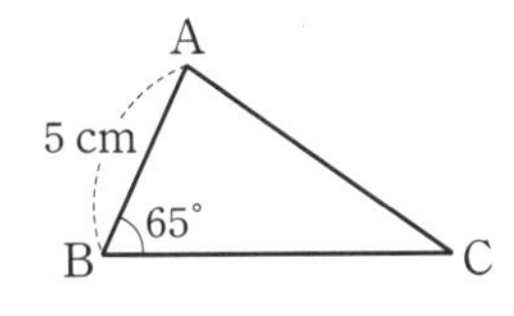

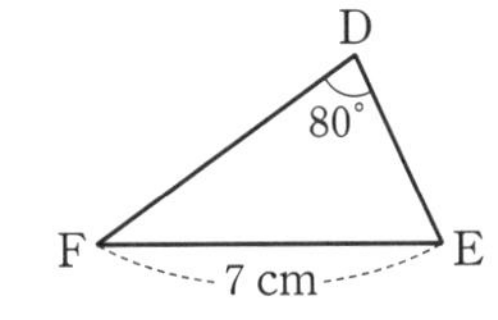

(1) $\overline{BC}$의 길이

(2) $\overline{DE}$의 길이

(3) ∠A의 크기

(4) ∠E의 크기

(5) ∠F의 크기

06 다음 그림에서 사각형 ABCD와 사각형 EFGH가 합동일 때, 다음을 구하시오.

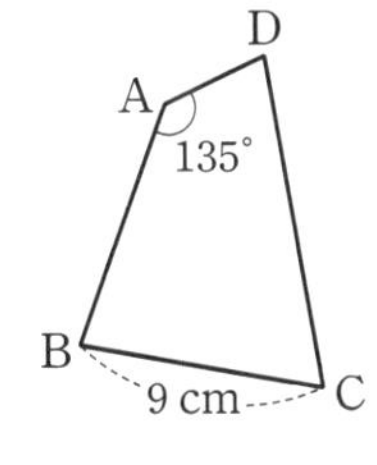

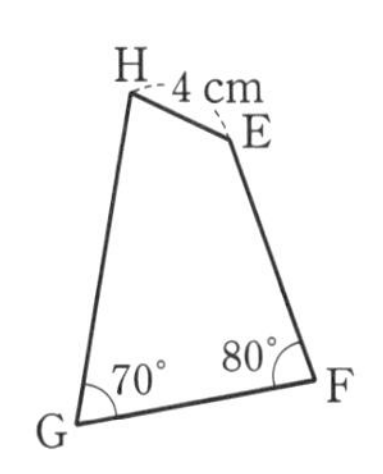

(1) $\overline{AD}$의 길이

(2) $\overline{FG}$의 길이

(3) ∠C의 크기

(4) ∠B의 크기

(5) ∠H의 크기

07 다음 중 옳은 것에는 ○표, 옳지 않은 것에는 ×표를 하시오.

(1) 합동인 두 도형은 모양이 같다. ( )

(2) 모양이 같은 두 도형은 서로 합동이다. ( )

(3) 합동인 두 도형의 대응각의 크기는 같다. ( )

(4) 넓이가 같은 두 도형은 합동이다. ( )

(5) 합동인 두 도형은 넓이가 서로 같다. ( )

08 다음 두 도형이 서로 합동인 것에는 ○표, 합동이 아닌 것에는 ×표를 하시오.

(1) 한 변의 길이가 같은 두 정삼각형 ( )

(2) 넓이가 같은 두 정사각형 ( )

(3) 넓이가 같은 두 직사각형 ( )

(4) 세 각의 크기가 각각 같은 두 삼각형 ( )

(5) 반지름의 길이가 같은 두 원 ( )

(6) 둘레의 길이가 같은 두 정오각형 ( )

(7) 밑변의 길이와 높이가 같은 두 삼각형 ( )

정답과 해설 _ p.12

01 다음 그림에서 사각형 ABCD와 사각형 EFGH가 서로 합동일 때, x, y의 값을 각각 구하시오.

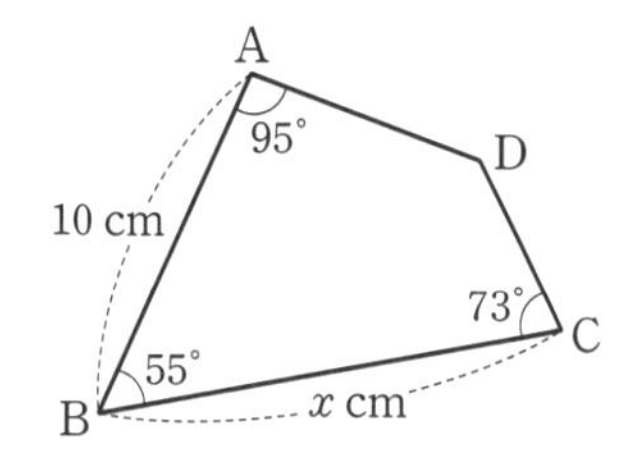

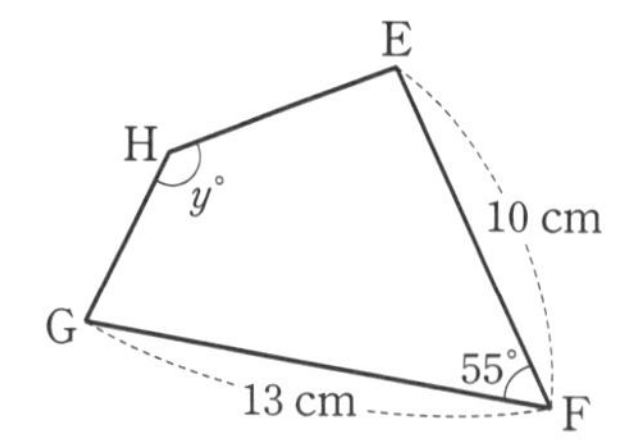

두 도형이 서로 합동이면 대응변의 길이와 대응각의 크기가 각각 같다.

02 다음 그림에서 $\triangle ABC$와 $\triangle DEF$가 서로 합동일 때, 다음 중 옳지 <u>않은</u> 것은?

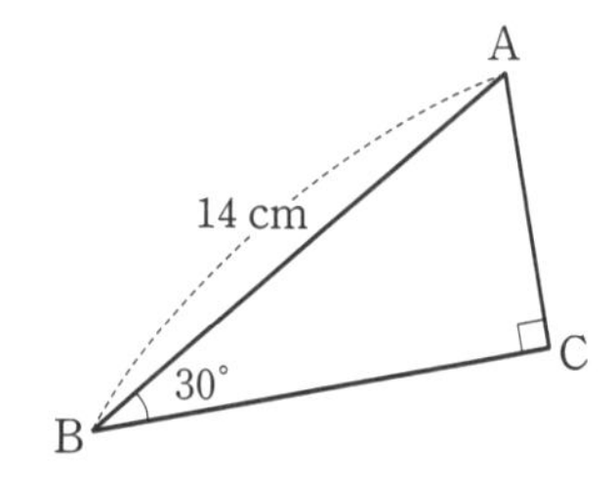

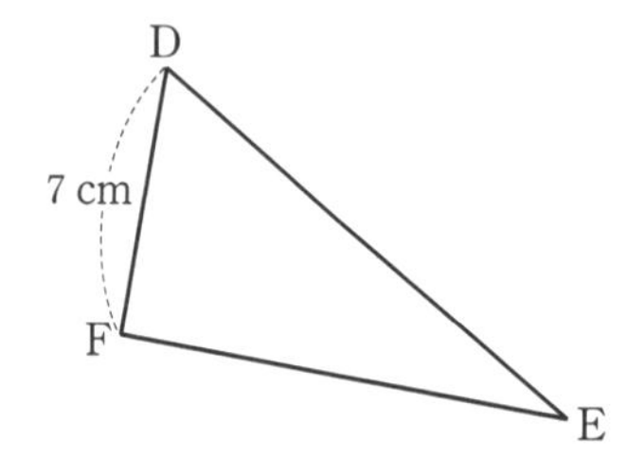

① $\angle F=90°$ ② $\angle E=30°$ ③ $\angle D=60°$
④ $\overline{AC}=7$ cm ⑤ $\overline{EF}=14$ cm

03 합동인 두 도형에 대한 설명 중 옳지 <u>않은</u> 것을 모두 고르면? (정답 2개)

① 합동인 도형은 모양은 같지만 크기는 서로 다를 수 있다.
② 두 도형 P와 Q가 합동일 때 기호로 $P\equiv Q$와 같이 나타낸다.
③ 넓이가 같은 두 도형은 서로 합동이다.
④ 합동인 도형에서 대응각의 크기는 서로 같다.
⑤ 합동인 도형에서 대응변의 길이는 서로 같다.

합동인 도형의 넓이는 같지만 넓이가 같은 도형이 반드시 합동이 되는 것은 아니다.

04 다음 중 두 도형이 합동이 <u>아닌</u> 것은?

① 넓이가 같은 두 원
② 넓이가 같은 두 평행사변형
③ 한 변의 길이가 같은 두 정육각형
④ 밑변의 길이와 높이가 같은 두 정삼각형
⑤ 반지름의 길이와 중심각의 크기가 같은 두 부채꼴

모양이 같은 두 도형이 크기까지 같으면 서로 합동이다.

11강 ••• 삼각형의 합동 조건

정답과 해설 _ p.12

1. 도형의 합동 조건

두 삼각형 ABC와 DEF는 다음 각 경우에 서로 합동이다.

① 대응하는 세 변의 길이가 각각 같다. (SSS 합동)

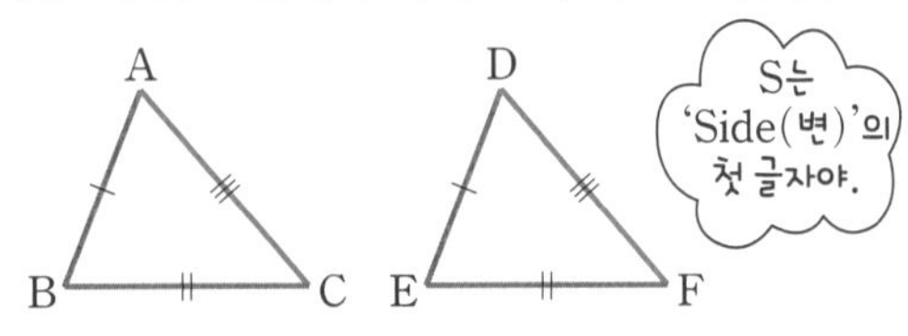

➡ $\overline{AB}=\overline{DE}$, $\overline{BC}=\overline{EF}$, $\overline{AC}=\overline{DF}$

② 두 대응변의 길이가 각각 같고, 그 끼인각의 크기가 같을 때 (SAS 합동)

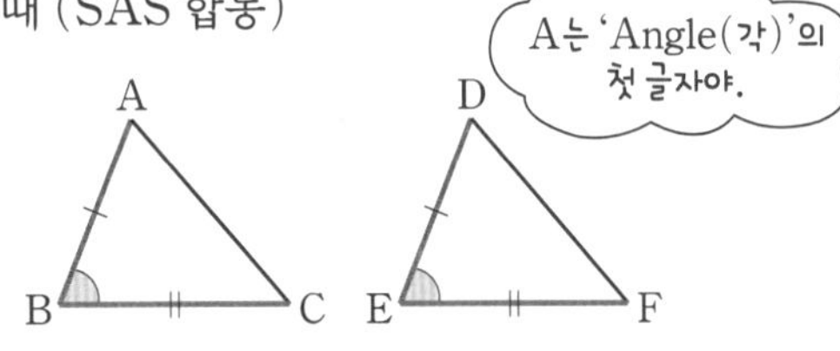

➡ $\overline{AB}=\overline{DE}$, $\overline{BC}=\overline{EF}$, $\angle B=\angle E$

③ 한 대응변의 길이가 같고, 그 양 끝 각의 크기가 각각 같을 때 (ASA 합동)

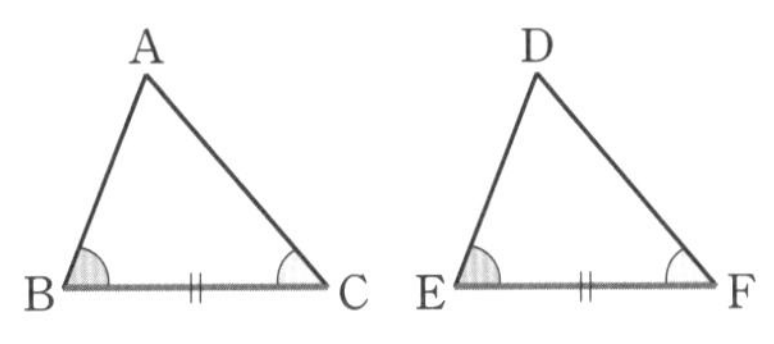

➡ $\overline{BC}=\overline{EF}$, $\angle B=\angle E$, $\angle C=\angle F$

01 다음 그림의 두 삼각형이 서로 합동일 때, □ 안에 알맞은 것을 써넣으시오.

(1)

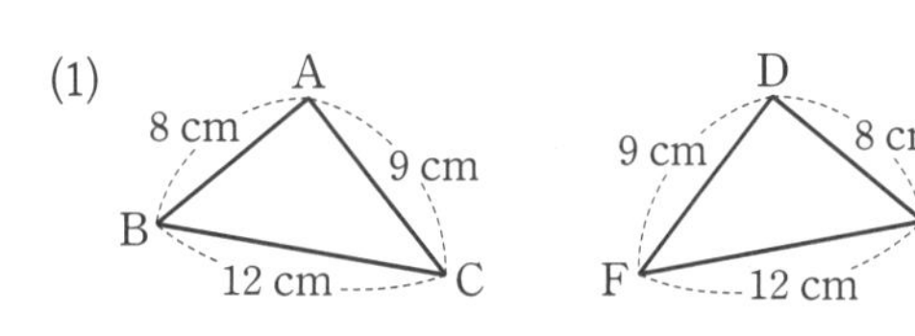

$\overline{AB}=$□, $\overline{BC}=$□, □$=\overline{DF}$

$\therefore \triangle ABC\equiv\triangle DEF$ (□ 합동)

(2)

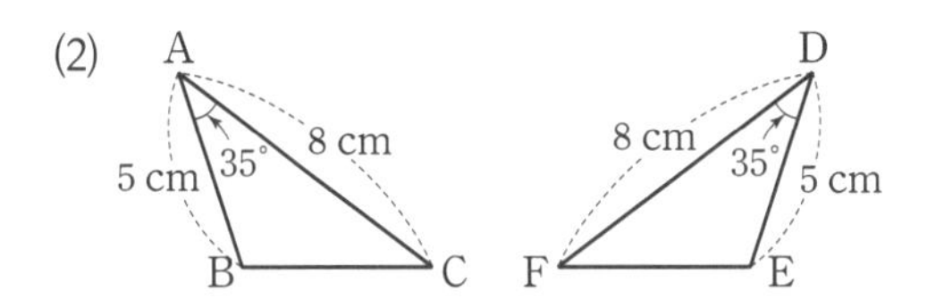

$\overline{AB}=$□, $\angle A=$□, □$=\overline{DF}$

$\therefore \triangle ABC\equiv\triangle DEF$ (□ 합동)

(3)

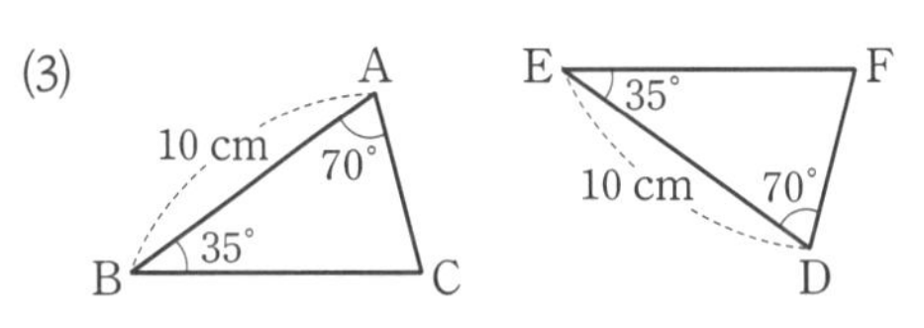

$\angle A=$□, □$=\overline{DE}$, □$=\angle E$

$\therefore \triangle ABC\equiv\triangle DEF$ (□ 합동)

02 다음 보기의 삼각형 중 합동인 삼각형을 찾아 기호로 나타내려고 한다. □ 안에 알맞은 것을 써넣으시오.

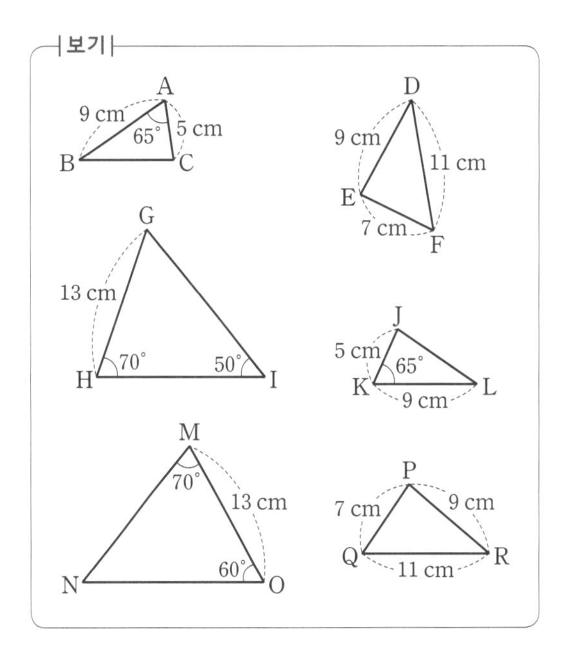

(1) $\triangle ABC\equiv$□ (□ 합동)

(2) $\triangle DEF\equiv$□ (□ 합동)

(3) $\triangle GHI\equiv$□ (□ 합동)

쌤 Tip 합동인 삼각형을 기호로 나타낼 때는 쓰는 순서에 주의해야 해.

[03~05] 다음 그림의 $\triangle ABC$와 $\triangle DEF$가 합동이 되기 위해 필요한 나머지 한 조건을 구하고, 이때의 합동 조건을 쓰시오.

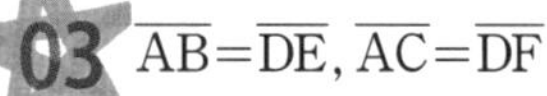

03 $\overline{AB}=\overline{DE}$, $\overline{AC}=\overline{DF}$

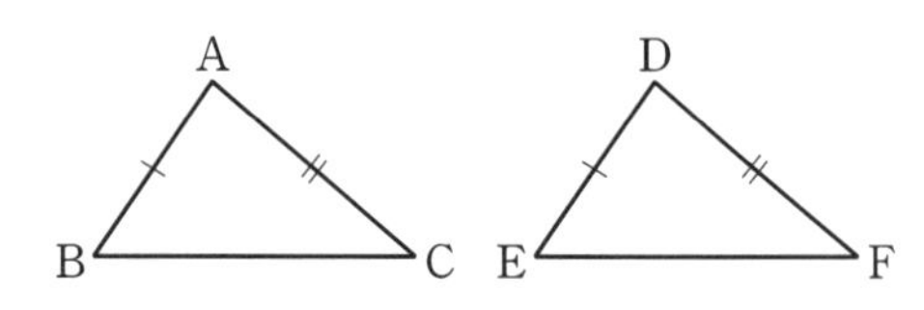

(1) $\overline{BC}=$ □ (□ 합동)

(2) $\angle A=$ □ (□ 합동)

04 $\overline{AB}=\overline{DE}$, $\angle A=\angle D$

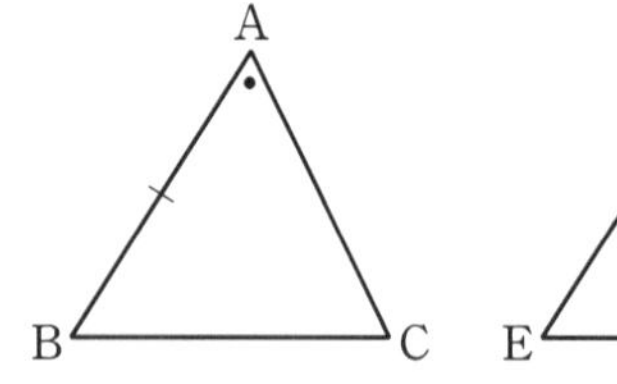

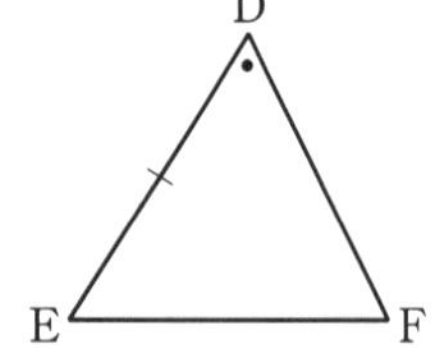

(1) $\overline{AC}=$ □ ➡ □ 합동

(2) $\angle B=$ □ ➡ □ 합동

(3) $\angle C=$ □ ➡ □ 합동

05 $\angle B=\angle E$, $\angle C=\angle F$

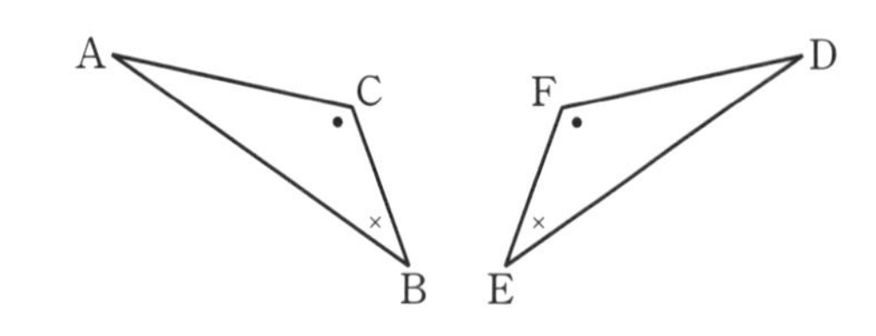

(1) $\overline{BC}=$ □ ➡ □ 합동

(2) $\overline{AC}=$ □ ➡ □ 합동

(3) $\overline{AB}=$ □ ➡ □ 합동

06 다음 설명과 그림을 보고 합동인 두 삼각형을 찾아 기호 ≡를 사용하여 나타내고, 이때의 합동 조건을 쓰시오.

(1) $\overline{AB}=\overline{DB}$, $\overline{AC}=\overline{DC}$

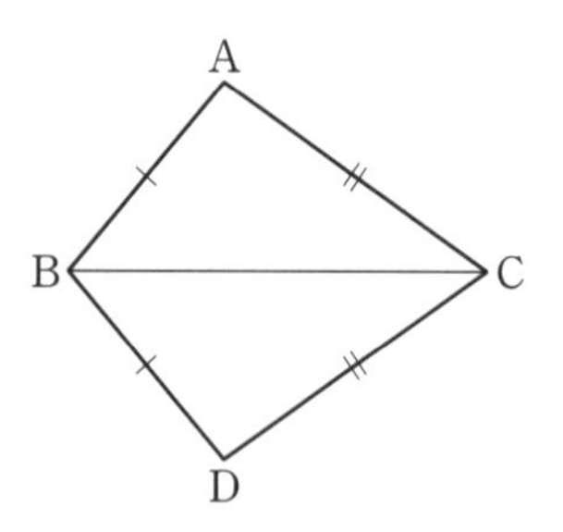

(2) $\overline{AM}=\overline{BM}$, $\overline{CM}=\overline{DM}$

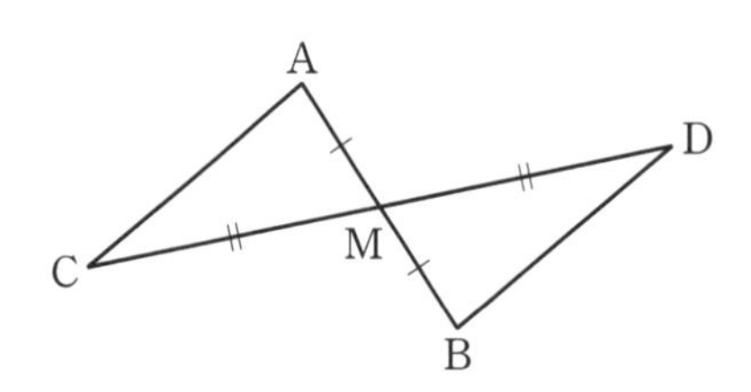

(3) $\overline{BD}$는 평행사변형 ABCD의 대각선이고, $\overline{AB}=\overline{CD}$

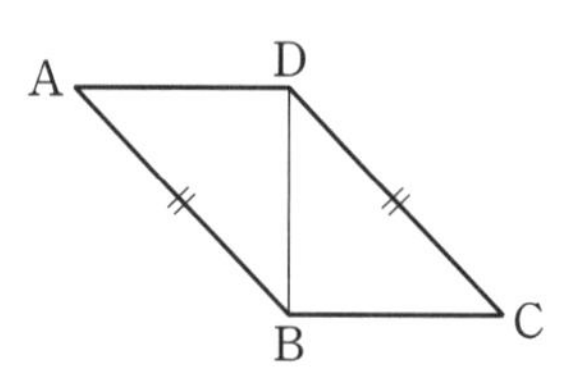

(4) 사각형 ABCD는 평행사변형이고, 점 E는 $\overline{AD}$의 중점

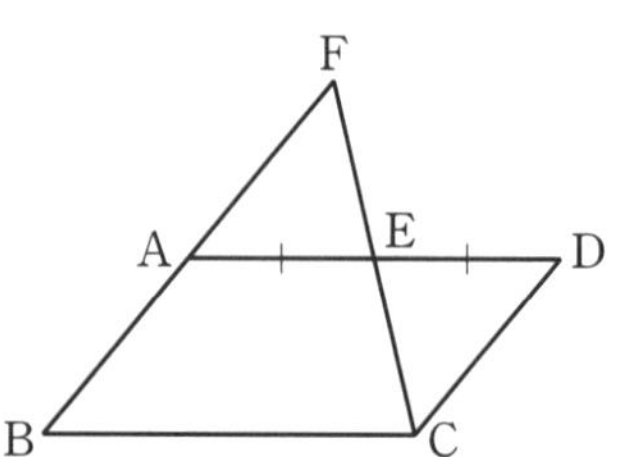

정답과 해설 _ p.13

01 다음 중 △ABC와 △DEF가 합동이 될 수 없는 것은?

> 삼각형의 합동 조건 세 가지 경우를 생각해 본다.

① $\overline{AB}=\overline{DE}$, $\overline{BC}=\overline{EF}$, $\overline{AC}=\overline{DF}$
② $\overline{AB}=\overline{DE}$, $\overline{AC}=\overline{DF}$, $\angle A=\angle D$
③ $\overline{AB}=\overline{DE}$, $\overline{BC}=\overline{EF}$, $\angle B=\angle E$
④ $\overline{AC}=\overline{DF}$, $\overline{BC}=\overline{EF}$, $\angle A=\angle D$
⑤ $\overline{AC}=\overline{DF}$, $\angle A=\angle D$, $\angle C=\angle F$

02 오른쪽 그림에서 $\overline{OB}=\overline{OD}$, $\overline{CB}=\overline{AD}$일 때, 다음 중 옳지 않은 것은?

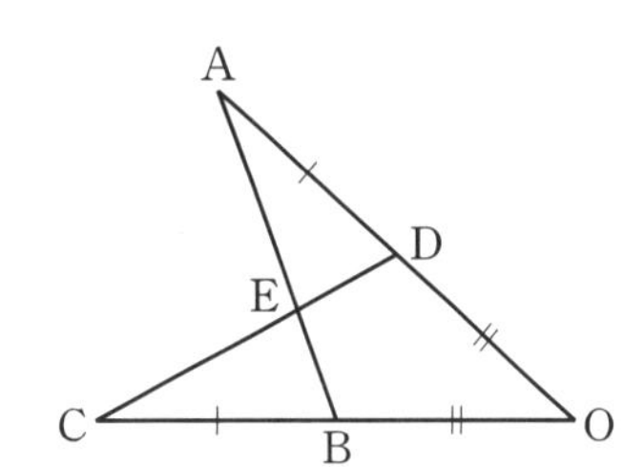

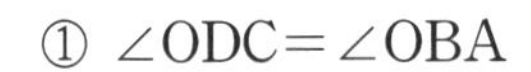

① $\angle ODC=\angle OBA$
② $\angle OAB=\angle OCD$
③ $\angle OAB=\angle AOB$
④ $\overline{OA}=\overline{OC}$
⑤ $\overline{AB}=\overline{CD}$

03 오른쪽 그림과 같이 정사각형 ABCD에서 $\overline{BC}$의 연장선 위에 점 F를 잡아 정사각형 CFGE를 만들었다. $\overline{BC}=8$ cm, $\overline{EG}=15$ cm, $\overline{DF}=17$ cm일 때, $\overline{BE}$의 길이를 구하시오.

> 정사각형은 네 변의 길이가 같다는 성질을 이용하여 합동인 두 삼각형을 찾는다.

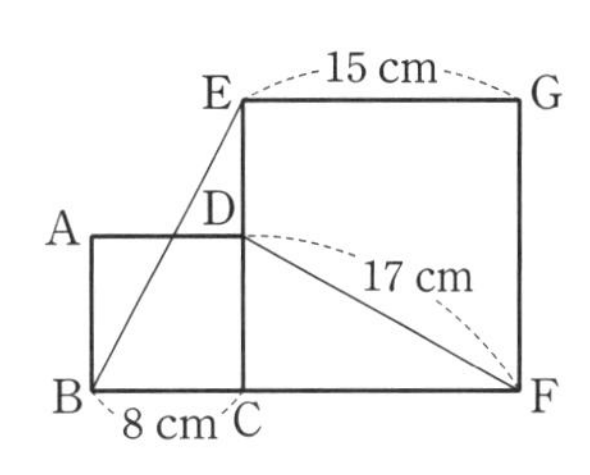

04 오른쪽 그림에서 점 O는 $\overline{AC}$와 $\overline{BD}$의 교점이고 $\overline{AO}=\overline{CO}$, $\angle DAO=\angle BCO$이다. 이때 다음 중 △AOD≡△COB임을 보이는 데 필요한 조건은?

> 두 삼각형의 세 각의 크기가 서로 같은 것은 합동 조건이 아니다.

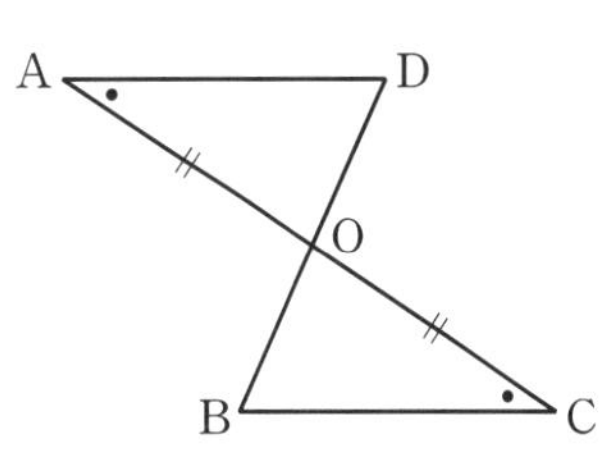

① $\overline{AD}=\overline{CB}$, $\overline{AO}=\overline{CO}$, $\overline{DO}=\overline{BO}$
② $\overline{AO}=\overline{CO}$, $\overline{DO}=\overline{BO}$, $\angle AOD=\angle COB$
③ $\overline{AD}=\overline{CB}$, $\overline{AO}=\overline{CO}$, $\angle DAO=\angle BCO$
④ $\overline{AO}=\overline{CO}$, $\angle DAO=\angle BCO$, $\angle AOD=\angle COB$
⑤ $\angle DAO=\angle BCO$, $\angle AOD=\angle COB$, $\angle ODA=\angle OBC$

중단원 연산 마무리

01 다음 그림의 선분 AB와 길이가 같은 선분 PQ를 작도하시오.

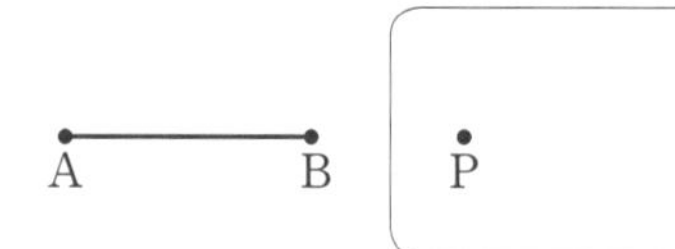

02 다음 그림은 ∠AOB와 크기가 같은 각을 반직선 PQ를 한 변으로 하여 작도한 것이다. 작도 순서를 나열하시오.

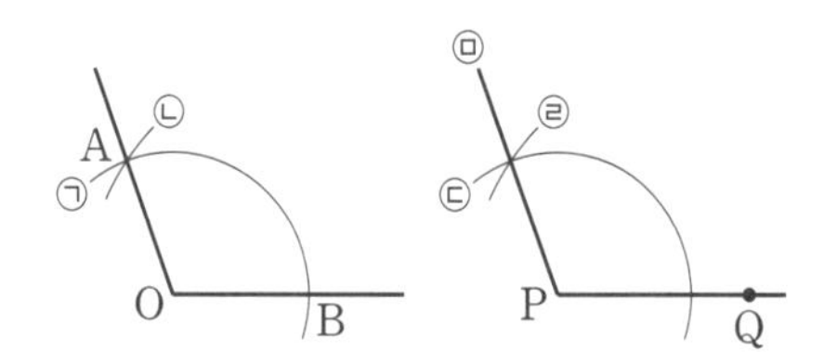

03 다음에 주어진 각과 크기가 같고 $\overrightarrow{PQ}$를 한 변으로 하는 각을 작도하시오.

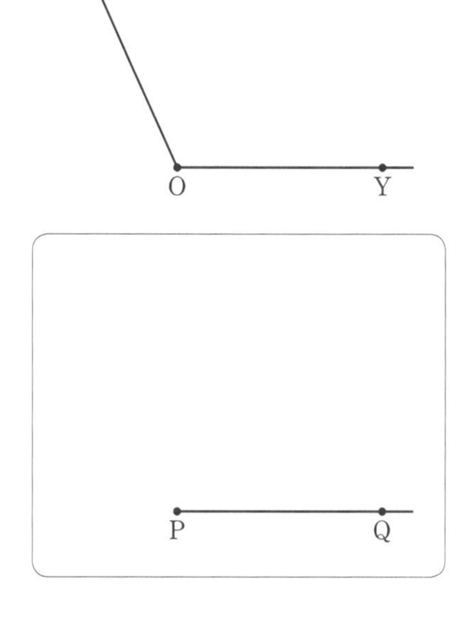

04 길이가 다음과 같은 여러 개의 선분이 있다. 이 중 세 개를 골라 만들 수 있는 서로 다른 삼각형의 개수를 구하시오.

(1) 2 cm, 3 cm, 4 cm, 6 cm

(2) 3 cm, 5 cm, 7 cm, 9 cm

(3) 5 cm, 6 cm, 11 cm, 14 cm, 17 cm

(4) 4 cm, 6 cm, 8 cm, 11 cm, 13 cm

05 다음과 같이 삼각형의 세 변의 길이가 주어질 때, x의 값의 범위를 구하시오.

(1) 4 cm, 6 cm, x cm

(2) 5 cm, 10 cm, x cm

(3) 7 cm, x cm, 13 cm

(4) 6 cm, 9 cm, $(x+1)$ cm

06 다음과 같은 조건이 주어질 때, △ABC가 하나로 정해지는 것에는 ○표, 하나로 정해지지 않는 것에는 ×표를 하시오.

(1) $\overline{BC}=4$ cm, $\overline{CA}=6$ cm, $\angle B=50°$ ( )

(2) $\overline{AB}=8$ cm, $\angle A=40°$, $\angle B=60°$ ( )

(3) $\overline{AB}=7$ cm, $\overline{BC}=5$ cm, $\overline{AC}=7$ cm ( )

(4) $\overline{AB}=6$ cm, $\overline{BC}=9$ cm, $\angle B=45°$ ( )

(5) $\angle A=70°$, $\angle B=60°$, $\angle C=50°$ ( )

07 다음 중 △ABC를 하나로 작도할 수 있는 것에는 ○표, 하나로 작도할 수 없는 것에는 ×표를 하시오. 이때 하나로 작도할 수 없는 것은 그 이유를 말하시오.

(1) $\overline{AB}=10$ cm, $\overline{BC}=8$ cm, $\overline{AC}=11$ cm ( )

(2) $\overline{AB}=9$ cm, $\overline{BC}=7$ cm, $\angle C=55°$ ( )

(3) $\overline{AC}=10$ cm, $\angle B=70°$, $\angle C=50°$ ( )

(4) $\overline{BC}=8$ cm, $\angle B=110°$, $\angle C=70°$ ( )

08 다음 보기의 삼각형 중 합동인 삼각형을 찾아 기호로 나타내려고 한다. □ 안에 알맞은 것을 써넣으시오.

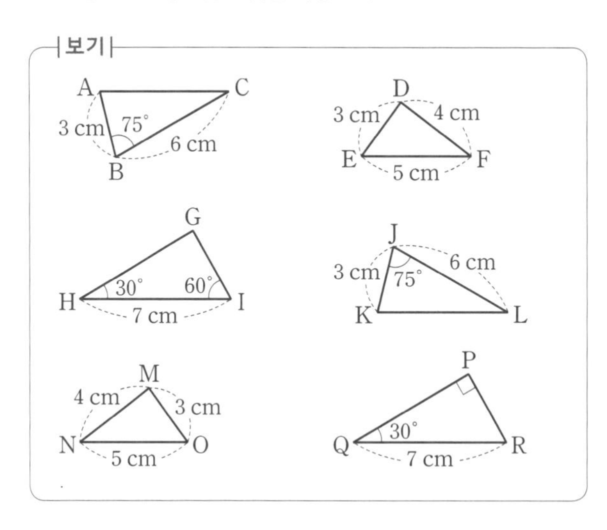

(1) △ABC≡□ (□ 합동)

(2) △DEF≡□ (□ 합동)

(3) △GHI≡□ (□ 합동)

09 다음 그림의 △ABC와 △DEF에서 $\overline{AB}=\overline{DE}$, $\angle B=\angle E$이다. △ABC≡△DEF가 되기 위해 추가로 필요한 조건 한 가지를 쓰고, 그때의 합동 조건을 쓰시오.

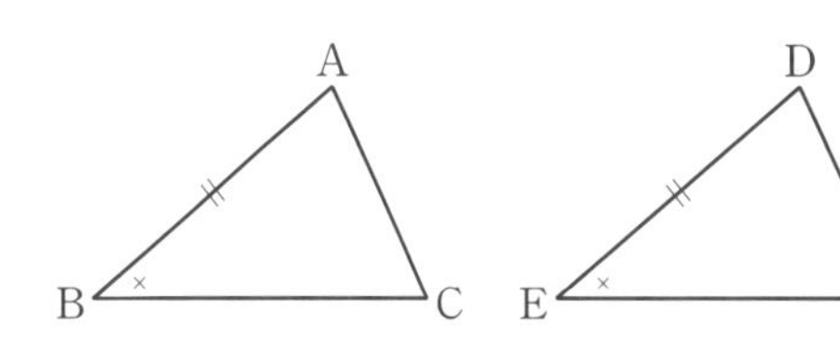

추가로 필요한 조건	합동 조건

도전 100점

10 다음은 $\overline{OA}=\overline{OB}$, $\overline{AC}=\overline{BD}$일 때, $\triangle OAD \equiv \triangle OBC$임을 보이는 과정이다. □ 안에 알맞은 것을 써넣으시오.

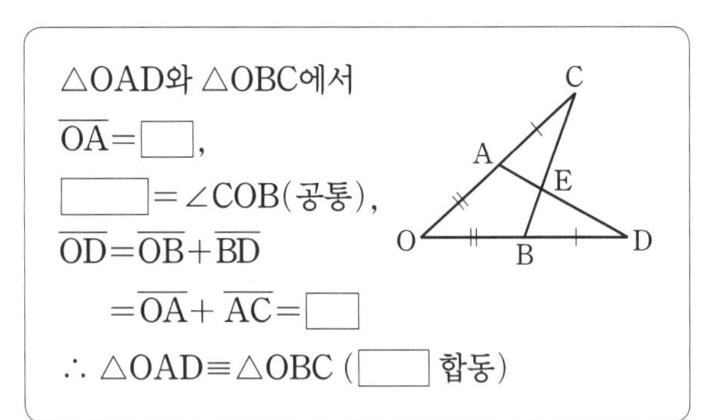

$\triangle OAD$와 $\triangle OBC$에서

$\overline{OA}=$□,

□$=\angle COB$(공통),

$\overline{OD}=\overline{OB}+\overline{BD}$

$=\overline{OA}+\overline{AC}=$□

$\therefore \triangle OAD \equiv \triangle OBC$ (□ 합동)

11 다음은 $\angle XOY$의 이등분선 위의 한 점 P에서 두 변 $\overline{OX}$, $\overline{OY}$에 이르는 거리가 같음을 설명한 것이다. □ 안에 알맞은 것을 써넣으시오.

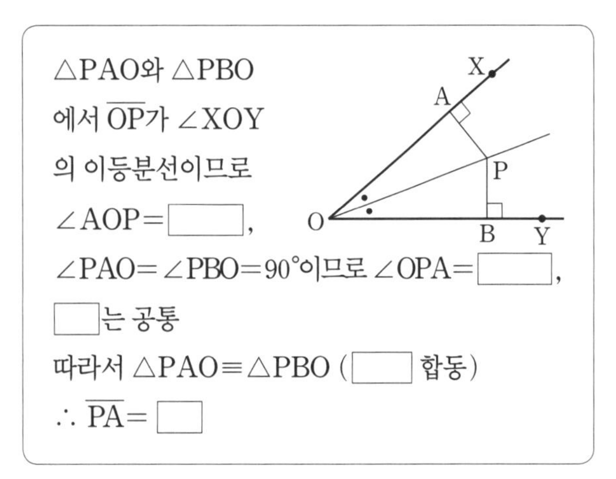

$\triangle PAO$와 $\triangle PBO$에서 $\overline{OP}$가 $\angle XOY$의 이등분선이므로

$\angle AOP=$□,

$\angle PAO=\angle PBO=90°$이므로 $\angle OPA=$□,

□는 공통

따라서 $\triangle PAO \equiv \triangle PBO$ (□ 합동)

$\therefore \overline{PA}=$□

12 $\triangle ABC$는 $\overline{AB}=\overline{AC}$인 직각이등변삼각형일 때, 다음 그림에서 합동인 두 삼각형을 찾아 기호 ≡를 사용하여 나타내고, 이때의 합동 조건을 쓰시오.

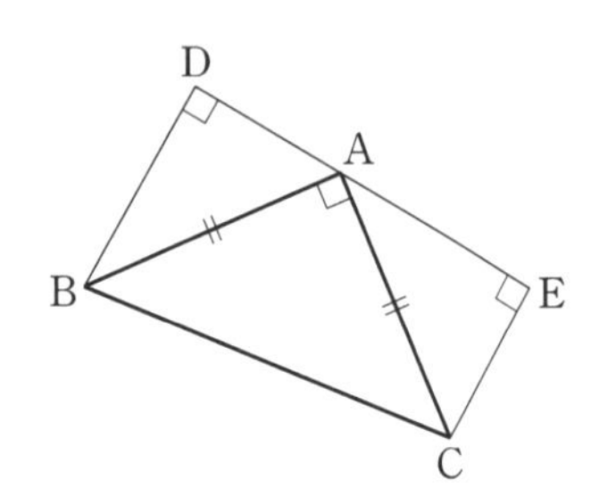

13 다음 그림과 같이 $\overline{AB}=\overline{DC}$, $\overline{AC}=\overline{DB}$인 사각형 ABCD에서 서로 합동인 삼각형은 모두 몇 쌍인지 구하시오.

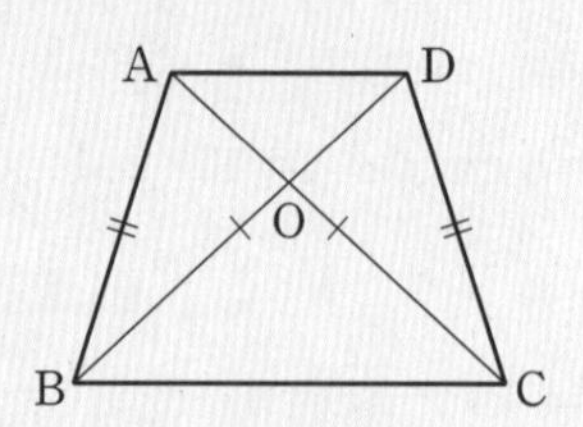

14 오른쪽 그림의 정사각형 ABCD에서 $\overline{AE}=\overline{BF}$, $\angle ADE=30°$이고, $\overline{AF}$와 $\overline{DE}$의 교점을 G라 할 때, 물음에 답하시오.

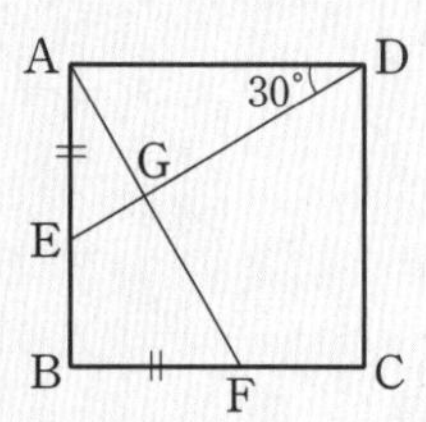

(1) $\triangle ABF$와 합동인 삼각형을 찾고, 이때의 합동 조건을 쓰시오.

(2) $\angle DAG$의 크기를 구하시오.

(3) $\angle DGF$의 크기를 구하시오.

15 오른쪽 그림에서 $\triangle ABC$는 정삼각형이고 $\overline{BD}=\overline{CE}$일 때, $\angle x$의 크기를 구하시오.

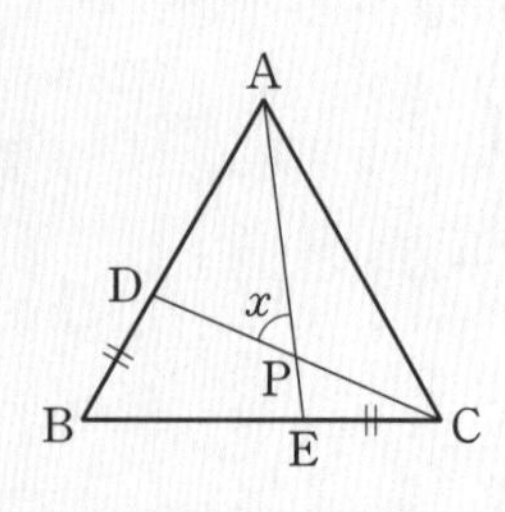

나만의 비법 노트

V. 도형의 성질

연산 문제와 시험 대비 문제를 많이 풀어보고 개념과 원리를 확실하게 이해하자. 또한 이해도를 바탕으로 자신의 수준에 맞는 계획을 세워 반복 학습을 하자.

중단원명	강의 명	학습 날짜	이해도
1. 평면도형의 성질	13강 다각형	월 일	
	14강 다각형의 대각선	월 일	
	15강 삼각형의 내각의 크기의 합	월 일	
	16강 삼각형의 내각과 외각 사이의 관계	월 일	
	17강 다각형의 내각의 크기의 합	월 일	
	18강 다각형의 외각의 크기의 합	월 일	
	19강 원과 부채꼴	월 일	
	20강 부채꼴의 호의 길이와 넓이	월 일	
	21강 색칠한 부분의 둘레의 길이와 넓이	월 일	
	22강 중단원 연산 마무리	월 일	
2. 입체도형의 성질	23강 다면체	월 일	
	24강 정다면체	월 일	
	25강 회전체	월 일	
	26강 기둥의 겉넓이	월 일	
	27강 기둥의 부피	월 일	
	28강 뿔의 겉넓이	월 일	
	29강 뿔의 부피	월 일	
	30강 구의 겉넓이와 부피	월 일	
	31강 중단원 연산 마무리	월 일	

힘수 점검

정답과 해설 _ p.16

다각형의 넓이를 구할 수 있나요?

1 다음 도형의 넓이를 구하시오. 초등5

(1)

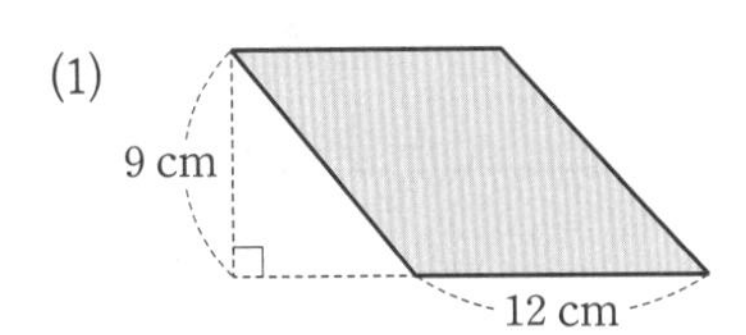

(2)

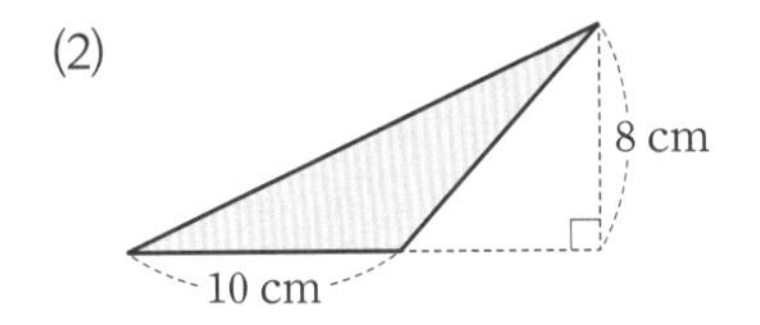

다각형의 넓이를 구할 수 있나요?

2 다음 도형의 넓이를 구하시오. 초등5

(1)

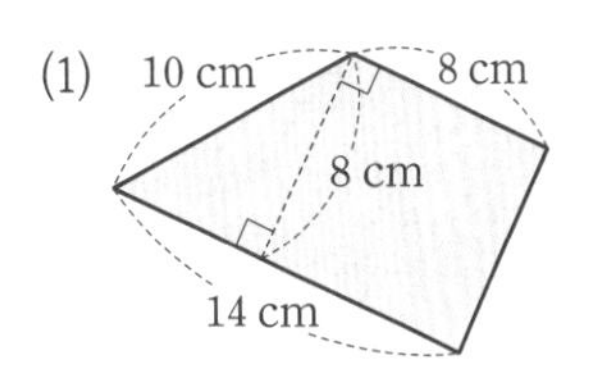

(2)

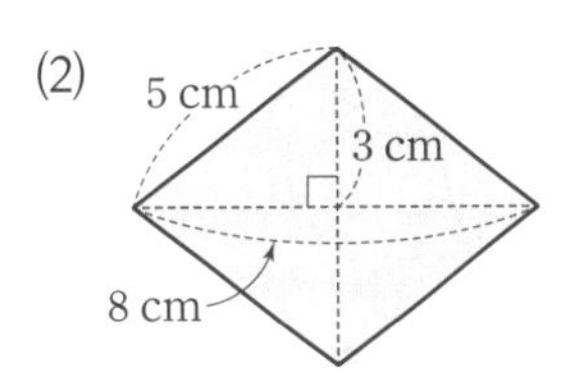

각기둥을 알고 있나요?

3 각기둥을 보고 표를 완성하시오. 초등6

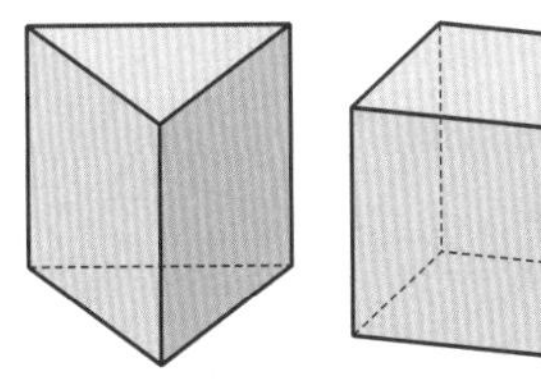

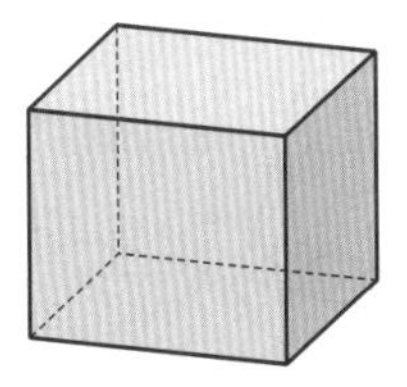

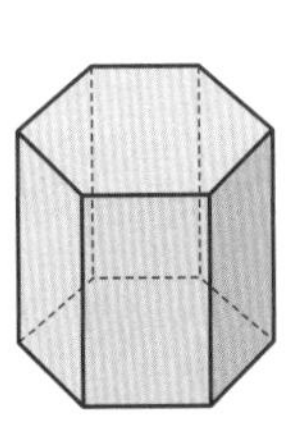

도형	꼭짓점의 수	면의 수	모서리의 수
삼각기둥			
사각기둥			
육각기둥			

원기둥, 원뿔, 구를 알고 있나요?

4 입체도형을 보고 물음에 답하시오. 초등6

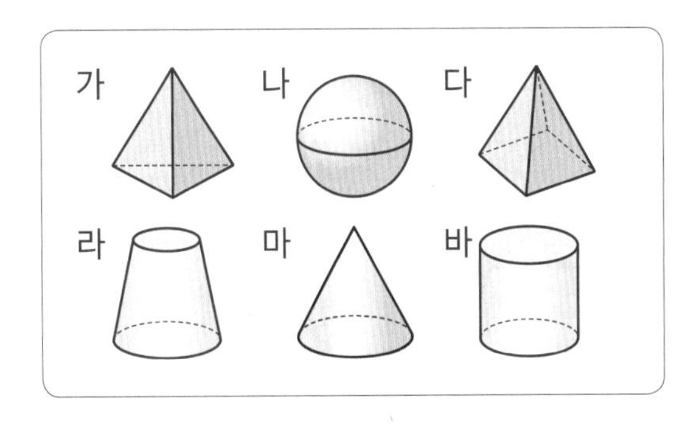

(1) 구를 찾아 기호를 쓰시오.

(2) 각뿔을 모두 찾아 기호를 쓰시오.

(3) 회전체를 모두 찾아 기호를 쓰시오.

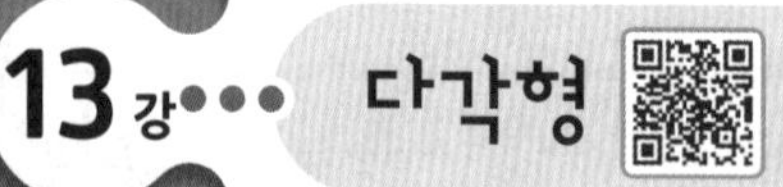

다각형

1. 다각형

다각형: 여러 개의 선분으로 둘러싸인 평면도형

(1) 변: 다각형을 이루는 선분

(2) 꼭짓점: 변과 변이 만나는 점

(3) 내각: 다각형에서 이웃하는 두 변으로 이루어진 내부의 각

(4) 외각: 다각형의 각 꼭짓점에서 한 변과 그 변에 이웃한 변의 연장선으로 이루어진 각

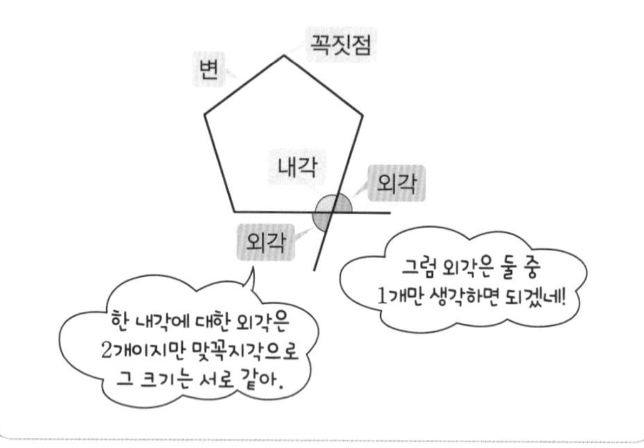

변
꼭짓점
내각
외각
외각
그럼 외각은 둘 중 1개만 생각하면 되겠네!
한 내각에 대한 외각은 2개이지만 맞꼭지각으로 그 크기는 서로 같아.

01 다음 중 다각형인 것에는 ○표, 아닌 것에는 × 표를 하시오.

(1) (　　)

(2) 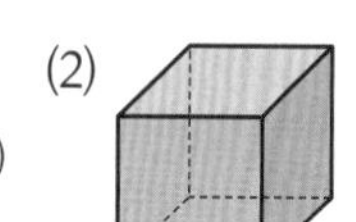 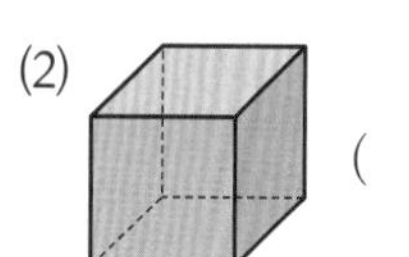 (　　)

(3) 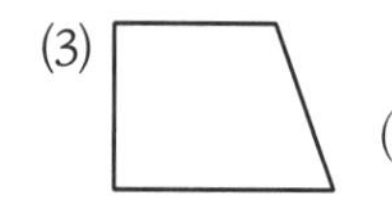 (　　)

(4) 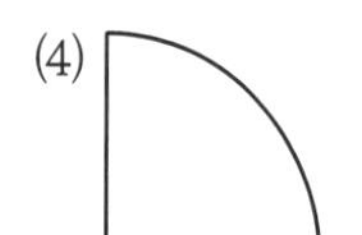  (　　)

(5) 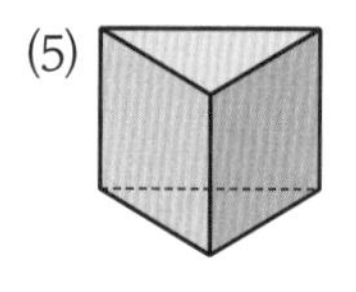 (　　)

(6)  (　　)

02 사각형 ABCD에 대하여 다음 용어에 해당되는 부분을 기호로 쓰시오.

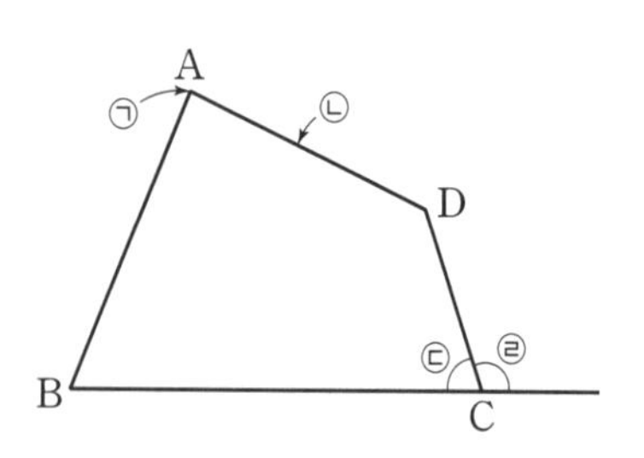

(1) 변

(2) 꼭짓점

(3) $\angle C$의 내각

(4) $\angle C$의 외각

03 아래 그림에서 다음 각의 크기를 구하시오.

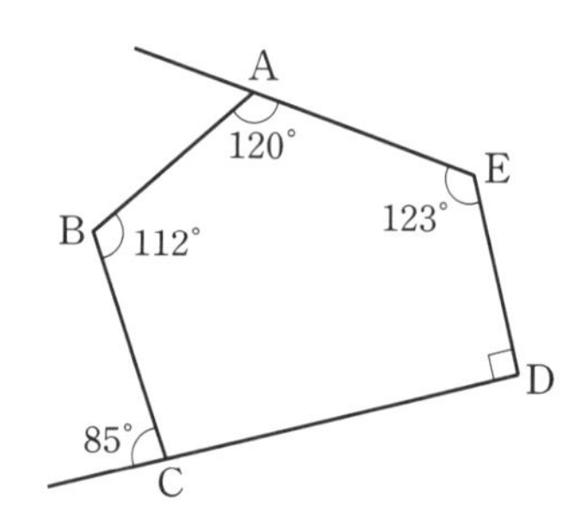

(1) $\angle A$의 내각

(2) $\angle A$의 외각

(3) $\angle D$의 내각

(4) $\angle C$의 내각

(5) $\angle C$의 외각

04 다음 그림과 같은 다각형에서 ∠B의 내각의 크기와 외각의 크기를 각각 구하시오.

(1)

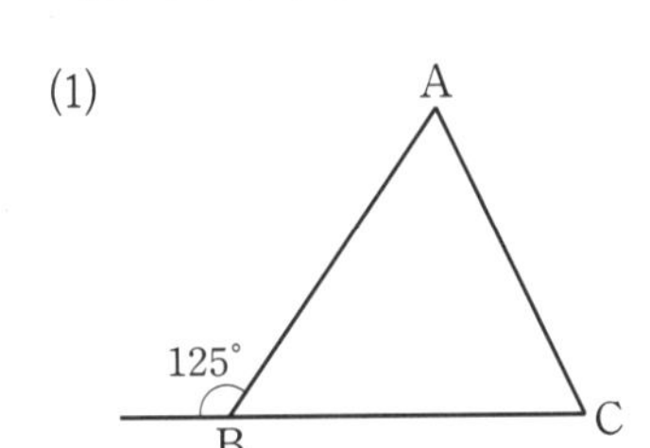

내각: ____________

외각: ____________

(2)

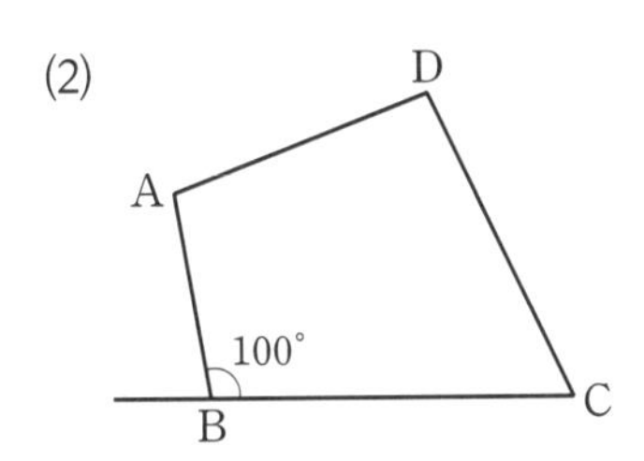

내각: ____________

외각: ____________

(3)

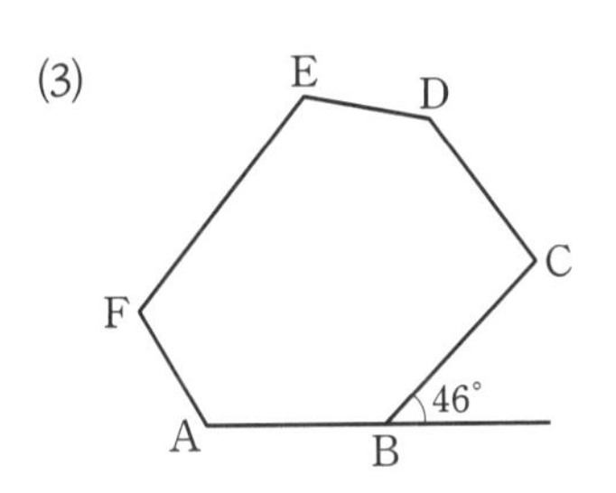

내각: ____________

외각: ____________

05 다음 그림에서 $\angle x$, $\angle y$의 크기를 각각 구하시오.

(1)

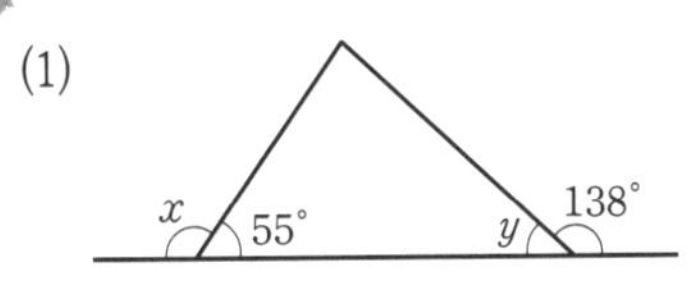

(2)

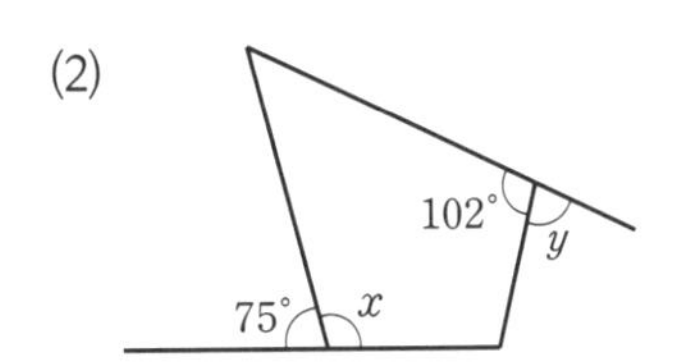

2. 정다각형 up+

정다각형: 모든 변의 길이가 같고 모든 각의 크기가 같은 다각형

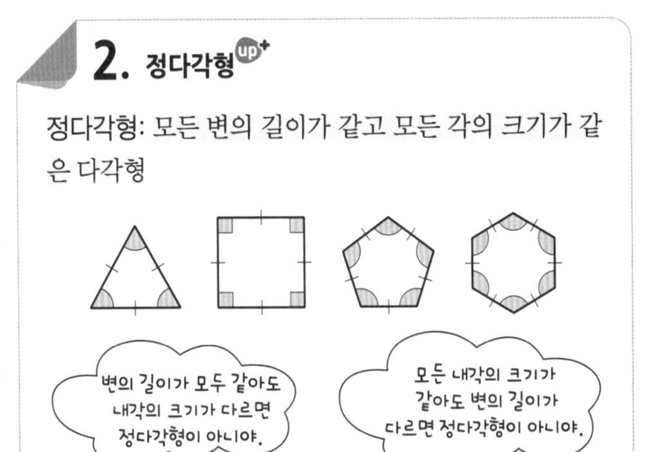

변의 길이가 모두 같아도 내각의 크기가 다르면 정다각형이 아니야.
모든 내각의 크기가 같아도 변의 길이가 다르면 정다각형이 아니야.

06 다음 조건을 모두 만족시키는 다각형을 구하시오.

(1)

ㄱ. 5개의 선분으로 둘러싸여 있다.
ㄴ. 모든 변의 길이가 같다.
ㄷ. 모든 내각의 크기가 같다.

(2)

ㄱ. 꼭짓점의 개수는 8이다.
ㄴ. 모든 내각의 크기가 같다.
ㄷ. 모든 변의 길이가 같다.

07 다음 중 옳은 것에는 ○표, 옳지 않은 것에는 ×표를 하시오.

(1) 다각형의 변의 개수와 꼭짓점의 개수는 같다. (　　)

(2) 정다각형은 모든 내각의 크기가 같다. (　　)

(3) 세 변의 길이가 같은 삼각형은 정삼각형이다. (　　)

(4) 네 내각의 크기가 같은 사각형은 정사각형이다. (　　)

01 다음 중 다각형이 아닌 것을 모두 고르면? (정답 2개)

① 직육면체　② 정십각형　③ 평행사변형
④ 반원　⑤ 직각삼각형

다각형은 선분으로만 둘러싸인 평면도형이다.

02 다음 중 다각형에 대한 설명으로 옳지 않은 것은?

① 다각형은 3개 이상의 선분으로 둘러싸인 평면도형이다.
② 꼭짓점의 개수가 8개인 다각형은 팔각형이다.
③ 다각형에서 변의 개수와 꼭짓점의 개수는 항상 같다.
④ 모든 변의 길이가 같은 육각형을 정육각형이라 한다.
⑤ 정다각형의 한 내각에 대한 외각은 2개가 있다.

정다각형은 모든 변의 길이가 같고 모든 각의 크기가 같은 다각형이다.

03 오른쪽 그림에서 $\angle x+\angle y$의 크기를 구하시오.

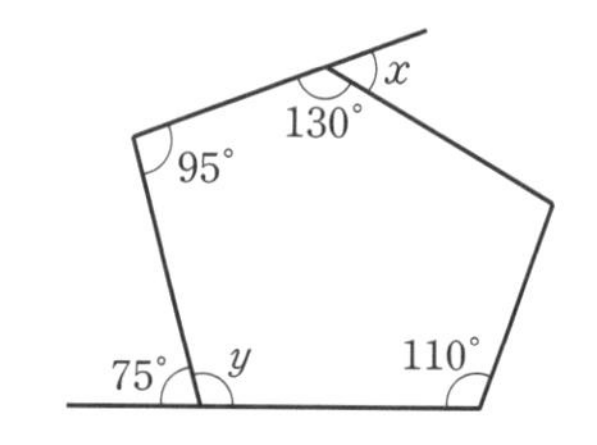

다각형의 한 꼭짓점에서 내각과 외각의 크기의 합은 180°이다.

04 다음 조건을 모두 만족시키는 다각형을 구하시오.

ㄱ. 모든 변의 길이가 같고, 모든 내각의 크기가 같다.
ㄴ. 7개의 선분으로 둘러싸여 있다.

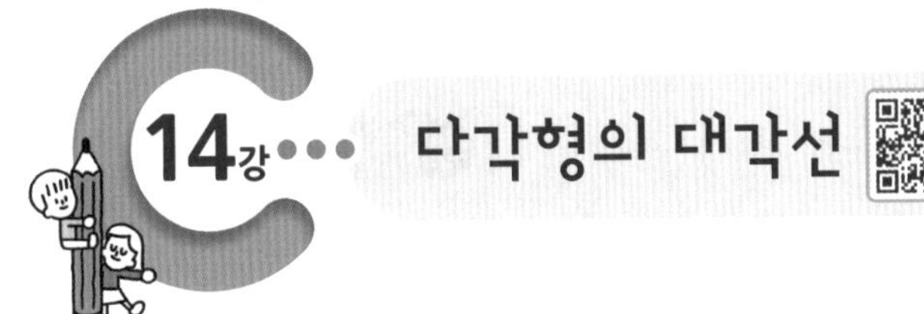

14강 ••• 다각형의 대각선

정답과 해설 _ p.16

1. 대각선 up+

(1) 대각선: 다각형에서 이웃하지 않은 두 꼭짓점을 이은 선분

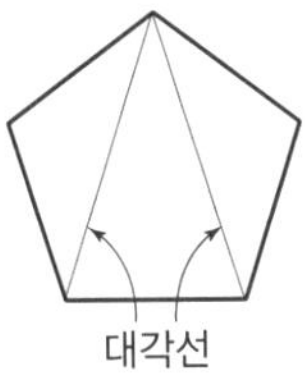

대각선

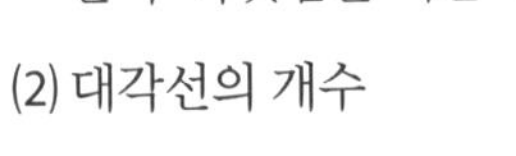

(2) 대각선의 개수

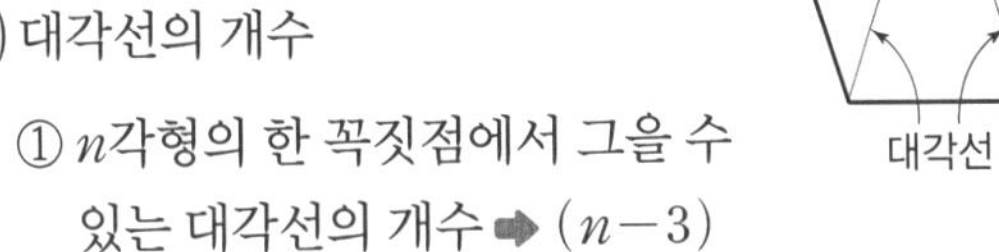

① n각형의 한 꼭짓점에서 그을 수 있는 대각선의 개수 ➡ $(n-3)$

② n각형의 대각선의 개수 ➡ $\dfrac{n(n-3)}{2}$

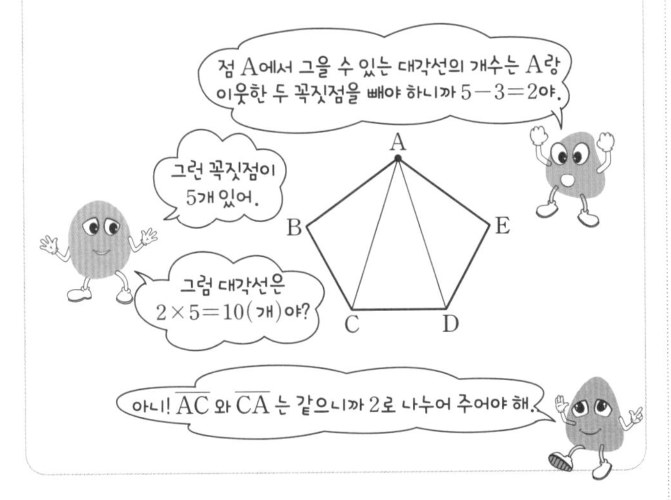

점 A에서 그을 수 있는 대각선의 개수는 A랑 이웃한 두 꼭짓점을 빼야 하니까 5−3=2야.
그런 꼭짓점이 5개 있어.
그럼 대각선은 2×5=10(개)야?
A
B
E
C
D
아니! AC와 CA는 같으니까 2로 나누어 주어야 해.

01 다음 다각형의 꼭짓점 A에서 그을 수 있는 대각선을 모두 그리고 표를 완성하시오.

다각형	꼭짓점의 개수	한 꼭짓점에서 그을 수 있는 대각선의 개수	대각선의 개수
(사각형 A)	4	4−□=1	$\dfrac{4\times1}{\square}$=□
(오각형 A)	5	5−3=2	$\dfrac{5\times2}{2}=5$
(육각형 A)	6		
(칠각형 A)			

02 한 꼭짓점에서 그을 수 있는 대각선의 개수가 다음과 같을 때, 다각형을 구하시오.

(1) 4

(2) 6

(3) 7

(4) 9

쌤 Tip 다각형의 한 꼭짓점에서 자기 자신과 이웃하는 2개의 꼭짓점에는 대각선을 그을 수 없어.

03 다음 다각형의 대각선의 개수를 구하시오.

(1) 팔각형

(2) 십일각형

(3) 십삼각형

(4) 십오각형

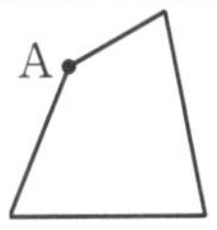

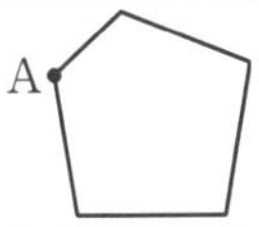

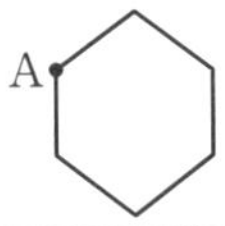

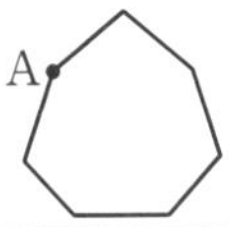

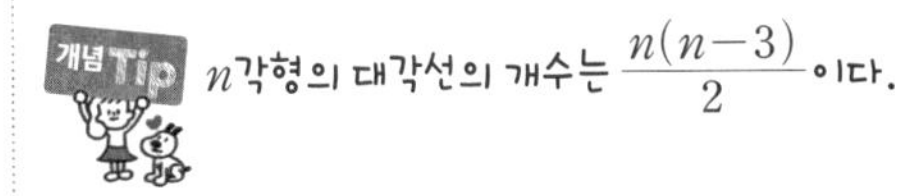

개념 Tip n각형의 대각선의 개수는 $\dfrac{n(n-3)}{2}$이다.

04 다음을 만족하는 다각형의 대각선의 개수를 구하시오.

(1) 한 꼭짓점에서 그을 수 있는 대각선의 개수가 5이다.

(2) 한 꼭짓점에서 그을 수 있는 대각선의 개수가 7이다.

(3) 한 꼭짓점에서 그을 수 있는 대각선의 개수가 9이다.

(4) 한 꼭짓점에서 그을 수 있는 대각선의 개수가 10이다.

(5) 한 꼭짓점에서 그을 수 있는 대각선의 개수가 11이다.

(6) 한 꼭짓점에서 그을 수 있는 대각선의 개수가 14이다.

(7) 한 꼭짓점에서 그을 수 있는 대각선의 개수가 16이다.

쌤 Tip
조건을 만족하는 다각형을 n각형이라 하여 한 꼭짓점에서 그을 수 있는 대각선의 개수는 $n-3$임을 이용해서 n은 값을 먼저 구해!

05 대각선의 개수가 다음과 같은 다각형을 구하시오.

(1) 2

(2) 5

(3) 9

(4) 14

(5) 27

(6) 35

(7) 54

(8) 65

만점

정답과 해설 _ p.17

01 다음은 정십각형의 대각선의 개수를 구하는 과정이다. □ 안에 알맞은 수를 써넣으시오.

> 정십각형의 한 꼭짓점에서 그을 수 있는 대각선의 개수는 $10-\square=\square$
> 이고, 각 꼭짓점에서 그을 수 있는 대각선의 개수는 모두
> $10\times\square=\square$이다.
> 그런데 한 대각선을 2번씩 세었으므로 2로 나누어야 한다.
> 따라서 정십각형의 대각선의 개수는 $\dfrac{\square}{2}=\square$이다.

사각형 ABCD에서 대각선 AC와 대각선 CA는 같은 선분이므로 각 꼭짓점에서 그을 수 있는 대각선의 총 개수를 2로 나누어야 한다.

02 다음 중 한 꼭짓점에서 그을 수 있는 대각선의 개수가 8인 다각형은?

① 팔각형 ② 구각형 ③ 십각형
④ 십일각형 ⑤ 십이각형

n각형의 한 꼭짓점에서 그을 수 있는 대각선의 개수는 $n-3$이다.

03 구각형의 한 꼭짓점에서 그을 수 있는 대각선의 개수를 a, 구각형의 대각선의 개수를 b라 할 때, $a+b$의 값을 구하시오.

n각형의 대각선의 개수는 $\dfrac{n(n-3)}{2}$이다.

04 대각선의 개수가 44인 다각형을 구하시오.

05 한 꼭짓점에서 그을 수 있는 대각선의 개수가 12인 다각형의 대각선의 개수를 구하시오.

삼각형의 내각의 크기의 합

1. 삼각형의 내각의 크기의 합 up+

삼각형의 세 내각의 크기의 합은 180°이다.

➡ $\angle A+\angle B+\angle C=180^\circ$

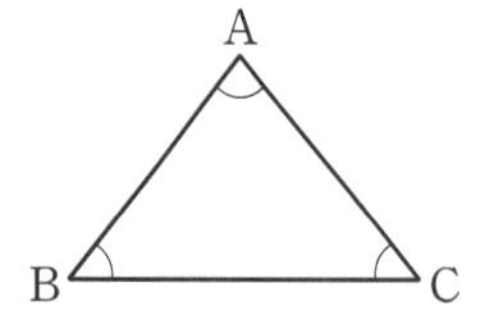

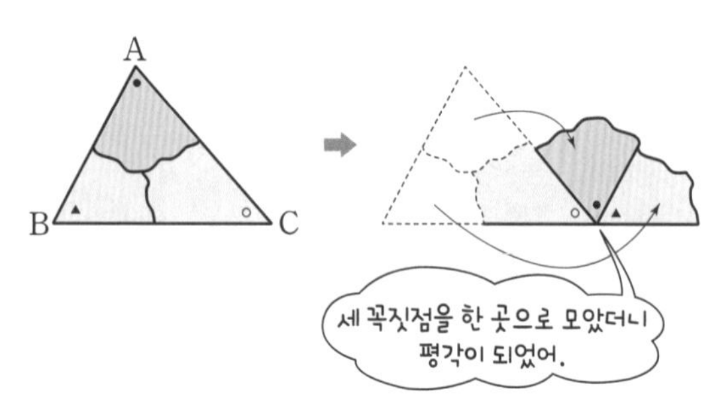

A
B
C
세 꼭짓점을 한 곳으로 모았더니 평각이 되었어.

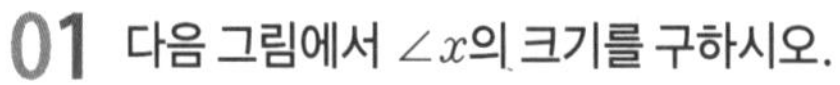

01 다음 그림에서 $\angle x$의 크기를 구하시오.

(1)

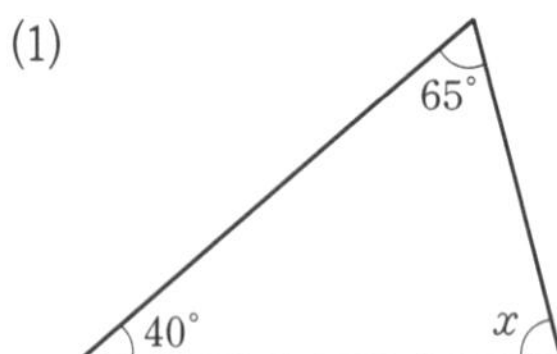

(2)

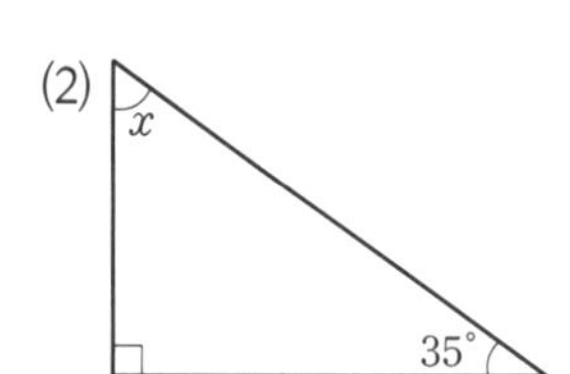

(3)

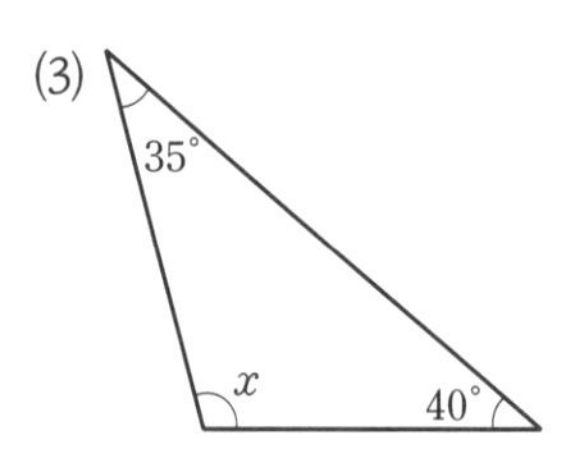

(4)

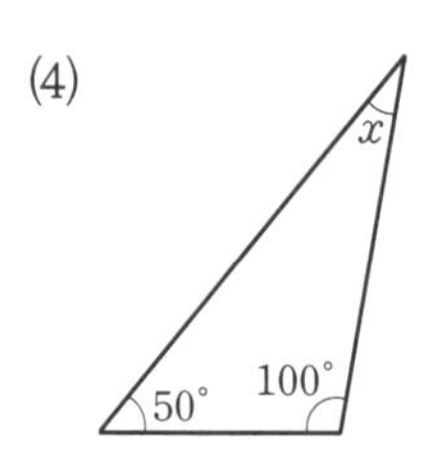

02 다음 그림에서 $\angle x$의 크기를 구하시오.

(1)

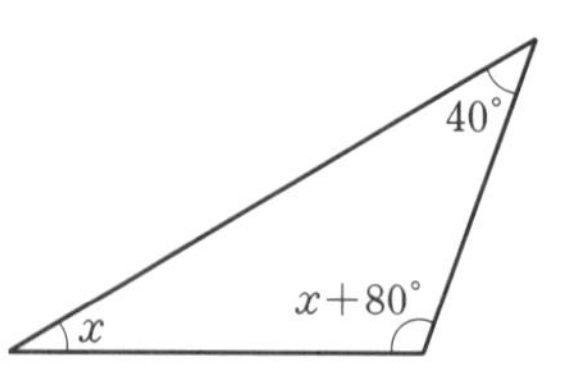

(2)

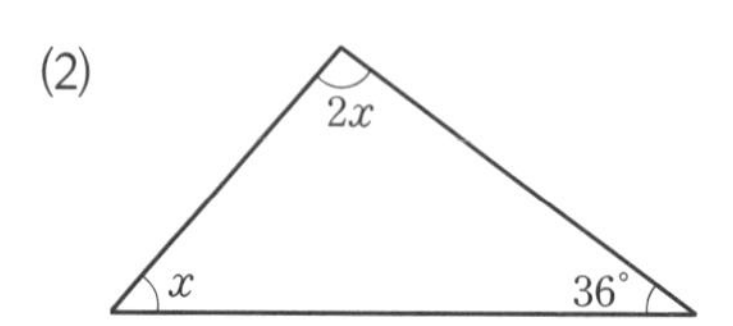

(3)

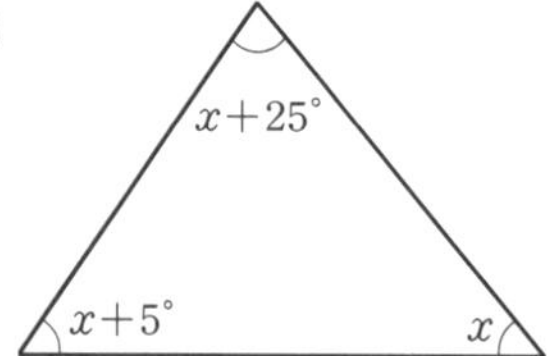

(4)

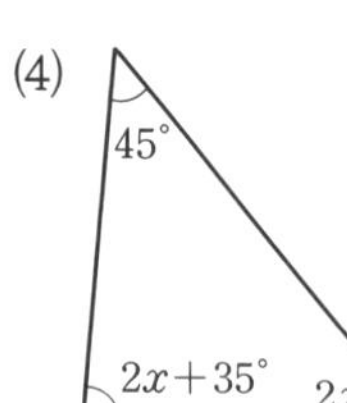

(5)

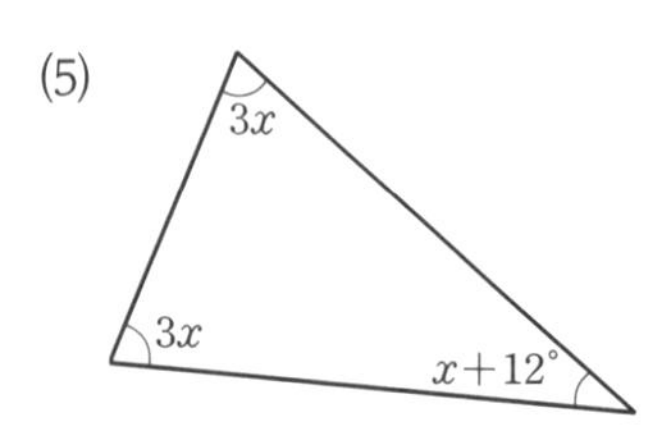

03 다음 그림에서 $\angle x$의 크기를 구하시오.

(1)

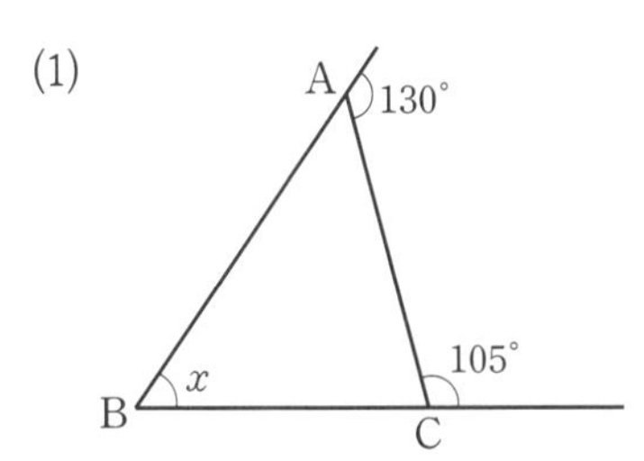

(2)

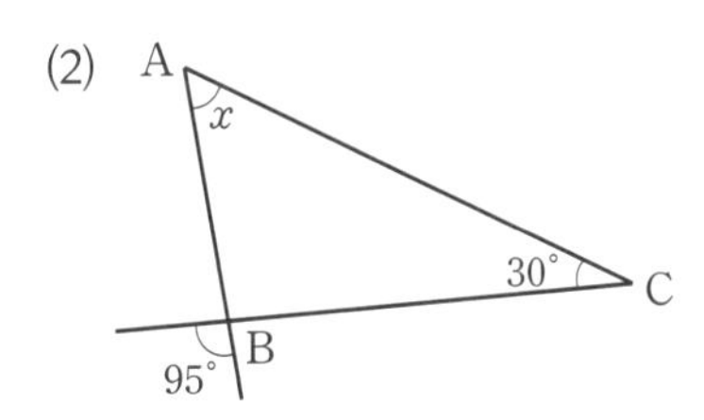

(3)

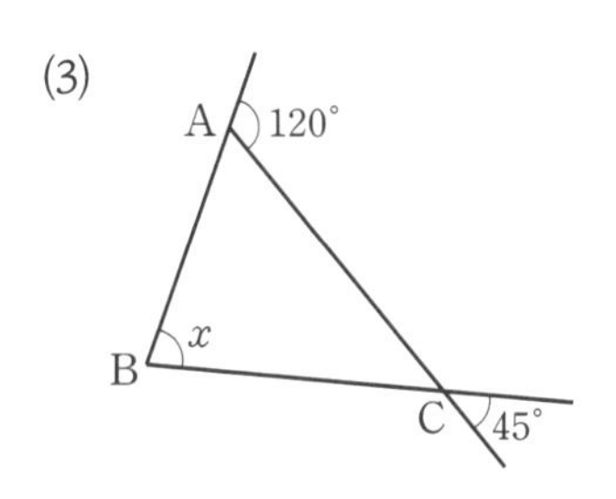

(4)

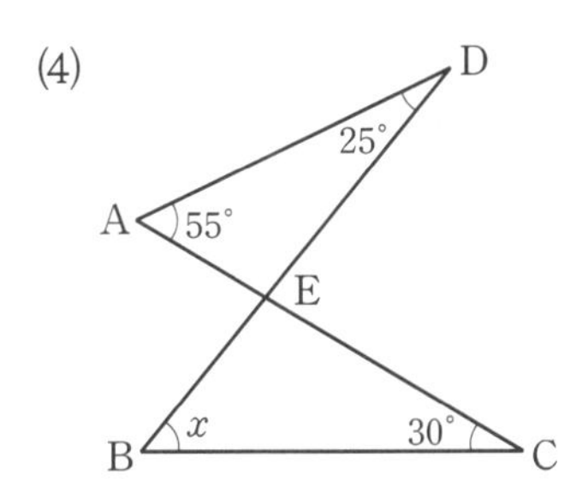

(5)

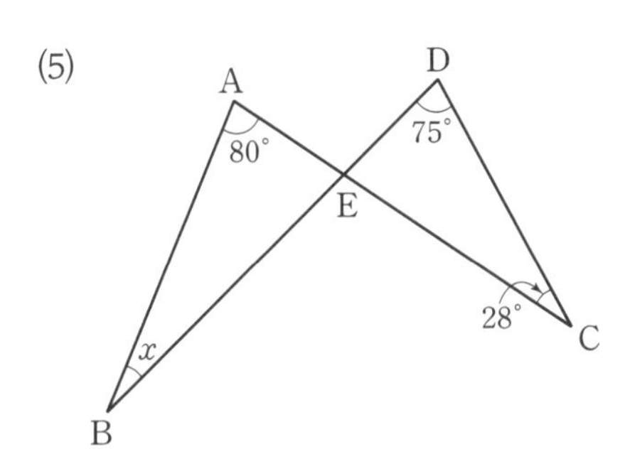

쌤 Tip
한 꼭짓점에서 외각과 내각의 크기의 합은 180°임과 맞꼭지각의 크기는 같음을 이용해.

04 다음 그림에서 $\angle x$의 크기를 구하시오.

(1)

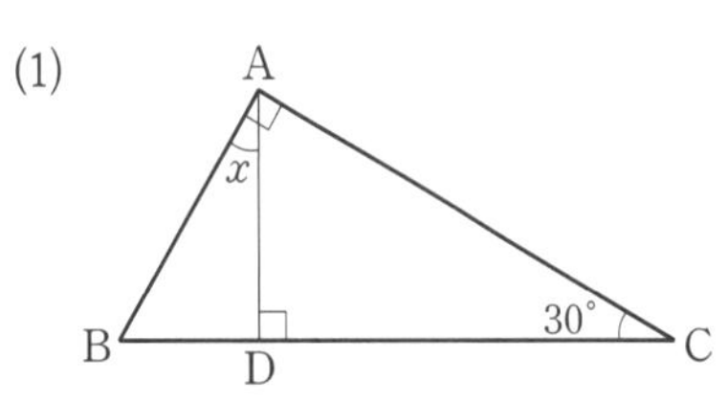

(2)

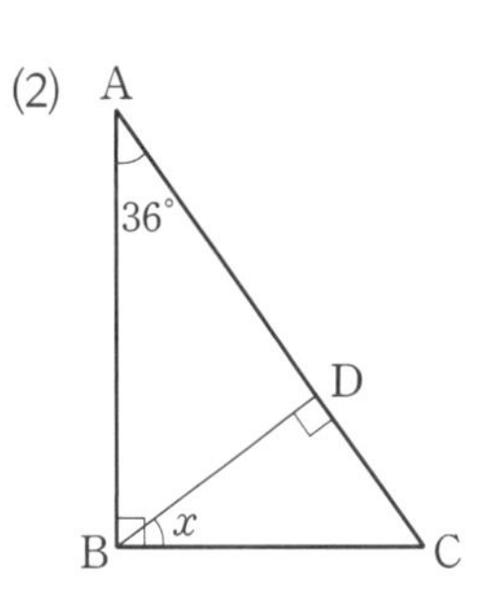

(3)

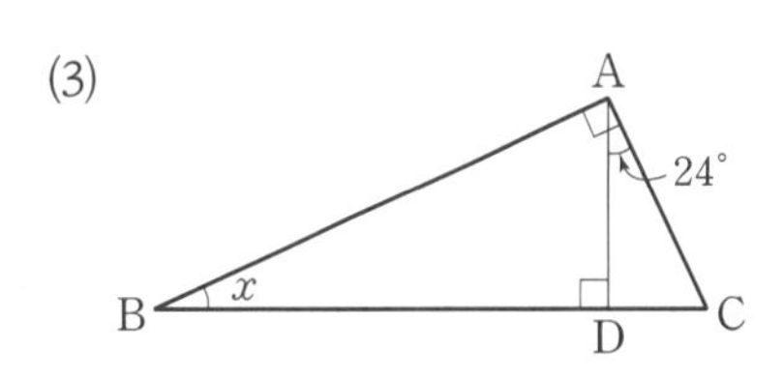

05 삼각형의 세 내각의 크기의 비가 다음과 같을 때, 가장 큰 내각의 크기를 구하시오.

(1) 1 : 2 : 3

(2) 3 : 2 : 4

(3) 5 : 4 : 3

정답과 해설 _ p.19

01 다음 그림에서 $\angle x$의 크기를 구하시오.

(1)

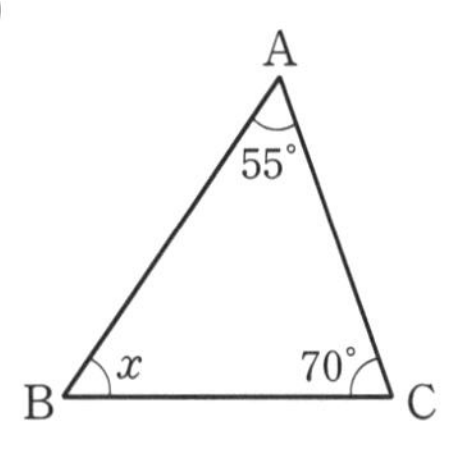

(2)

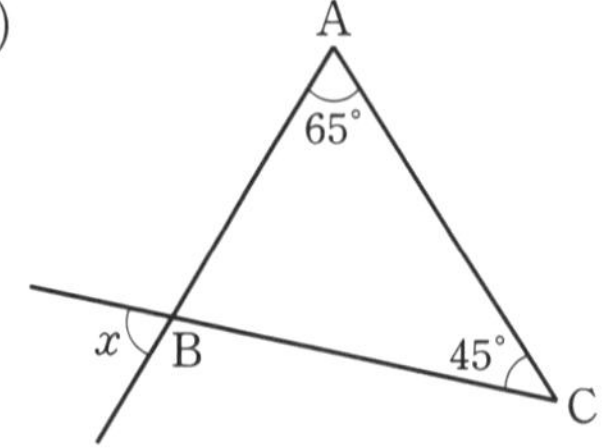

△ABC에서
$\angle A+\angle B+\angle C=180°$

02 오른쪽 그림에서 $\angle x$와 $\angle y$의 크기의 합을 구하시오.

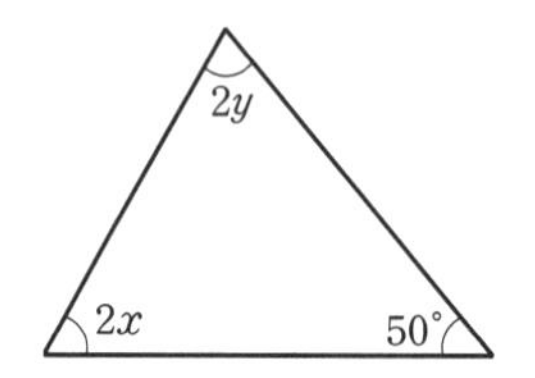

03 오른쪽 그림에서 $\angle x$의 크기를 구하시오.

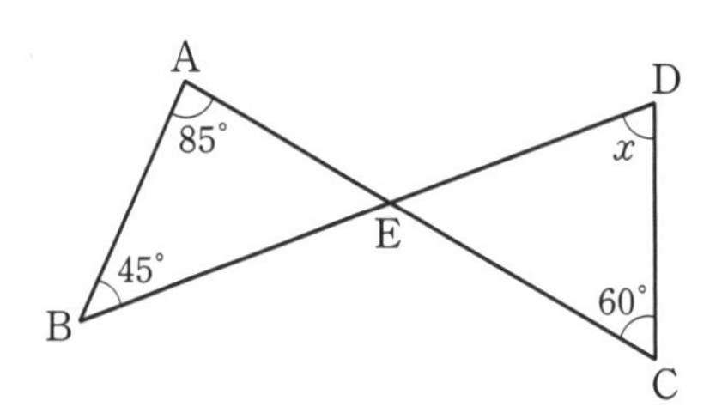

△AEB와 ∠CED는
맞꼭지각이다.

04 삼각형의 세 내각의 크기의 비가 $2:3:7$일 때, 이 삼각형에서 가장 큰 내각의 크기를 구하시오.

세 내각의 크기의 비가 $a:b:c$일 때, 세 내각의 크기는
$180°\times\frac{a}{a+b+c}$,
$180°\times\frac{b}{a+b+c}$,
$180°\times\frac{c}{a+b+c}$

05 오른쪽 그림에서 $\angle x$의 크기를 구하시오.

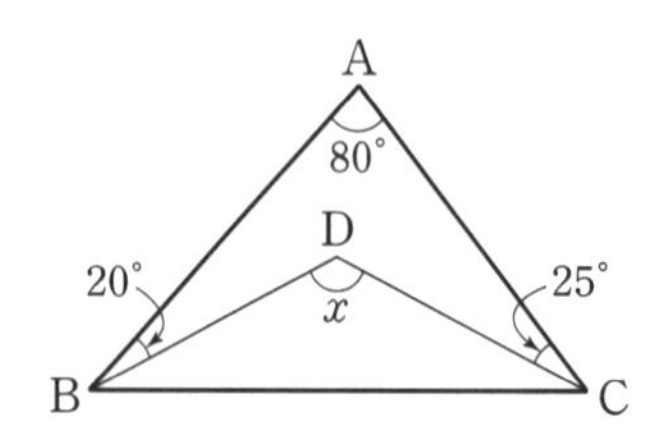

1. 삼각형의 내각과 외각 사이의 관계

삼각형의 한 외각의 크기는 그와 이웃하지 않는 두 내각의 크기의 합과 같다.

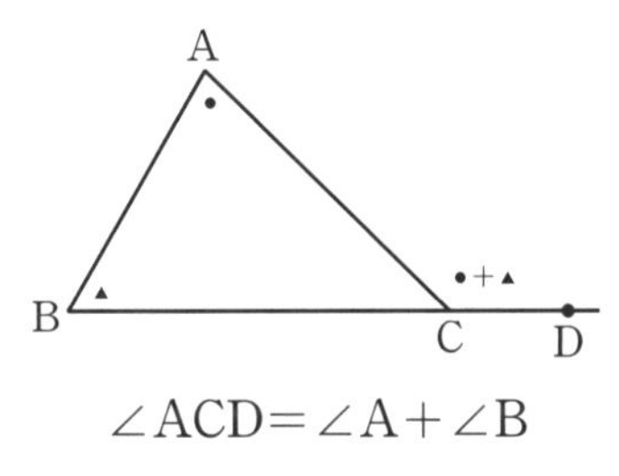

$\angle ACD = \angle A + \angle B$

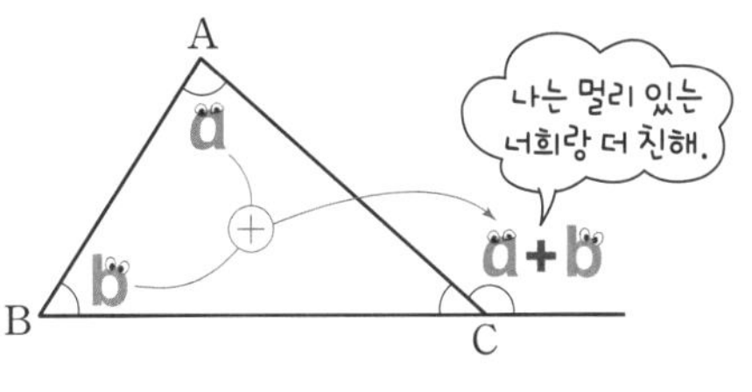

01 다음 그림에서 $\angle x$의 크기를 구하시오.

(1)

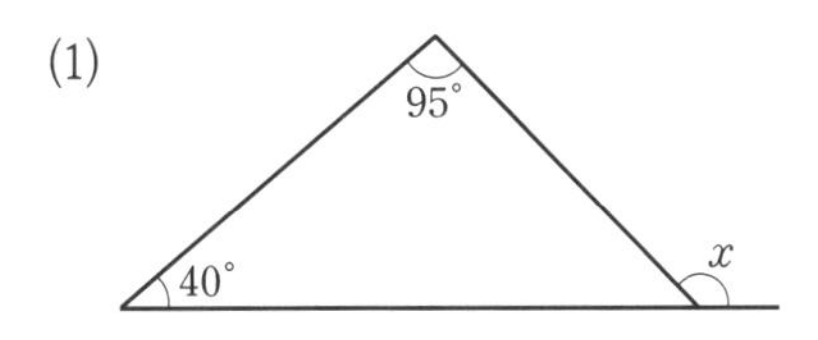

(2)

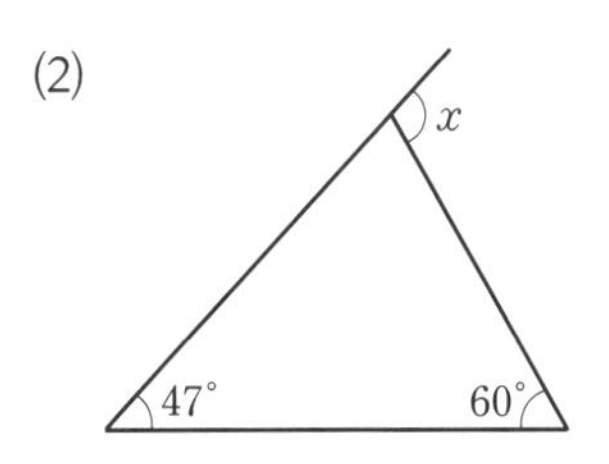

(3)

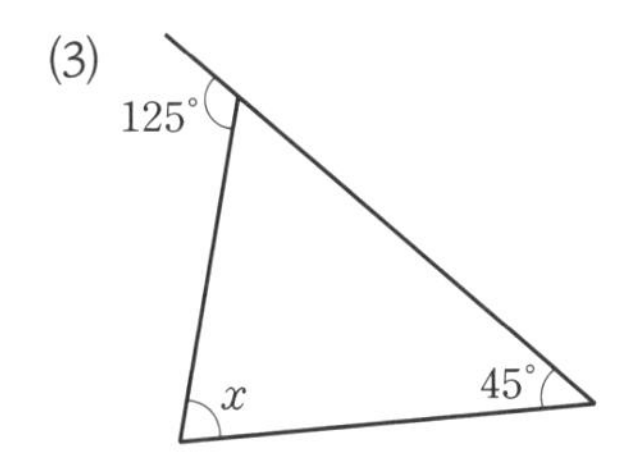

02 다음 그림에서 $\angle x$의 크기를 구하시오.

(1)

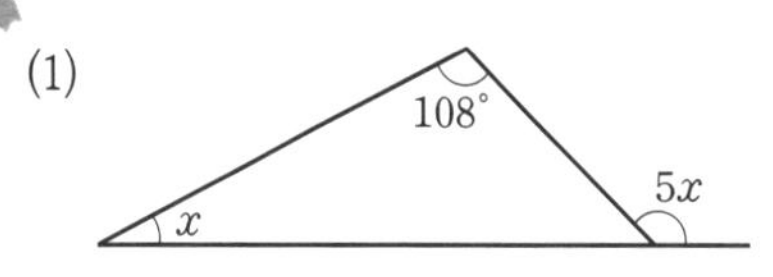

(2)

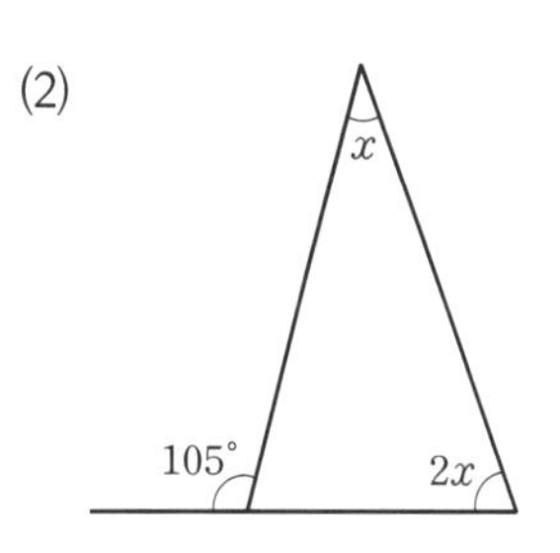

(3)

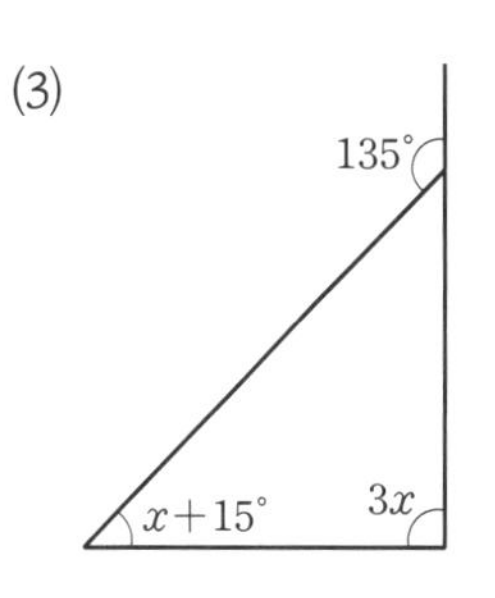

(4)

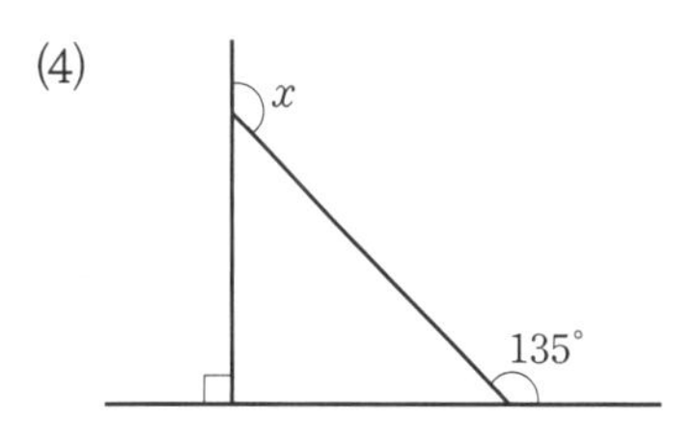

(5)

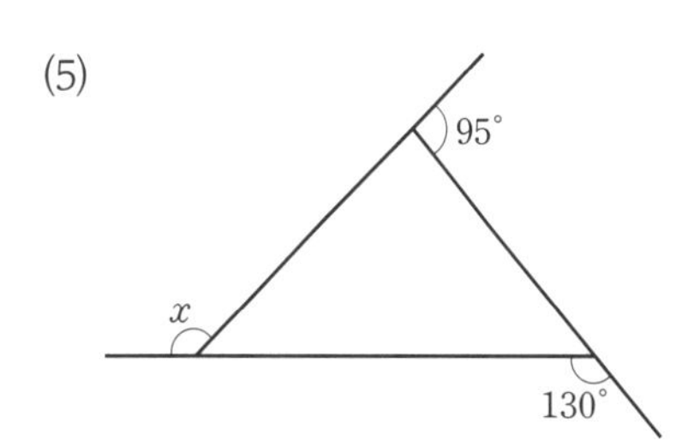

03 다음 그림에서 $\angle x$, $\angle y$의 크기를 각각 구하시오.

(1)

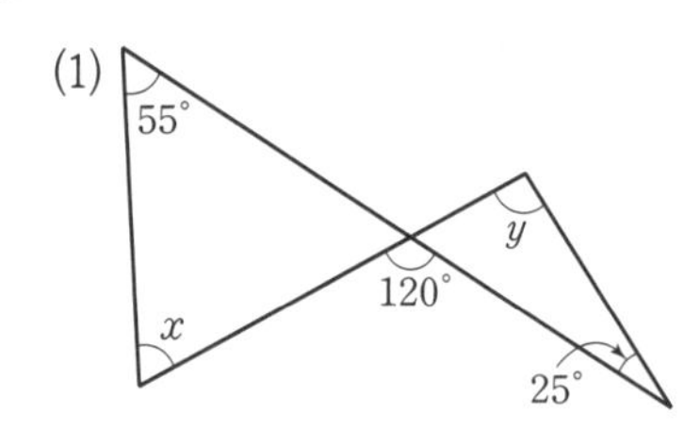

(2)

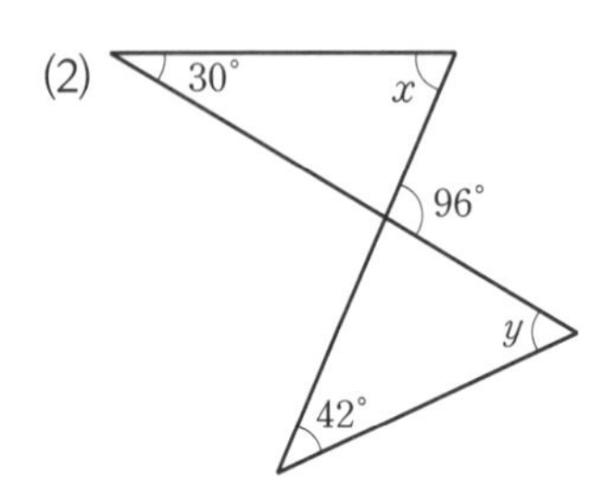

(3)

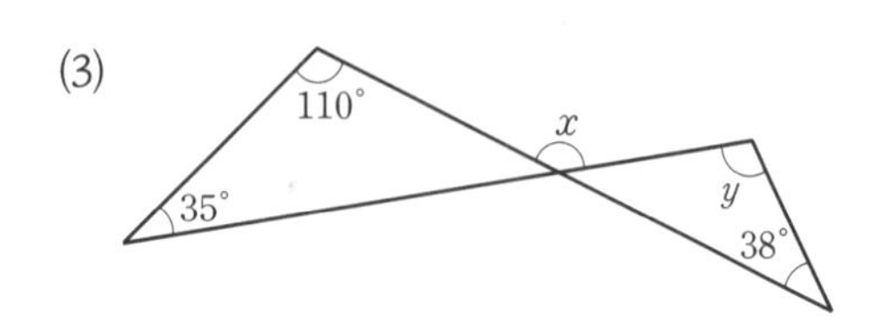

(4)

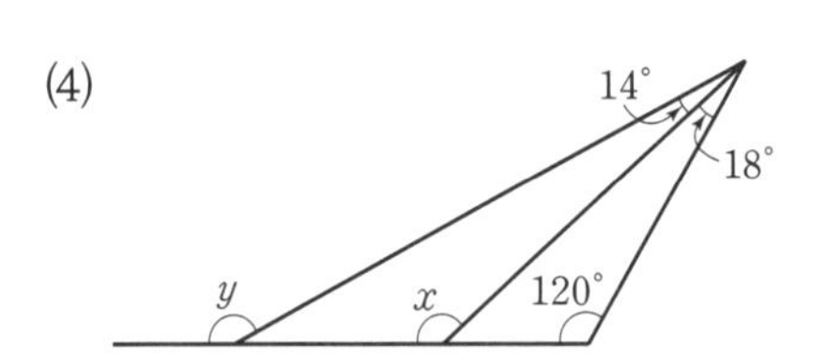

(5)

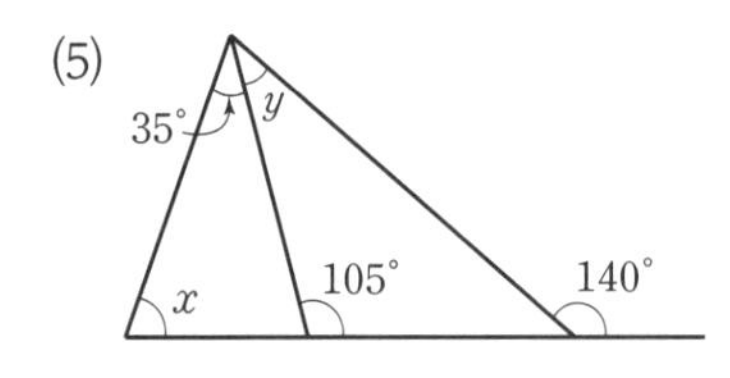

2. 삼각형의 내각과 외각의 관계의 활용 up+

(1) 내각의 이등분선

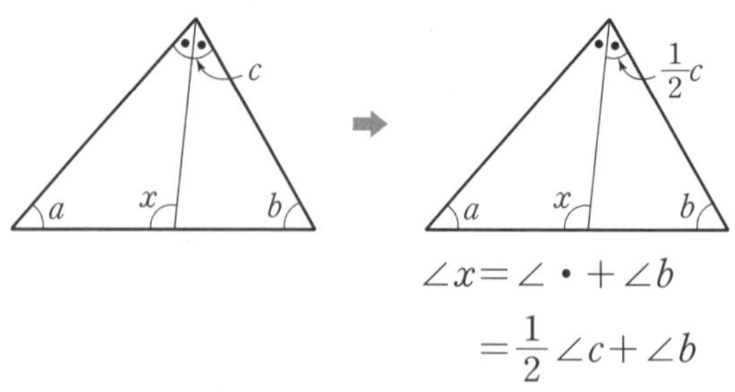

$\angle x=\angle \bullet+\angle b$

$=\frac{1}{2}\angle c+\angle b$

(2) 이등변삼각형에서의 활용

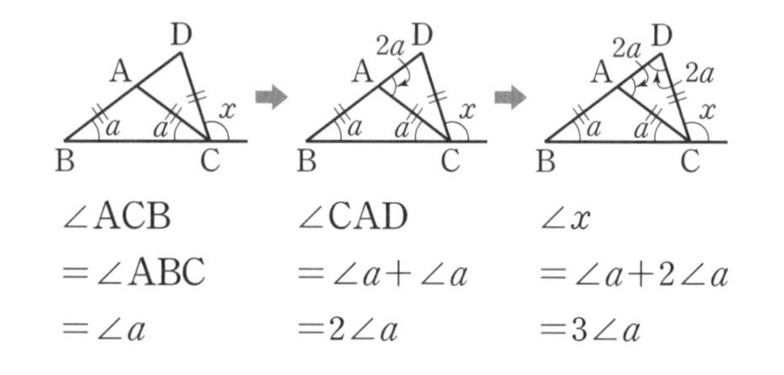

$\angle$ACB	$\angle$CAD	$\angle x$
$=\angle$ABC	$=\angle a+\angle a$	$=\angle a+2\angle a$
$=\angle a$	$=2\angle a$	$=3\angle a$

04 다음 그림의 $\triangle$ABC에서 $\overline{\text{AD}}$ 가 $\angle$BAC의 이등분선일 때, $\angle x$의 크기를 구하시오.

(1)

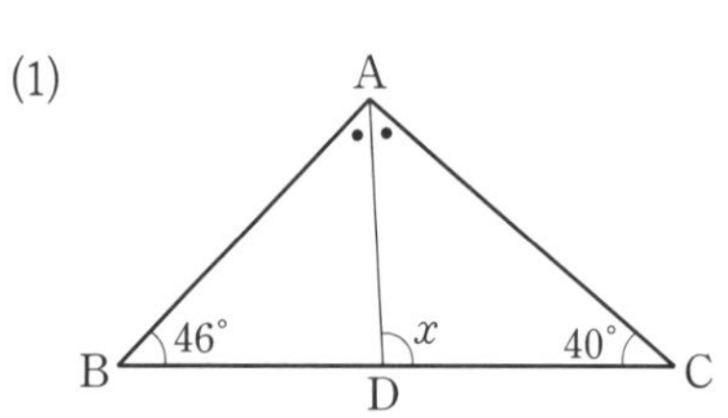

(2)

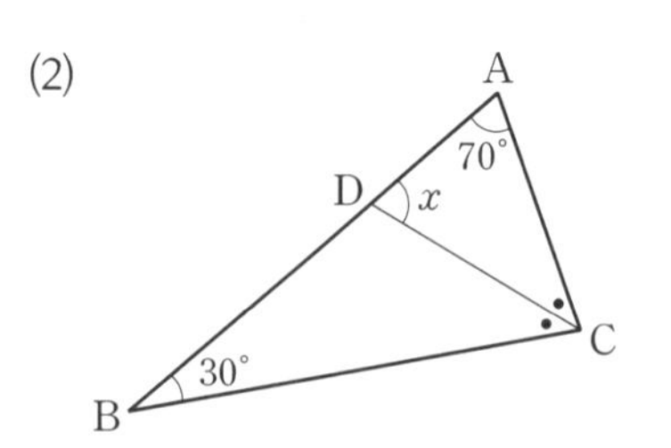

(3)

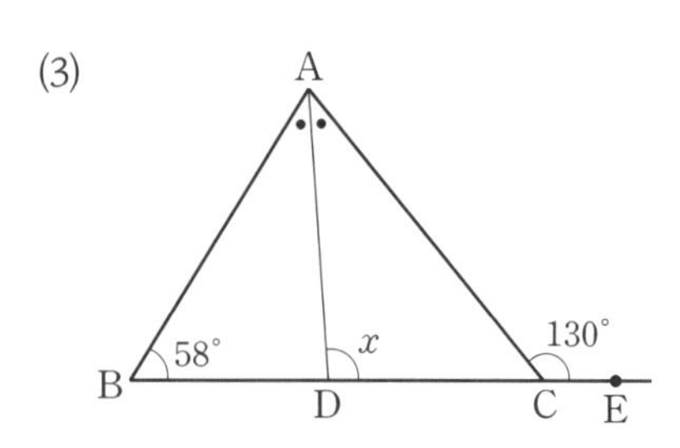

05 다음 그림에서 점 D는 ∠B의 이등분선과 ∠ACB의 외각의 이등분선의 교점일 때, ∠x의 크기를 구하시오.

(1)

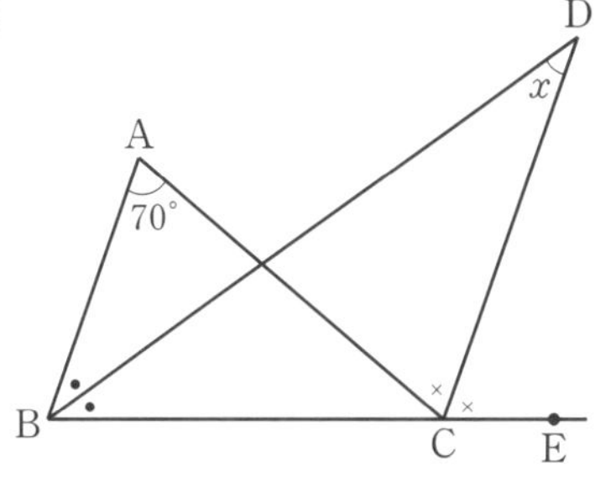

(2)

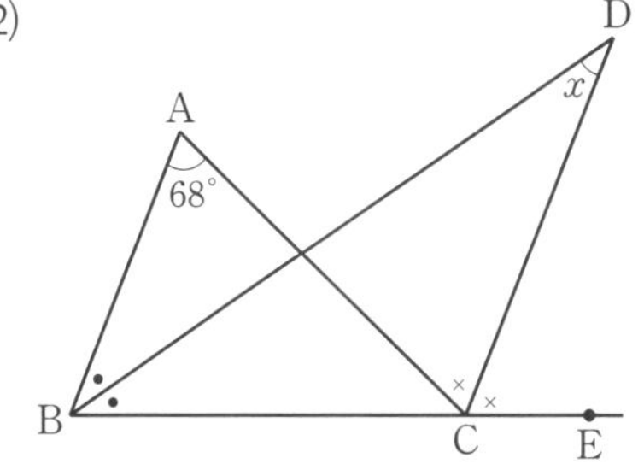

(3)

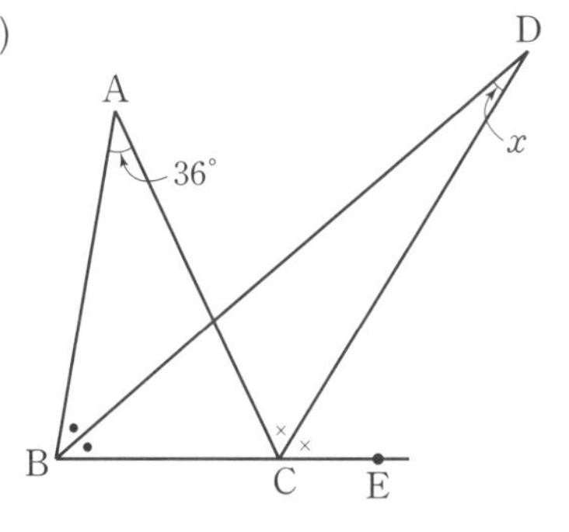

(4)

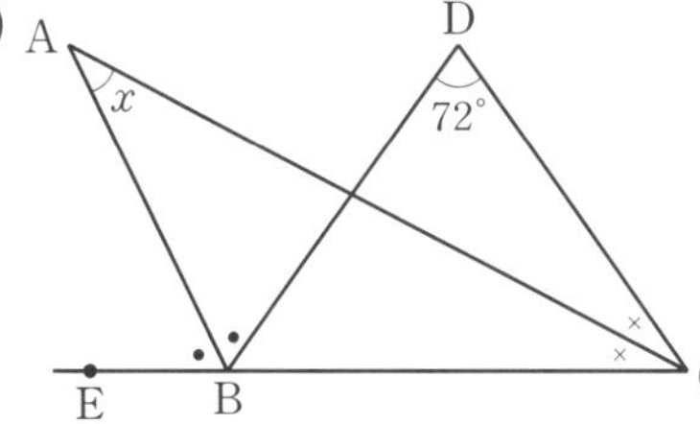

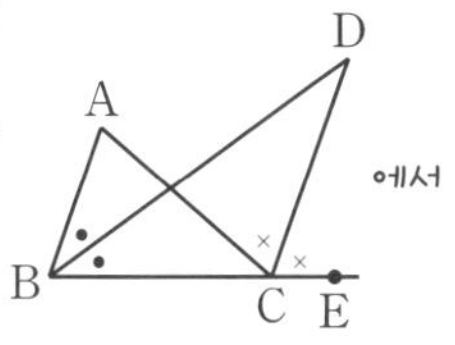

에서

$2\angle\times = 2\angle\bullet + \angle A$ ➡ $\angle\times = \angle\bullet + \frac{1}{2}\angle A$

$\angle\times = \angle\bullet + \angle D$

06 다음 그림에서 ∠x의 크기를 구하시오.

(1)

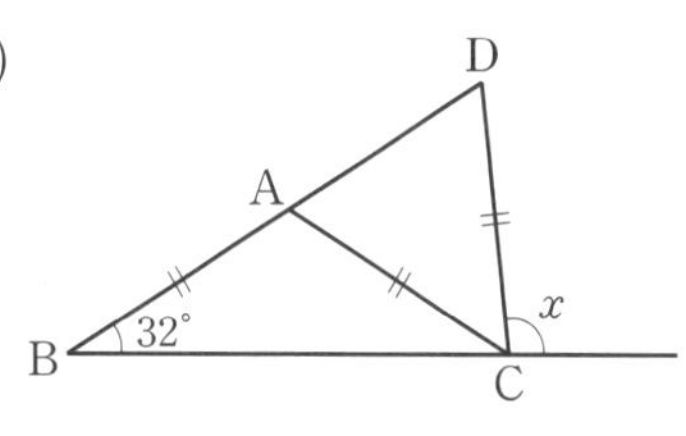

(2)

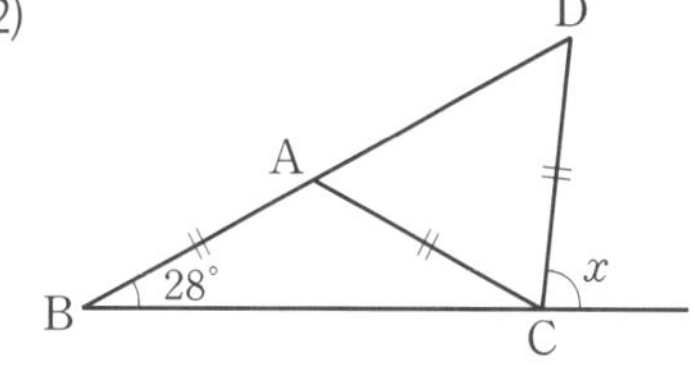

(3)

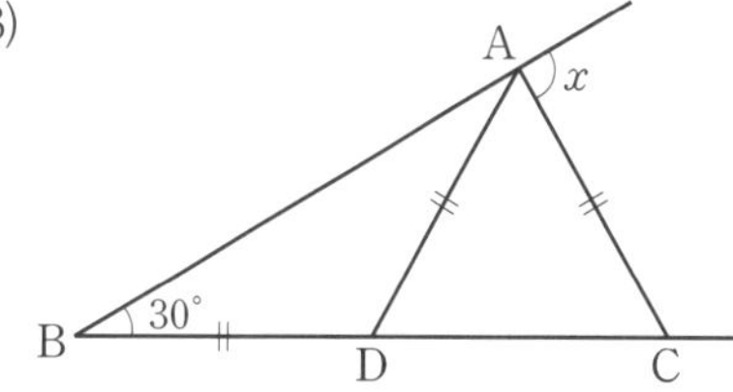

(4)

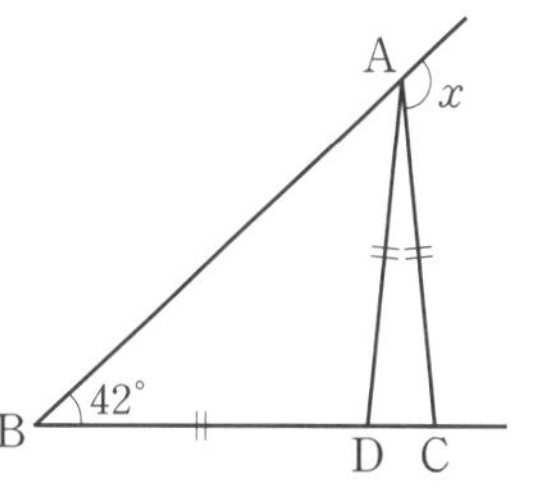

쌤 Tip 이등변삼각형은 두 각의 크기가 같으므로

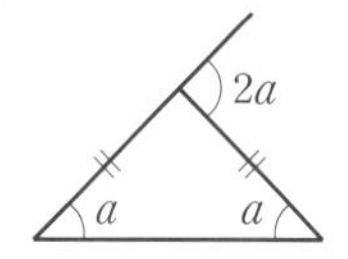

01 오른쪽 그림에서 $\angle x$의 크기는?

① $23°$　② $33°$　③ $35°$　④ $42°$　⑤ $45°$

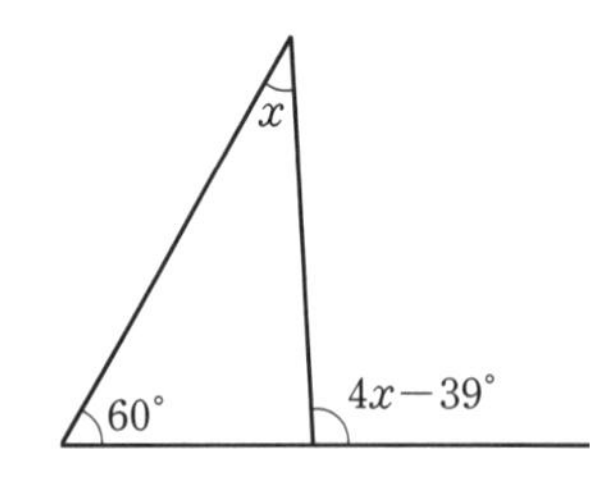

삼각형의 한 외각의 크기는 그와 이웃하지 않는 두 내각의 크기의 합과 같다.

02 오른쪽 그림의 $\triangle ABC$에서 $\angle BAD=\angle CAD$일 때, $\angle x$의 크기를 구하시오.

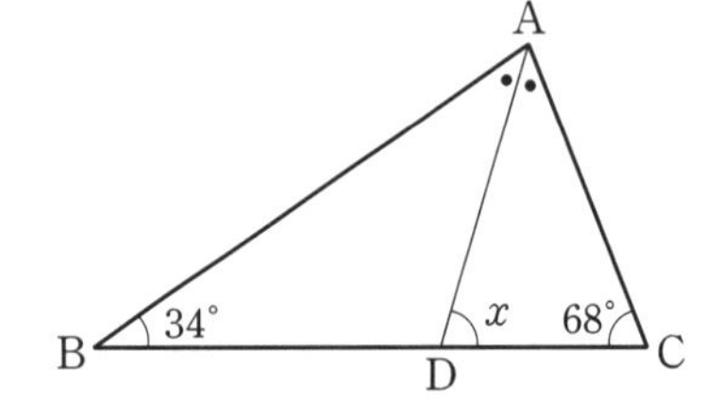

$\triangle ABD$에서
$\angle x=\angle ABD+\angle BAD$

03 오른쪽 그림과 같은 $\triangle ABC$에서 $\overline{AE}=\overline{DE}=\overline{CD}=\overline{BC}$이고 $\angle A=23°$일 때, $\angle x$의 크기를 구하시오.

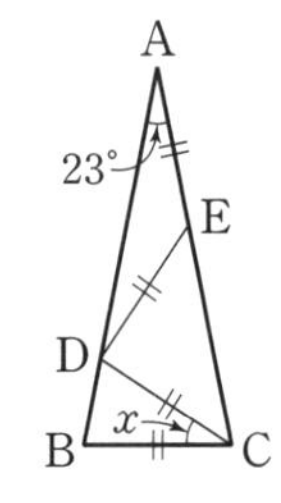

이등변삼각형에서
두 밑각의 크기가 같음을 이용한다.

04 오른쪽 그림의 $\triangle ABC$에서 점 D는 $\angle B$의 이등분선과 $\angle C$의 외각의 이등분선의 교점이다. $\angle D=30°$일 때, $\angle x$의 크기를 구하시오.

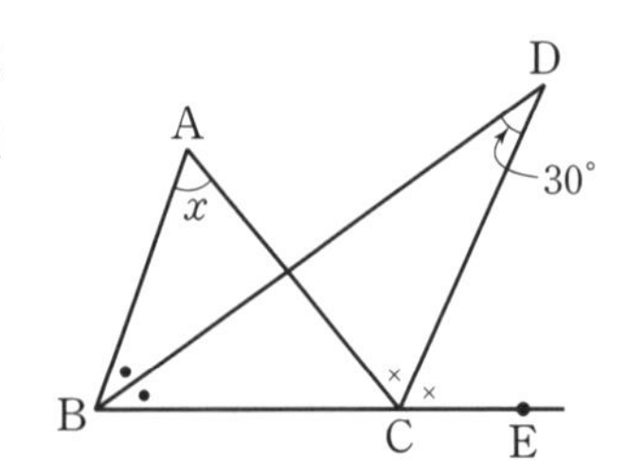

17강 다각형의 내각의 크기의 합

정답과 해설 _ p.21

1. 다각형의 내각의 크기의 합

오각형의 한 꼭짓점에서 대각선을 모두 그어 삼각형을 만들면 다음 그림과 같다.

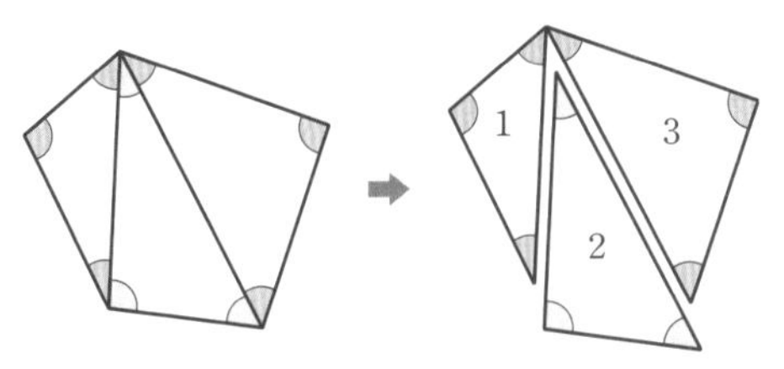

① 한 꼭짓점에서 대각선을 모두 그어 만들 수 있는 삼각형의 개수: $5-2=3$

② 내각의 크기의 합: $180^\circ\times3=540^\circ$

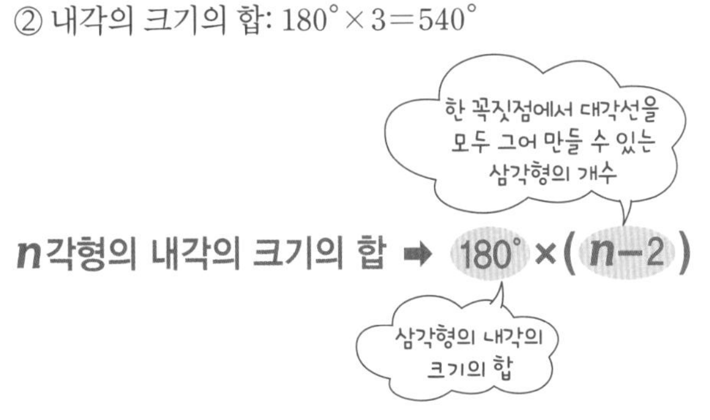

01 다음 표를 완성하시오.

다각형	변의 개수	한 꼭짓점에서 대각선을 모두 그어 만들 수 있는 삼각형의 개수	내각의 크기의 합
사각형	4	2	$180^\circ\times2$ $=360^\circ$
오각형			
육각형			
n각형			

02 다음 다각형의 내각의 크기의 합을 구하시오.

(1) 칠각형

(2) 구각형

(3) 십각형

(4) 십이각형

(5) 십오각형

(6) 십육각형

n각형의 내각의 크기의 합: $180^\circ\times(n-2)$

03 내각의 크기의 합이 다음과 같은 다각형을 구하시오.

(1) $540°$

(2) $1080°$

(3) $1260°$

(4) $1980°$

(5) $2160°$

(6) $3600°$

04 다음 그림에서 $\angle x$의 크기를 구하시오.

(1)

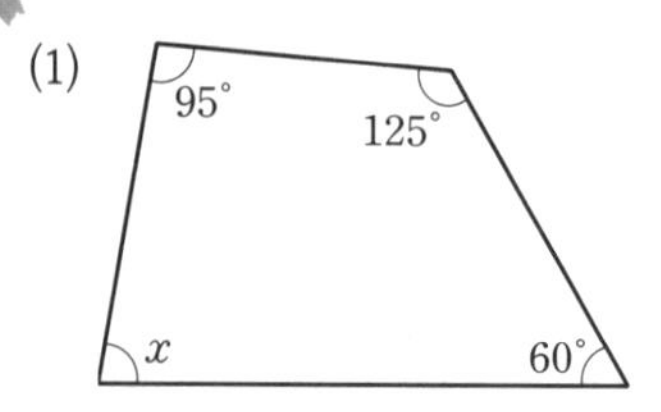

(2)

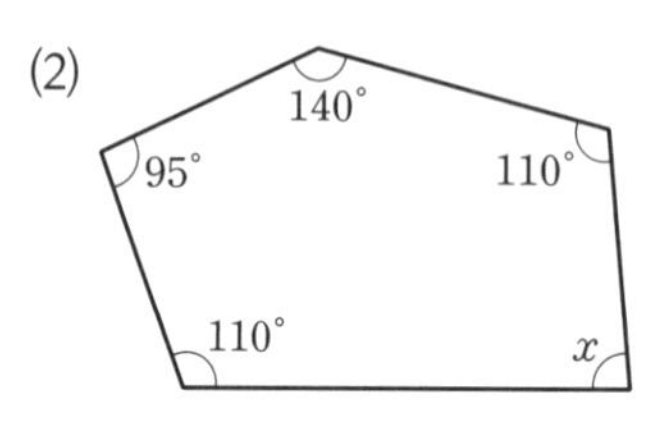

(3)

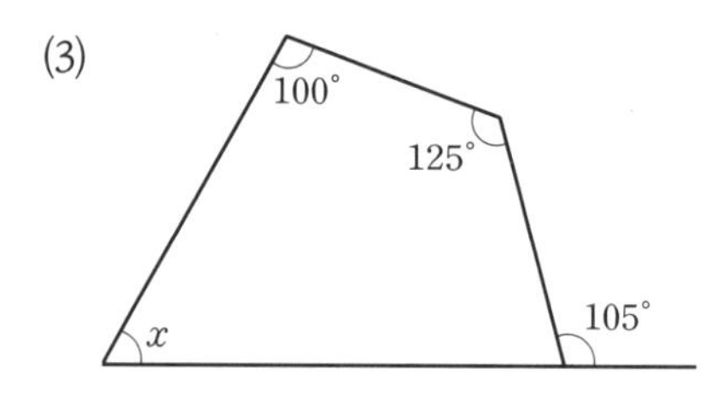

(4)

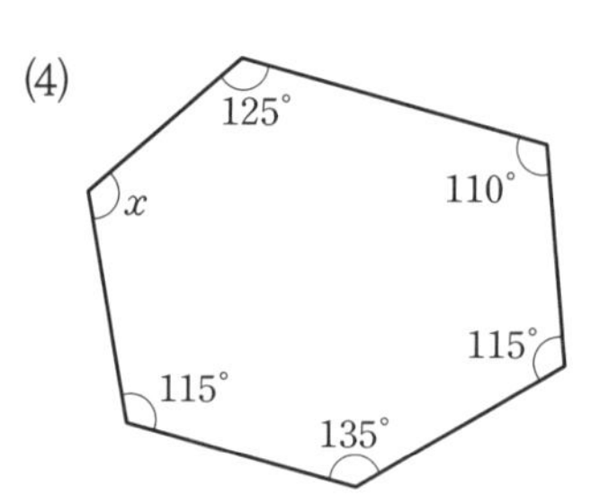

(5)

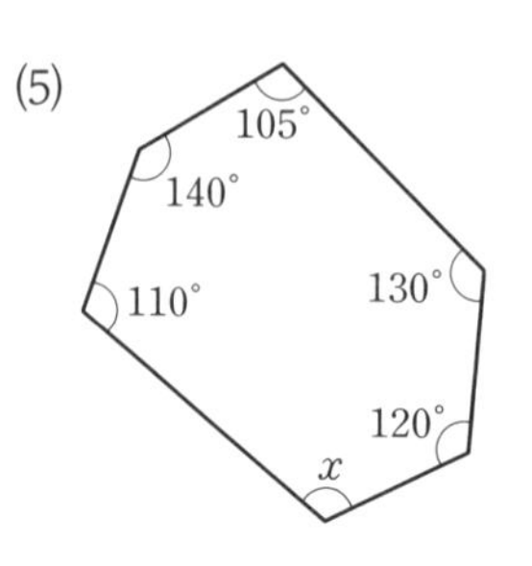

2. 정n각형의 한 내각의 크기

정n각형의 한 내각의 크기는

$$\frac{180^\circ \times (n-2)}{n}$$ 이다.

- $180^\circ \times (n-2)$ → 정n각형의 내각의 크기의 합
- n → 정n각형의 내각의 개수

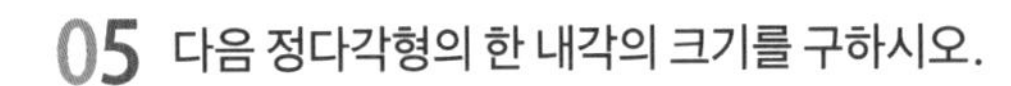

05 다음 정다각형의 한 내각의 크기를 구하시오.

(1) 정사각형

(2) 정오각형

(3) 정팔각형

(4) 정십각형

(5) 정십이각형

(6) 정이십각형

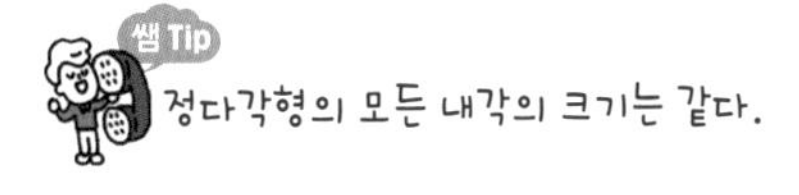

06 한 내각의 크기가 다음과 같은 정다각형을 구하시오.

(1) 60°

(2) 120°

(3) 135°

(4) 140°

(5) 150°

(6) 160°

01 한 꼭짓점에서 대각선을 모두 그어 만들 수 있는 삼각형의 개수가 5인 다각형의 내각의 크기의 합은?

① $360°$　② $540°$　③ $720°$
④ $900°$　⑤ $1080°$

n각형의 한 꼭짓점에서 대각선을 모두 그어 만들 수 있는 삼각형의 개수는 $n-2$이다.

02 대각선의 개수가 9인 정다각형의 한 내각의 크기는?

① $108°$　② $112°$　③ $120°$
④ $130°$　⑤ $135°$

정n각형의
대각선의 개수는 $\frac{n(n-3)}{2}$
한 내각의 크기는
$\frac{180° \times (n-2)}{2}$

03 오른쪽 그림에서 $\angle x$의 크기를 구하시오.

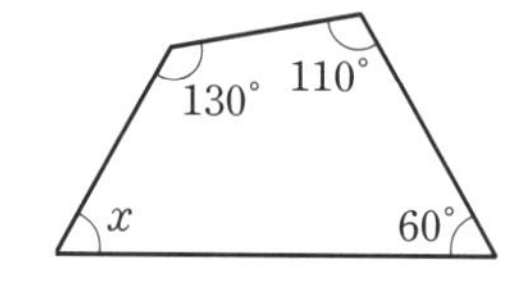

04 오른쪽 그림에서 $\angle x$의 크기를 구하시오.

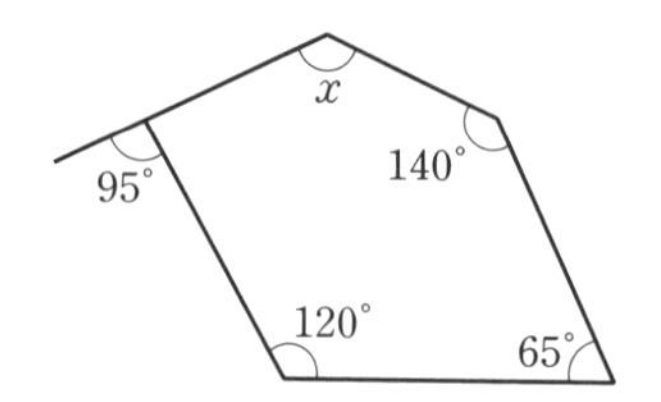

18강 다각형의 외각의 크기의 합

정답과 해설 _ p.23

1. 다각형의 외각의 크기의 합

(1) 다각형의 외각의 크기의 합

다각형의 한 꼭짓점에서 내각과 외각의 크기의 합은 $180°$이므로

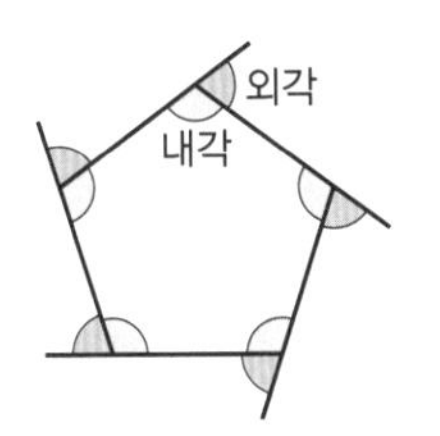

(내각의 크기의 합)

$+$(외각의 크기의 합)

$=180°\times n$

➡ (외각의 크기의 합)

$=180°\times n-$(내각의 크기의 합)

$=180°\times n-180°\times(n-2)$

$=360°$

n각형의 외각의 크기의 합 ➡ 360°

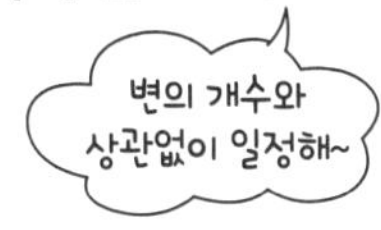

(2) 정n각형의 한 외각의 크기

정n각형의 한 외각의 크기는 $\frac{360°}{n}$이다.

01 다음 다각형의 외각의 크기의 합을 구하시오.

(1) 오각형

(2) 구각형

(3) 십일각형

(4) 십오각형

02 다음 그림에서 $\angle x$의 크기를 구하시오.

(1)

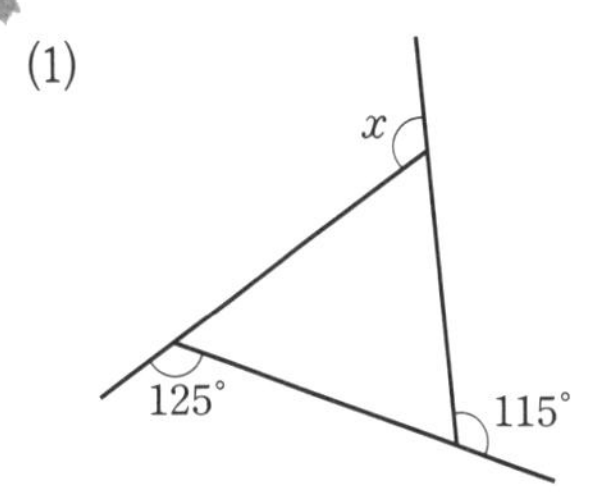

(2)

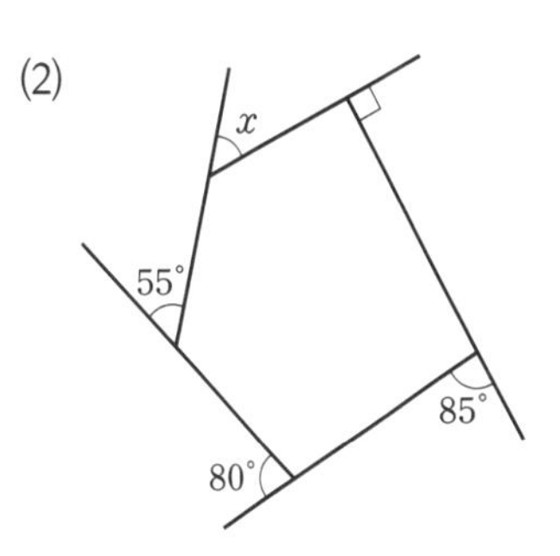

(3)

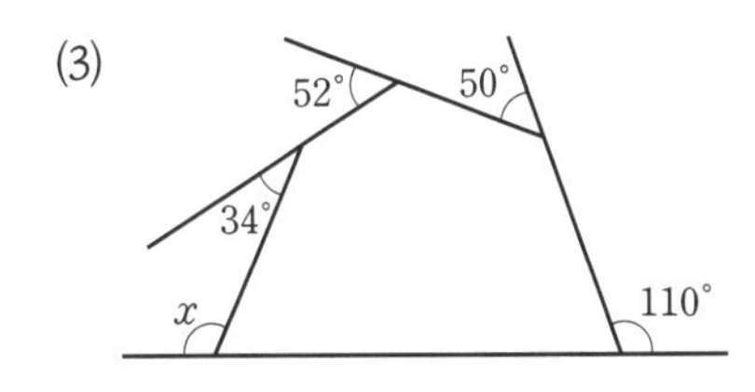

(4)

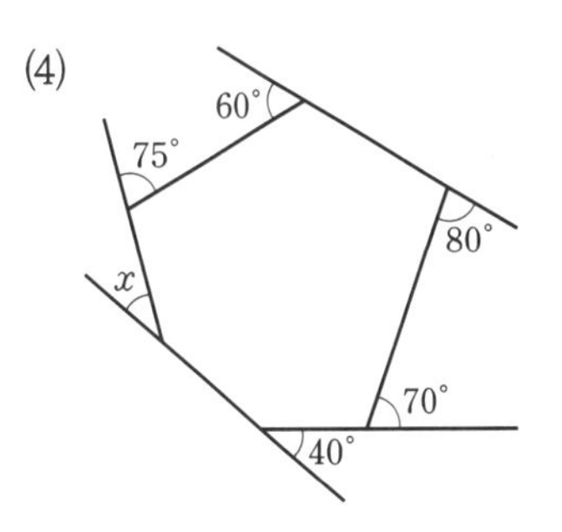

(5)

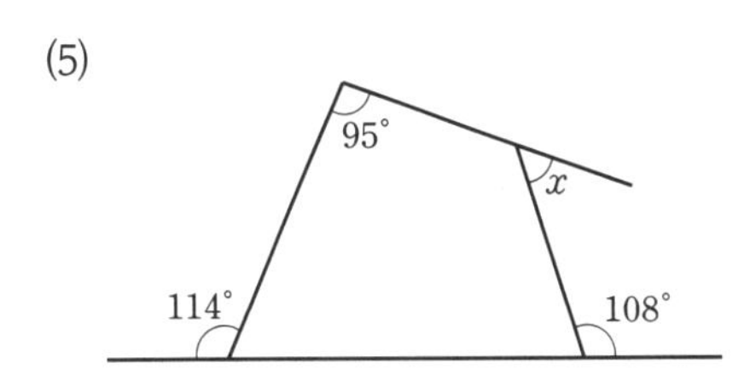

03 다음 그림에서 $\angle x$의 크기를 구하시오.

(1)

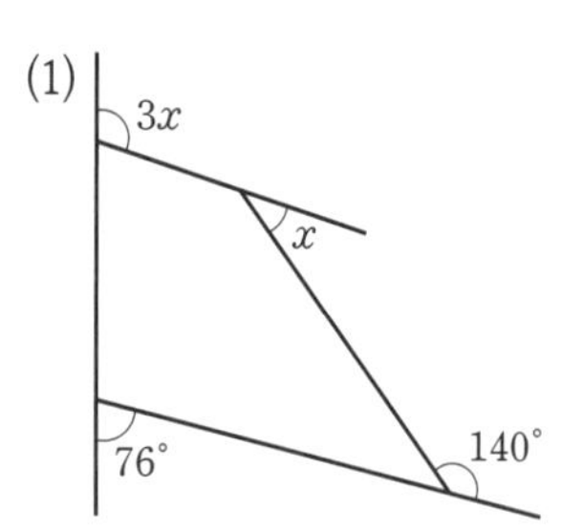

(2)

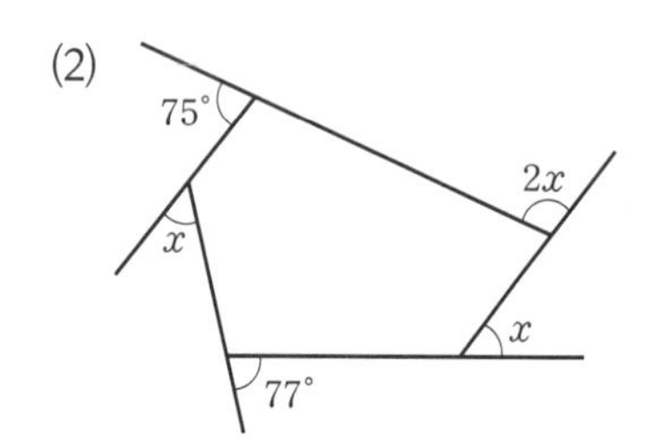

(3)

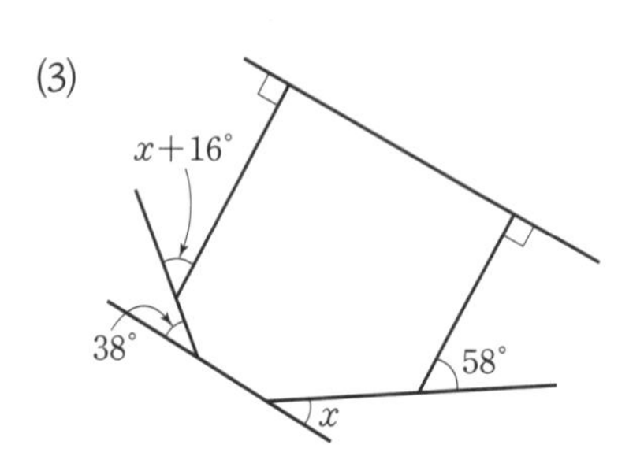

04 다음 정다각형의 한 외각의 크기를 구하시오.

(1) 정삼각형

(2) 정육각형

(3) 정십각형

05 한 외각의 크기가 다음과 같은 정다각형을 구하시오.

(1) $24°$

(2) $45°$

(3) $30°$

(4) $72°$

06 한 내각의 크기와 한 외각의 크기의 비가 다음과 같은 정다각형을 구하시오.

(1) $3:1$

(2) $1:2$

(3) $5:1$

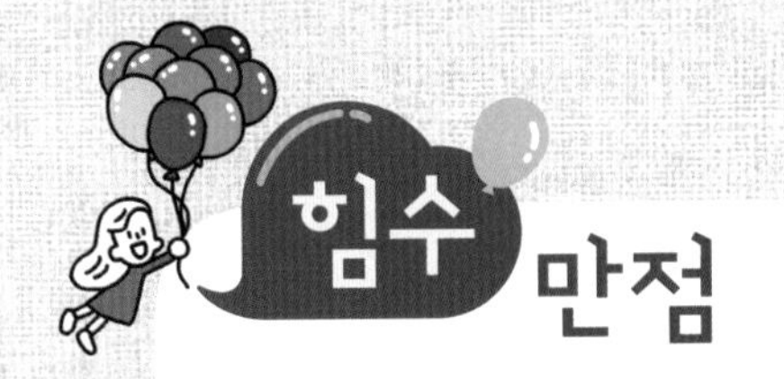

정답과 해설 _ p.23

01 오른쪽 그림에서 $\angle x$의 크기는?

① $60°$ ② $65°$ ③ $70°$
④ $75°$ ⑤ $80°$

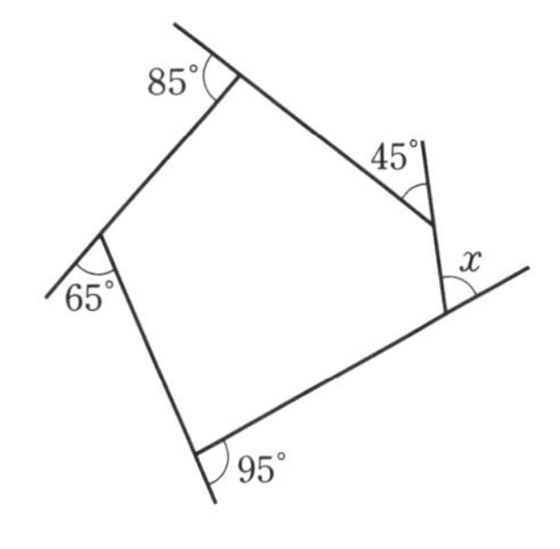

다각형의 외각의 크기의 합은 항상 $360°$이다.

02 다음을 구하시오.

(1) 한 외각의 크기가 $40°$인 정다각형의 대각선의 개수

(2) 내각의 크기의 합이 $1800°$인 정다각형의 한 외각의 크기

정다각형의 내각의 크기는 모두 같으므로 외각의 크기도 모두 같다.

03 한 외각의 크기가 $36°$인 정다각형의 내각의 크기의 합은?

① $360°$ ② $720°$ ③ $1080°$
④ $1440°$ ⑤ $1800°$

04 어떤 정다각형의 내각의 크기의 합과 외각의 크기의 합을 더하였더니 $900°$였다. 이 정다각형의 한 외각의 크기를 구하시오.

외각의 크기의 합은 $360°$임을 이용하여 내각의 크기의 합을 구한 후 정다각형을 구한다.

05 한 내각의 크기와 한 외각의 크기의 비가 $7:2$인 정다각형은?

① 정육각형 ② 정팔각형 ③ 정구각형
④ 정십각형 ⑤ 정십이각형

한 내각의 크기와 한 외각의 크기의 비가 $a:b$일 때
한 외각의 크기: $180° \times \frac{b}{a+b}$

19강 원과 부채꼴

1. 원과 부채꼴

(1) 원: 평면 위의 한 점 O로부터 일정한 거리에 있는 모든 점으로 이루어진 도형을 원이라 하고, 원 O로 나타낸다.

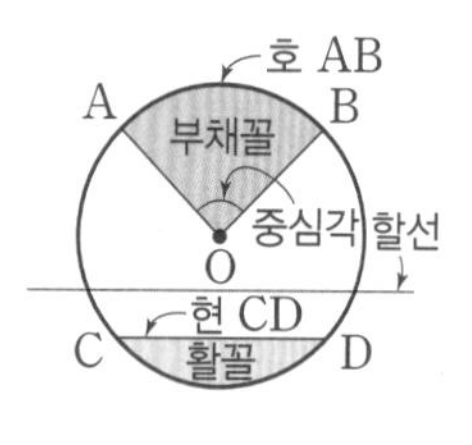

(2) 호 AB: 원 위의 두 점 A, B에 의하여 나누어지는 원의 일부분 ➡ $\overset{\frown}{AB}$

(3) 현 CD: 원 위의 두 점 C, D를 이은 선분

(4) 할선: 한 원 위의 두 점을 지나는 직선

(5) 부채꼴 AOB: 원 O에서 두 반지름 OA, OB와 호 AB로 이루어진 도형

(6) 중심각: 부채꼴 AOB에서 $\angle AOB$를 호 AB에 대한 중심각 또는 부채꼴 AOB의 중심각이라 한다.

(7) 활꼴: 원 O에서 호 CD와 현 CD로 이루어진 도형

참고 반원은 부채꼴이면서 동시에 활꼴이다.

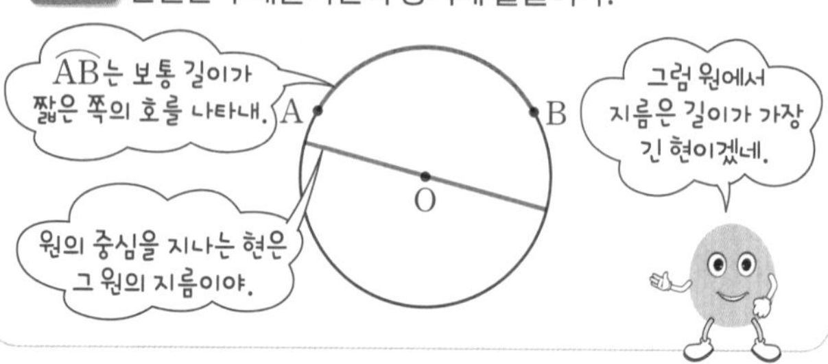

01 다음을 원 O 위에 나타내시오.

(1) 호 AB

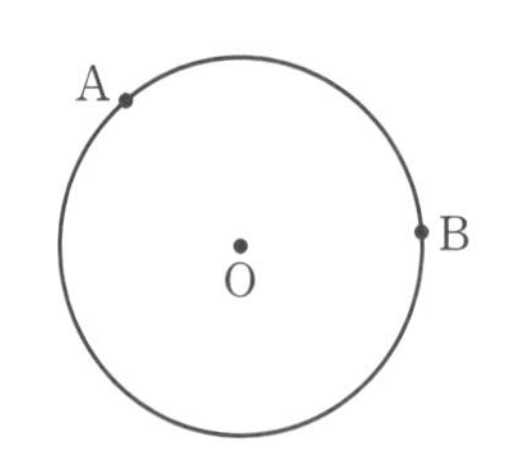

(2) 현 AB

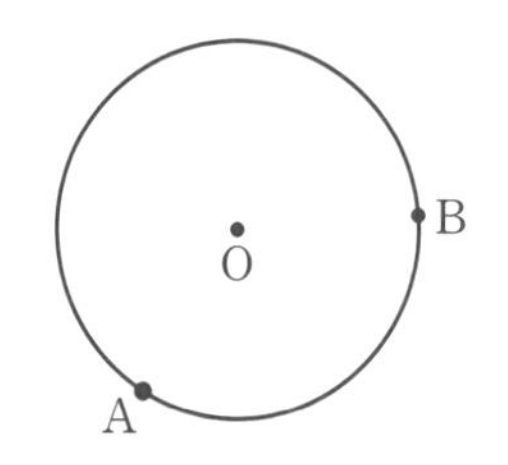

02 오른쪽 그림의 원 O에 대하여 다음을 기호로 나타내시오.

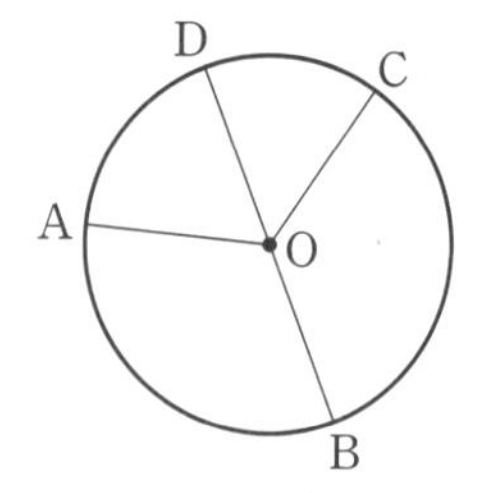

(1) 원 O의 지름

(2) $\angle AOB$에 대한 호

(3) $\overset{\frown}{BC}$에 대한 중심각

(4) $\angle AOC$에 대한 현

03 다음 중 옳은 것에는 ○표, 옳지 않은 것에는 ×표를 하시오.

(1) 현은 원 위의 두 점을 이은 선분이다. ( )

(2) 원의 현 중 가장 긴 것은 지름이다. ( )

(3) 활꼴은 두 반지름과 호로 이루어진 도형이다. ( )

(4) 중심각의 크기가 $90°$인 부채꼴은 활꼴이다. ( )

2. 부채꼴의 중심각의 크기와 호의 길이 up+

한 원에서

(1) 중심각의 크기가 같은 두 부채꼴의 호의 길이는 같다.

(2) 부채꼴의 호의 길이는 중심각의 크기에 정비례한다.

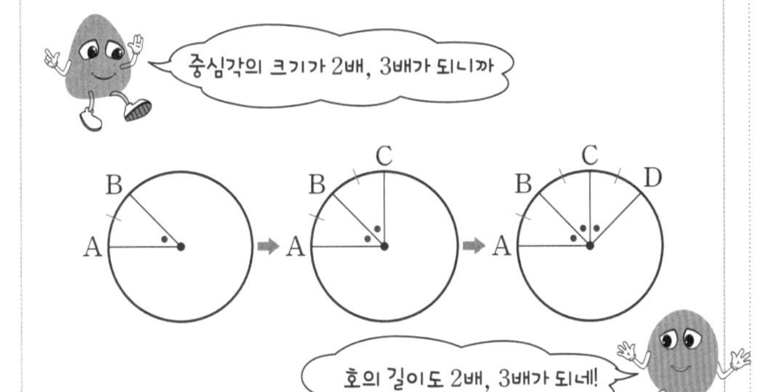

$\overset{\frown}{AB}=\overset{\frown}{BC}=\overset{\frown}{CD}$, $\overset{\frown}{AC}=2\overset{\frown}{AB}$, $\overset{\frown}{AD}=3\overset{\frown}{AB}$

04 다음 그림에서 x의 값을 구하시오.

(1)

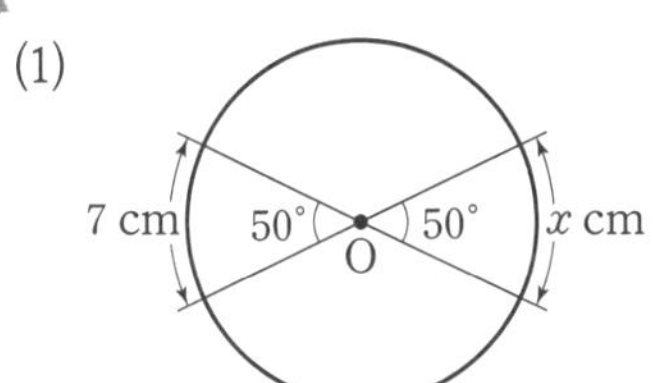

(2)

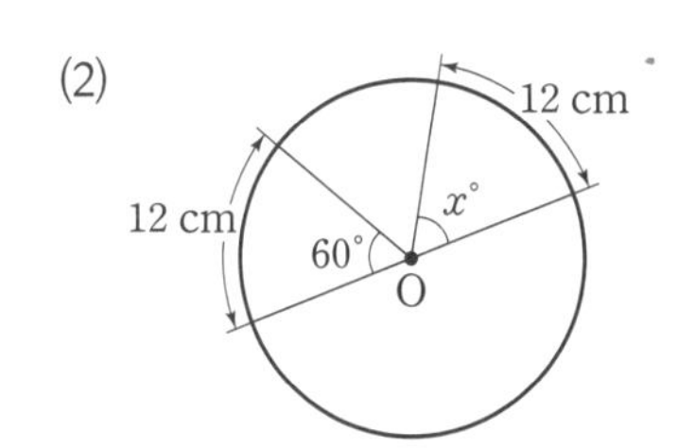

(3)

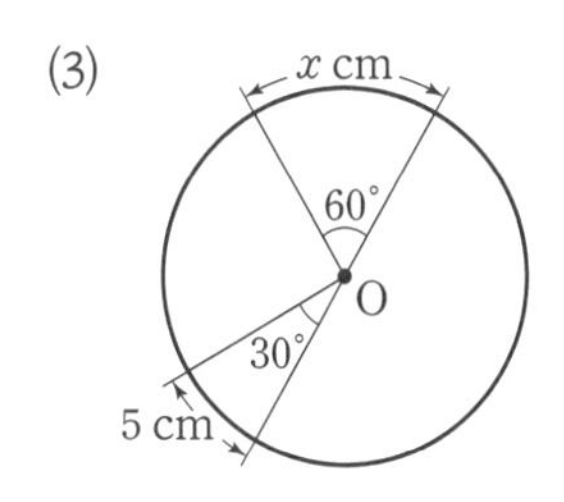

05 다음 그림에서 x, y의 값을 각각 구하시오.

(1)

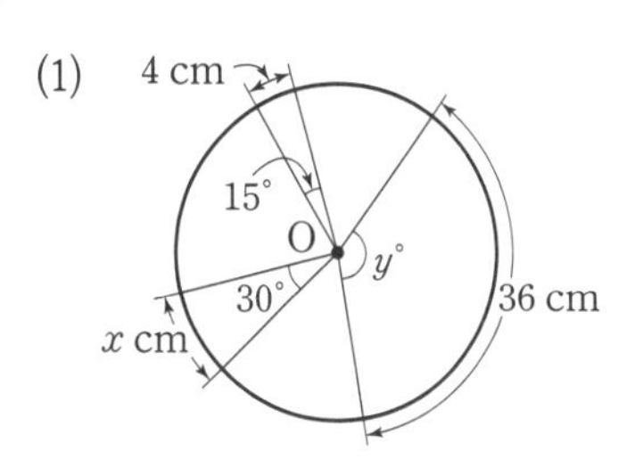

(2)

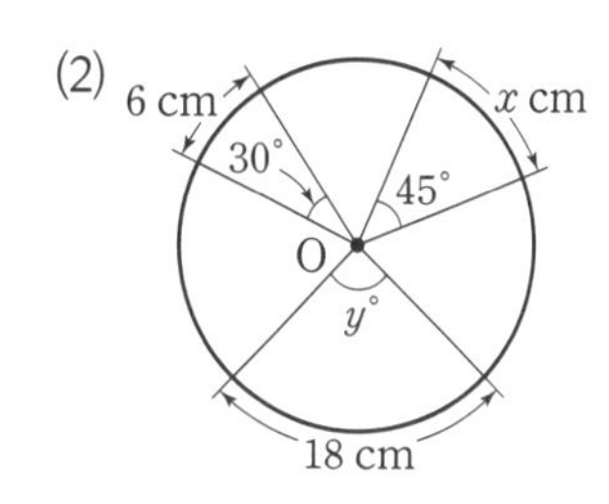

06 다음 그림에서 $\overline{AD} /\!/ \overline{OC}$일 때, x의 값을 구하시오.

(1)

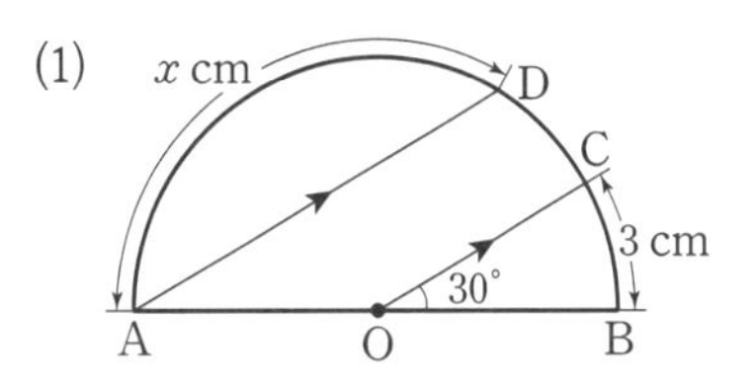

(2)

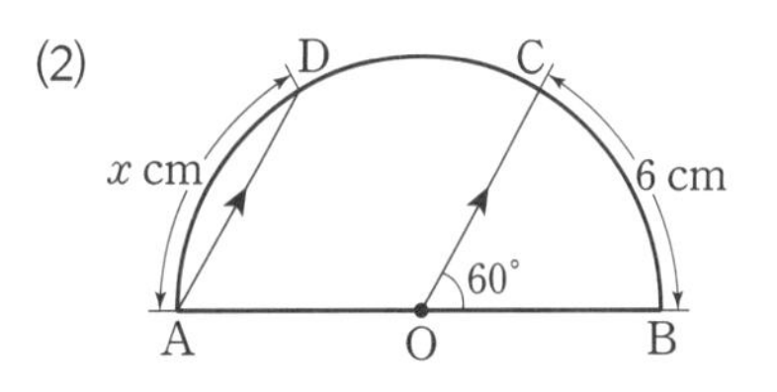

(3)

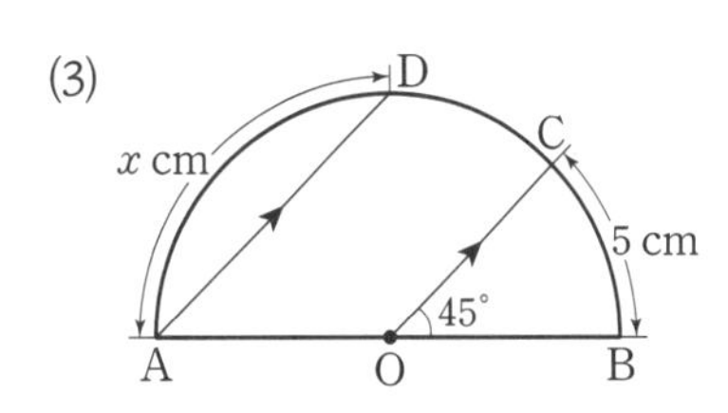

3. 부채꼴의 중심각의 크기와 넓이

한 원에서

(1) 중심각의 크기가 같은 두 부채꼴의 넓이는 같다.

(2) 부채꼴의 넓이는 중심각의 크기에 정비례한다.

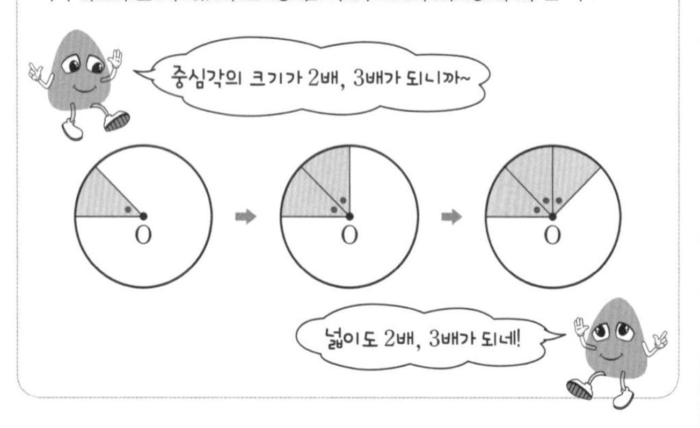

4. 부채꼴의 중심각의 크기와 현의 길이 up+

한 원에서

(1) 중심각의 크기가 같은 두 현의 길이는 같다.

(2) 현의 길이는 중심각의 크기에 정비례하지 않는다.

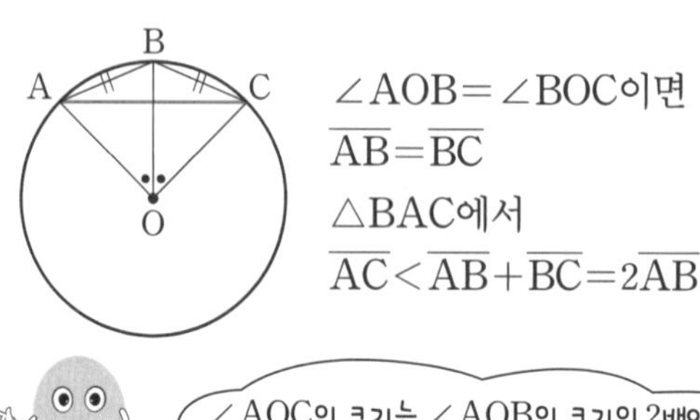

A
B
C
O
∠AOB=∠BOC이면
$\overline{AB}=\overline{BC}$
△BAC에서
$\overline{AC}<\overline{AB}+\overline{BC}=2\overline{AB}$
∠AOC의 크기는 ∠AOB의 크기의 2배이지만
$\overline{AC}$의 길이는 $\overline{AB}$의 길이의 2배가 아니네~

07 다음 그림에서 x의 값을 구하시오.

(1)

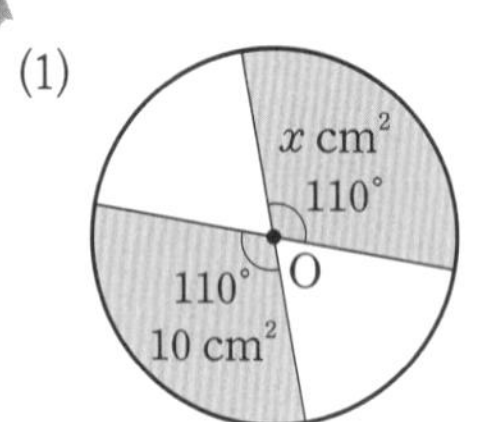

(2)

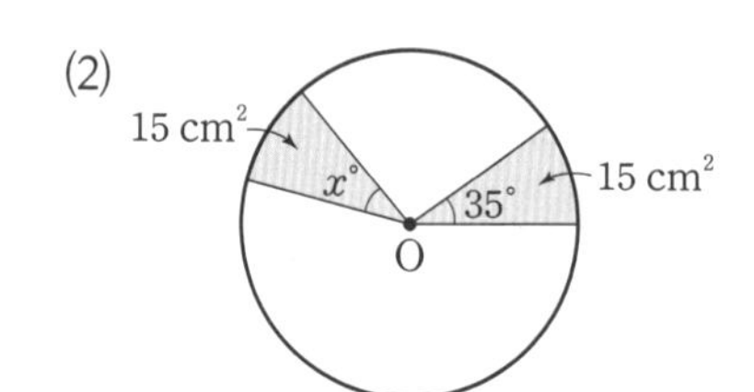

(3)

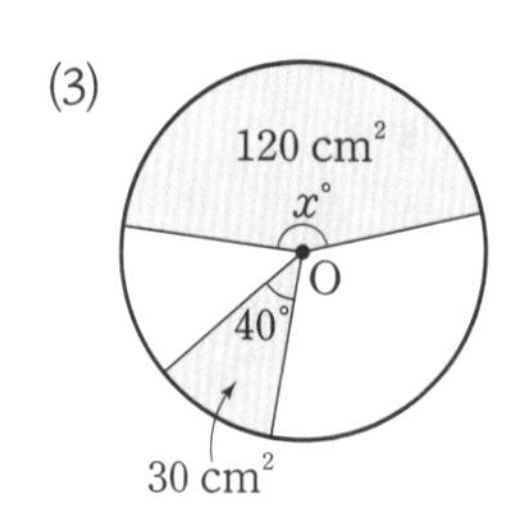

(4)

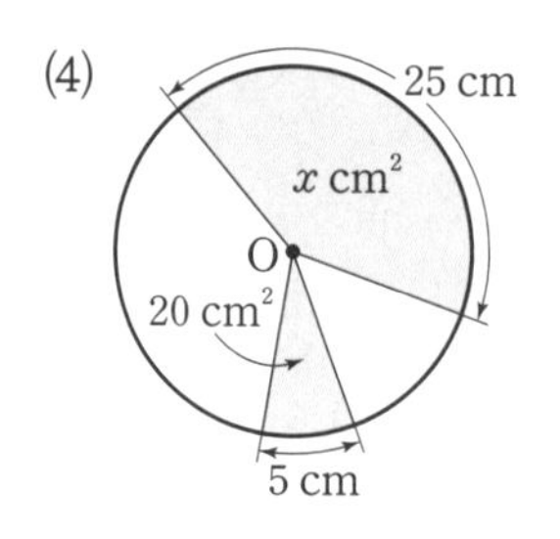

08 다음 그림에서 x의 값을 구하시오.

(1)

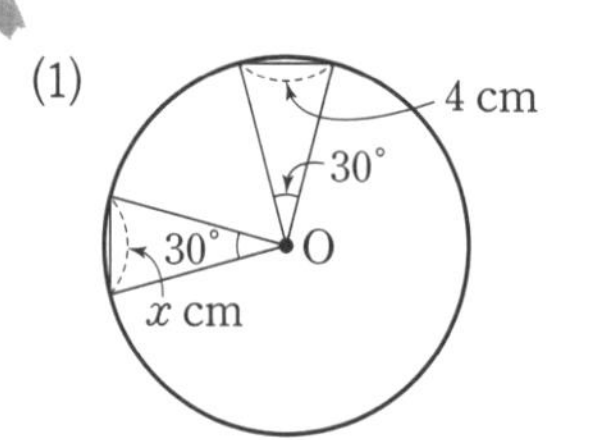

(2)

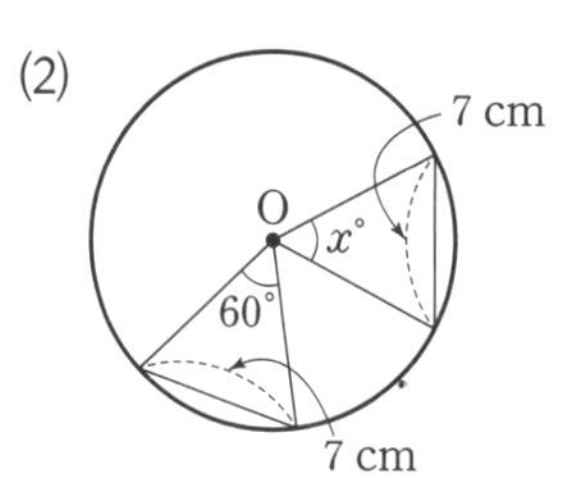

09 한 원에 대한 다음 설명 중 옳은 것에는 ○표, 옳지 않은 것에는 ×표를 하시오.

(1) 중심각의 크기가 같으면 호의 길이가 같다. ( )

(2) 현의 길이는 중심각의 크기에 정비례한다. ( )

(3) 중심각의 크기가 같은 두 부채꼴의 호의 길이는 같지만 현의 길이는 다르다. ( )

(4) 부채꼴의 넓이는 호의 길이에 정비례한다. ( )

정답과 해설 _ p.25

01 오른쪽 그림의 원 O에 대한 설명으로 옳은 것을 보기에서 모두 고르시오.

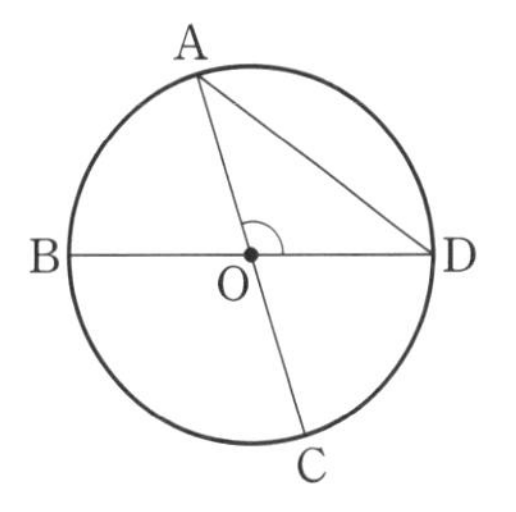

|보기|
ㄱ. $\overline{AC}$ 는 현이다.
ㄴ. $\angle AOD$에 대한 호는 $\overline{AD}$ 이다.
ㄷ. $\widehat{AB}$에 대한 중심각은 $\angle AOD$이다.
ㄹ. $\overline{AD}$ 와 $\widehat{AD}$로 둘러싸인 도형은 활꼴이다.

호는 원의 일부분이고 현은 선분이다.

02 오른쪽 그림에서 x, y의 값을 각각 구하시오.

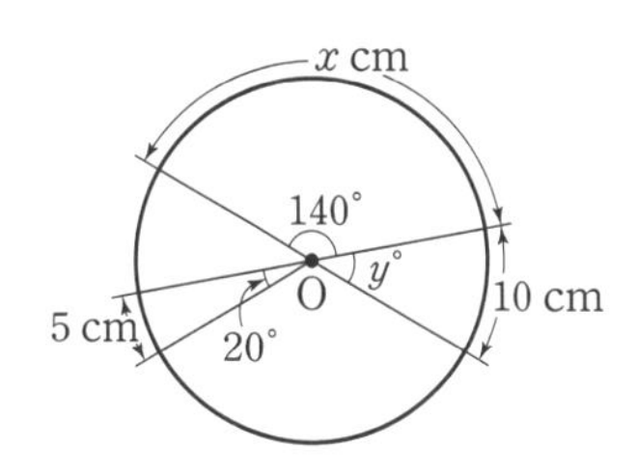

한 원에서
부채꼴의 호의 길이는 중심각의 크기에 정비례한다.

03 오른쪽 그림의 원 O에서 $\overline{OA} /\!/ \overline{CB}$ 이고 $\angle AOB=20°$, $\widehat{AB}=6$ cm일 때, $\widehat{BC}$의 길이를 구하시오.

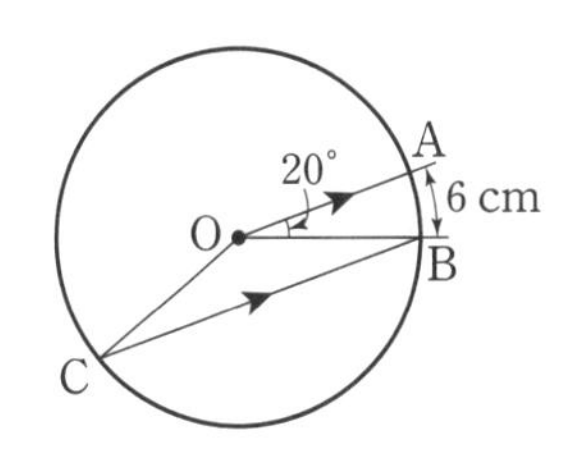

04 오른쪽 그림의 원 O에서 $\widehat{AB} : \widehat{BC} : \widehat{CD} : \widehat{DA}=1 : 1 : 3 : 4$이다. 원 O의 넓이가 45 cm^2일 때, 부채꼴 COD의 넓이를 구하시오.

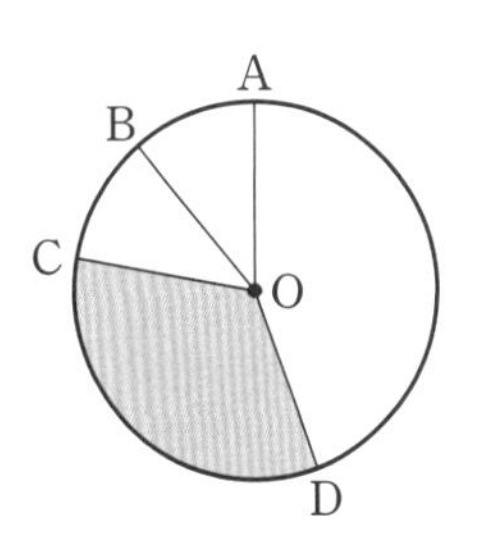

한 원에서
부채꼴의 넓이는 중심각의 크기에 정비례한다.

05 오른쪽 그림에서 $\overline{AB}$, $\overline{CD}$ 는 원 O의 지름이고 $\angle BOD=\angle BOE$이다. $\overline{AC}=7$cm일 때, $\overline{BD}+\overline{BE}$ 의 길이를 구하시오.

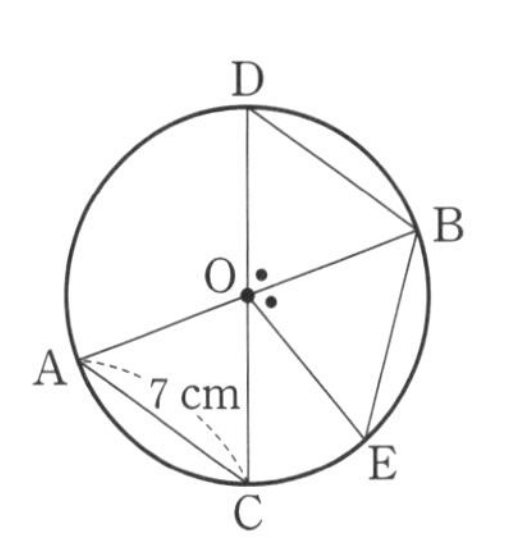

한 원에서
중심각의 크기가 같은 두 부채꼴의 호의 길이는 같다.

20강 부채꼴의 호의 길이와 넓이

정답과 해설 _ p.25

1. 원의 둘레의 길이와 넓이

(1) $(\text{원주율})=\dfrac{(\text{원의 둘레의 길이})}{(\text{원의 지름의 길이})}=\pi$ ← 파이

참고 원주율은 항상 일정하다.

(2) 원의 둘레의 길이와 넓이

반지름의 길이가 r인 원의 둘레의 길이를 l, 넓이를 S라 하면

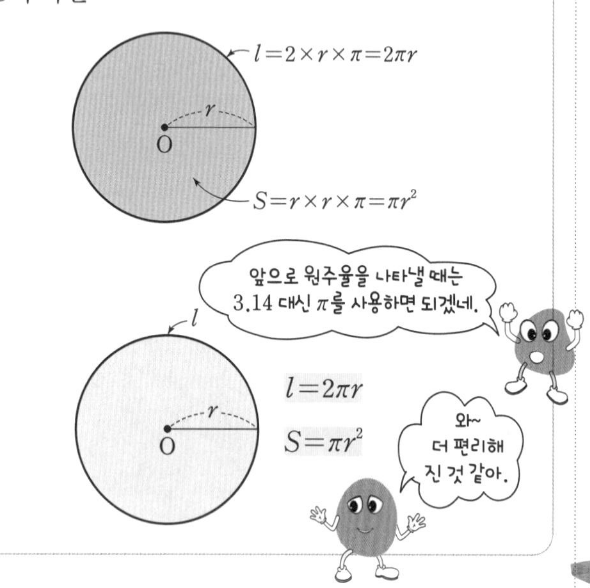

01 다음 원의 둘레의 길이 l과 넓이 S를 구하시오.

(1)

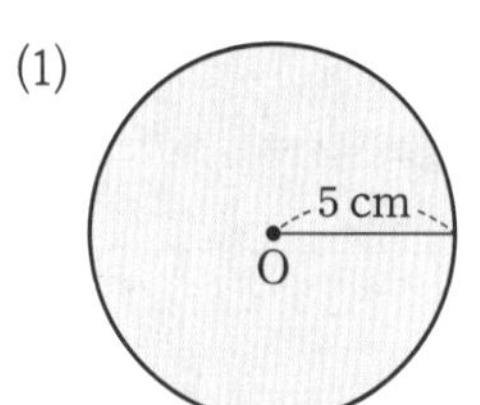

(2)

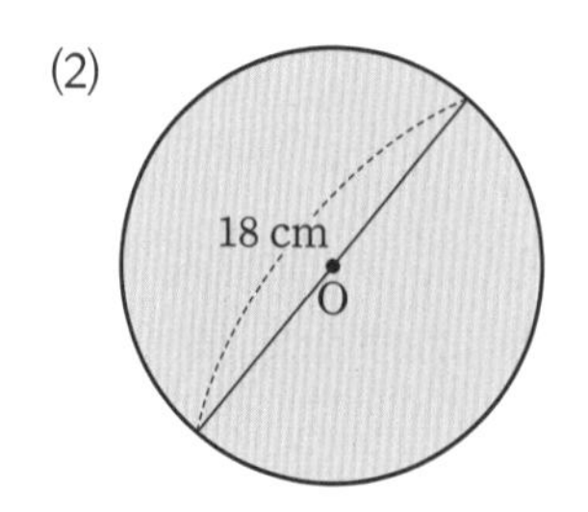

02 둘레의 길이가 다음과 같은 원의 반지름의 길이를 구하시오.

(1) 8π cm

(2) 14π cm

(3) 22π cm

(4) 36π cm

03 넓이가 다음과 같은 원의 반지름의 길이를 구하시오.

(1) 9π cm^2

(2) 49π cm^2

(3) 64π cm^2

(4) 100π cm^2

2. 부채꼴의 호의 길이와 넓이 up+

반지름의 길이가 r이고 중심각의 크기가 $x°$인 부채꼴의 호의 길이를 l, 넓이를 S라 하면

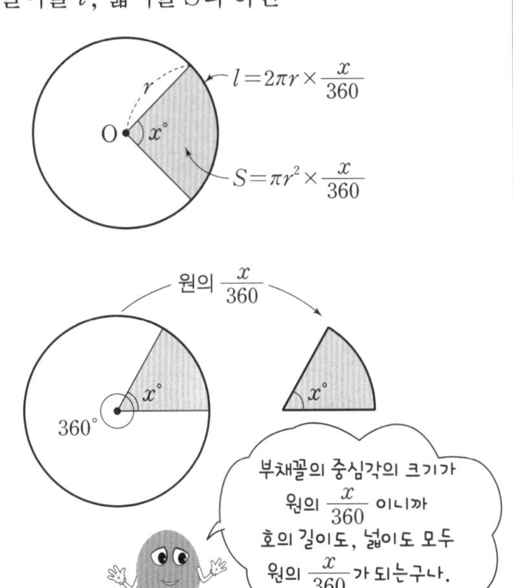

04 다음과 같은 부채꼴의 호의 길이 l과 넓이 S를 구하시오.

(1)

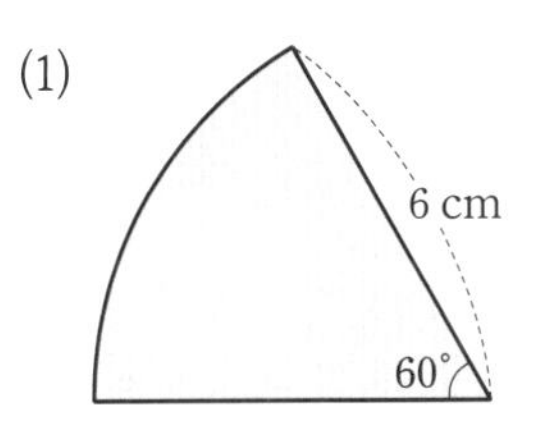

(2)

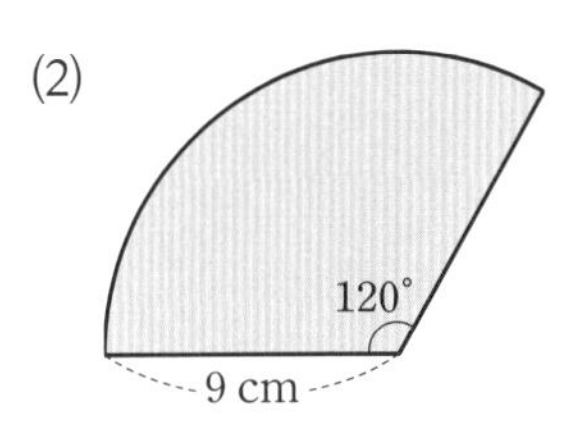

(3)

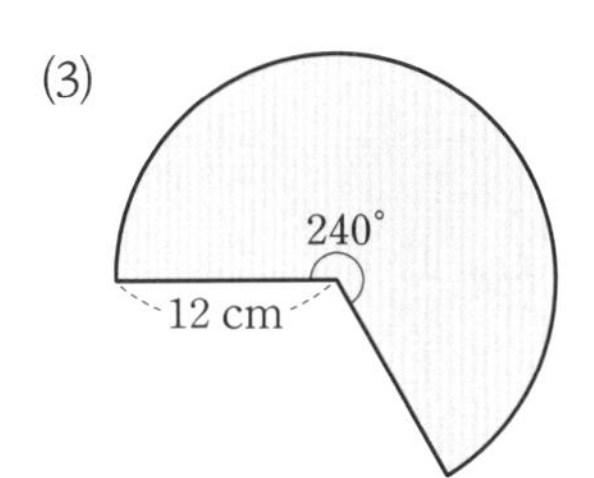

05 다음과 같은 부채꼴의 중심각의 크기를 구하시오.

(1)

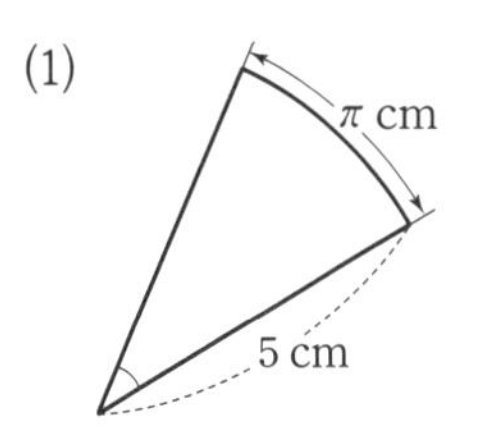

(2)

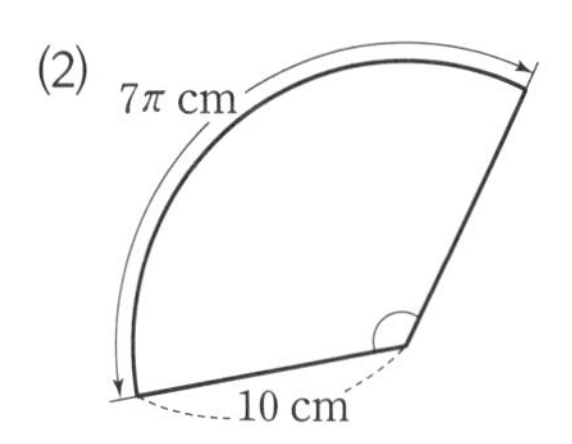

(3) 반지름의 길이가 6 cm, 호의 길이가 3π cm인 부채꼴

06 다음과 같은 부채꼴의 반지름의 길이를 구하시오.

(1)

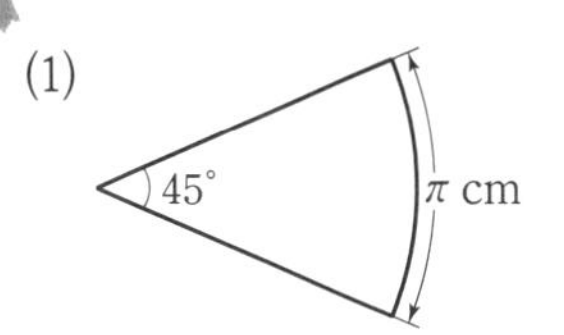

(2)

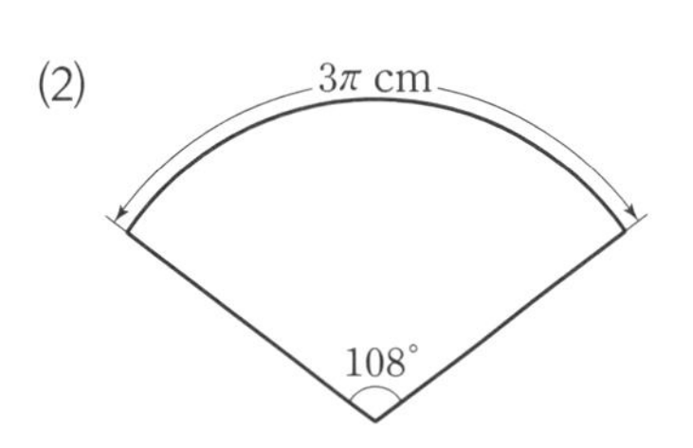

(3) 중심각의 크기가 72°, 호의 길이가 4π cm인 부채꼴

07 다음과 같은 부채꼴의 중심각의 크기를 구하시오.

(1)

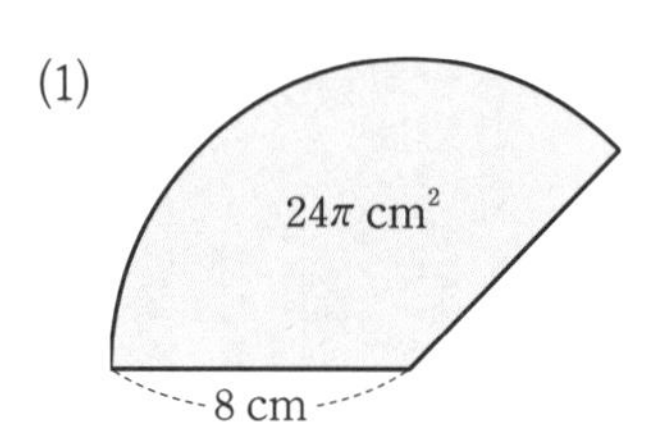

(2)

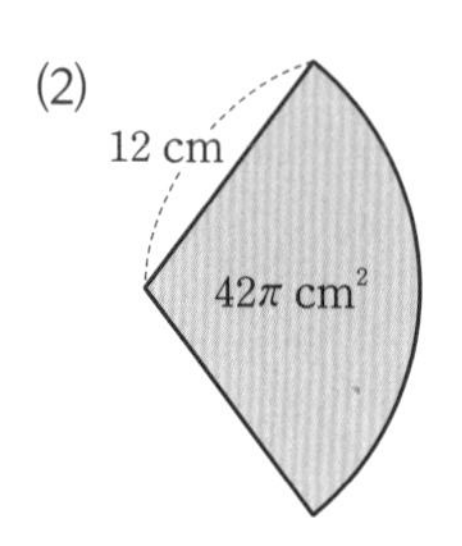

(3) 반지름의 길이가 6 cm, 넓이가 12π cm²인 부채꼴

08 다음과 같은 부채꼴의 반지름의 길이를 구하시오.

(1)

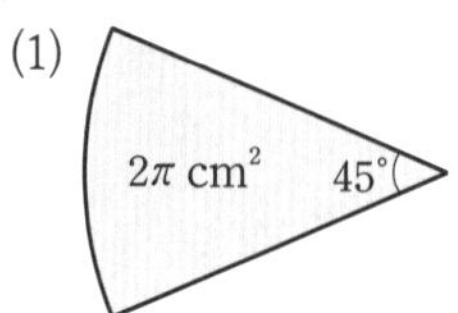

(2)

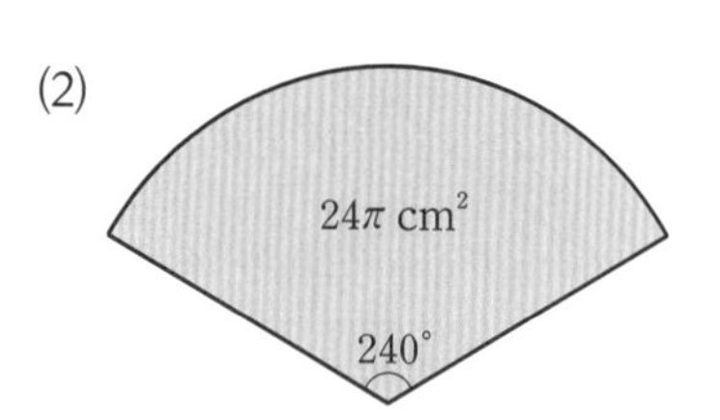

(3) 중심각의 크기가 108°, 넓이가 30π cm²인 부채꼴

3. 부채꼴의 호의 길이와 넓이 사이의 관계 up+

반지름의 길이가 r, 중심각의 크기가 $x°$이고 호의 길이가 l인 부채꼴의 넓이를 S라 하면

$$S=\pi r^2\times\frac{x}{360}=\frac{1}{2}\times r\times\left(2\pi r\times\frac{x}{360}\right)$$

$$=\frac{1}{2}rl$$

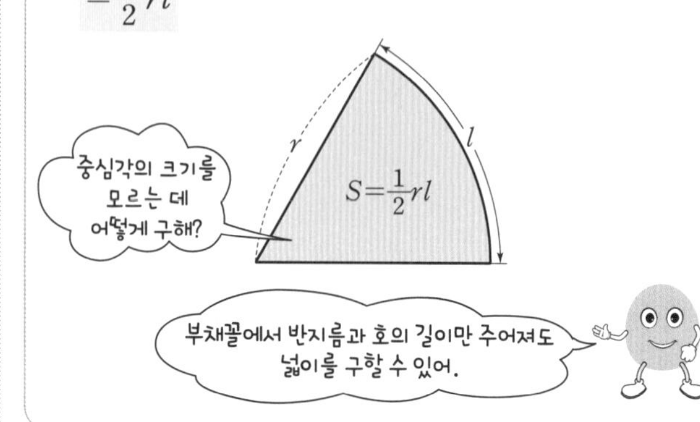

중심각의 크기를 모르는 데 어떻게 구해?
r
l
S=½rl
부채꼴에서 반지름과 호의 길이만 주어져도 넓이를 구할 수 있어.

09 다음과 같은 부채꼴의 넓이를 구하시오.

(1)

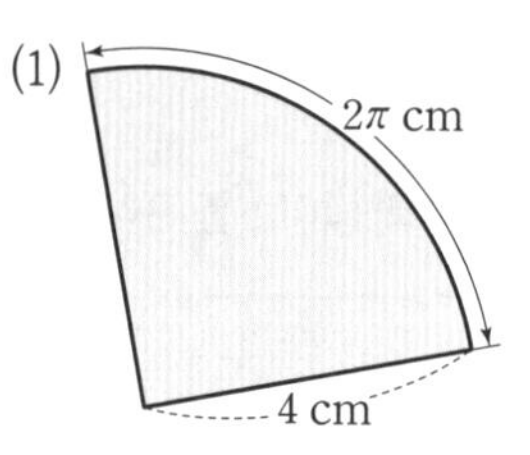

(2)

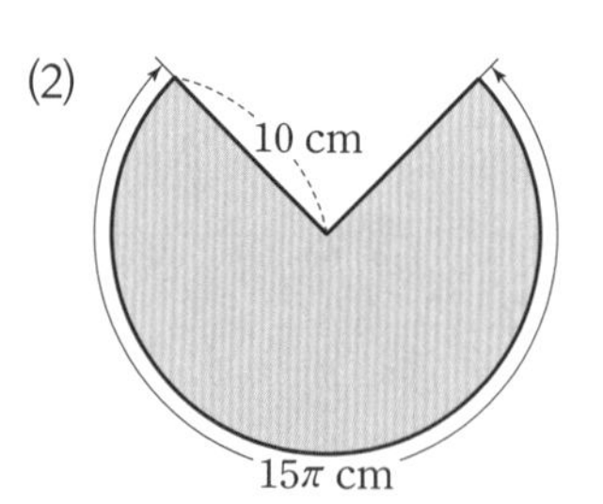

(3)

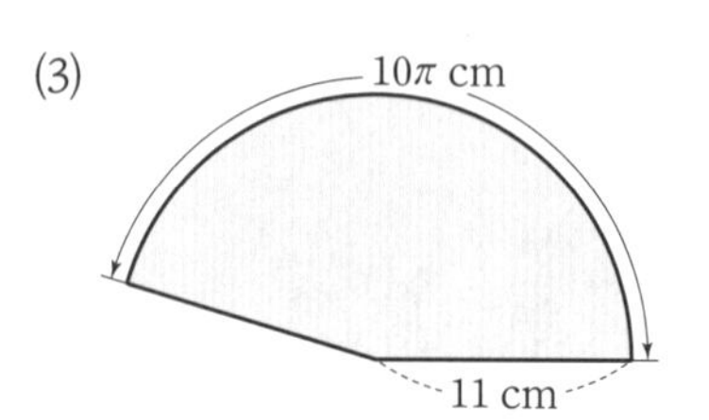

정답과 해설 _ p.26

01 다음 부채꼴의 호의 길이 l과 넓이 S를 각각 구하시오.

(1)

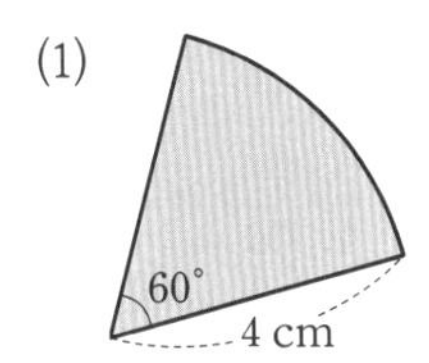

(2)

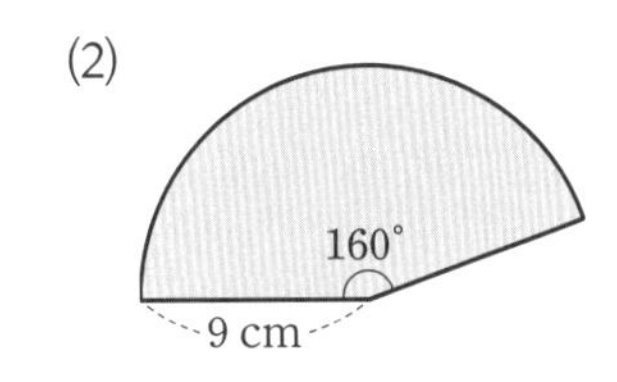

반지름의 길이가 r이고 중심각의 크기가 $x°$인 부채꼴에서
(호의 길이) $=2\pi r\times\dfrac{x}{360}$
(넓이) $=\pi r^2\times\dfrac{x}{360}$

02 반지름의 길이가 8 cm, 호의 길이가 6π cm인 부채꼴의 중심각의 크기를 구하면?

① 120　② 125°　③ 130°
④ 135°　⑤ 140°

부채꼴의 중심각의 크기를 $x°$라 하여 호의 길이를 구하는 식을 세워 그 값을 6π로 둔다.

03 다음을 구하시오.

(1) 중심각의 크기가 72°이고 넓이가 5π cm인 부채꼴의 반지름의 길이

(2) 반지름의 길이가 8 cm이고 넓이가 24π cm^{2}인 부채꼴의 호의 길이

(3) 중심각의 크기가 120°이고 넓이가 48π cm^{2}인 부채꼴의 호의 길이

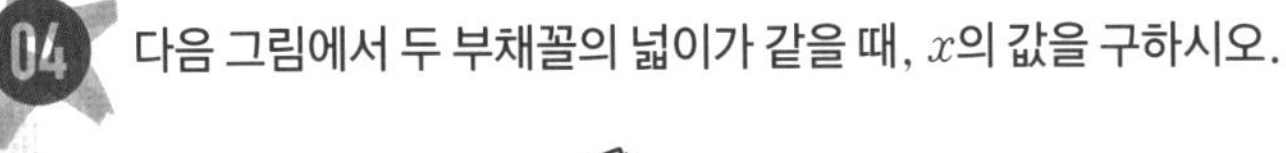

04 다음 그림에서 두 부채꼴의 넓이가 같을 때, x의 값을 구하시오.

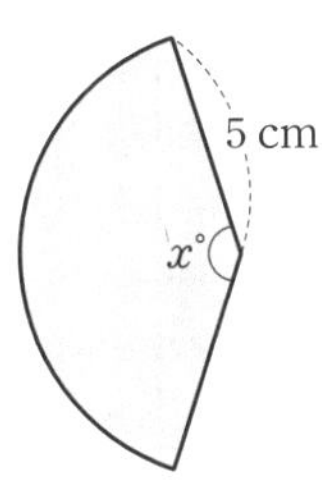

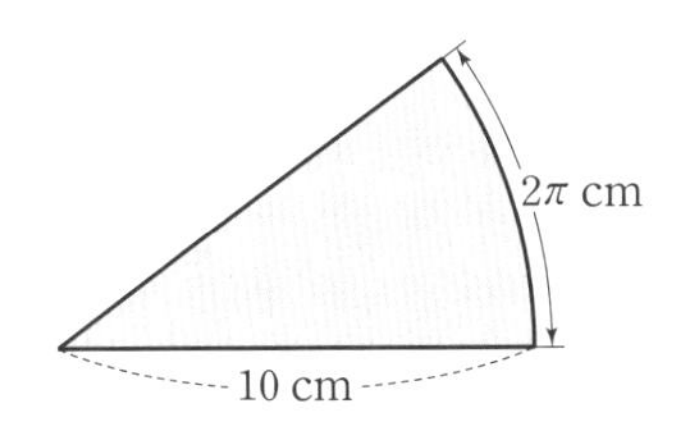

반지름의 길이가 r이고 호의 길이가 l인 부채꼴의 넓이는 $\dfrac{1}{2}rl$이다.

1. 색칠한 부분의 둘레의 길이 구하기

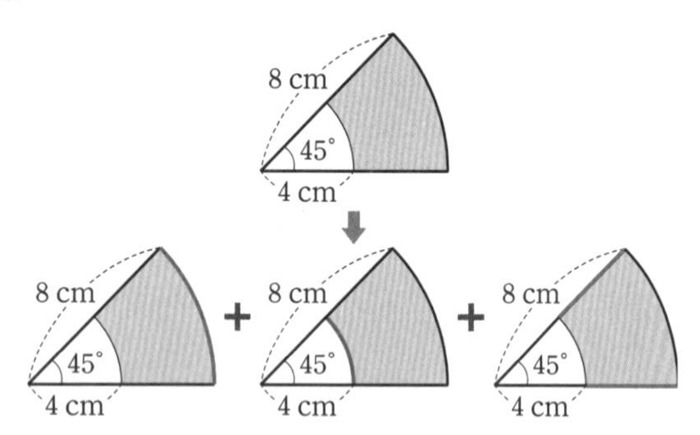

(큰 호의 길이)+(작은 호의 길이)+(선분의 길이)×2

$=2\pi\times8\times\frac{45}{360}+2\pi\times4\times\frac{45}{360}+4\times2$

$=2\pi+\pi+4\times2=3\pi+8$(cm)

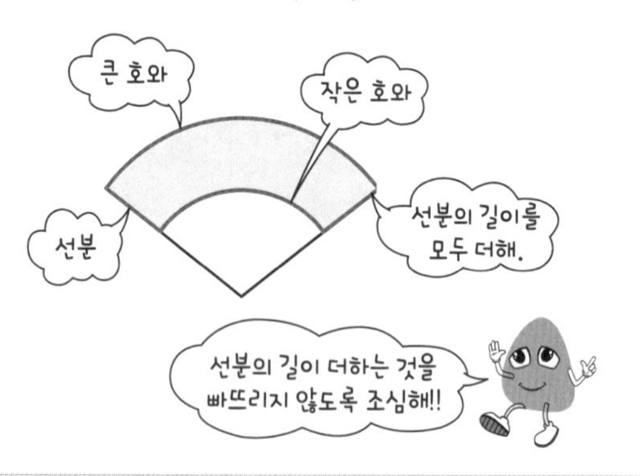

큰 호와
작은 호와
선분
선분의 길이를 모두 더해.
선분의 길이 더하는 것을 빠뜨리지 않도록 조심해!!

01 다음 그림에서 색칠한 부분의 둘레의 길이를 구하시오.

(1)

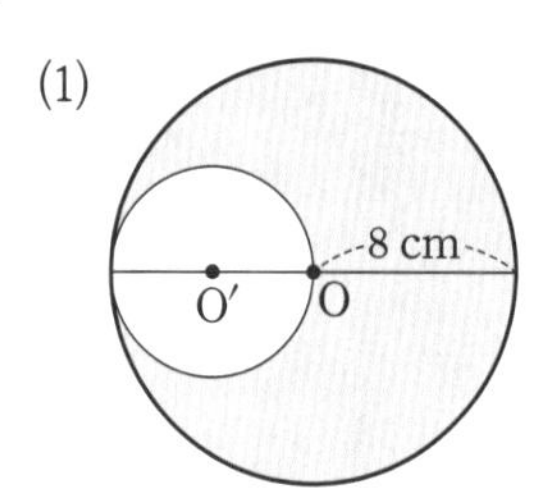

(2)

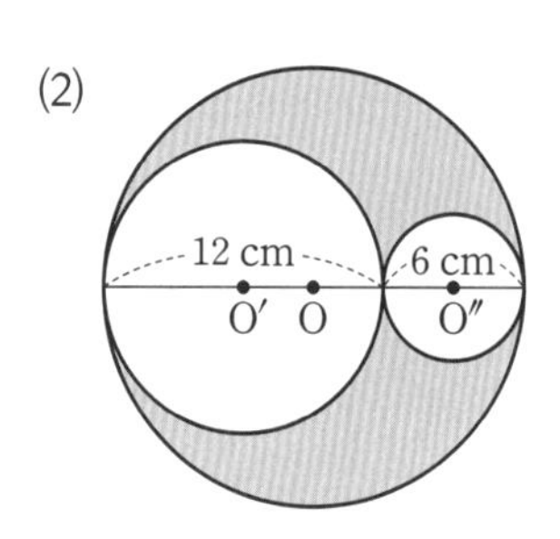

(3)

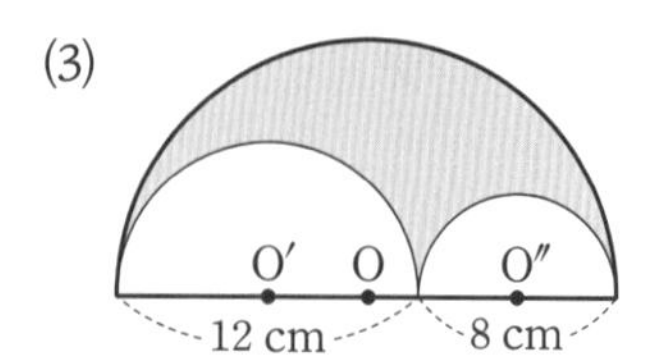

(4)

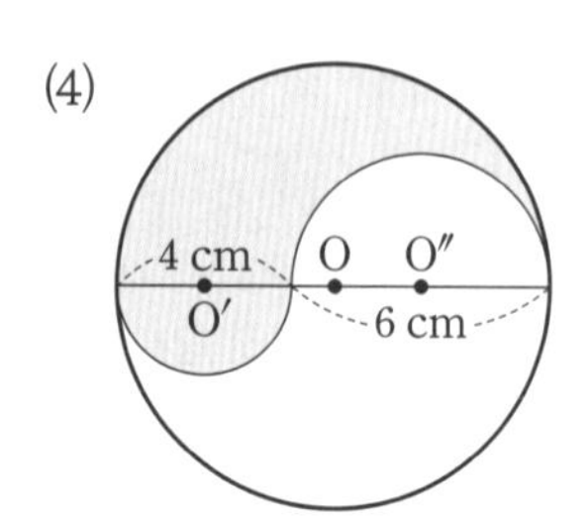

(5)

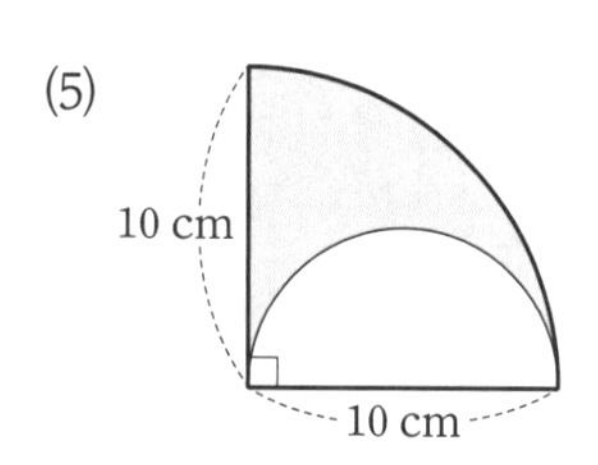

(6)

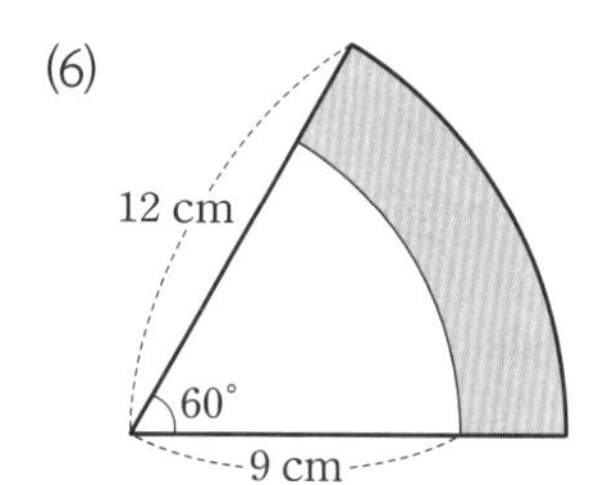

(7)

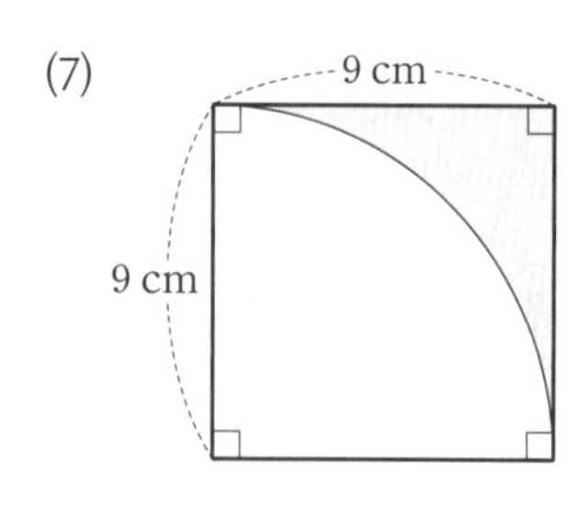

2. 색칠한 부분의 넓이 구하기 up+

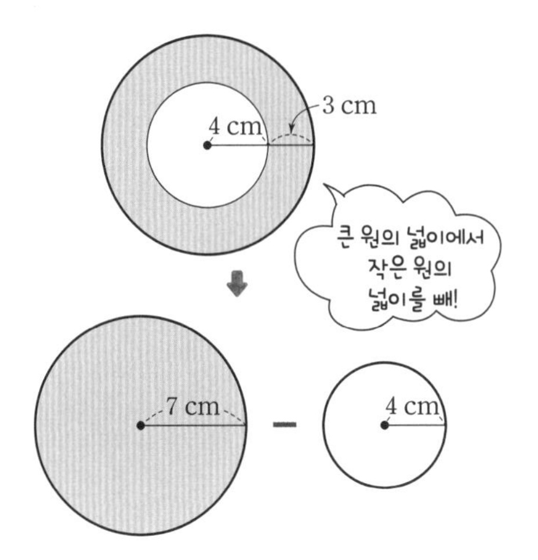

(색칠한 부분의 넓이)

$=$(큰 원의 넓이)$-$(작은 원의 넓이)

$=\pi\times7^2-\pi\times4^2$

$=49\pi-16\pi=33\pi\,(\text{cm}^2)$

02 다음 그림에서 색칠한 부분의 넓이를 구하시오.

(1)

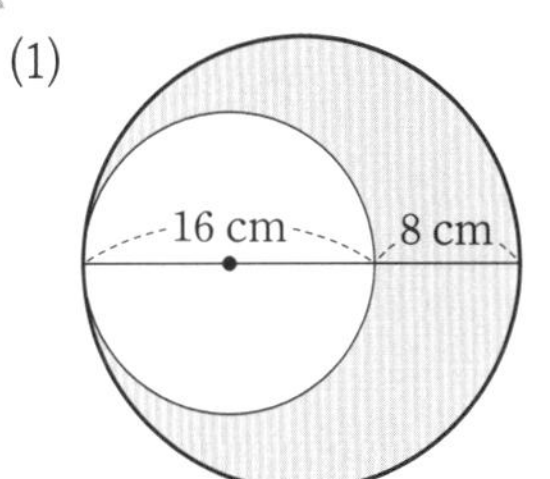

(2)

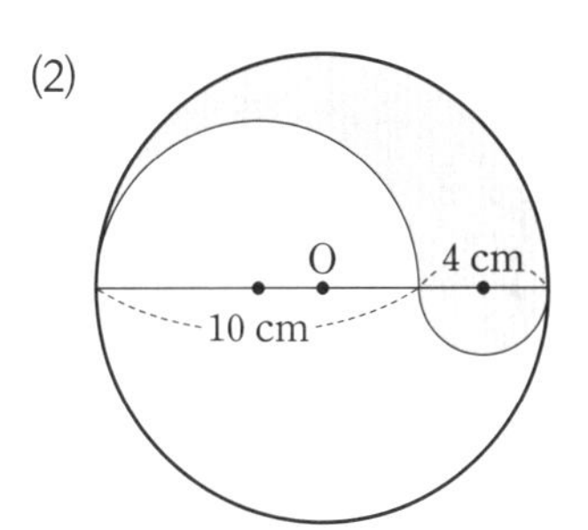

(3)

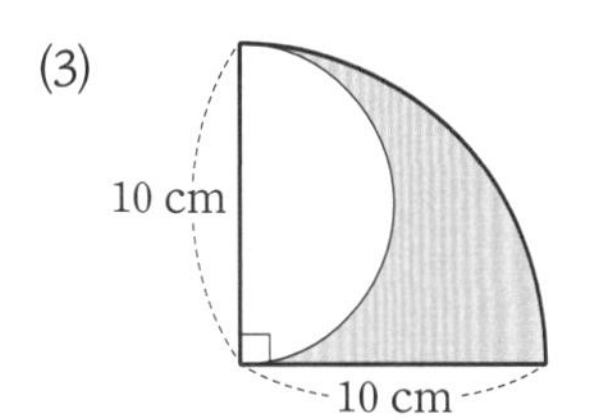

(4)

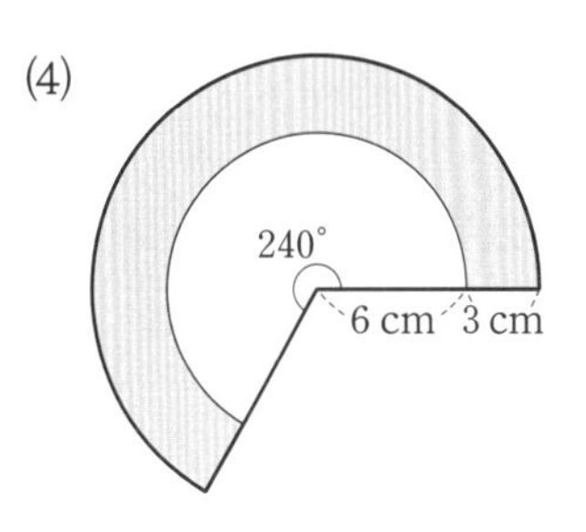

(5)

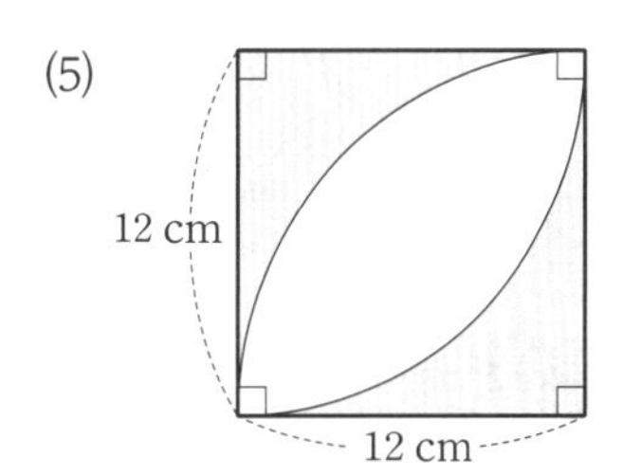

(6)

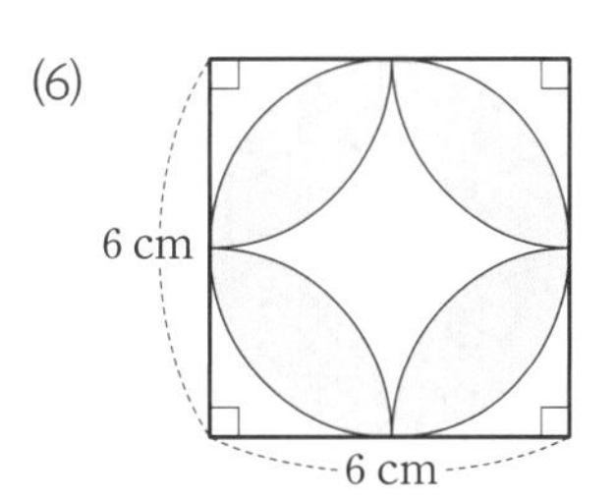

(7)

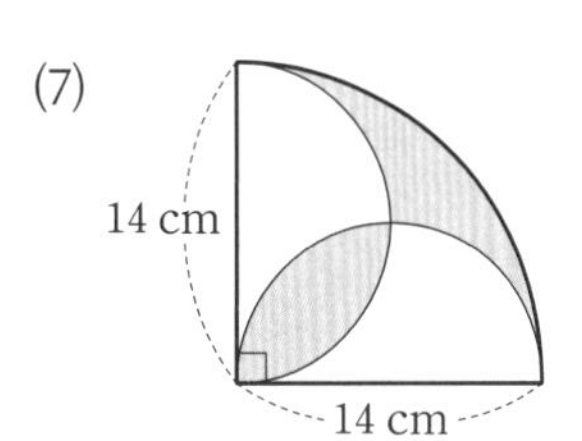

정답과 해설 _ p.28

01 오른쪽 그림에서 색칠한 부분의 둘레의 길이를 구하시오.

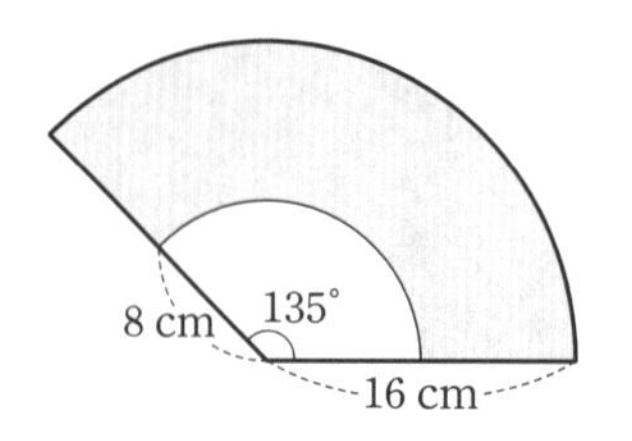

선분의 길이를 더하는 것을 잊지 않도록 한다.

02 오른쪽 그림에서 색칠한 부분의 둘레의 길이를 구하시오.

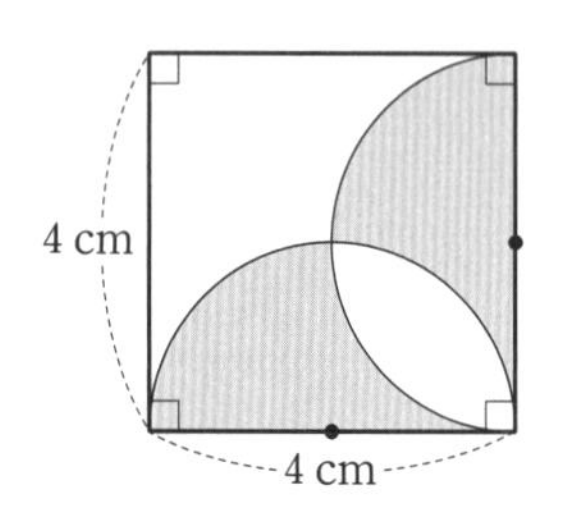

선분의 길이를 더하는 것을 잊지 않도록 한다.

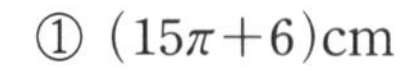

03 오른쪽 그림과 같이 중심이 모두 점 O인 두 원에서 색칠한 부분의 둘레의 길이는?

① $(15\pi+6)$cm ② $(15\pi+12)$cm
③ $(20\pi+6)$cm ④ $(20\pi+12)$cm
⑤ $(24\pi+12)$cm

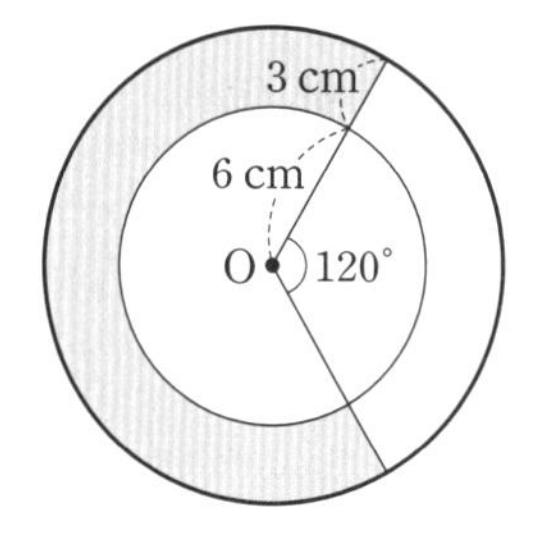

04 오른쪽 그림에서 색칠한 부분의 넓이는?

① 153 cm^2 ② 162 cm^2 ③ 165 cm^2
④ 168 cm^2 ⑤ 172 cm^2

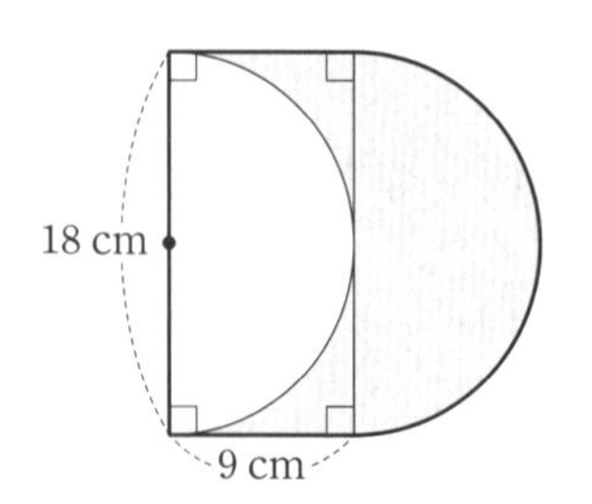

모양이 같은 부분을 옮겨 간단히 구할 수 있다.

중단원 연산 마무리

정답과 해설 _ p.28

01 다각형에 대한 다음 설명 중 옳은 것에는 ○표, 옳지 않은 것에는 × 표를 하시오.

(1) 다각형은 3개 이상의 선분으로 둘러싸인 평면도형이다. (　　)

(2) 꼭짓점의 개수가 9인 다각형은 구각형이다. (　　)

(3) 모든 변의 길이가 같은 사각형을 정사각형이라 한다. (　　)

(4) 정칠각형의 외각의 크기는 모두 같다. (　　)

(5) 정육각형의 모든 대각선의 길이는 같다. (　　)

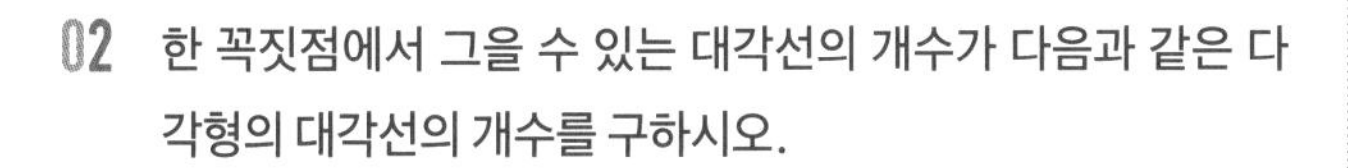

02 한 꼭짓점에서 그을 수 있는 대각선의 개수가 다음과 같은 다각형의 대각선의 개수를 구하시오.

(1) 5

(2) 8

(3) 11

03 다음 그림에서 $\angle x$의 크기를 구하시오.

(1)

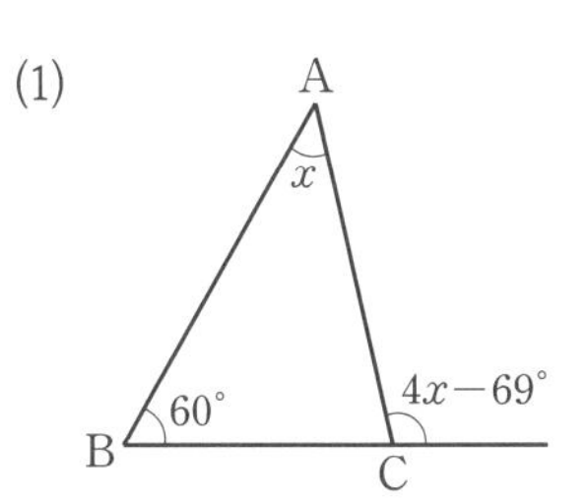

(2)

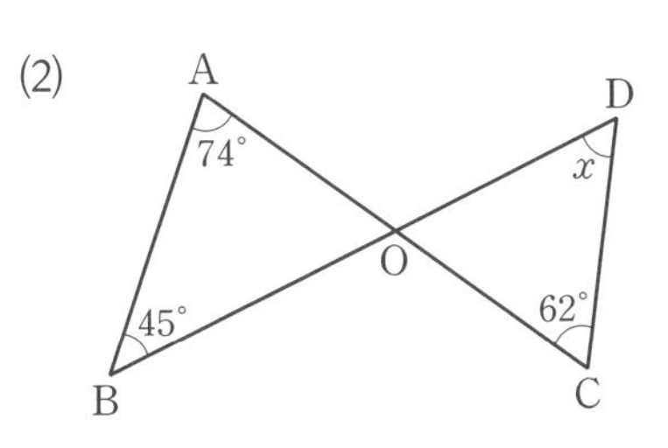

04 다음 그림에서 $\angle x$의 크기를 구하시오.

(1)

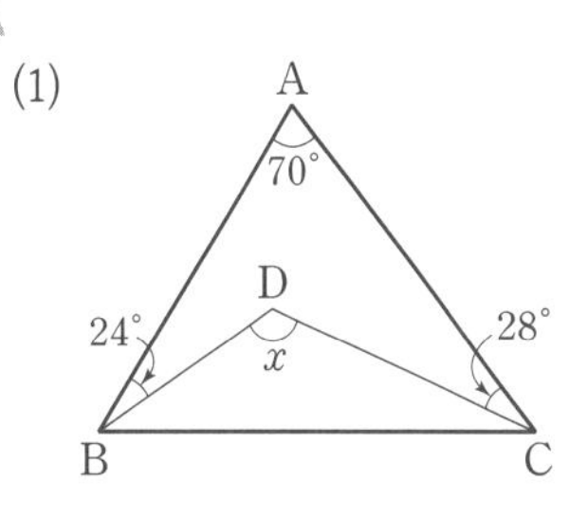

(2)

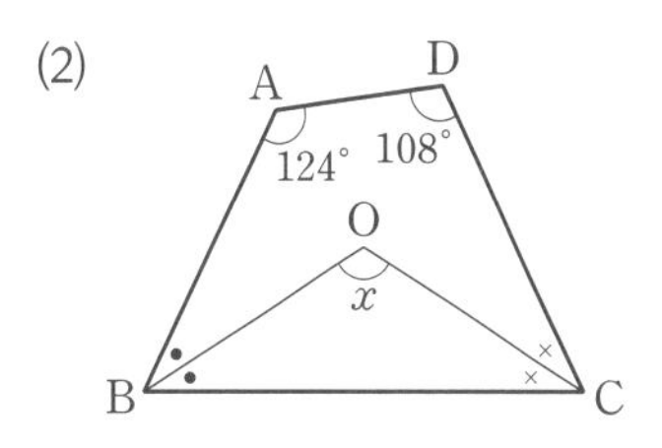

(3)

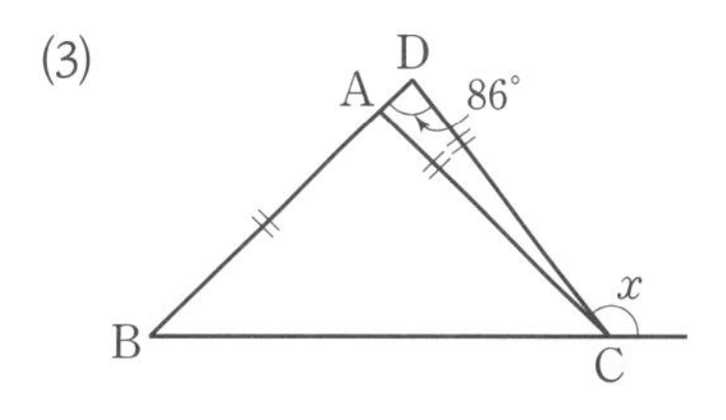

(4)

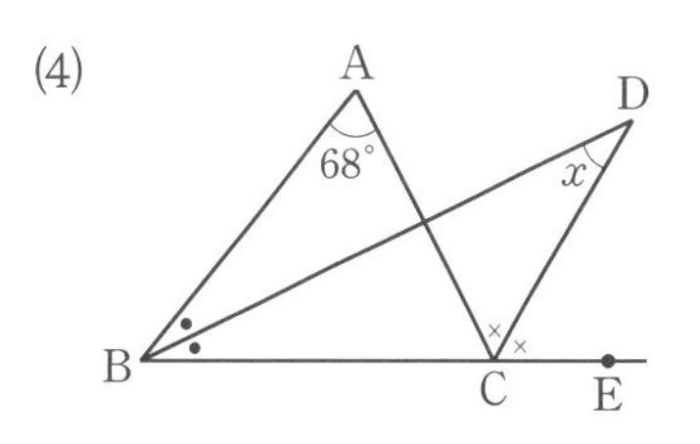

(5)

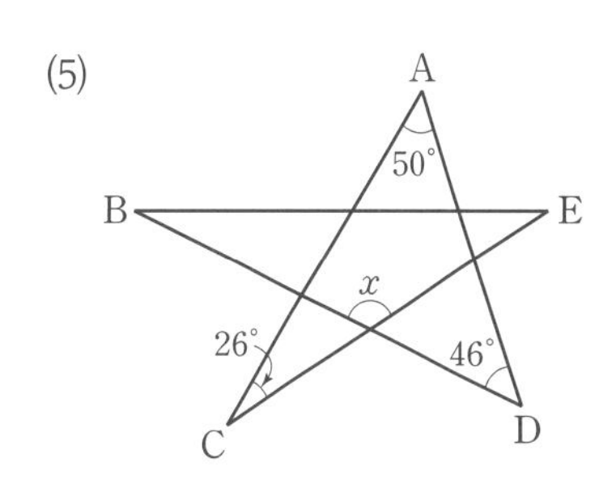

05 다음을 구하시오.

(1) 한 꼭짓점에서 그을 수 있는 대각선의 개수가 6인 다각형의 내각의 크기의 합

(2) 내각의 크기의 합이 $900°$인 다각형

(3) 대각선의 개수가 35인 다각형의 한 꼭짓점에서 대각선을 모두 그었을 때 생기는 삼각형의 개수

(4) 내각의 크기의 합이 $1080°$인 다각형의 대각선의 개수

06 다음 그림에서 $\angle x$의 크기를 구하시오.

(1)

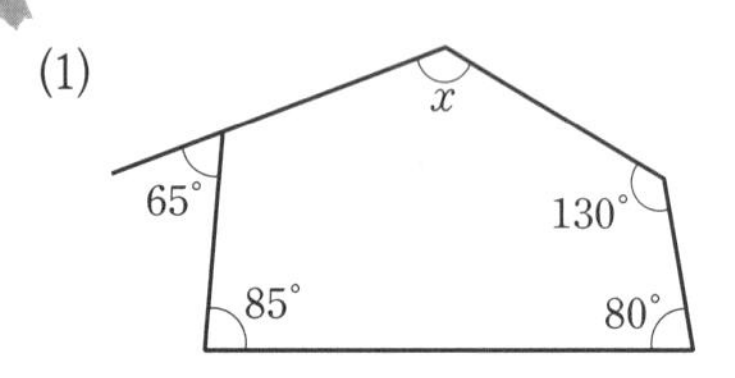

(2)

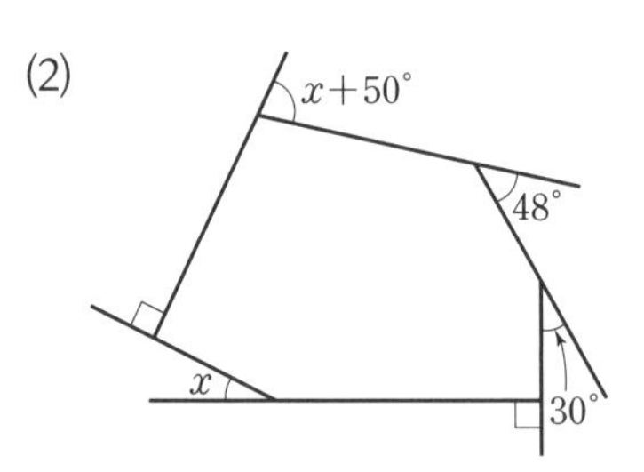

(3)

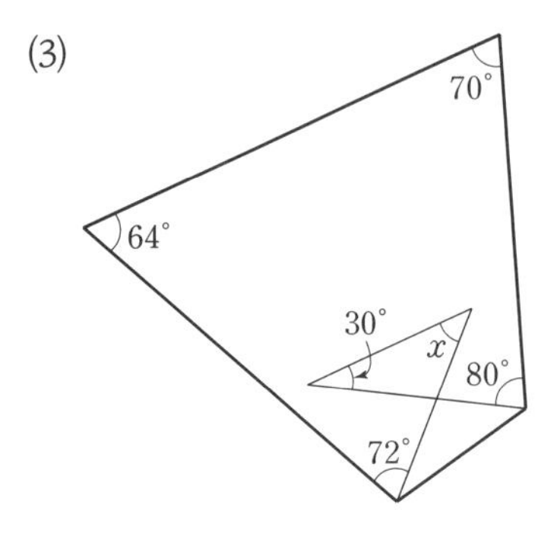

07 다음을 구하시오.

(1) 오른쪽 그림의 반원 O에서 $\overline{AC}=\overline{OC}$ 이고, $\angle DOB=80°$이다. $\overset{\frown}{AC}=18$ cm일 때, $\overset{\frown}{CD}$의 길이를 구하시오.

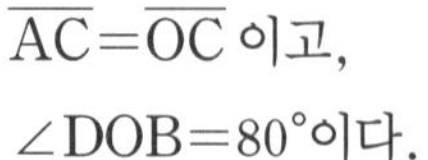

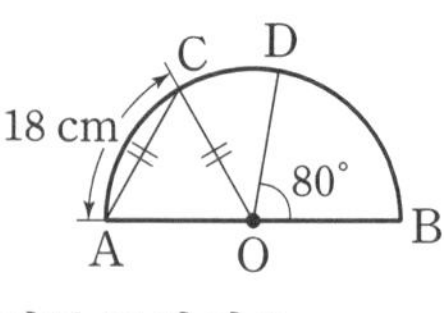

(2) 오른쪽 그림에서 $\overline{AB}$는 원 O의 지름이고 $\overline{AD} /\!/ \overline{OC}$, $\angle COB=40°$, $\overset{\frown}{BC}=7$ cm일 때, $\overset{\frown}{AD}$의 길이를 구하시오.

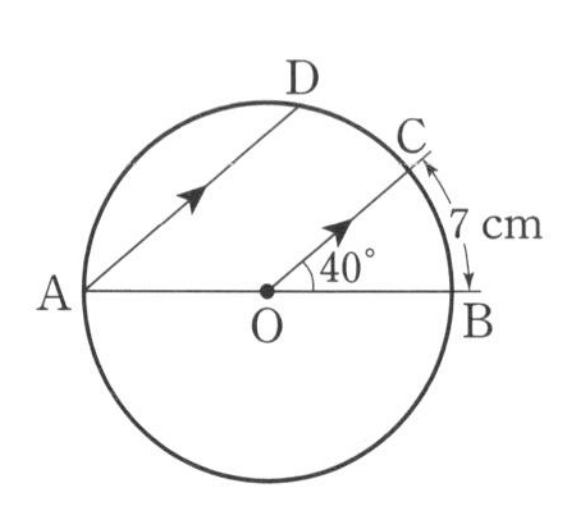

(3) 오른쪽 그림의 원 O에서 $\angle AOB=26°$, $\angle COD=130°$이고 부채꼴 AOB의 넓이가 20 cm^{2}일 때, 부채꼴 COD의 넓이를 구하시오.

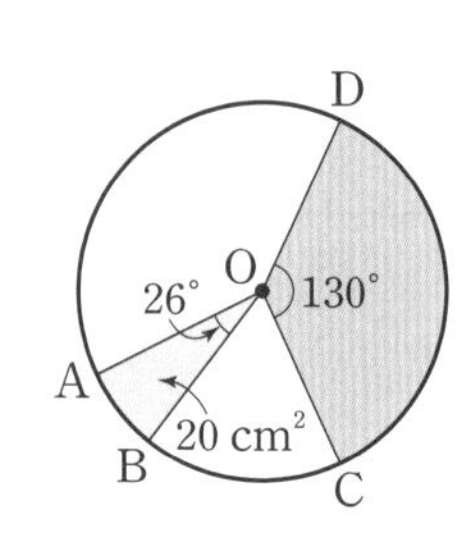

(4) 오른쪽 그림의 원 O에서 $\overset{\frown}{AB} : \overset{\frown}{BC} : \overset{\frown}{CD} : \overset{\frown}{DA}$ $=1:4:3:4$이고, 원 O의 넓이가 84 cm^{2}일 때, 부채꼴 AOB의 넓이를 구하시오.

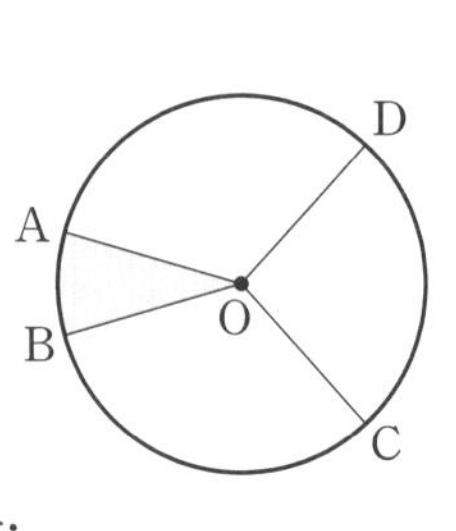

정답과 해설 _ p.28

도전 100점

08 다음 그림에서 색칠한 부분의 둘레의 길이 l과 넓이 S를 차례로 구하시오.

(1)

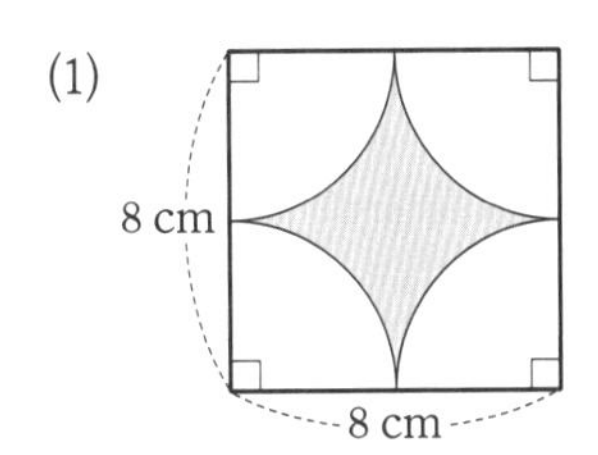

(2)

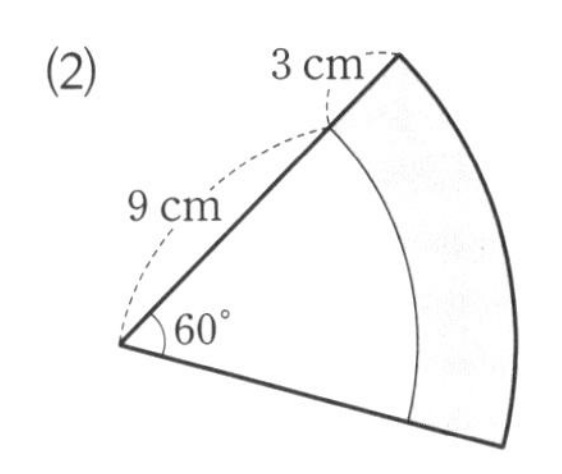

09 다음 그림에서 색칠한 부분의 넓이를 구하시오.

(1)

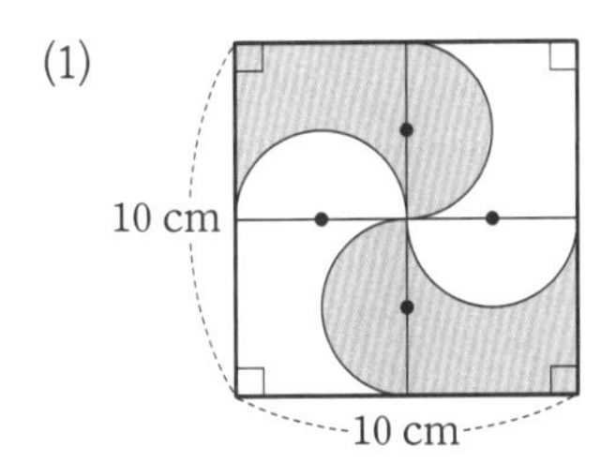

(2)

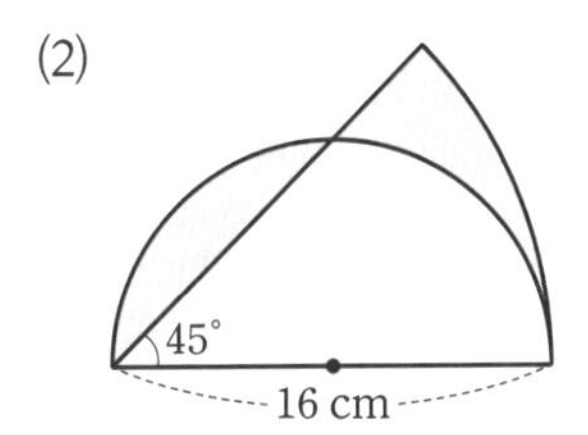

10 오른쪽 그림에서 $\angle ABD = \angle CBD$일 때, $\angle x$의 크기를 구하시오.

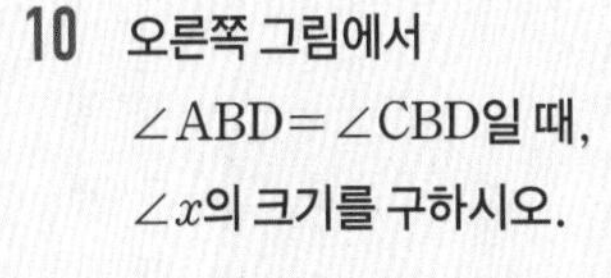

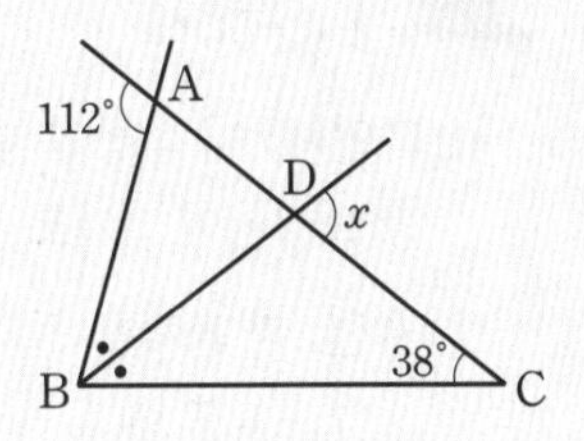

11 오른쪽 그림과 같은 정육각형에서 $\angle x$의 크기를 구하시오.

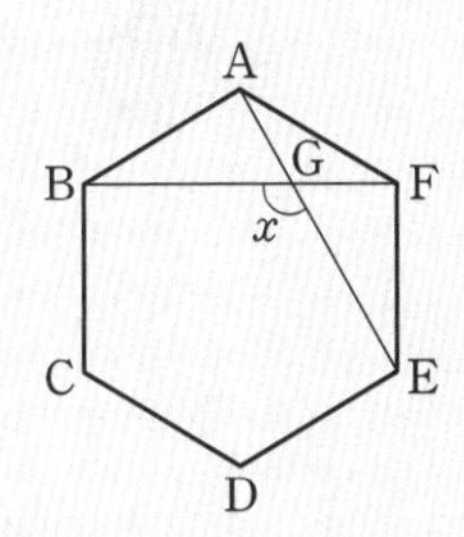

12 오른쪽 그림에서 $\overline{AB} = 16$ cm이고 세 점 C, D, E는 지름 AB를 4등분한 점일 때, 물음에 답하시오.

(1) 색칠한 부분의 둘레의 길이를 구하시오.

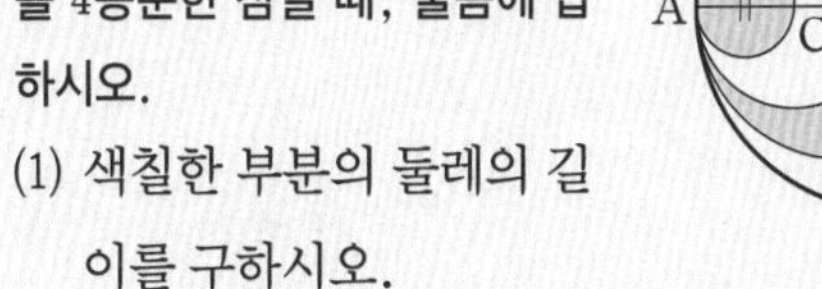

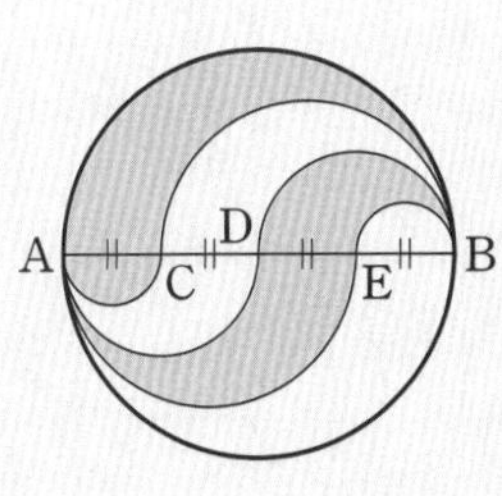

(2) 색칠한 부분의 넓이를 구하시오.

1. 다면체

(1) 다면체: 다각형인 면으로만 둘러싸인 입체도형

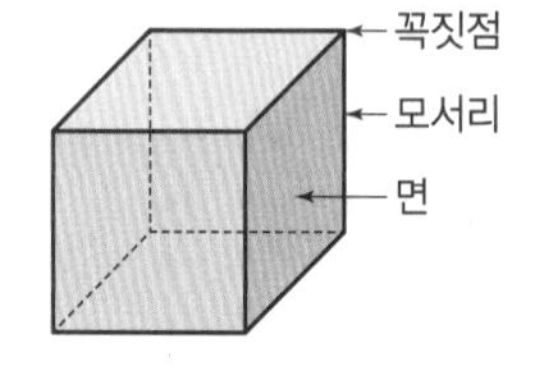

① 면: 다면체를 둘러싸고 있는 다각형

② 모서리: 다각형의 변

③ 꼭짓점: 다각형의 꼭짓점

(2) 다면체는 둘러싸인 면의 개수에 따라 사면체, 오면체, 육면체, …라 한다.

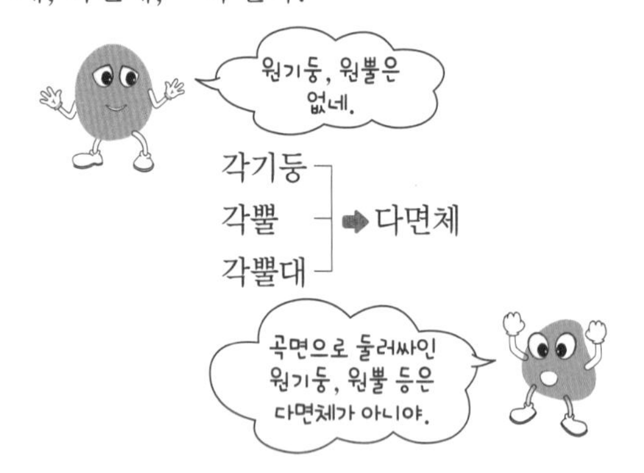

원기둥, 원뿔은 없네.
각기둥
각뿔
각뿔대
다면체
곡면으로 둘러싸인 원기둥, 원뿔 등은 다면체가 아니야.

01 다음 중 다면체인 것에는 ○표, 아닌 것에는 × 표를 하시오.

(1) 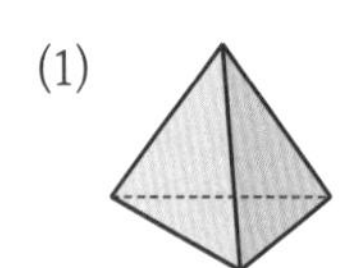  (　　)

(2) 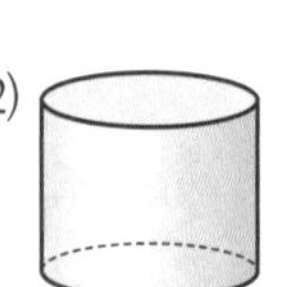 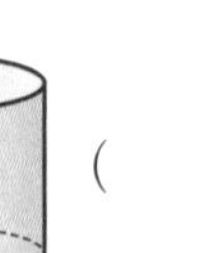 (　　)

(3) 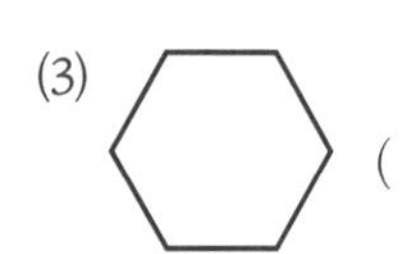 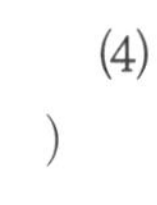 (　　)

(4) 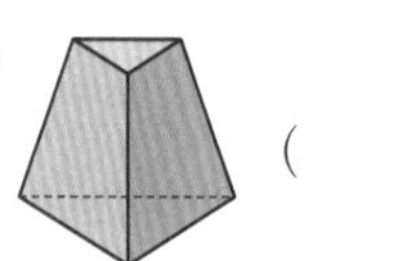 (　　)

(5) 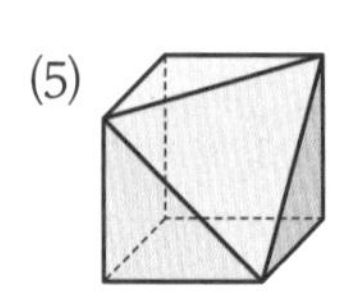  (　　)

(6) 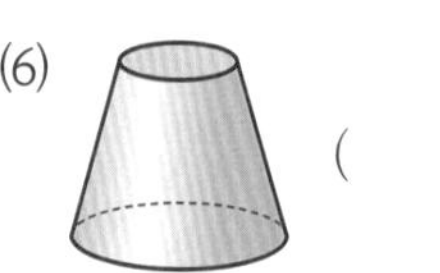 (　　)

02 다음 다면체에 대하여 표를 완성하시오.

도형			
면의 개수	5		
모서리의 개수	9		
꼭짓점의 개수			

03 다음 다면체는 몇 면체인지 말하시오.

(1) 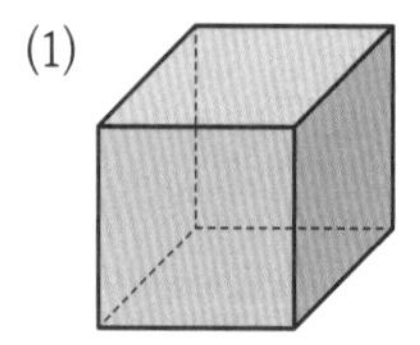

(2) 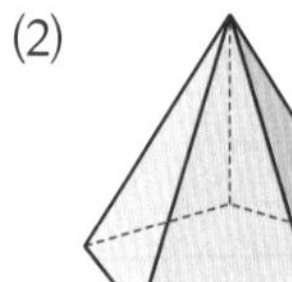

(3) 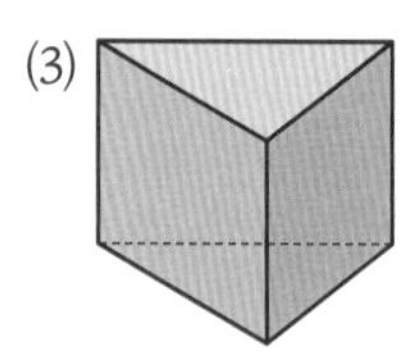

(4) 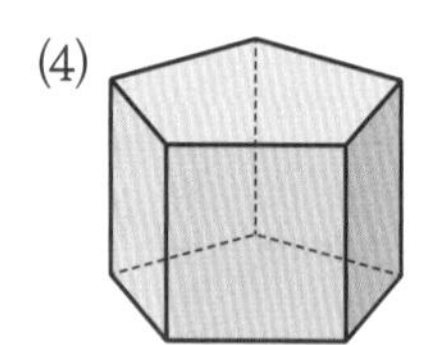

(5) 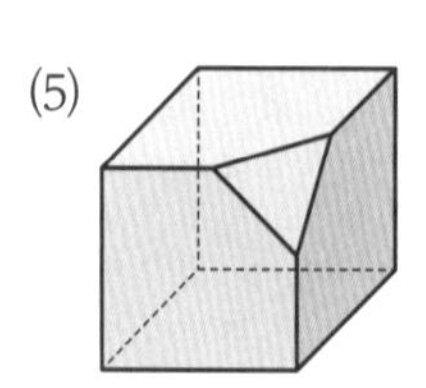

(6) 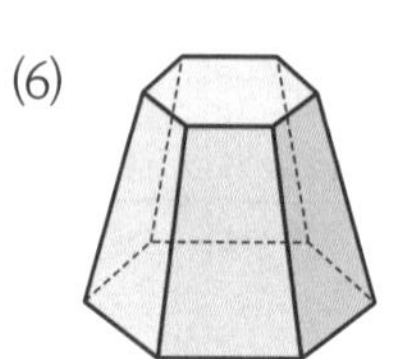

2. 다면체의 종류

(1) 각뿔대: 각뿔을 밑면에 평행한 평면으로 자를 때 생기는 두 다면체 중에서 각뿔이 아닌 쪽의 다면체

① 밑면: 각뿔대의 서로 평행한 두 면

② 옆면: 각뿔대의 밑면이 아닌 면

③ 높이: 각뿔대의 두 밑면에 수직인 선분의 길이

(2) 각뿔대의 옆면은 모두 사다리꼴이다.

(3) 각뿔대는 밑면의 모양에 따라 삼각뿔대, 사각뿔대, 오각뿔대, …라 한다.

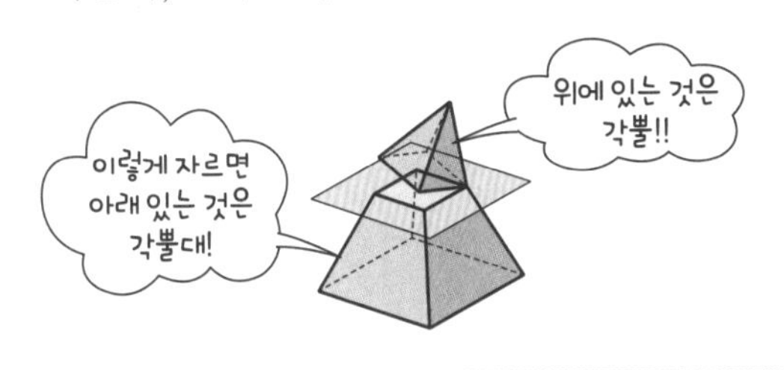

위에 있는 것은 각뿔!!
이렇게 자르면 아래 있는 것은 각뿔대!

04 입체도형 중 다음을 만족시키는 것을 모두 골라 기호를 쓰시오.

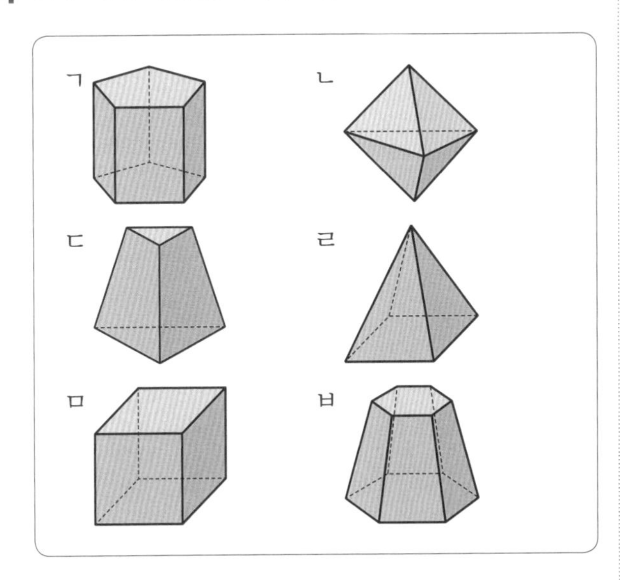

(1) 밑면이 2개인 것

(2) 꼭짓점이 6개인 것

(3) 옆면의 모양이 직사각형이 아닌 사다리꼴인 것

05 다음 표를 완성하시오.

(1)

	밑면의 수	면의 수	꼭짓점의 수	모서리의 수
삼각기둥	2	5	6	
사각기둥				
오각기둥				
육각기둥				
n각기둥				

(2)

	밑면의 수	면의 수	꼭짓점의 수	모서리의 수
삼각뿔	1	4	4	
사각뿔				
오각뿔				
육각뿔				
n각뿔				

(3)

	밑면의 수	면의 수	꼭짓점의 수	모서리의 수
삼각뿔대	2	5	6	
사각뿔대				
오각뿔대				
육각뿔대				
n각뿔대				

06 다음 조건을 모두 만족시키는 입체도형을 구하시오.

(1)

ㄱ. 밑면이 1개이다.
ㄴ. 옆면의 모양은 삼각형이다.
ㄷ. 구면체이다.

(2)

ㄱ. 두 밑면은 평행하지만 합동은 아니다.
ㄴ. 옆면의 모양이 사다리꼴이다.
ㄷ. 밑면의 모양은 육각형이다.

01 다음 보기 중 다각형인 면으로만 이루어진 입체도형은 모두 몇 개인지 구하시오.

| 보기 |

원기둥　삼각기둥　직육면체　구　칠각뿔대　오각뿔

다각형인 면으로만 둘러싸인 입체도형은 다면체이다.

02 다음 중 꼭짓점의 개수가 가장 많은 입체도형은?

① 팔각뿔　② 오각뿔대　③ 육각뿔대
④ 칠각기둥　⑤ 팔각기둥

03 오각뿔의 모서리의 개수를 a, 육각뿔대의 꼭짓점의 개수를 b라 할 때, $a+b$의 값을 구하시오.

n각뿔의 모서리의 개수는 $2n$, n각뿔대의 꼭짓점의 개수는 $2n$이다.

04 면의 개수가 9인 각뿔에서 모서리의 개수를 a, 꼭짓점의 개수를 b라 할 때, $a+b$의 값을 구하시오.

n각뿔의 면의 개수는 $n+1$이다.

05 다음 조건을 모두 만족시키는 입체도형을 구하시오.

ㄱ. 옆면이 모두 직사각형이다.
ㄴ. 두 밑면이 서로 평행하면서 합동인 다면체이다.
ㄷ. 꼭짓점의 개수가 18이다.

24강 ••• 정다면체

정답과 해설 _ p.32

1. 정다면체 up+

(1) 정다면체: 각 면이 모두 합동인 정다각형이고, 각 꼭짓점에 모인 면의 개수가 모두 같은 다면체

(2) 정다면체의 종류: 정사면체, 정육면체, 정팔면체, 정십이면체, 정이십면체의 다섯 가지뿐이다.

이름	정사면체	정육면체	정팔면체	정십이면체	정이십면체
겨냥도					
전개도					
면의 모양	정삼각형	정사각형	정삼각형	정오각형	정삼각형
한 꼭짓점에 모인 면의 개수	3	3	4	3	5
면의 개수	4	6	8	12	20
꼭짓점의 개수	4	8	6	20	12
모서리의 개수	6	12	12	30	30

한 꼭짓점에 6개의
정삼각형이 모이면
입체도형을 만들 수 없어.

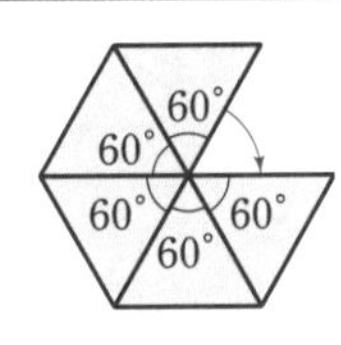

01 다음 중 정다면체에 대한 설명으로 옳은 것에는 ○표, 옳지 않은 것에는 ×표를 하시오.

(1) 정다면체는 각 꼭짓점에 모인 면의 개수가 모두 같다. (　　)

(2) 정오각형으로 이루어진 정다면체의 한 꼭짓점에 모인 면의 개수는 3이다. (　　)

(3) 한 꼭짓점에 모인 각의 크기의 합은 360°이다. (　　)

02 다음 조건을 만족시키는 정다면체를 보기에서 모두 골라 기호를 쓰시오.

| 보기 |
ㄱ. 정사면체　ㄴ. 정육면체　ㄷ. 정팔면체
ㄹ. 정십이면체　ㅁ. 정이십면체

(1) 각 면의 모양이 모두 정삼각형인 정다면체

(2) 각 면의 모양이 모두 정사각형인 정다면체

(3) 한 꼭짓점에 모인 면의 개수가 3인 정다면체

(4) 한 꼭짓점에 모인 면의 개수가 5인 정다면체

03 아래 전개도로 만들 수 있는 정다면체에 대하여 다음을 구하시오.

(1)

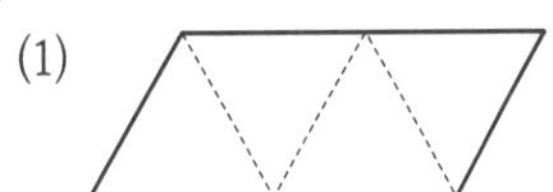

① 정다면체의 이름
② 면의 개수
③ 꼭짓점의 개수

(2)

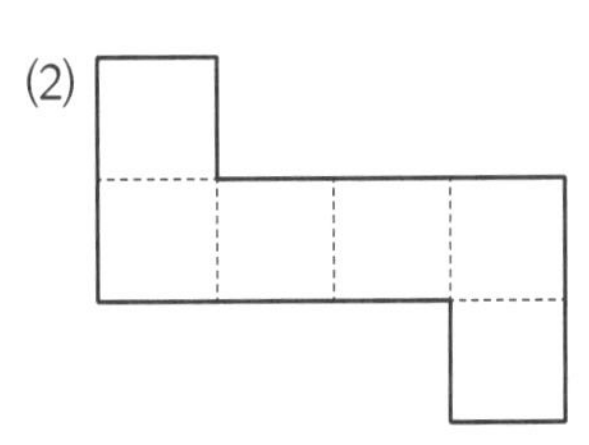

① 정다면체의 이름
② 모서리의 개수
③ 면의 모양

04 아래 전개도로 만들 수 있는 정다면체에 대하여 다음을 구하시오.

(1)

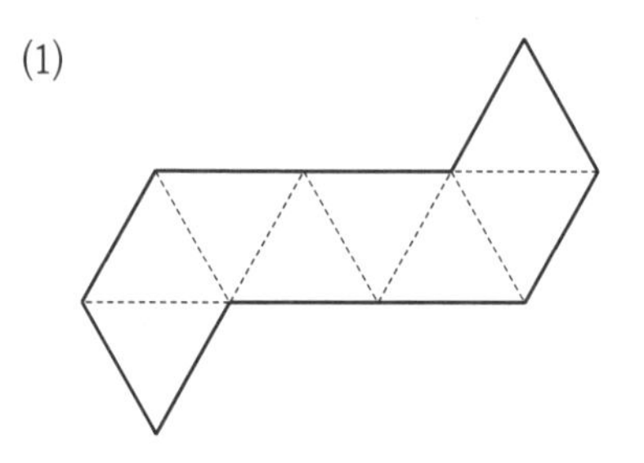

① 정다면체의 이름
② 꼭짓점의 개수
③ 한 꼭짓점에 모인 면의 개수

(2)

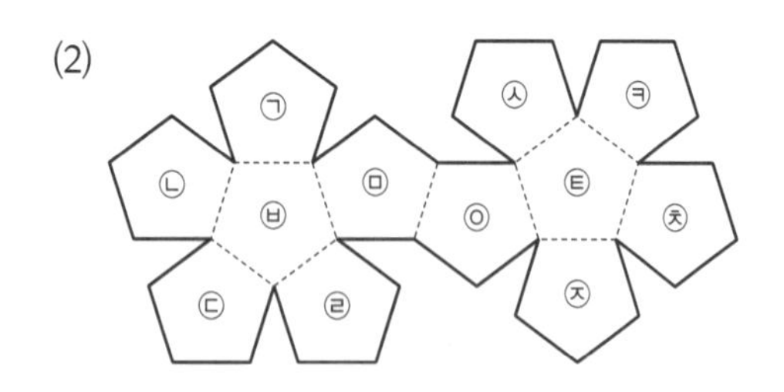

① 정다면체의 이름
② 면 ㉥과 평행한 면
③ 한 꼭짓점에 모이는 모서리의 개수
④ 한 꼭짓점에 모이는 면의 개수

(3)

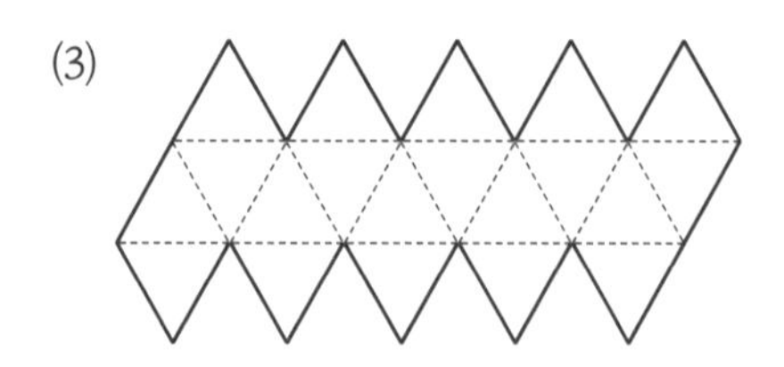

① 정다면체의 이름
② 모서리의 개수
③ 한 꼭짓점에 모이는 면의 개수

05 물음에 답하시오.

(1) 정다면체를 모두 쓰시오.

(2) 면의 개수가 12인 정다면체를 쓰시오.

(3) 꼭짓점의 개수가 6인 정다면체를 쓰시오.

(4) 모서리의 개수가 30인 정다면체를 모두 쓰시오.

06 다음 조건을 모두 만족시키는 입체도형을 구하시오.

(1)

ㄱ. 정다면체이다.
ㄴ. 면의 모양은 정삼각형이다.
ㄷ. 꼭짓점의 개수는 4이다.

(2)

ㄱ. 정다면체이다.
ㄴ. 한 꼭짓점에 모인 면의 개수는 3이다.
ㄷ. 모서리의 개수는 30이다.

(3)

ㄱ. 정다면체이다.
ㄴ. 한 꼭짓점에 모인 면의 개수는 3이다.
ㄷ. 모서리의 개수는 정이십면체의 꼭짓점의 개수와 같다.

정답과 해설 _ p.32

01 다음 중 정다면체에 대한 설명으로 옳지 않은 것을 모두 고르면 (정답 2개)

① 각 면이 모두 합동인 정다각형이다.
② 정다면체의 종류는 5가지뿐이다.
③ 한 꼭짓점에 모인 각의 크기의 합은 360°보다 작다.
④ 정삼각형으로 이루어진 정다면체는 2가지이다.
⑤ 한 꼭짓점에 모인 면의 개수는 모두 3이다.

정다면체는 각 면이 모두 합동인 정다각형이고, 각 꼭짓점에 모인 면의 개수가 모두 같은 다면체이다.

다음 조건을 모두 만족시키는 입체도형의 꼭짓점의 개수를 구하시오.

ㄱ. 각 면은 모두 합동인 정다각형이다.
ㄴ. 모서리의 개수는 30이다.
ㄷ. 한 꼭짓점에 모인 면의 개수는 5이다.

03 다음 중 아래 조건을 모두 만족시키는 입체도형에 대한 설명으로 옳지 않은 것을 모두 고르면? (정답 2개)

ㄱ. 각 면은 모두 합동인 정삼각형이다.
ㄴ. 한 꼭짓점에 모인 면의 개수는 4이다.

① 정사면체이다.
② 면의 개수는 8이다.
③ 꼭짓점의 개수는 8이다.
④ 모서리의 개수는 12이다.
⑤ 정육면체와 모서리의 개수가 같다.

면의 모양이 모두 정삼각형인 정다면체는 정사면체, 정팔면체, 정이십면체이다.

04 오른쪽 그림과 같은 전개도로 정사면체를 만들었을 때, $\overline{AB}$와 꼬인 위치에 있는 모서리는?

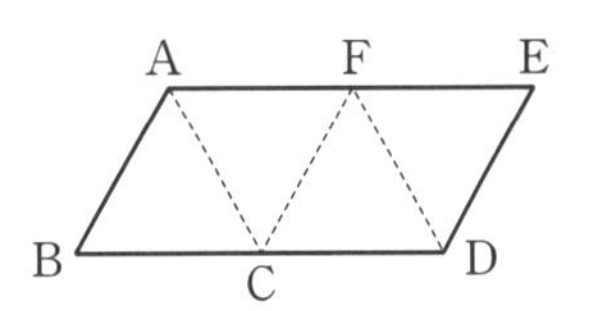

① $\overline{AC}$　② $\overline{AF}$　③ $\overline{BC}$
④ $\overline{CF}$　⑤ $\overline{DC}$

주어진 전개도로 만들어지는 정사면체를 그려 본다.

1. 회전체

(1) **회전체**: 평면도형을 한 직선을 축으로 하여 1회전 시킬 때 생기는 입체도형

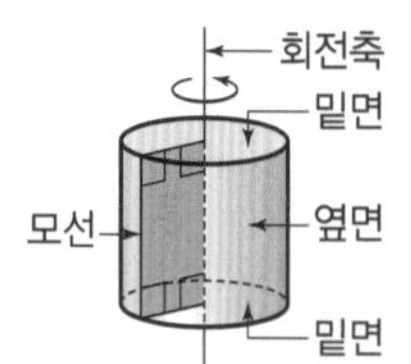

(2) **회전축**: 회전시킬 때 축이 되는 직선

(3) **모선**: 회전체에서 옆면을 만드는 선분

(4) **원뿔대**: 원뿔을 밑면에 평행한 평면으로 자를 때 생기는 두 입체도형 중에서 원뿔이 아닌 쪽의 입체도형

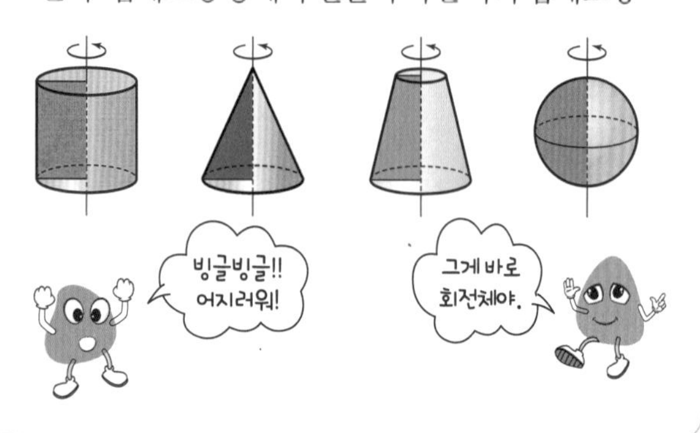

빙글빙글!!
어지러워!
그게 바로
회전체야.

01 다음 입체도형 중 회전체인 것에는 ○표, 회전체가 아닌 것에는 ×표를 하시오.

(1) 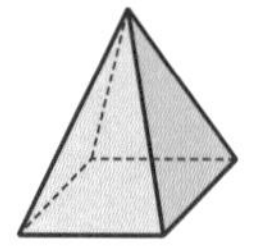 ( )

(2) 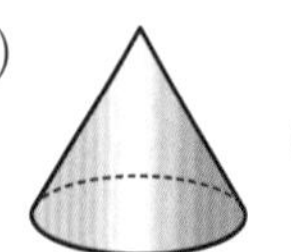 ( )

(3) 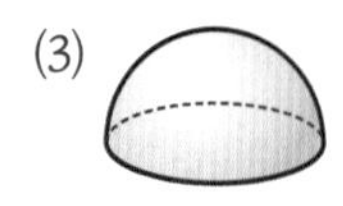 ( )

(4) 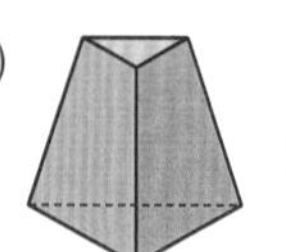 ( )

(5) 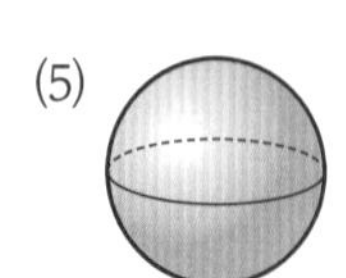 ( )

(6) 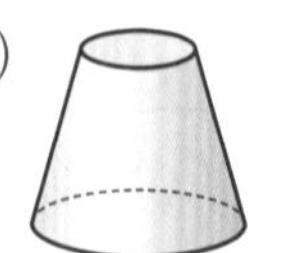 ( )

02 다음 그림과 같은 평면도형을 직선 l을 회전축으로 하여 1회전 시킬 때 생기는 회전체를 그리시오.

(1) 

(2) 

(3) 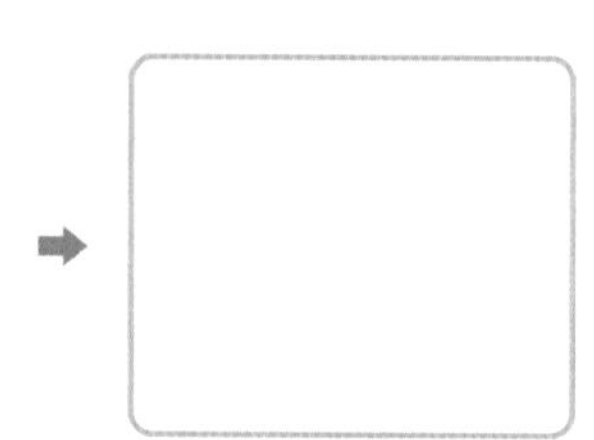

(4) 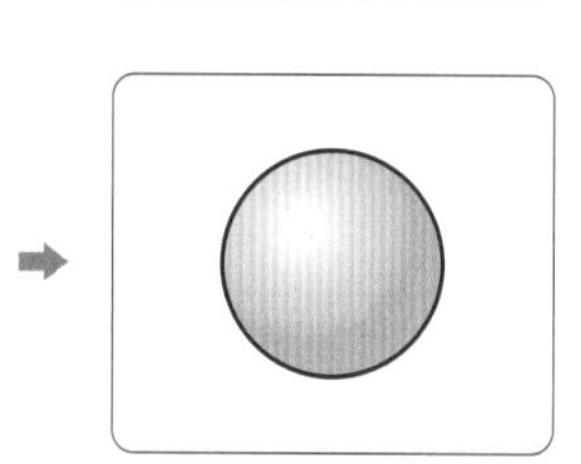

03 다음 그림과 같은 회전체와 회전시키기 전의 평면도형을 짝 지으시오.

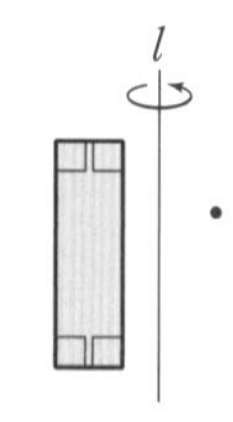 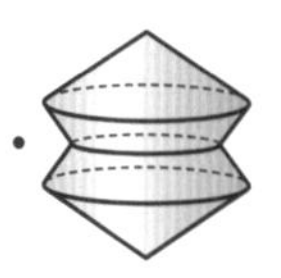

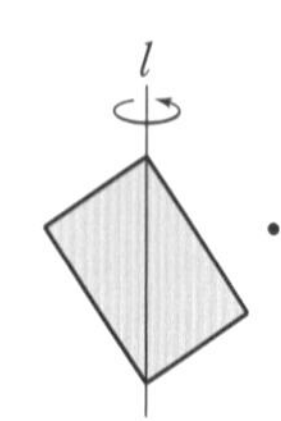 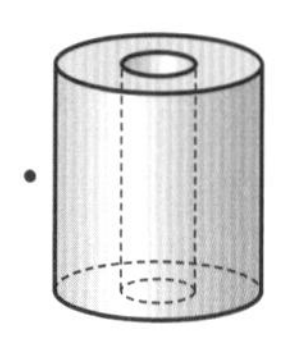

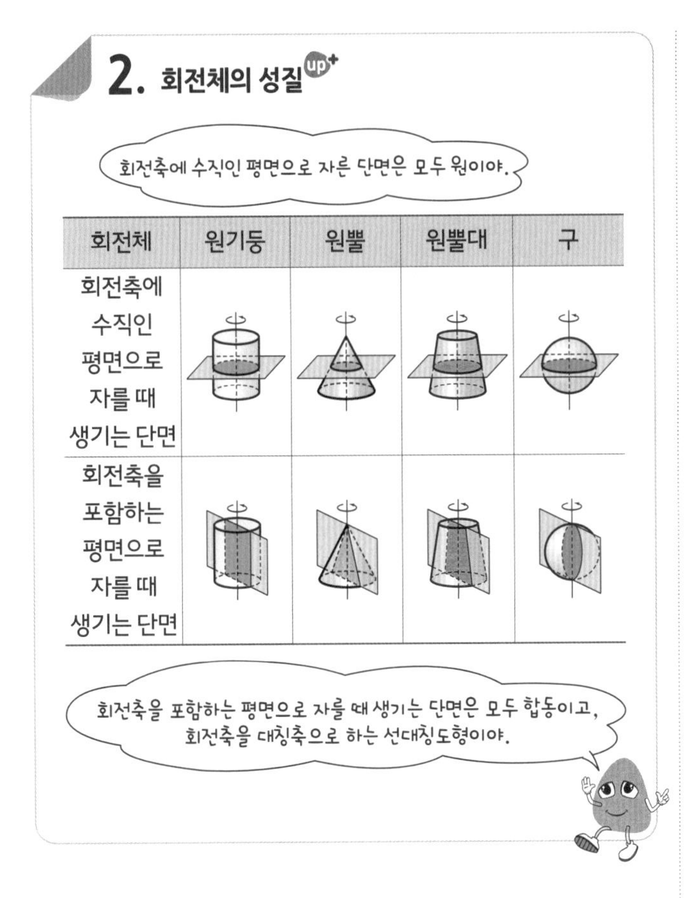

2. 회전체의 성질 up+

회전축에 수직인 평면으로 자른 단면은 모두 원이야.

회전체	원기둥	원뿔	원뿔대	구
회전축에 수직인 평면으로 자를 때 생기는 단면				
회전축을 포함하는 평면으로 자를 때 생기는 단면				

회전축을 포함하는 평면으로 자를 때 생기는 단면은 모두 합동이고, 회전축을 대칭축으로 하는 선대칭도형이야.

04 다음 그림과 같은 회전체를 회전축에 수직인 평면으로 자를 때 생기는 단면의 모양을 그리시오.

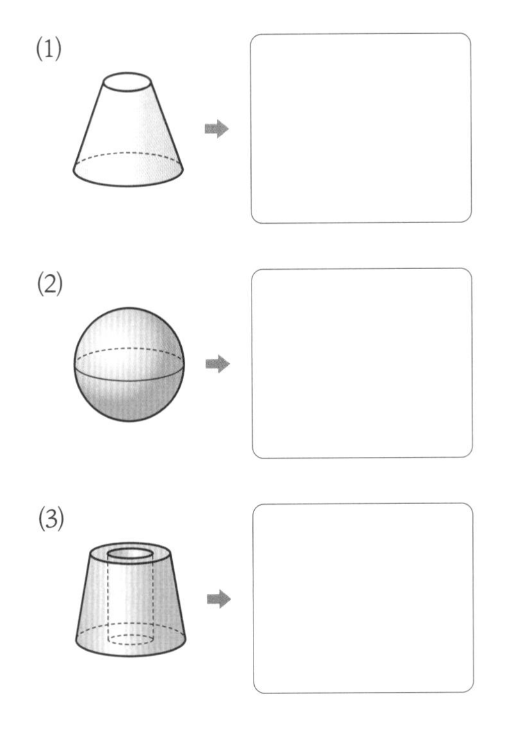

(1)

(2)

(3)

05 다음 그림과 같은 회전체를 회전축을 포함하는 평면으로 자를 때 생기는 단면의 모양을 그리시오.

(1)

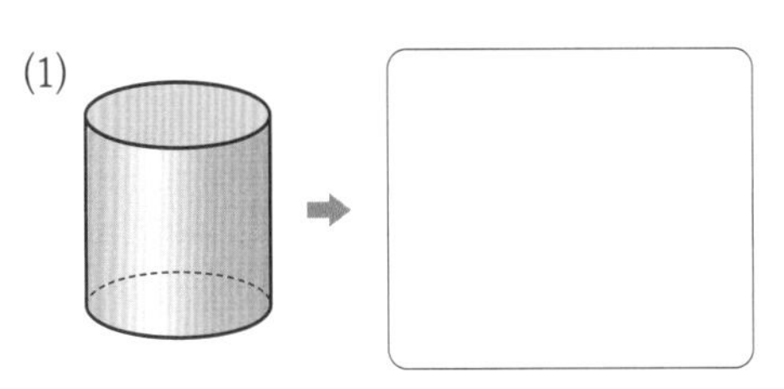

(2)

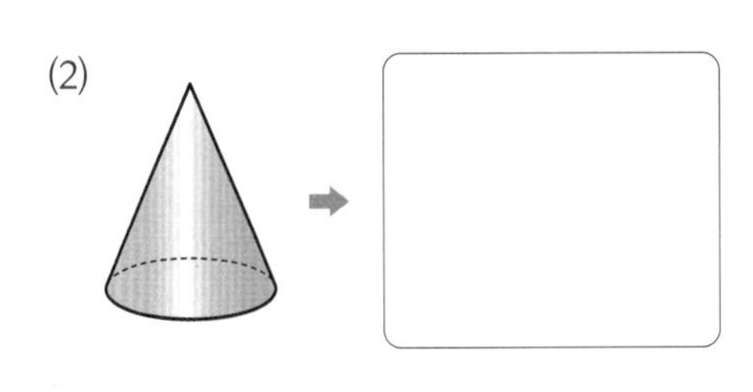

(3)

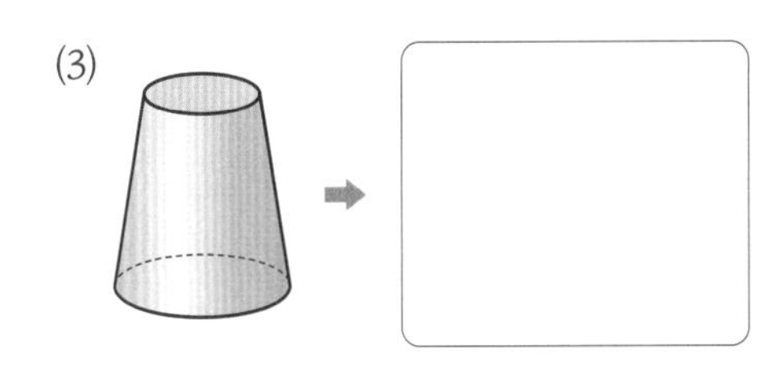

(4)

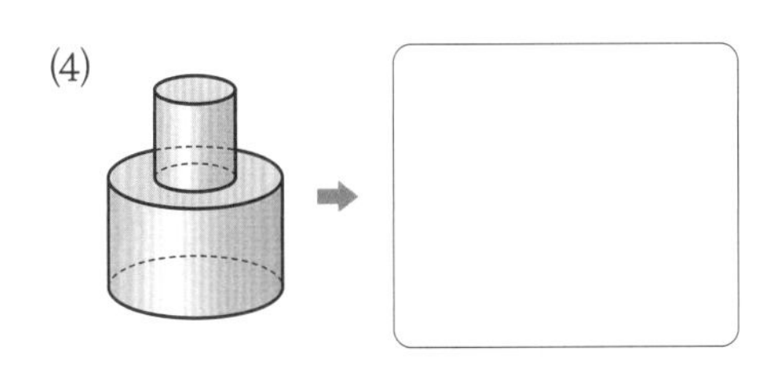

(5)

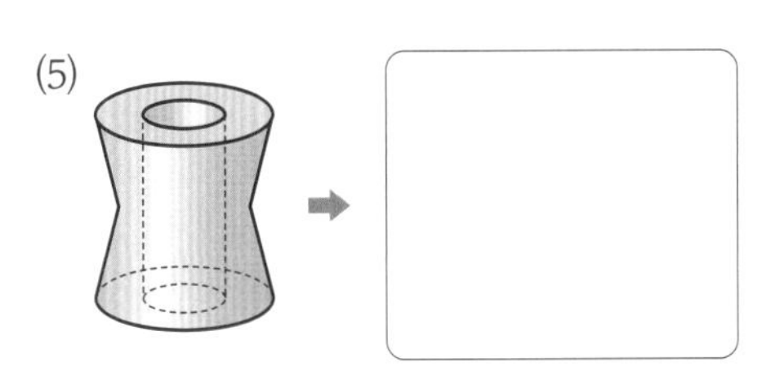

3. 회전체의 전개도 up+

(1) 원기둥

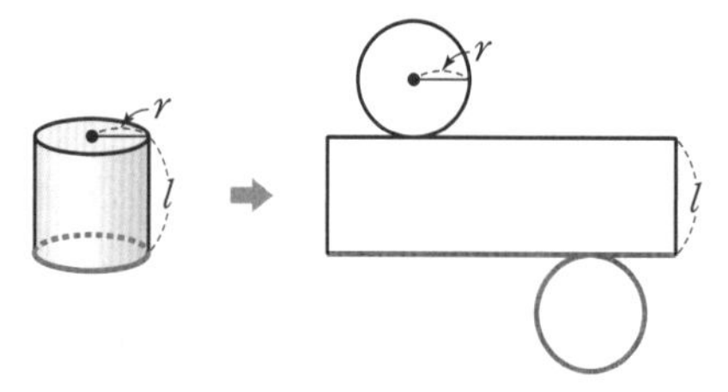

(직사각형의 가로의 길이)=(원의 둘레의 길이)

(2) 원뿔

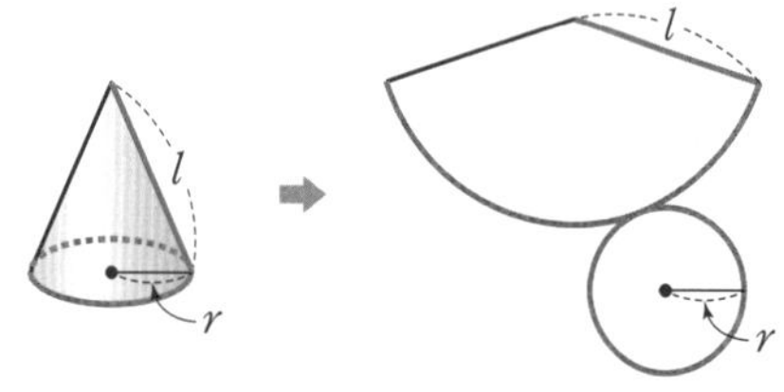

(부채꼴의 반지름의 길이)=(원뿔의 모선의 길이)

(부채꼴의 호의 길이)=(원의 둘레의 길이)

(3) 원뿔대

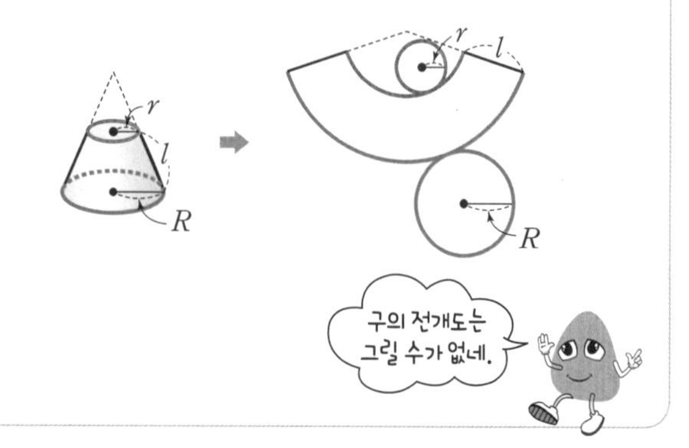

06 다음 그림은 어떤 도형의 전개도인지 말하시오.

(1)

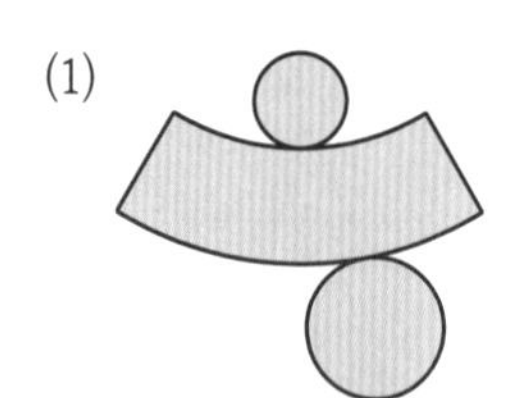

(2)

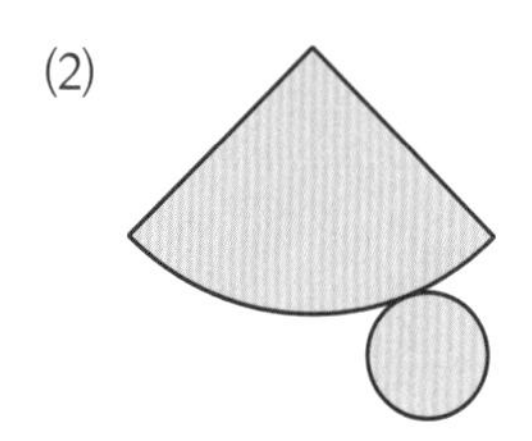

07 다음 그림과 같은 회전체의 전개도에서 □ 안에 알맞은 수를 써넣으시오.

(1)

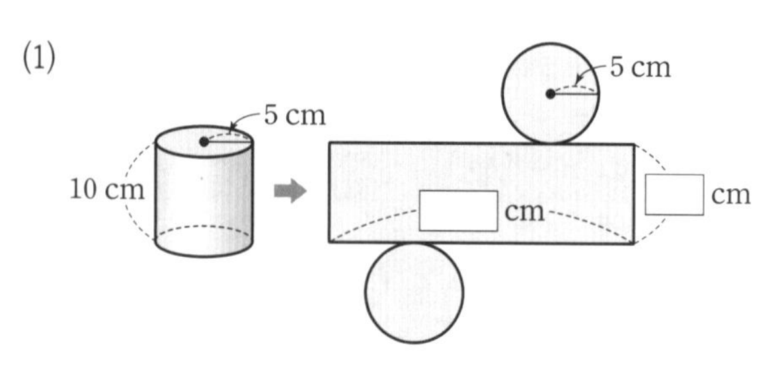

(직사각형의 세로의 길이)=(원기둥의 높이)

=□ cm

(직사각형의 가로의 길이)=(밑면인 원의 둘레의 길이)

$=2\pi\times$□=□(cm)

(2)

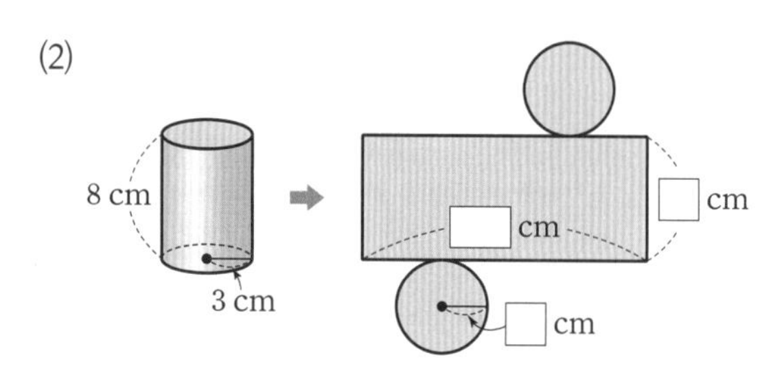

(3)

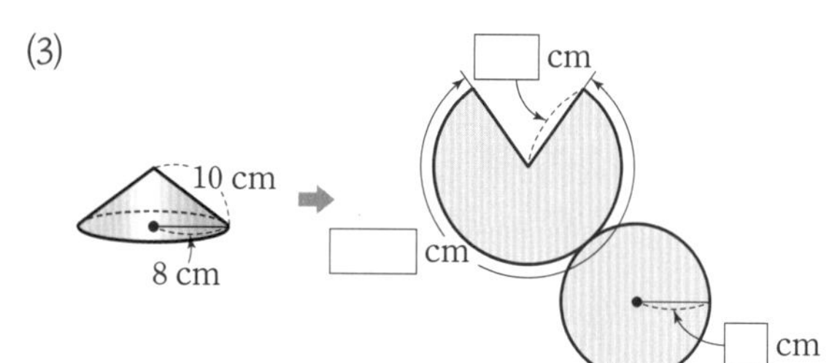

(4)

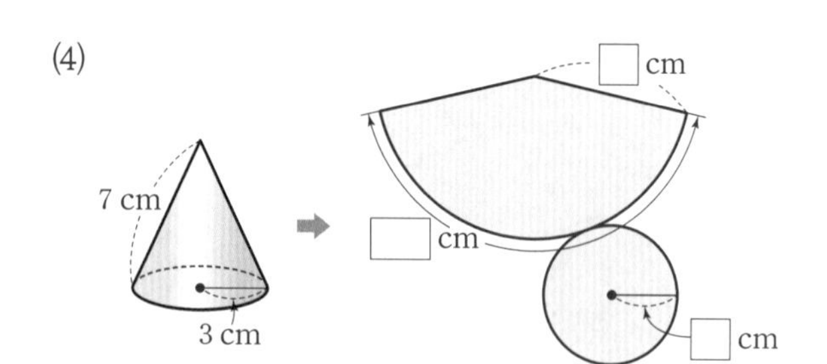

(5)

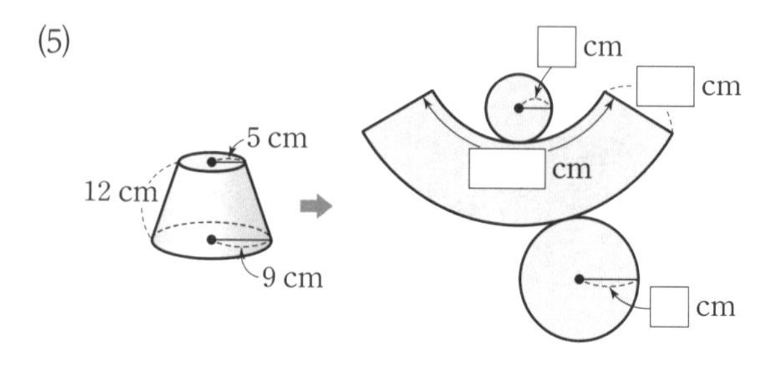

정답과 해설 _ p.33

01 다음 중 회전체가 아닌 것은?

① 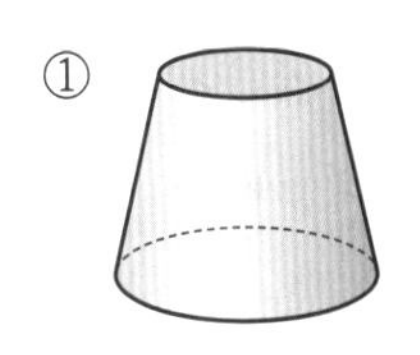
② 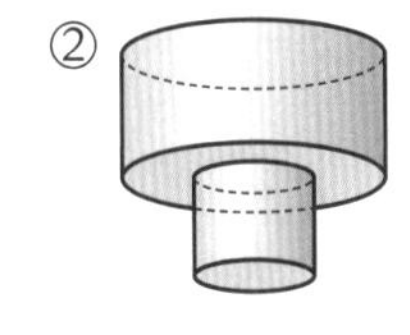
③ 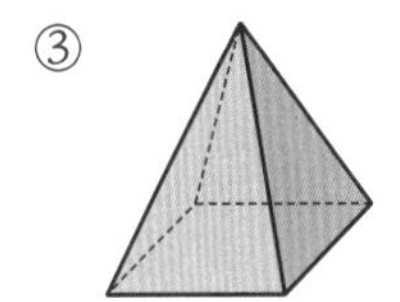
④
⑤ 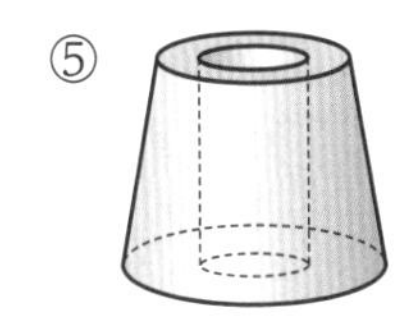

회전체는 평면도형을 한 직선을 축으로 하여 1회전 시킬 때 생기는 입체도형이다.

02 오른쪽 그림과 같은 평면도형을 직선 l을 회전축으로 하여 1회전 시킬 때 생기는 입체도형은?

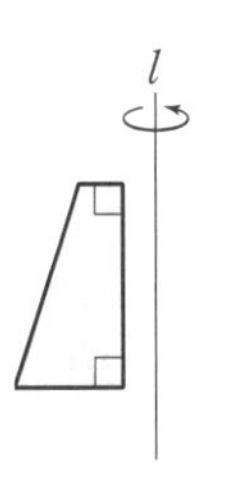

①
② 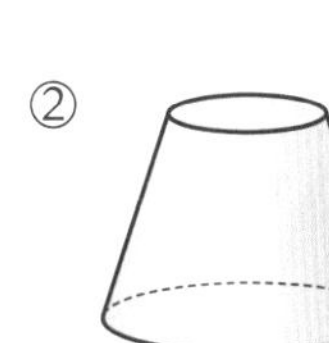
③ 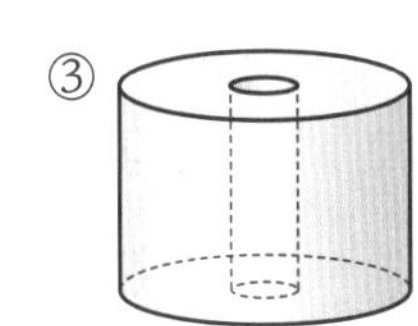
④ 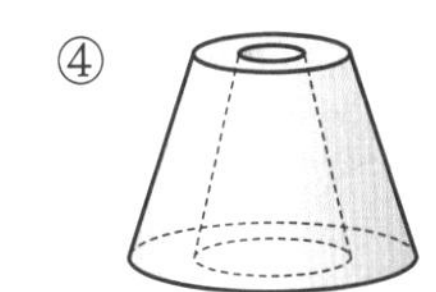
⑤ 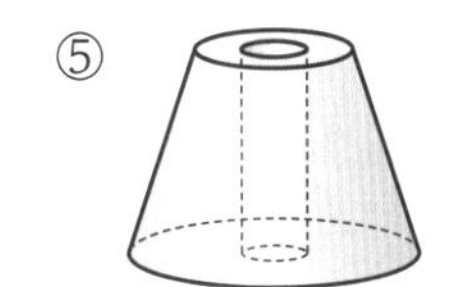

회전축과 떨어져 있으므로 가운데 구멍이 생긴다.

03 다음 중 회전축에 수직인 평면으로 자른 단면이 항상 합동인 회전체는?

① 원기둥
② 원뿔
③ 원뿔대
④ 구
⑤ 반구

04 오른쪽 그림과 같은 사다리꼴을 직선 l을 회전축으로 하여 1회전 시킬 때 생기는 회전체를 회전축을 포함하는 평면으로 자른 단면의 넓이를 구하시오.

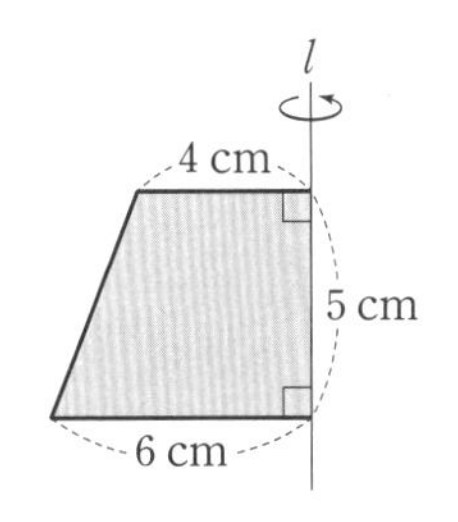

직선 l을 회전축으로 하여 1회전 시킬 때 생기는 회전체를 회전축을 포함하는 평면으로 자른 단면의 넓이는 돌리기 전의 평면도형의 넓이의 2배이다.

정답과 해설 _ p.33

1. 기둥의 겉넓이

(1) 각기둥의 겉넓이

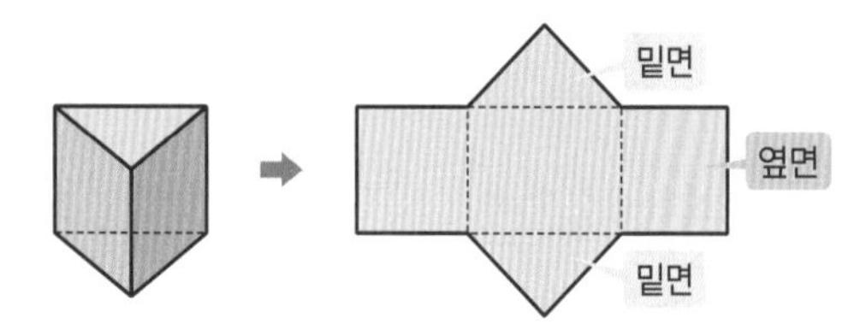

(각기둥의 겉넓이) = (밑넓이) × 2 + (옆넓이)

(2) 원기둥의 겉넓이

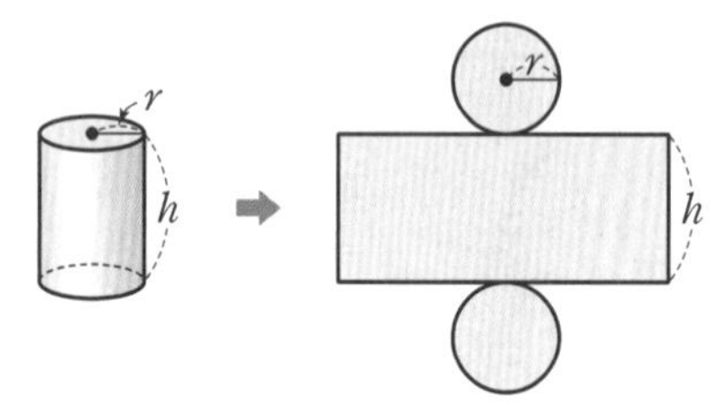

(원기둥의 겉넓이) = (밑넓이) × 2 + (옆넓이)

$= 2\pi r^2 + 2\pi rh$

겉넓이는 전개도의 넓이를 생각하면 쉬워!

01 그림과 같은 각기둥에서 다음을 구하시오.

(1)

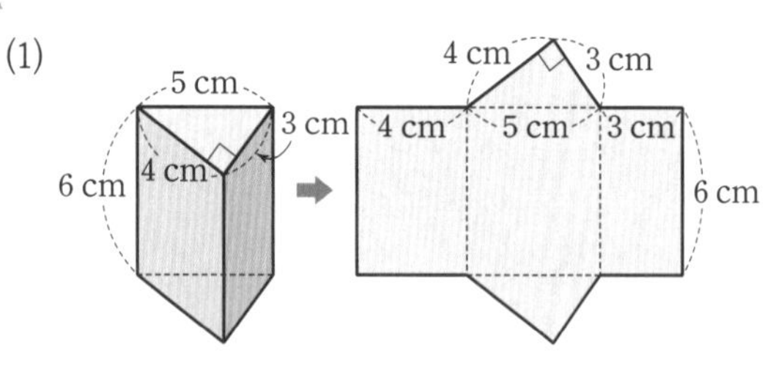

① (밑넓이) $= \frac{1}{2} \times 3 \times \square = \square\,(\text{cm}^2)$

② (옆넓이) $= (\square + 4 + 3) \times \square = \square\,(\text{cm}^2)$

③ (겉넓이) $= \square \times 2 + \square = \square\,(\text{cm}^2)$

(2)

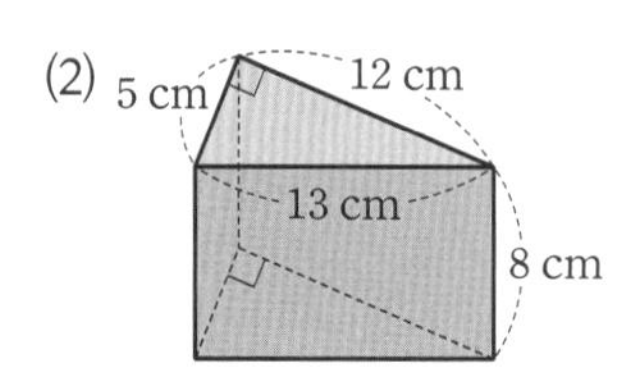

① 밑넓이

② 옆넓이

③ 겉넓이

(3)

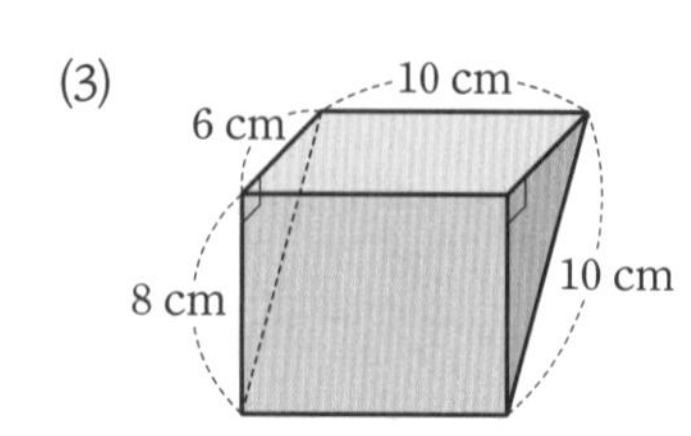

① 밑넓이

② 옆넓이

③ 겉넓이

(4)

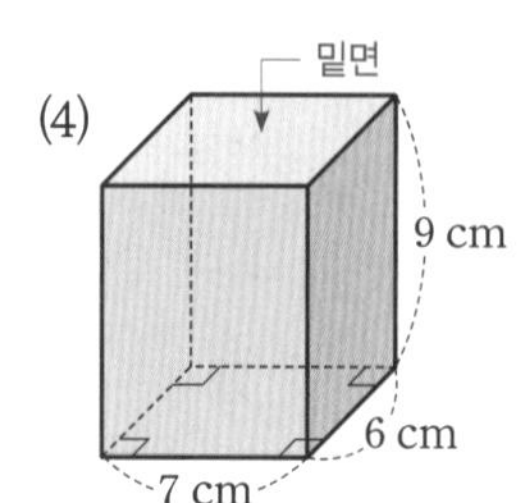

① 밑넓이

② 옆넓이

③ 겉넓이

02 그림과 같은 원기둥에서 다음을 구하시오.

(1)

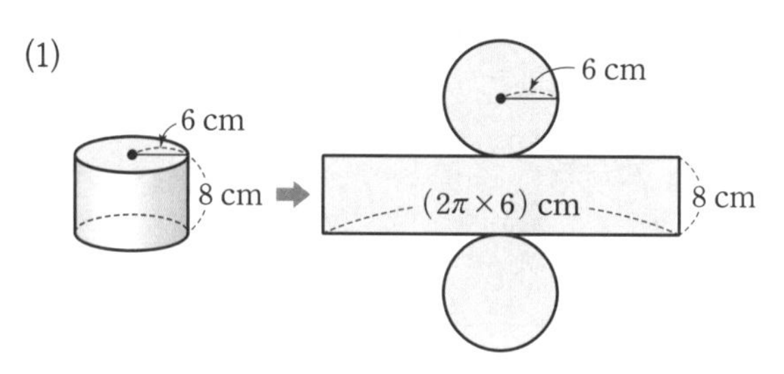

① (밑넓이) $= \pi \times \square^2 = \square\,(\text{cm}^2)$

② (옆넓이) $= (2\pi \times \square) \times \square = \square\,(\text{cm}^2)$

③ (겉넓이) $= \square \times 2 + \square = \square\,(\text{cm}^2)$

(2)

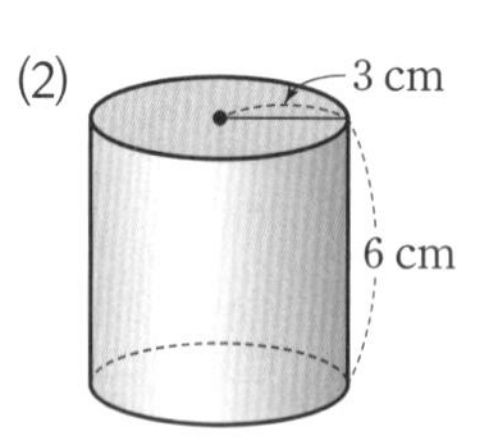

① 밑넓이

② 옆넓이

③ 겉넓이

(3)

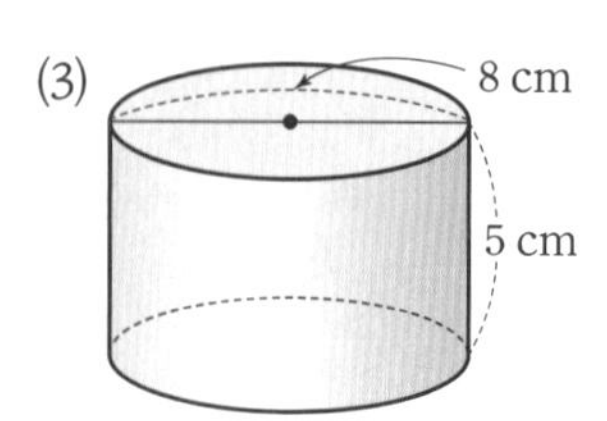

① 밑넓이

② 옆넓이

③ 겉넓이

다음 그림과 같은 기둥 또는 기둥으로 만든 입체도형의 겉넓이를 구하시오.

(1)

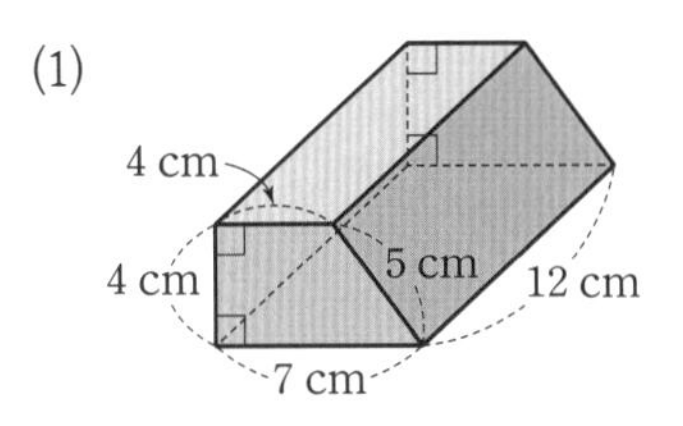

(2)

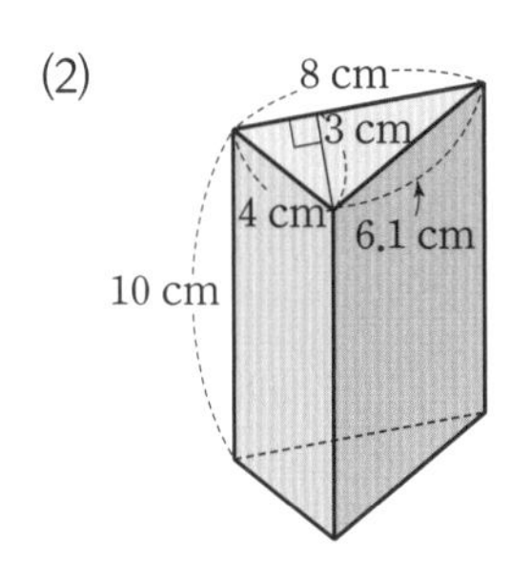

(3)

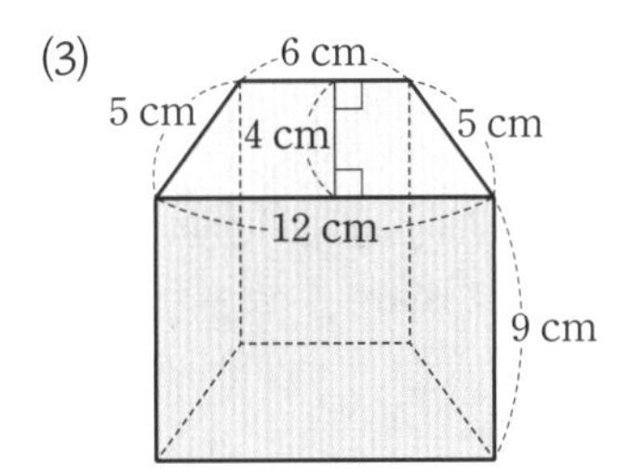

(4)

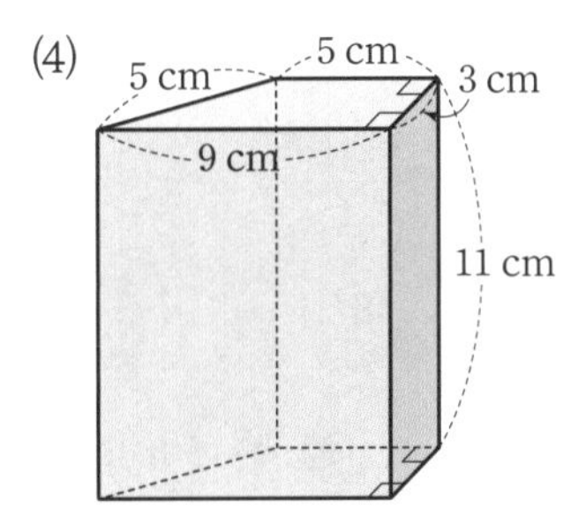

(5)

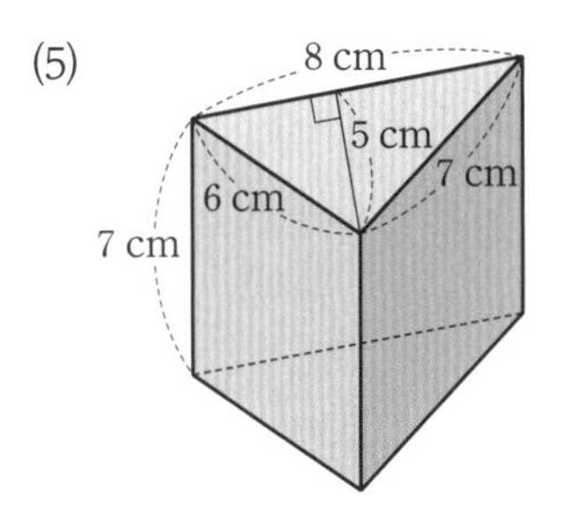

(6)

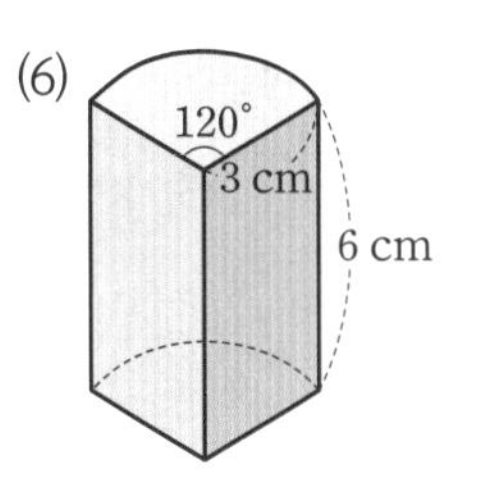

(7)

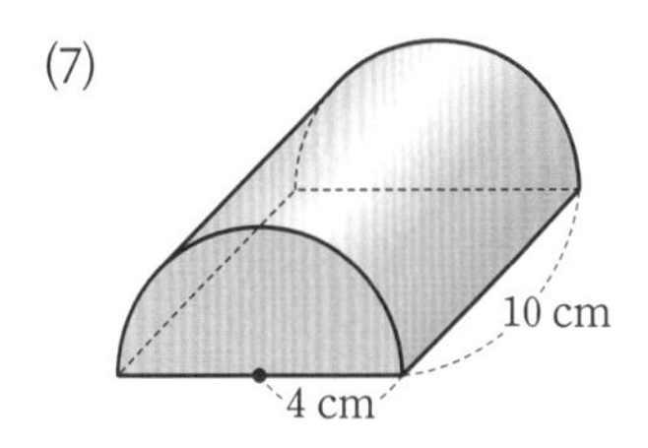

(8)

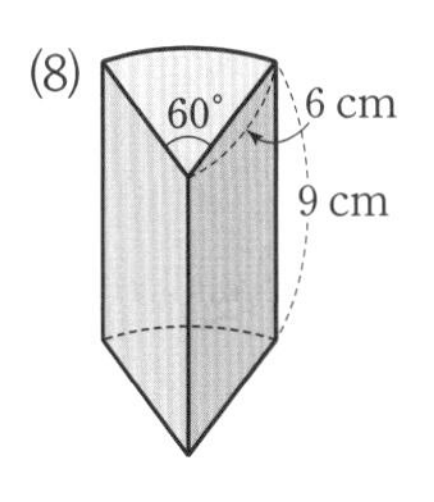

(9)

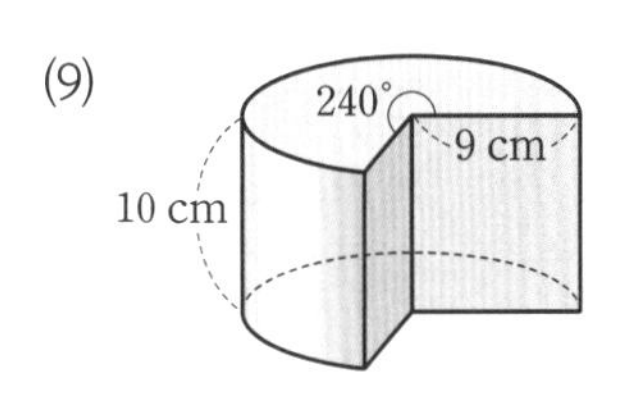

(10)

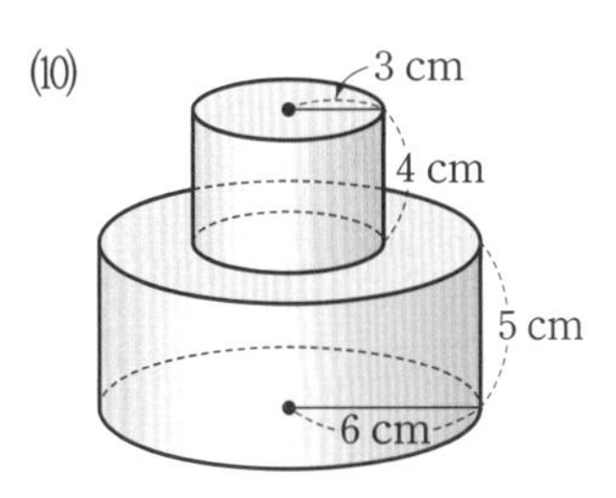

정답과 해설 _ p.34

01 오른쪽 그림과 같은 사각기둥의 겉넓이는?

① 160 cm^2　② 180 cm^2　③ 182 cm^2
④ 200 cm^2　⑤ 204 cm^2

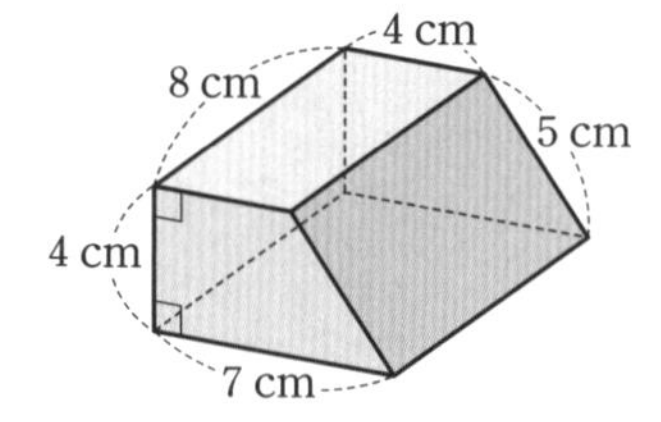

(기둥의 겉넓이)
=(밑넓이)×2+(옆넓이)

02 오른쪽 그림과 같이 가로의 길이, 세로의 길이, 높이가 각각 6 cm, 4 cm, x cm인 직육면체의 겉넓이가 188 cm^2일 때, x의 값은?

① 4　② 5　③ 6
④ 7　⑤ 8

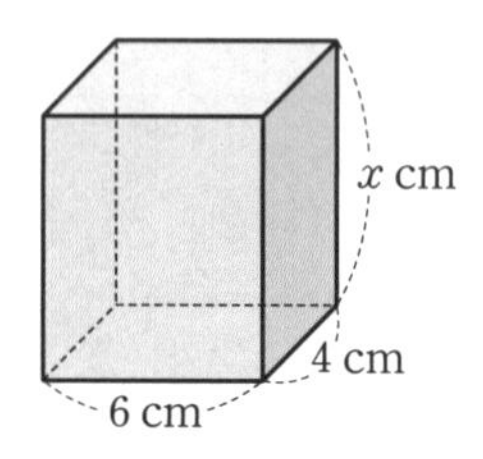

03 오른쪽 그림과 같은 전개도로 만들어지는 원기둥에 대하여 다음을 구하시오.

(1) 밑면의 원의 반지름의 길이

(2) 원기둥의 겉넓이

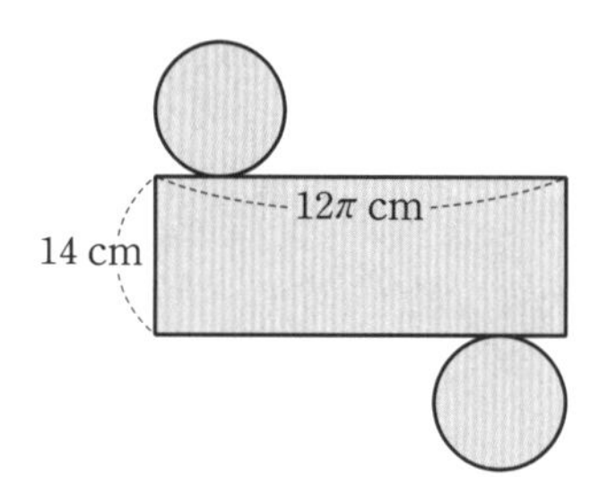

전개도에서 밑면의 원의 둘레는 직사각형의 가로의 길이와 같다.

04 오른쪽 그림과 같이 밑면의 원의 반지름의 길이가 6 cm이고, 겉넓이가 168π cm^2인 원기둥의 높이를 구하시오.

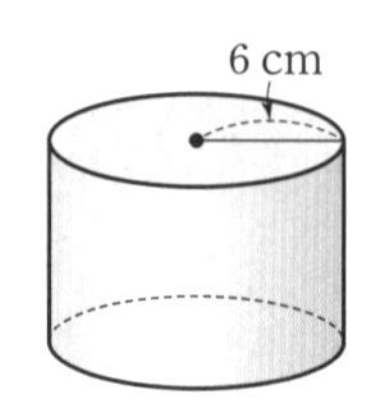

원기둥의 높이를 h cm라 하여 원기둥의 겉넓이를 구하는 방법을 생각한다.

1. 기둥의 부피

(1) 각기둥의 부피

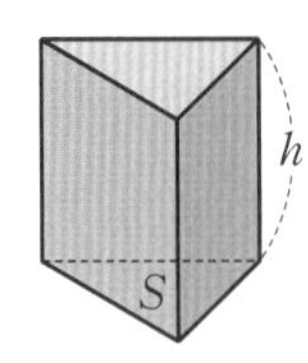

밑넓이가 S, 높이가 h인 각기둥에서

(각기둥의 부피)

=(밑넓이)×(높이)

$=Sh$

(2) 원기둥의 부피

밑면의 원의 반지름의 길이가 r, 높이가 h인 원기둥에서

(원기둥의 부피)

=(밑넓이)×(높이)

$=\pi r^2 h$

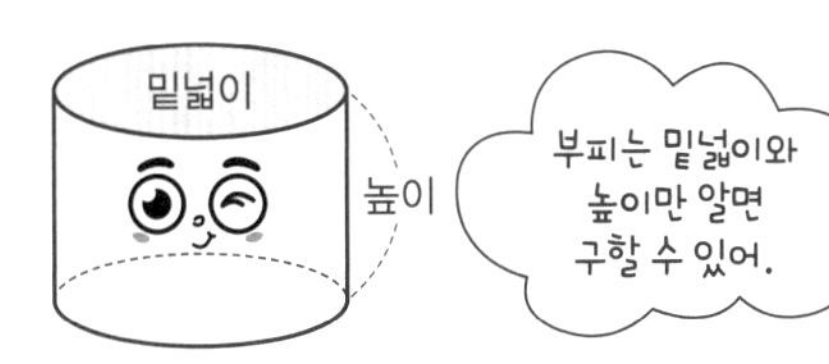

01 그림과 같은 각기둥에서 다음을 구하시오.

(1)

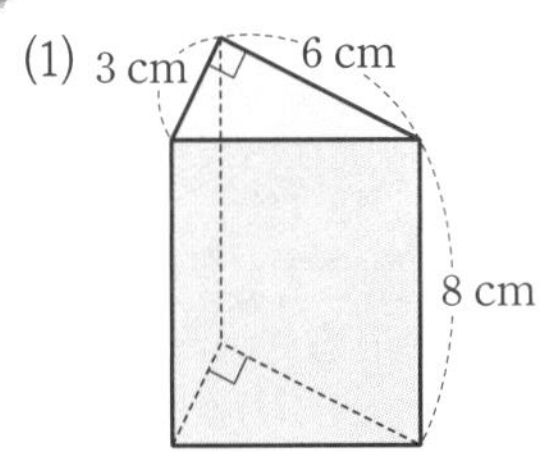

① (밑넓이)$=\frac{1}{2}\times 3\times\square=\square$($cm^2$)

② (높이)$=\square$ cm

③ (부피)=(밑넓이)×(높이)

$=\square\times\square=\square$($cm^3$)

(2)

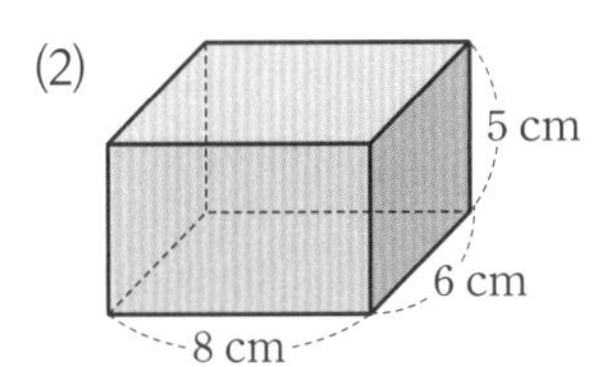

① 밑넓이

② 높이

③ 부피

02 그림과 같은 원기둥에서 다음을 구하시오.

(1)

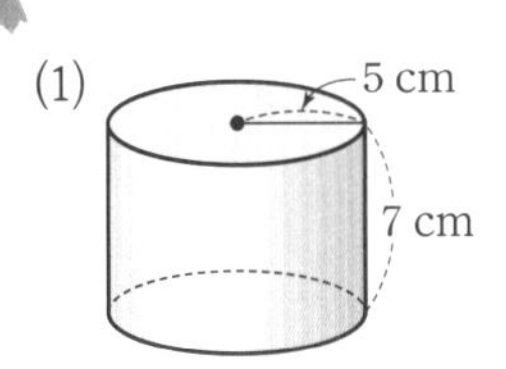

① (밑넓이)$=\pi\times\square^2=\square$($cm^2$)

② (높이)$=\square$ cm

③ (부피)=(밑넓이)×(높이)

$=\square\times\square=\square$($cm^3$)

(2)

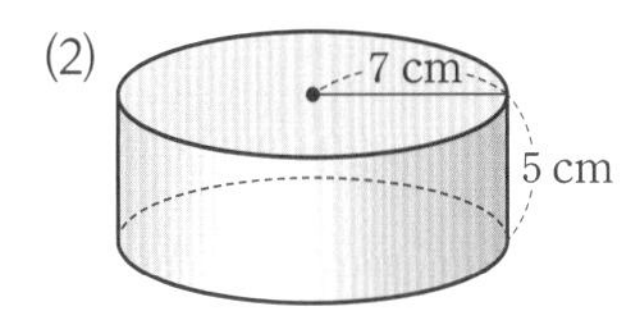

① 밑넓이

② 높이

③ 부피

03 그림과 같은 직사각형을 직선 l을 회전축으로 하여 1회전 시킬 때 생기는 입체도형의 부피를 구하시오.

(1)

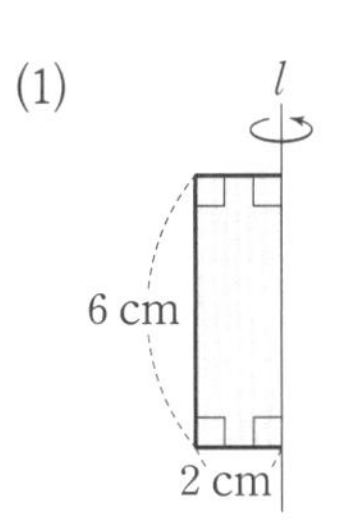

(2)

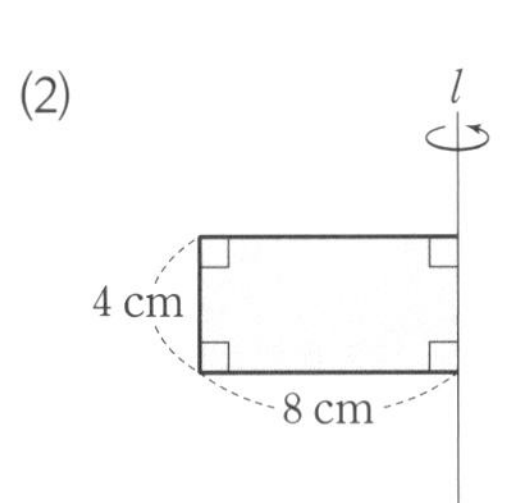

04 다음 그림과 같은 기둥 또는 기둥으로 만든 입체도형의 부피를 구하시오.

(1)

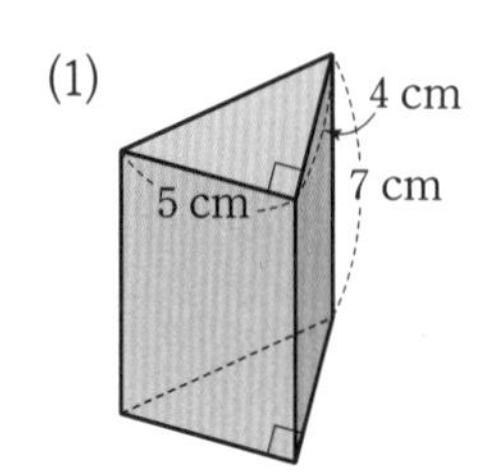

(2)

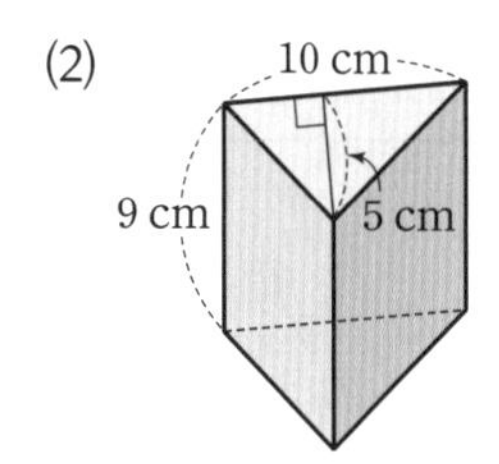

(3)

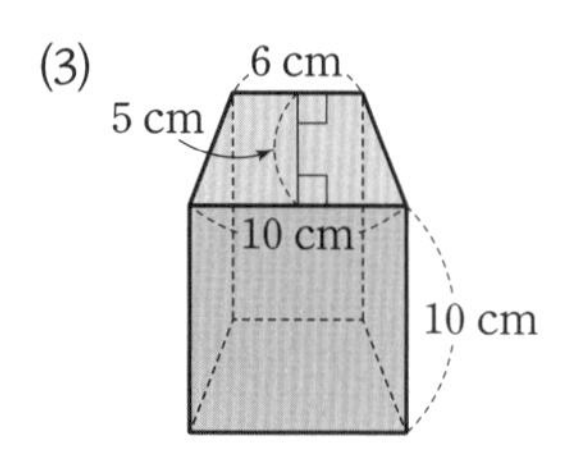

(4)

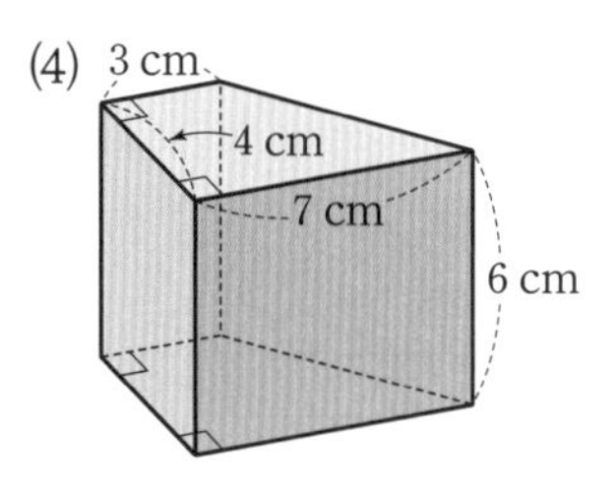

(5)

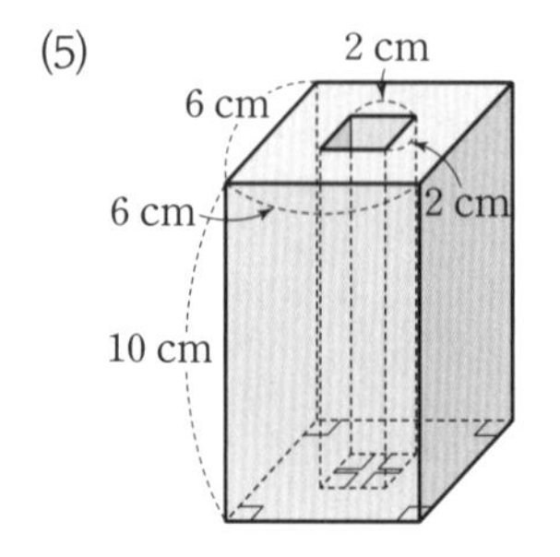

(6)

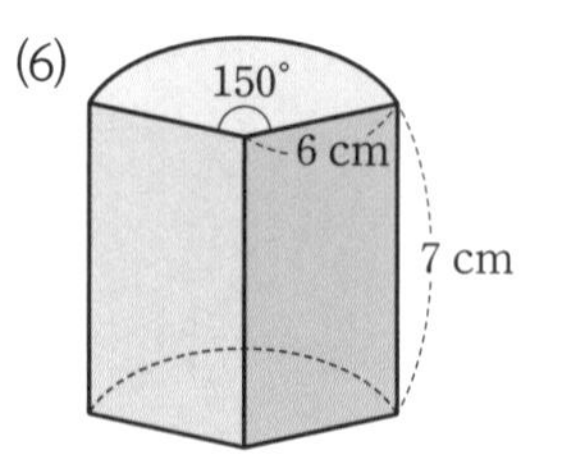

(7)

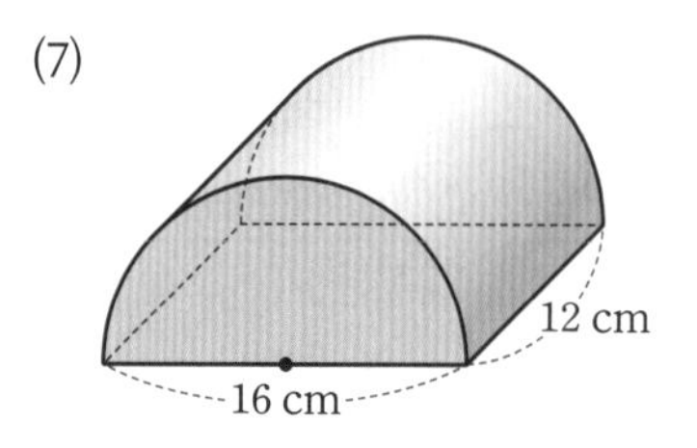

(8)

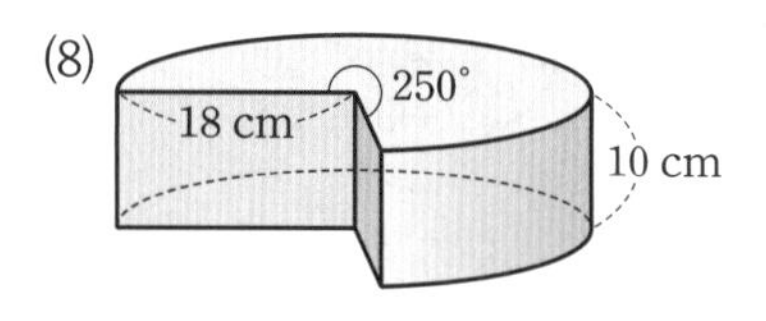

(9)

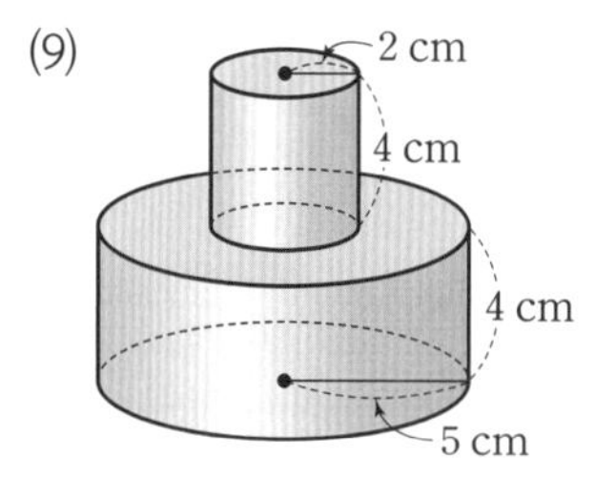

(10)

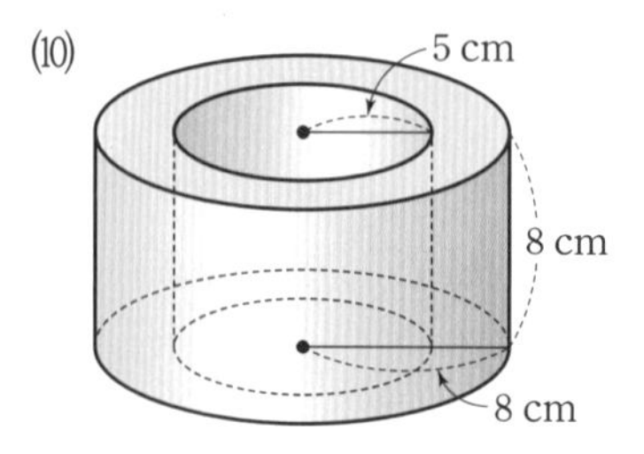

정답과 해설 _ p.35

01 오른쪽 그림과 같은 삼각기둥의 부피는?

① 180 cm^3　② 200 cm^3　③ 210 cm^3
④ 240 cm^3　⑤ 420 cm^3

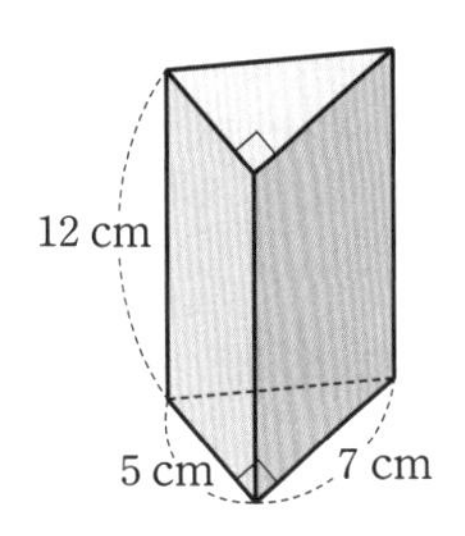

(각기둥의 부피)
=(밑넓이)×(높이)

02 오른쪽 그림과 같은 사각형을 밑면으로 하는 사각기둥의 높이가 6 cm일 때, 이 사각기둥의 부피를 구하시오.

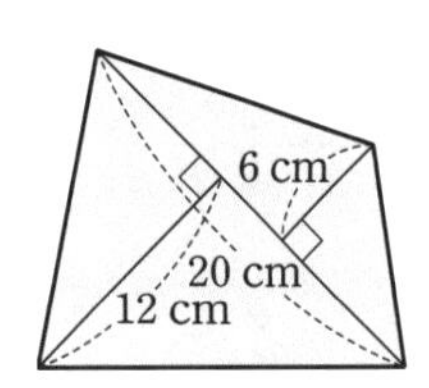

03 오른쪽 그림과 같이 밑면의 원의 반지름의 길이가 5 cm인 원기둥의 옆넓이가 80π cm^2일 때, 이 원기둥의 부피를 구하시오.

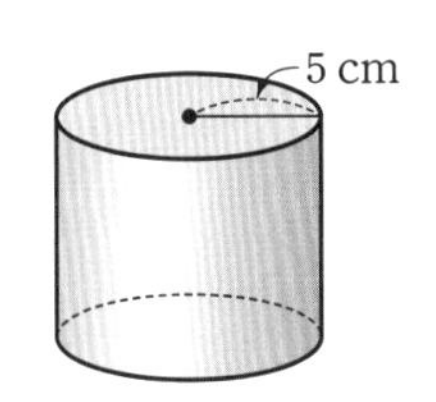

밑면인 원의 반지름의 길이가 r이고 높이가 h인 원기둥의 부피는 $\pi r^2 h$이다.

04 부피가 225π cm^3인 원기둥의 높이가 9 cm일 때, 이 원기둥의 밑면인 원의 반지름의 길이를 구하시오.

(원기둥의 밑넓이)
=(원기둥의 부피)÷(높이)

정답과 해설 _ p.36

1. 뿔의 겉넓이

(1) 각뿔의 겉넓이

(각뿔의 겉넓이)=(밑넓이)+(옆넓이)

(2) 원뿔의 겉넓이

밑면인 원의 반지름의 길이가 r,
모선의 길이가 l인 원뿔에서
(원뿔의 겉넓이)=(밑넓이)+(옆넓이)
$=\pi r^2+\pi rl$

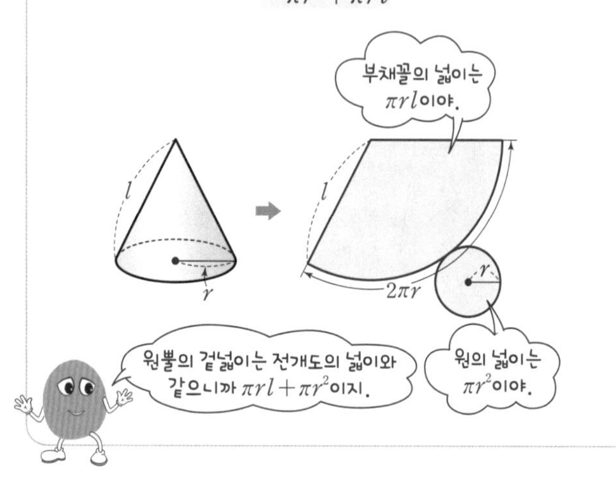

부채꼴의 넓이는 πrl이야.
l
l
r
$2\pi r$
r
원뿔의 겉넓이는 전개도의 넓이와 같으니까 $\pi rl+\pi r^2$이지.
원의 넓이는 πr^2이야.

01 다음 그림과 같은 각뿔의 겉넓이를 구하시오.

(1)

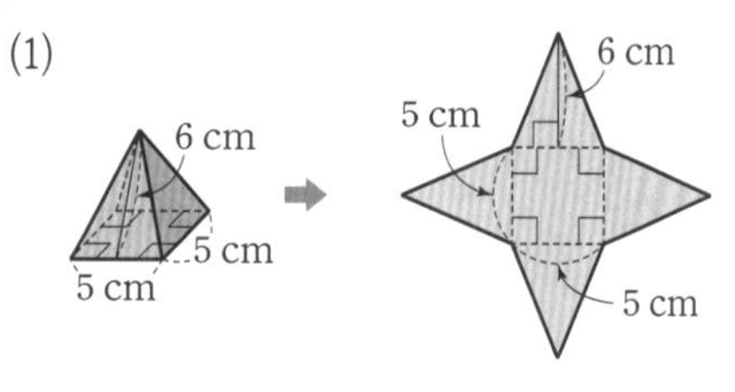

① (밑넓이)=□×5=□(cm²)

② (옆넓이)=$\left(\frac{1}{2}\times5\times\square\right)\times4$=□(cm²)

③ (겉넓이)=□+□=□(cm²)

(2)

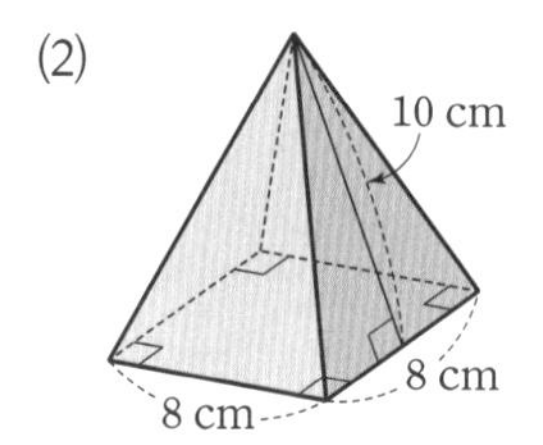

(3)

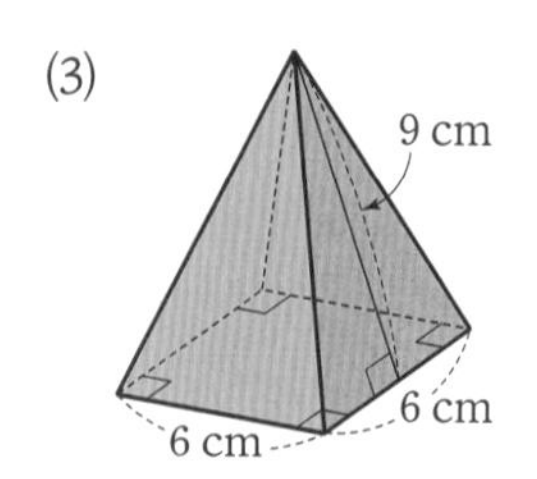

02 다음 그림과 같은 원뿔의 겉넓이를 구하시오.

(1)

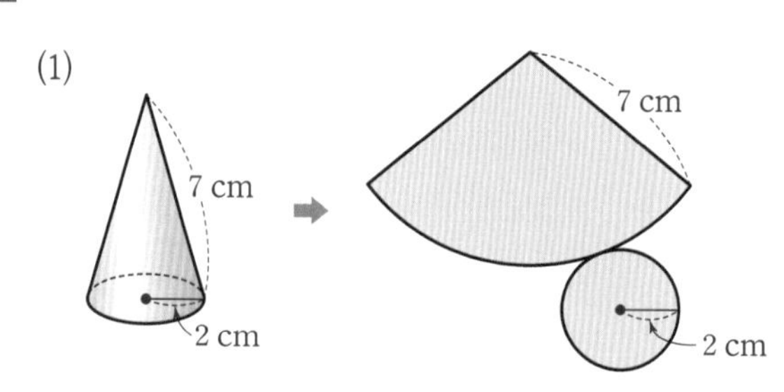

① (밑넓이)=$\pi\times$□²=□(cm²)

② (옆넓이)=$\pi\times2\times$□=□(cm²)

③ (겉넓이)=□+□=□(cm²)

(2)

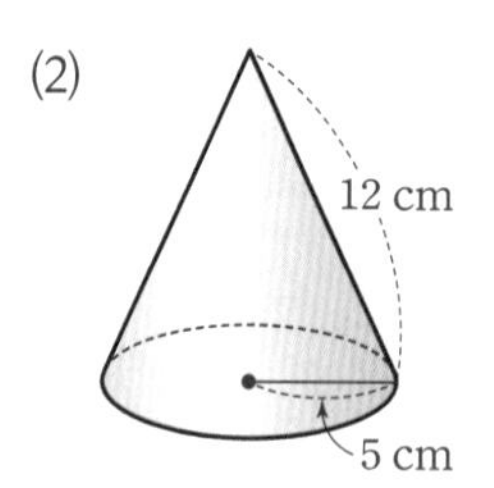

(3)

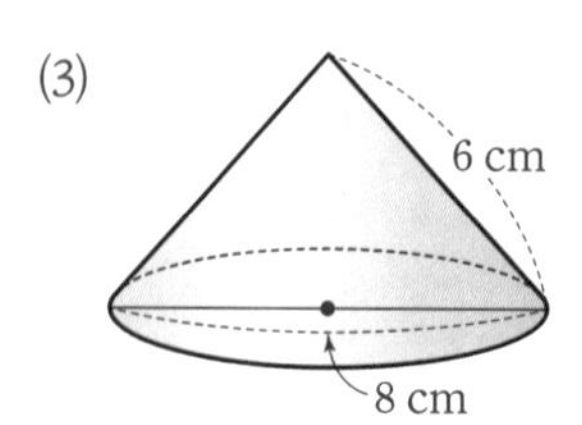

03 다음 그림과 같은 전개도로 만들어지는 뿔의 겉넓이를 구하시오.

(1)

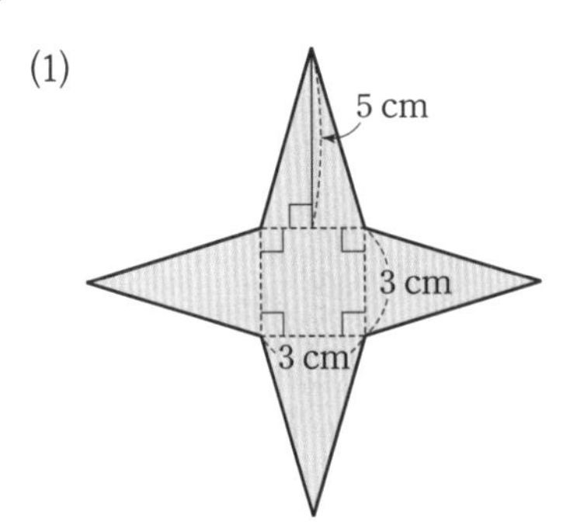

(2)

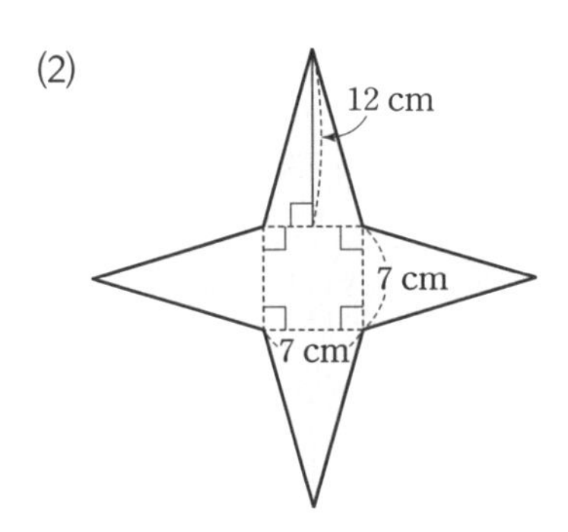

(3)

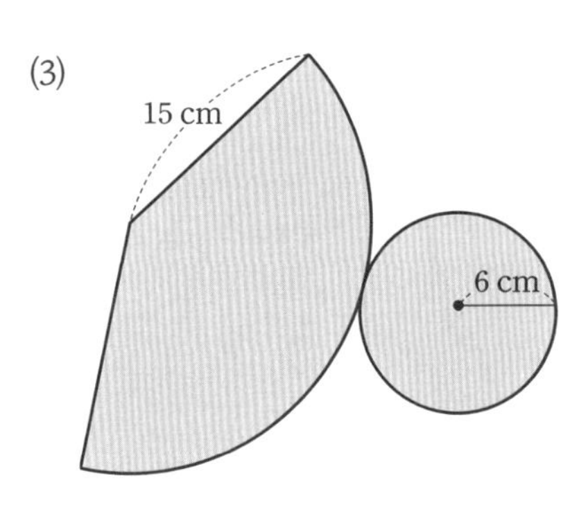

(4)

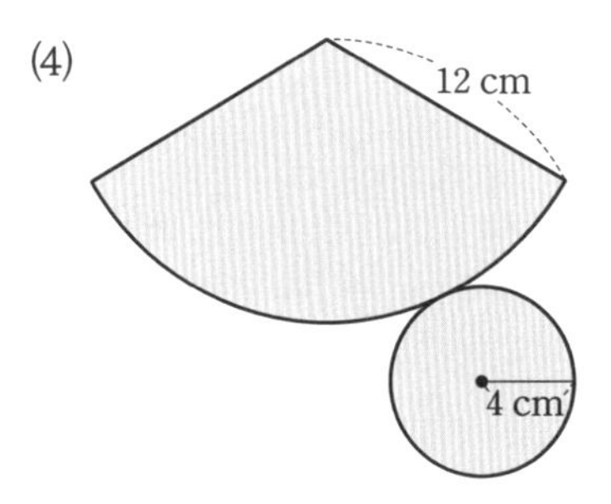

2. 뿔대의 겉넓이

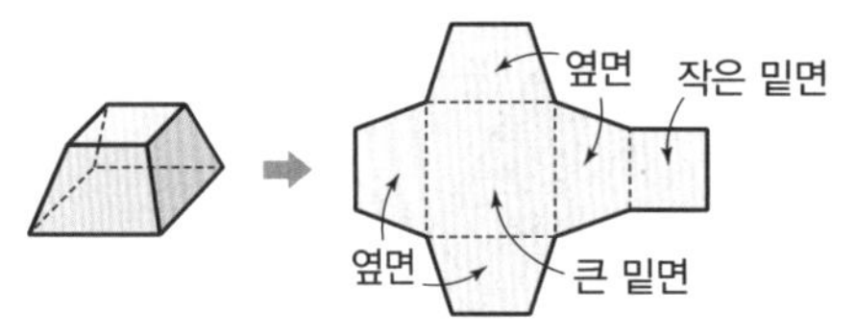

(뿔대의 겉넓이)

=(작은 밑면의 넓이)+(큰 밑면의 넓이)+(옆넓이)

=(두 밑넓이의 합)+(옆넓이)

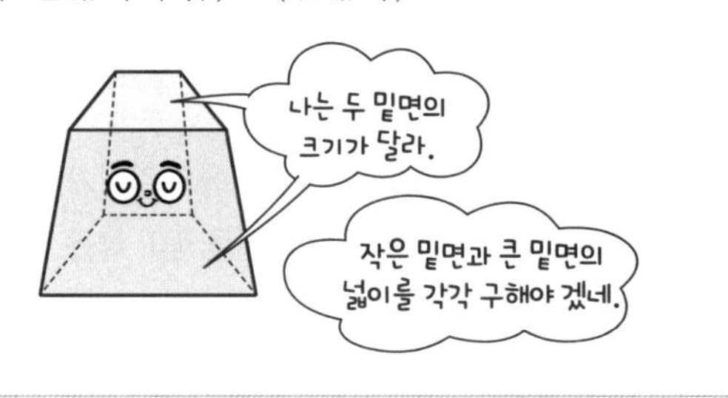

나는 두 밑면의 크기가 달라.
작은 밑면과 큰 밑면의 넓이를 각각 구해야 겠네.

04 다음 그림과 같은 뿔대에서 겉넓이를 구하시오.

(1)

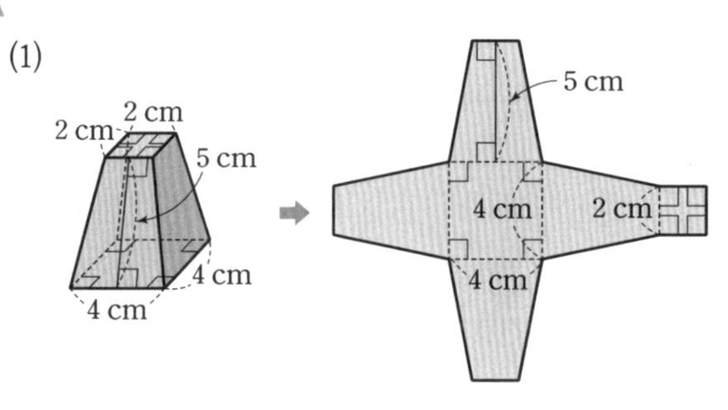

① (두 밑넓이의 합)$=2^2+\square^2=\square(\text{cm}^2)$

② (옆넓이)$=\left\{\frac{1}{2}\times(\square+4)\times\square\right\}\times 4$

$=\square(\text{cm}^2)$

③ (겉넓이)$=\square+\square=\square(\text{cm}^2)$

(2)

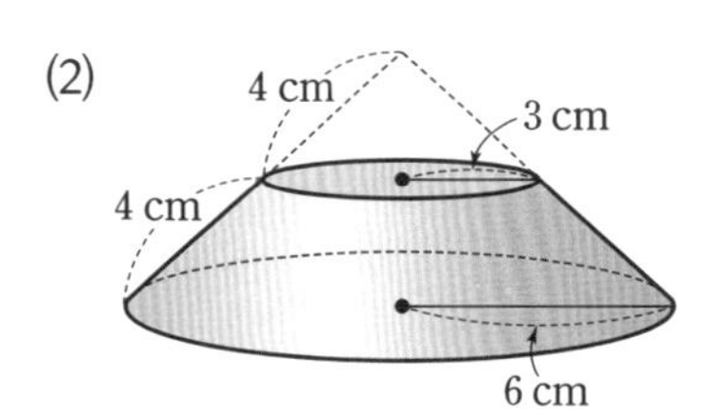

정답과 해설 _ p.36

01 다음 그림과 같은 뿔의 겉넓이를 구하시오.

(1)

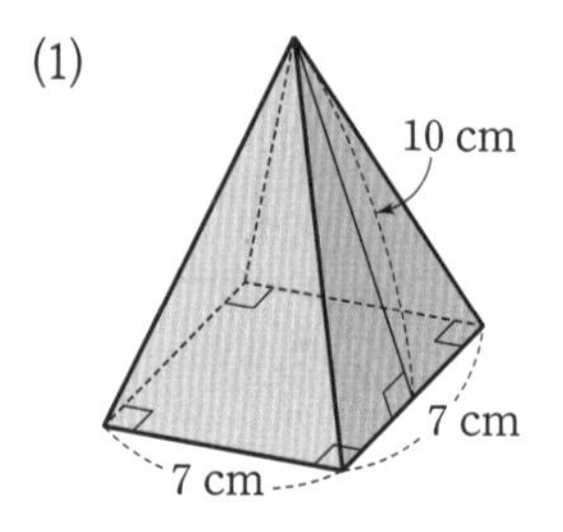

(2)

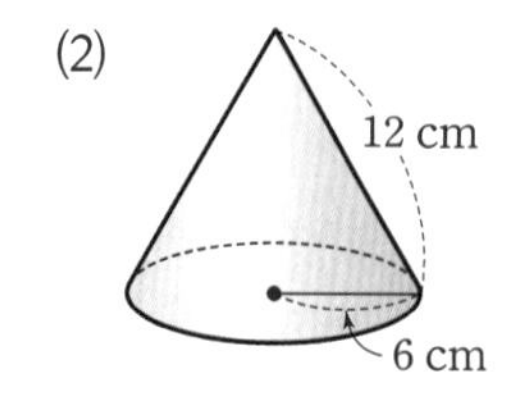

뿔의 겉넓이는 밑넓이와 옆넓이의 합이다.

02 오른쪽 그림은 밑면인 원의 반지름의 길이가 4 cm이고 모선의 길이가 각각 6 cm, 7 cm인 두 원뿔을 붙여 놓은 것이다. 이 입체도형의 겉넓이를 구하시오.

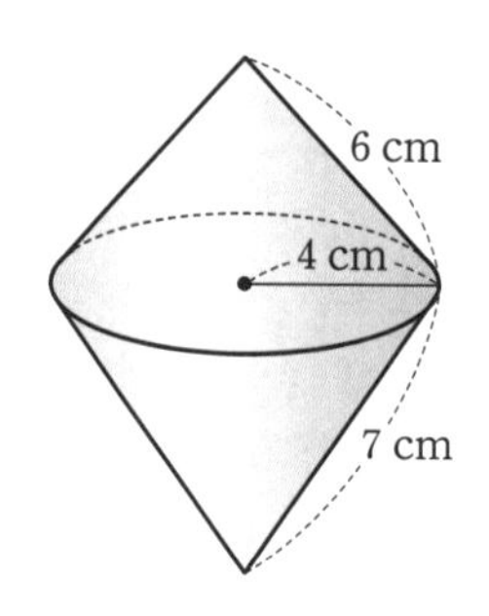

붙여 놓은 두 원뿔의 옆넓이의 합을 구한다.

03 오른쪽 그림과 같은 직각삼각형을 직선 l을 회전축으로 하여 1회전 시킬 때 생기는 회전체의 겉넓이를 구하시오.

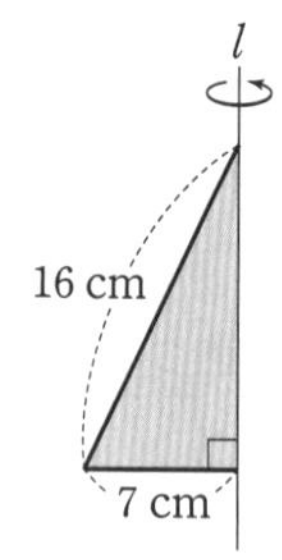

직각삼각형을 직선 l을 회전축으로 하여 1회전 시키면 원뿔이 된다.

04 겉넓이가 $39\pi\text{ cm}^2$의 원뿔의 밑면의 반지름의 길이가 3 cm일 때, 이 원뿔의 모선의 길이를 구하시오.

(원뿔의 옆넓이)
=(원뿔의 겉넓이)
−(원뿔의 밑넓이)

29강 ••• 뿔의 부피

정답과 해설 _ p.36

1. 뿔의 부피 up+

(1) 각뿔의 부피

밑넓이가 S, 높이가 h인 각뿔에서

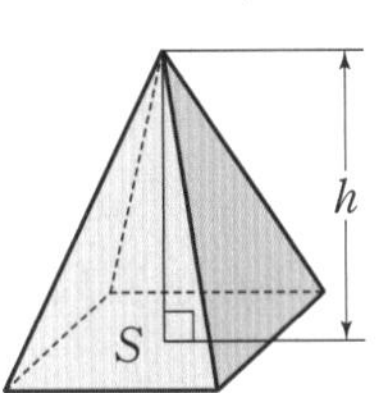

(각뿔의 부피)

$=\frac{1}{3}\times$(밑넓이)$\times$(높이)

$=\frac{1}{3}Sh$

각뿔의 부피는 각기둥의 부피의 $\frac{1}{3}$이구나.

(2) 원뿔의 부피

밑면인 원의 반지름의 길이가 r, 높이가 h인 원뿔에서

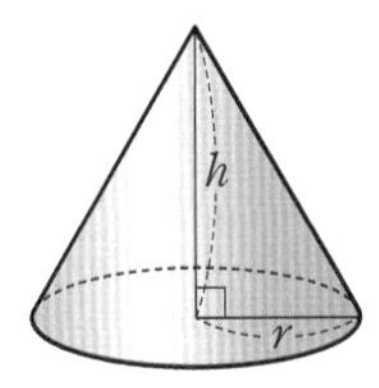

(원뿔의 부피)

$=\frac{1}{3}\times$(밑넓이)$\times$(높이)

$=\frac{1}{3}\pi r^2h$

원뿔의 부피도 원기둥의 부피의 $\frac{1}{3}$이네.

01 다음 그림과 같은 각뿔의 부피를 구하시오.

(1)

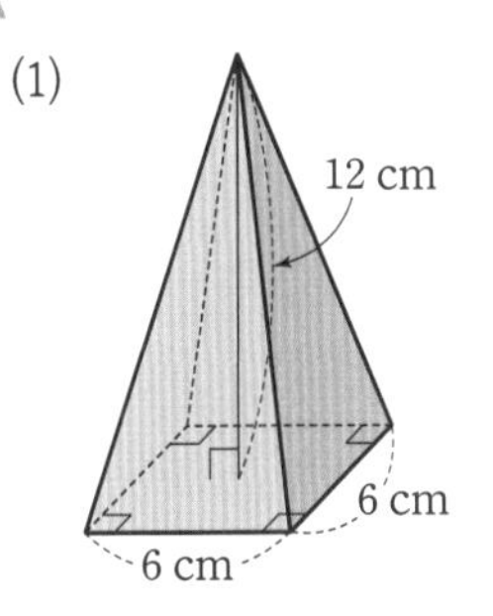

① (밑넓이)$=6\times$☐$=$☐(cm^2)

② (높이)$=$☐ cm

③ (부피)$=\frac{1}{3}\times$☐$\times$☐$=$☐(cm^3)

(2)

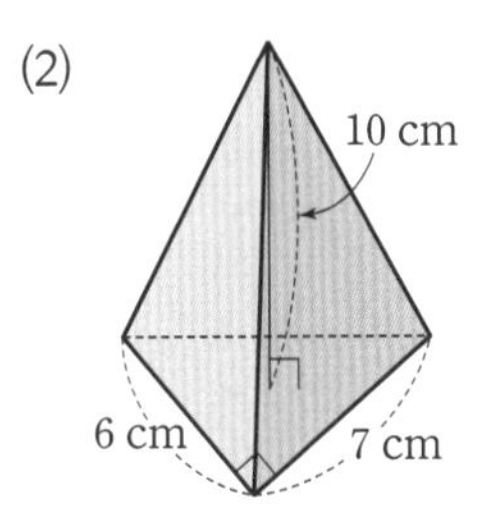

(3)

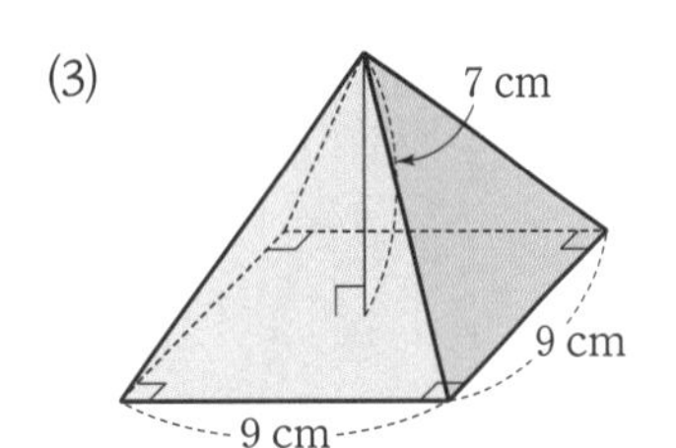

02 다음 그림과 같은 원뿔의 부피를 구하시오.

(1)

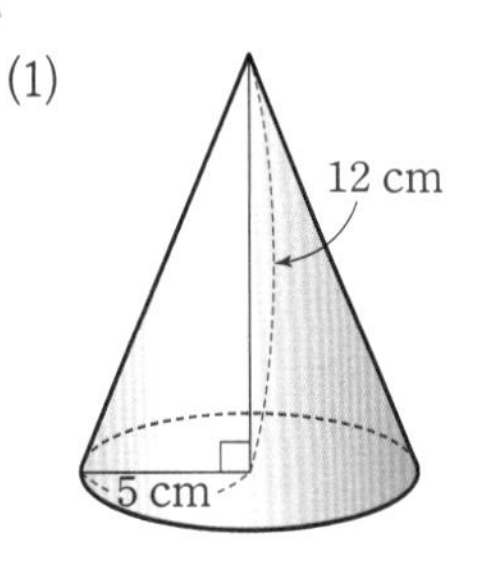

① (밑넓이)$=\pi\times$☐$^2=$☐(cm^2)

② (높이)$=$☐ cm

③ (부피)$=\frac{1}{3}\times$☐$\times$☐$=$☐(cm^3)

(2)

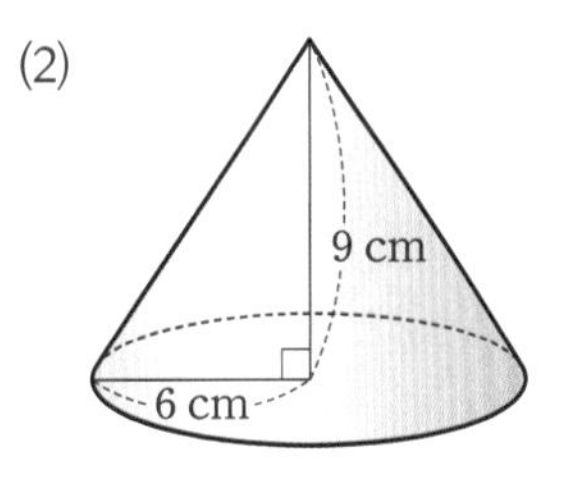

(3)

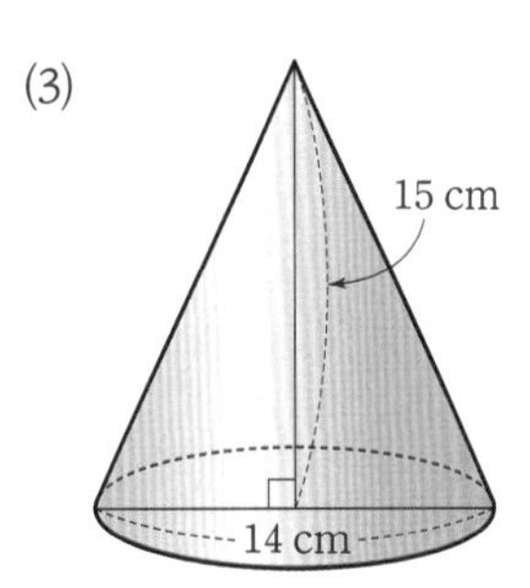

03 다음 그림과 같은 입체도형의 부피를 구하시오.

(1)

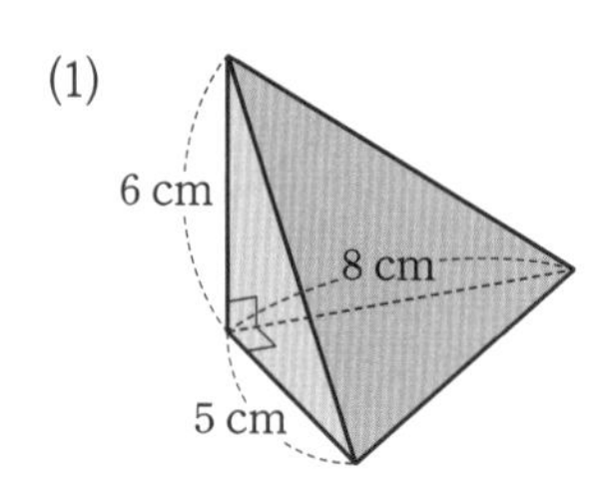

(2)

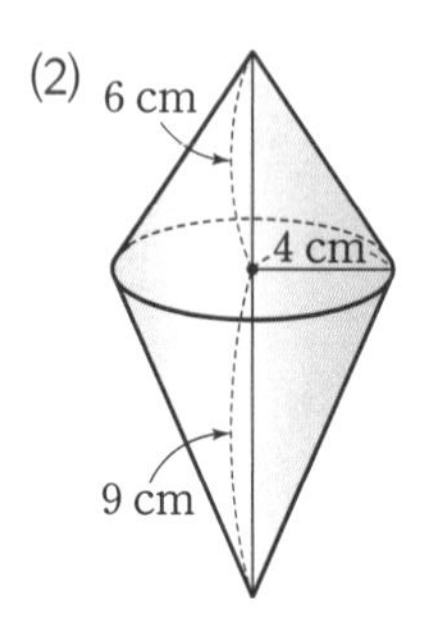

(3)

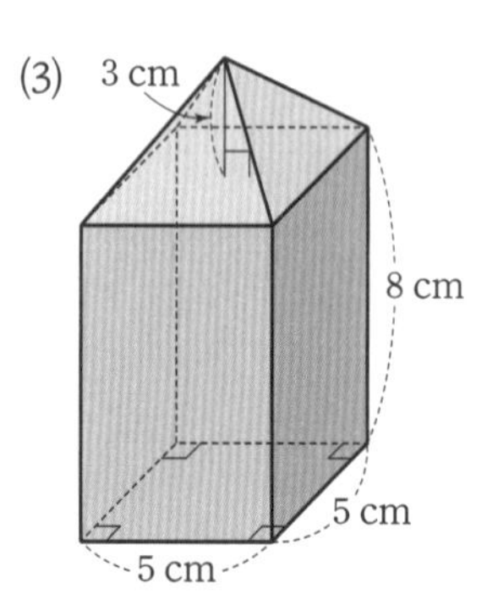

(4)

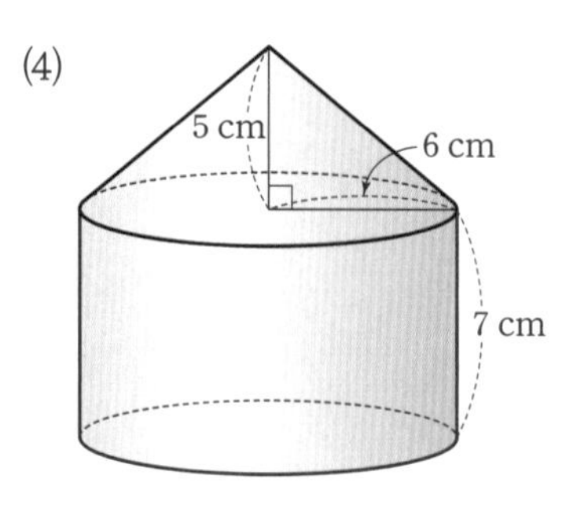

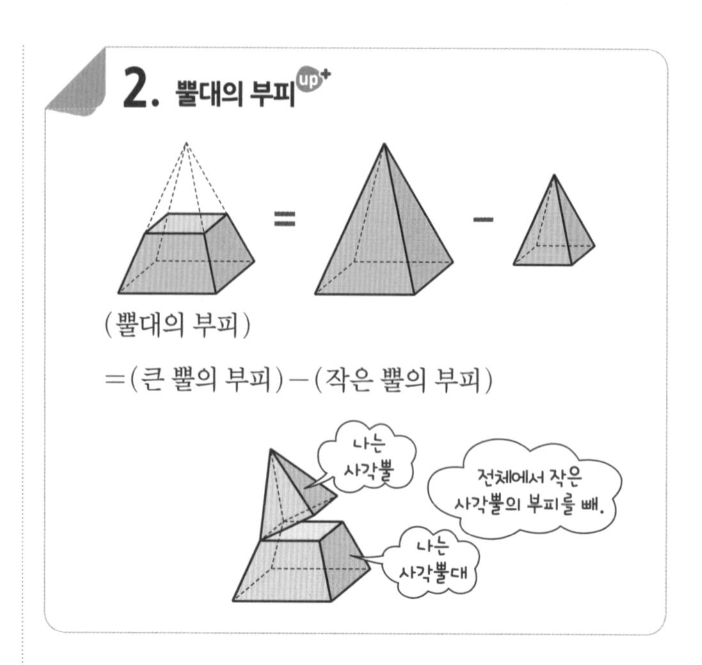

2. 뿔대의 부피 up+
(뿔대의 부피)
=(큰 뿔의 부피)−(작은 뿔의 부피)
나는 사각뿔
전체에서 작은 사각뿔의 부피를 빼.
나는 사각뿔대

04 다음 그림과 같은 뿔대의 부피를 구하시오.

(1)

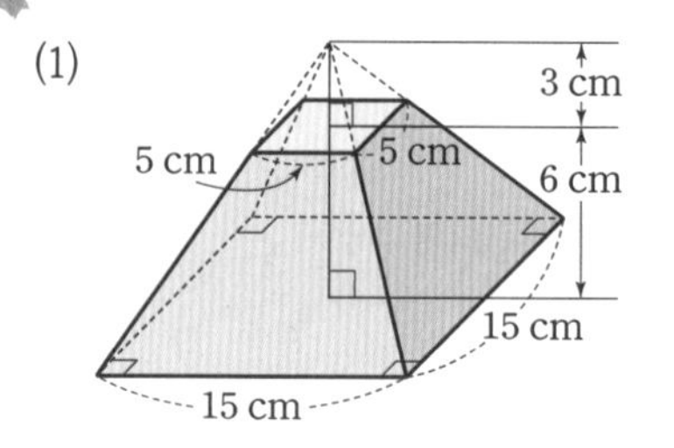

(2)

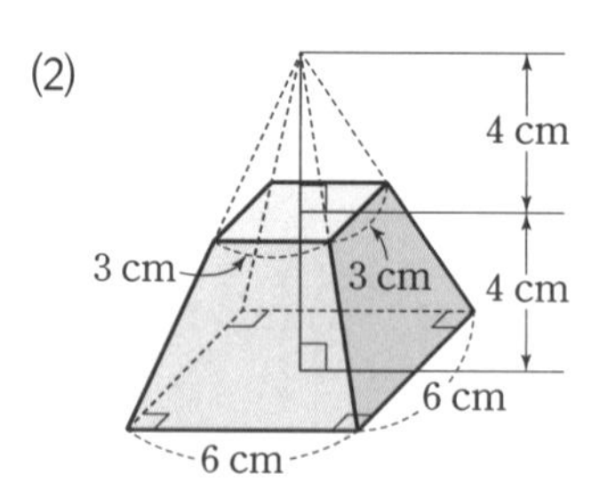

(3)

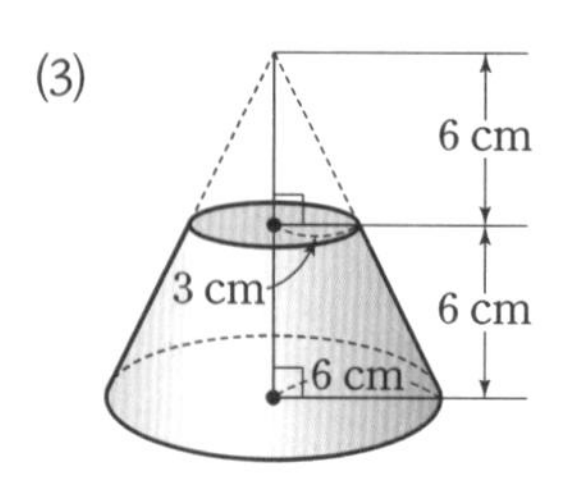

정답과 해설 _ p.37

01 다음 그림과 같은 뿔의 부피를 구하시오.

(1)

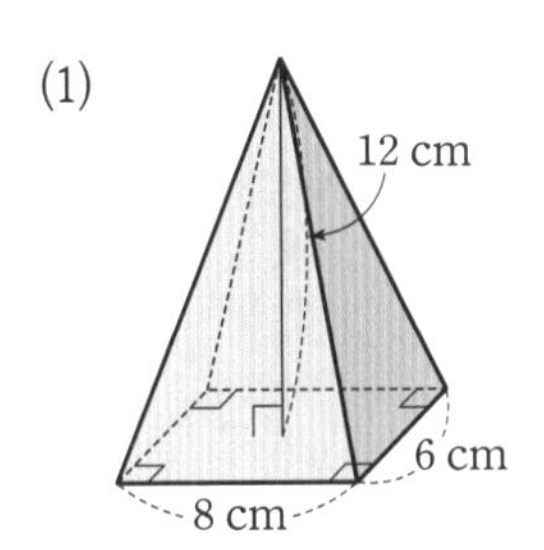

(2)

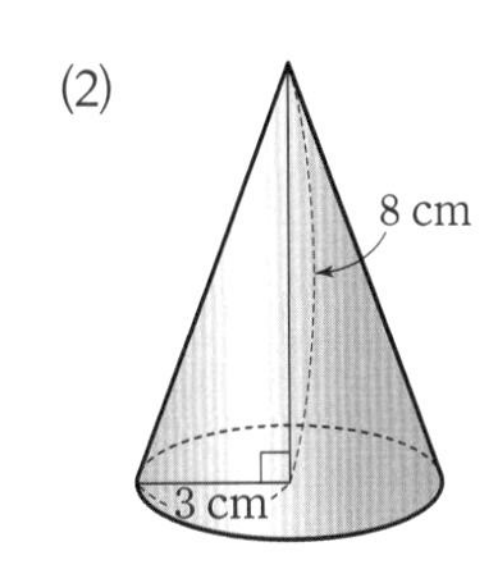

(뿔의 부피)
$=\frac{1}{3}\times$(밑넓이)$\times$(높이)

02 한 변의 길이가 8 cm인 정사각형을 밑면으로 하는 사각뿔의 부피가 128 cm^3일 때, 이 사각뿔의 높이를 구하시오.

03 오른쪽 그림과 같이 직육면체 모양의 그릇에 물을 가득 채운 후 그릇을 기울여 물을 흘려 보냈다. 이때 남은 물의 부피를 구하시오. (단, 그릇의 두께는 무시한다.)

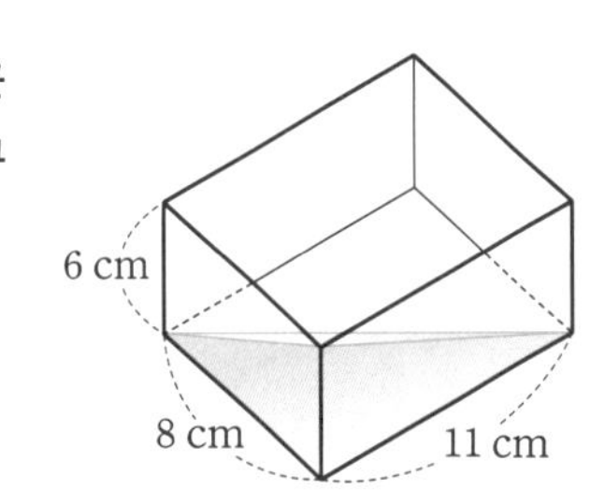

남은 물의 부피는 삼각뿔의 부피와 같다.

04 오른쪽 그림과 같은 입체도형의 부피를 구하시오.

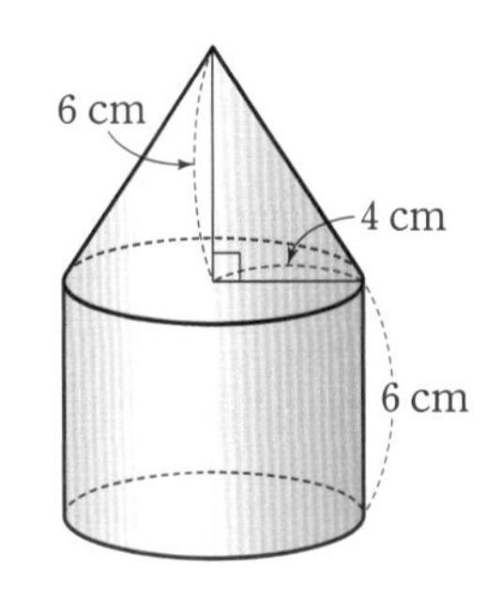

05 오른쪽 그림과 같은 원뿔대의 부피를 구하시오.

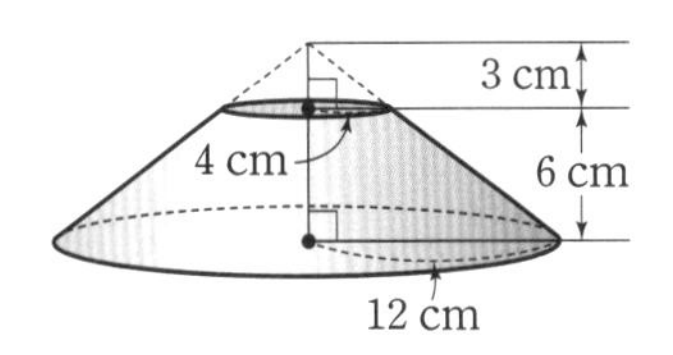

(뿔대의 부피)
=(큰 뿔의 부피)
−(작은 뿔의 부피)

30강 구의 겉넓이와 부피

정답과 해설 _ p.38

1. 구의 겉넓이

반지름의 길이가 r인 구의 겉넓이를 S라 하면

$S=4\pi r^2$

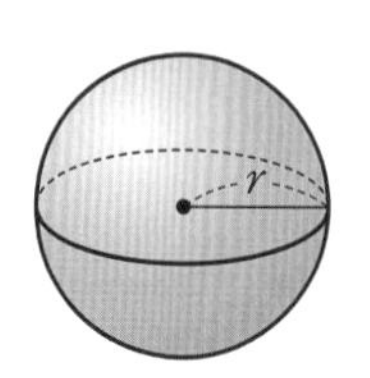

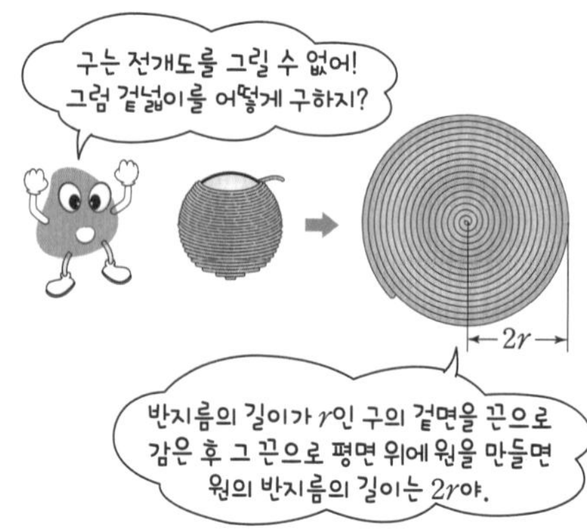

01 다음 구의 겉넓이를 구하시오.

(1)

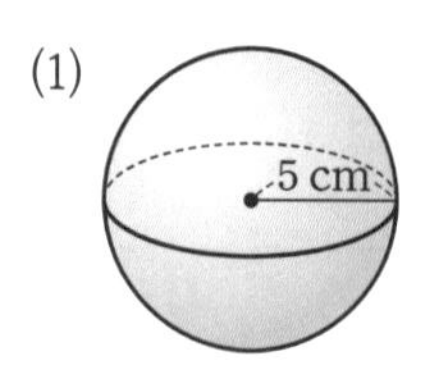

(2)

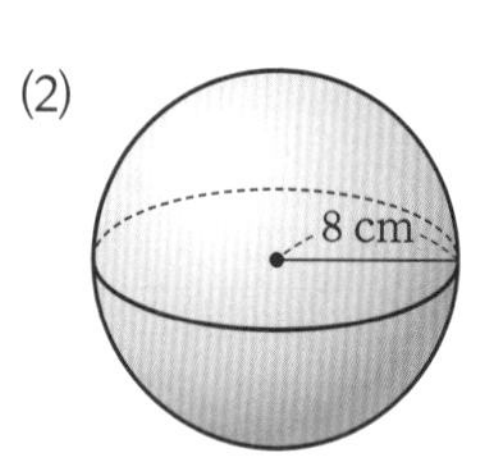

(3)

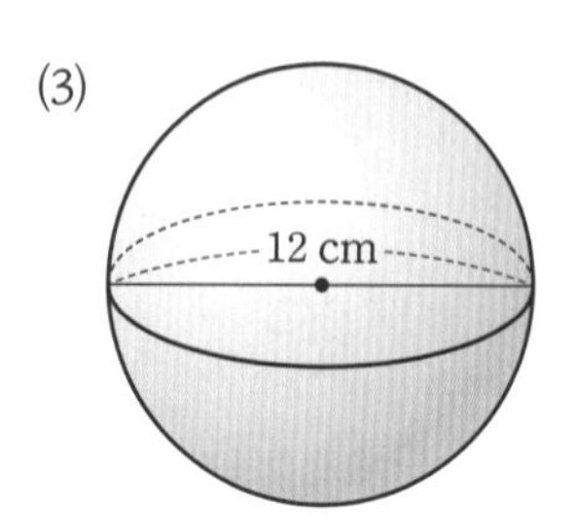

02 다음 그림과 같은 입체도형의 겉넓이를 구하시오.

(1)

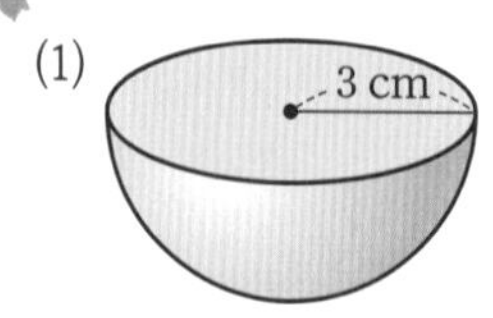

(2)

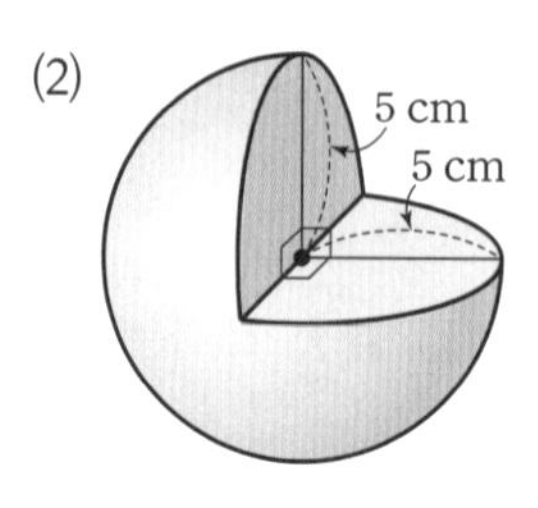

(3)

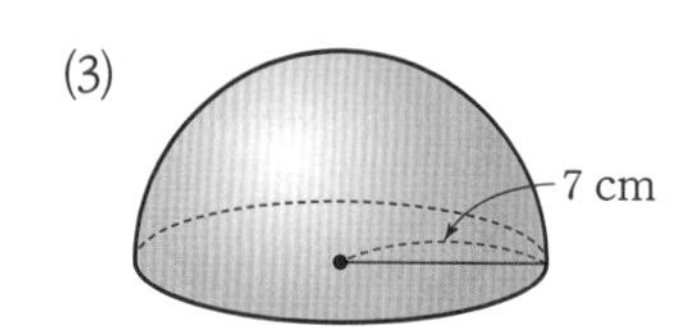

(4)

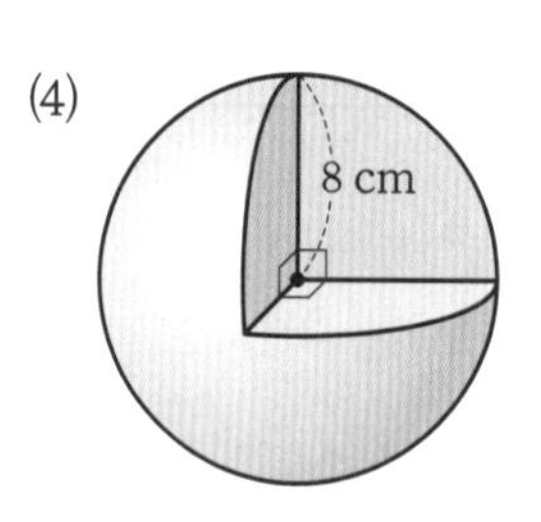

(5)

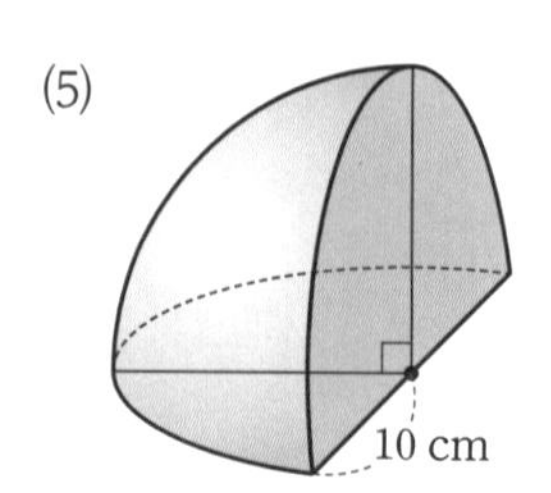

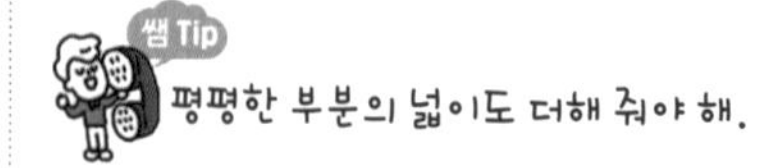

쌤 Tip
평평한 부분의 넓이도 더해 줘야 해.

03 그림과 같은 평면도형을 직선 l을 회전축으로 하여 1회전 시킬 때 생기는 입체도형의 겉넓이를 구하시오.

(1)

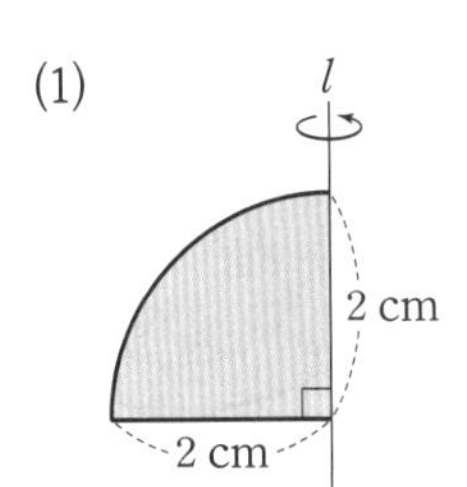

(2)

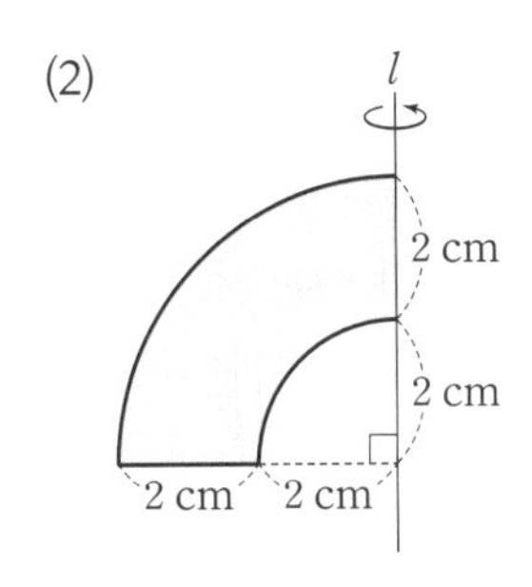

2. 구의 부피

반지름의 길이가 r인 구의 부피를 V라 하면

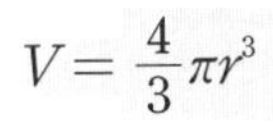

$V=\frac{4}{3}\pi r^3$

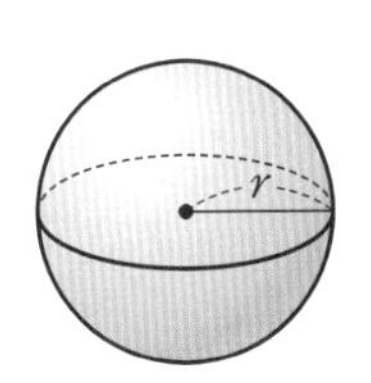

04 다음 구의 부피를 구하시오.

(1)

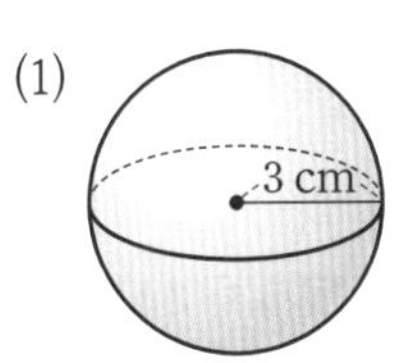

(2)

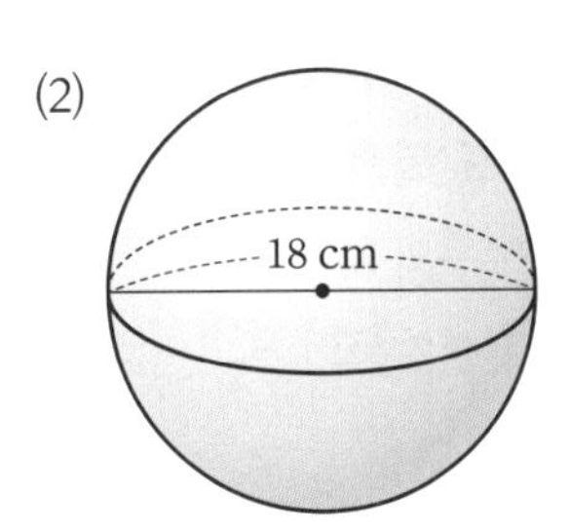

05 다음 그림과 같은 입체도형의 부피를 구하시오.

(1)

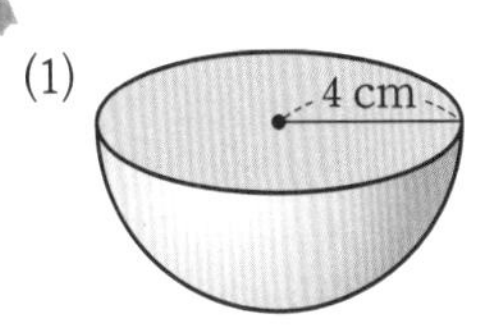

(2)

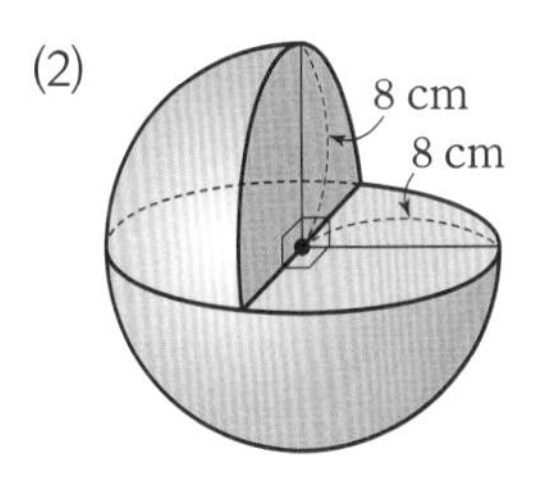

(3)

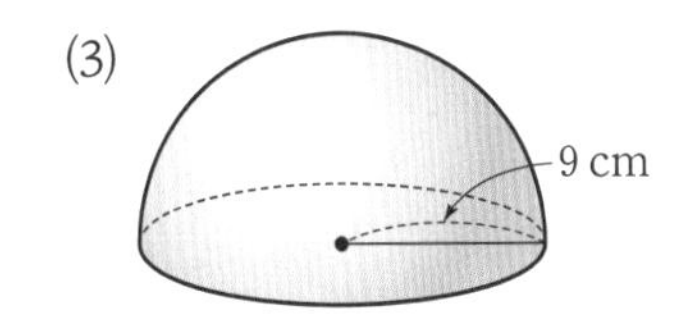

(4)

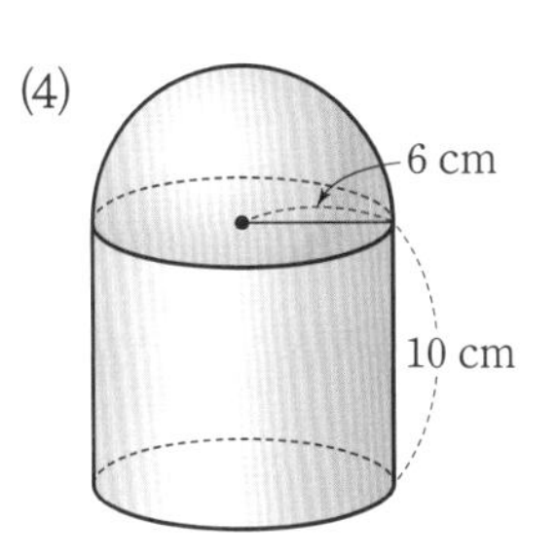

(5)

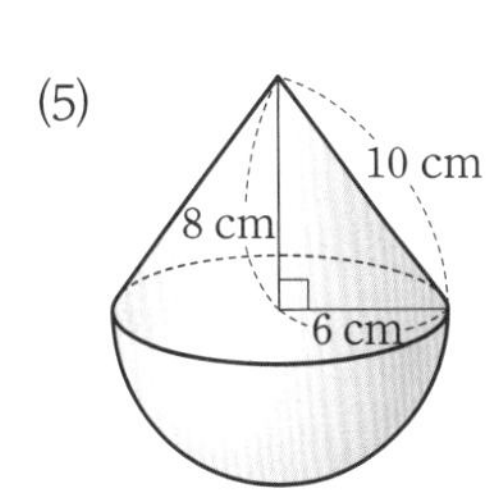

06 그림과 같은 평면도형을 직선 l을 회전축으로 하여 1회전 시킬 때 생기는 입체도형의 부피를 구하시오.

(1)

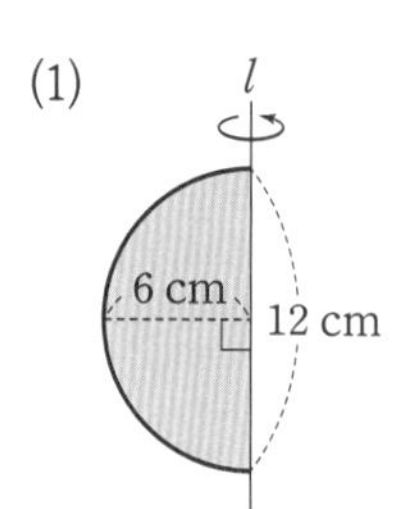

(2)

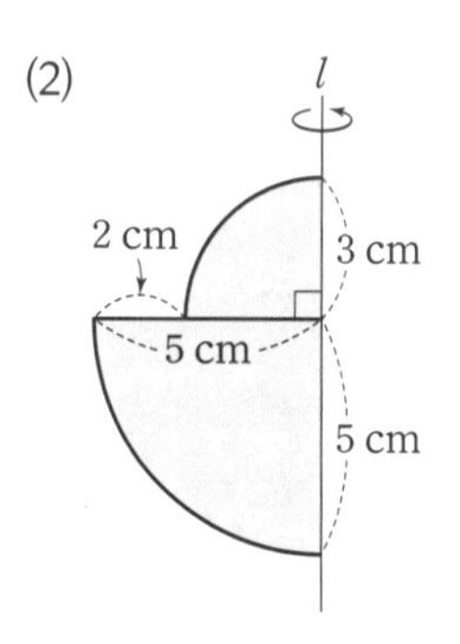

(3)

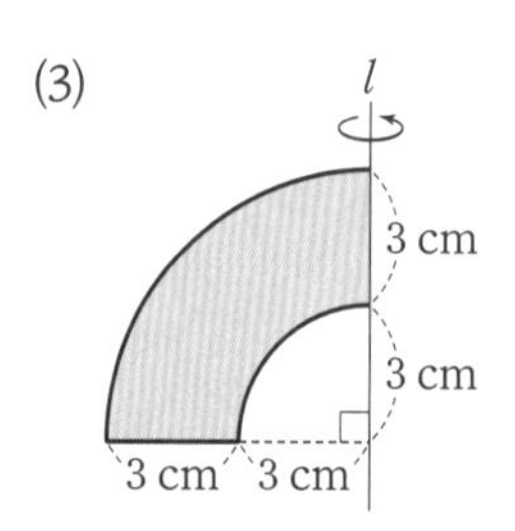

(4)

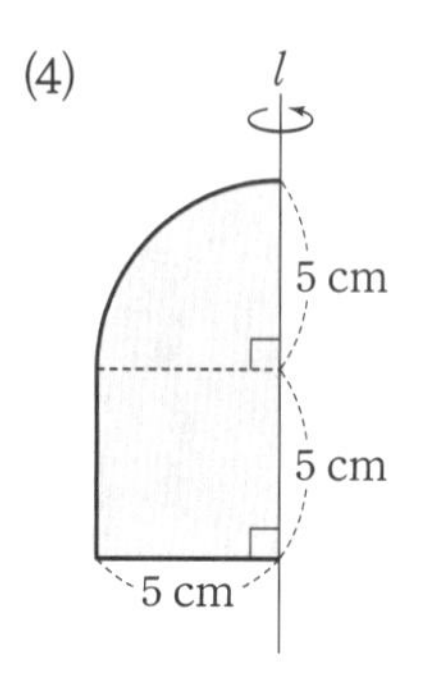

3. 원뿔, 구, 원기둥의 부피의 비 up+

원기둥에 원뿔과 구가 꼭 맞게 들어 있을 때

(원뿔의 부피) : (구의 부피) : (원기둥의 부피)

$=\frac{2}{3}\pi r^3 : \frac{4}{3}\pi r^3 : 2\pi r^3$

$=1:2:3$

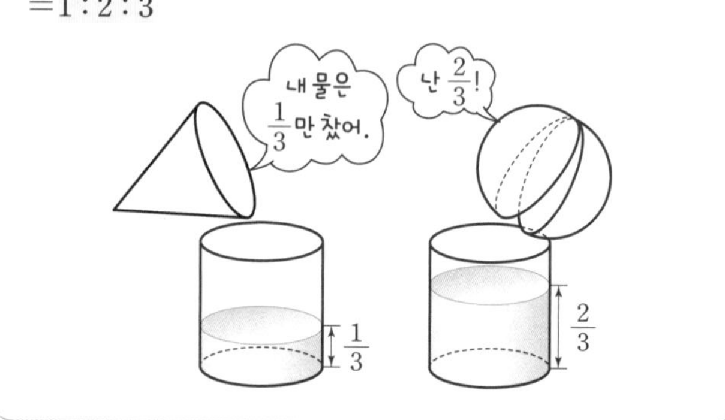

07 다음 그림과 같이 밑면의 반지름의 길이가 3 cm이고 높이가 6 cm인 원기둥 안에 원뿔과 구가 꼭 맞게 들어 있을 때, 다음을 구하시오.

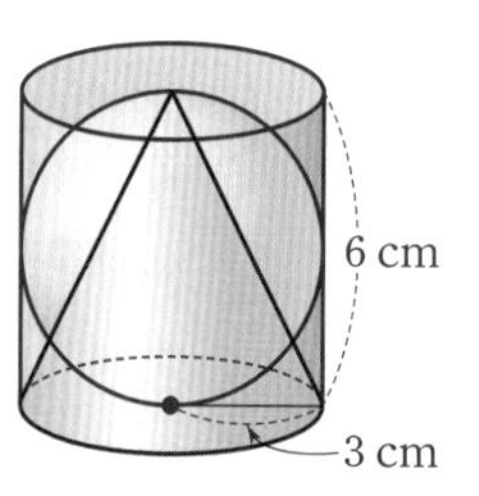

① 원뿔의 부피
② 구의 부피
③ 원기둥의 부피
④ (원뿔의 부피) : (구의 부피) : (원기둥의 부피)
(단, 가장 간단한 자연수의 비로 나타내시오.)

08 다음 그림과 같이 밑면의 지름의 길이가 10 cm이고 높이가 10 cm인 원기둥 안에 원뿔과 구가 꼭 맞게 들어 있을 때, 다음을 구하시오.

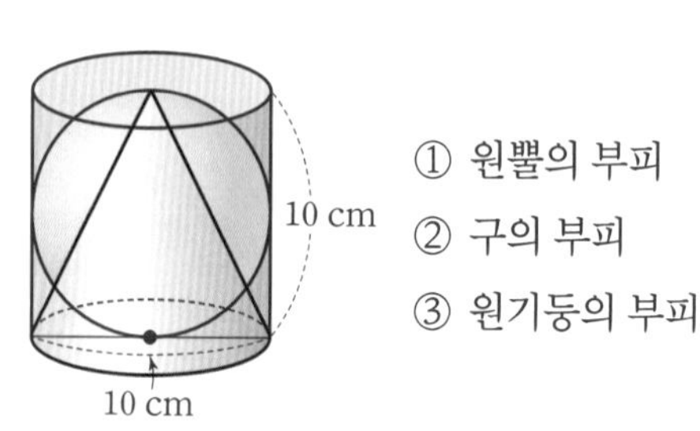

① 원뿔의 부피
② 구의 부피
③ 원기둥의 부피
④ (원뿔의 부피) : (구의 부피) : (원기둥의 부피)
(단, 가장 간단한 자연수의 비로 나타내시오.)

정답과 해설 _ p.39

01 오른쪽 그림은 반지름의 길이가 7 cm인 구의 $\frac{1}{4}$을 잘라 내고 남은 입체도형이다. 이 입체도형의 겉넓이를 구하시오.

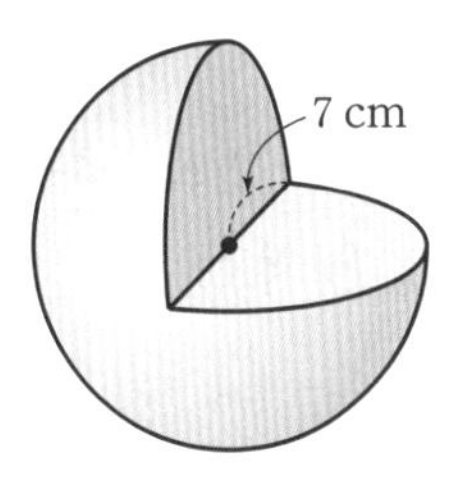

반지름의 길이가 r인 구의 겉넓이는 $4\pi r^2$이다.

02 오른쪽 그림은 반지름의 길이가 9 cm인 구의 $\frac{3}{4}$을 잘라 내고 남은 입체도형이다. 이 입체도형의 겉넓이와 부피를 각각 구하시오.

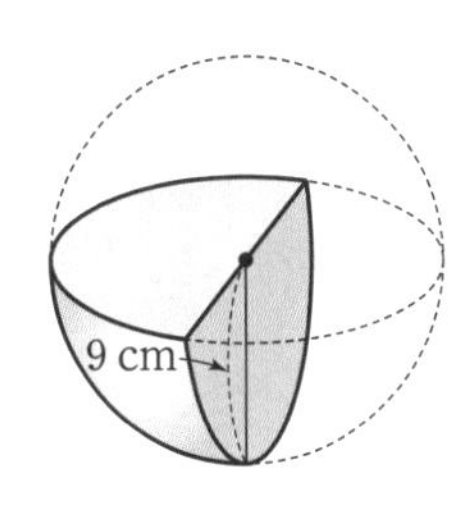

반지름의 길이가 r인 구의 부피는 $\frac{4}{3}\pi r^3$이다.

03 겉넓이가 $144\pi\ \text{cm}^2$인 구의 부피는?

① $48\pi\ \text{cm}^3$
② $144\pi\ \text{cm}^3$
③ $288\pi\ \text{cm}^3$
④ $576\pi\ \text{cm}^3$
⑤ $864\pi\ \text{cm}^3$

04 오른쪽 그림과 같이 높이가 밑면의 반지름의 길이의 2배인 원기둥에 꼭 맞게 들어 있는 구가 있다. 구의 부피가 $36\pi\ \text{cm}^3$ 일 때, 원기둥의 부피를 구하시오.

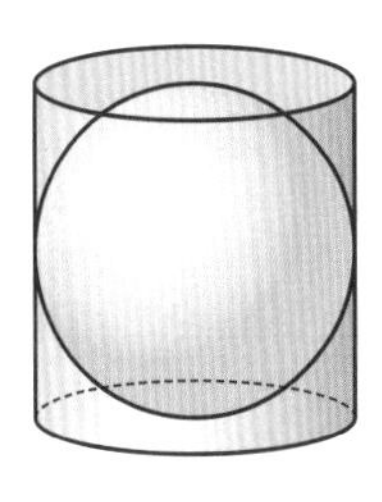

(원뿔) : (구) : (원기둥)
$=\frac{2}{3}\pi r^3 : \frac{4}{3}\pi r^3 : 2\pi r^3$
$=1 : 2 : 3$

중단원 연산 마무리

01 다음을 구하시오.

(1) 꼭짓점의 개수가 16인 각기둥에서 면의 개수를 a, 모서리의 개수를 b라 할 때, $a+b$의 값

(2) 면의 개수가 10인 각뿔에서 모서리의 개수를 a, 꼭짓점의 개수를 b라 할 때, $a+b$의 값

(3) 모서리의 개수가 12인 각뿔대의 꼭짓점의 개수를 a, 면의 개수를 b라 할 때, $a+b$의 값

02 다음 중 다면체에 대한 설명으로 옳은 것에는 ○표, 옳지 않은 것에는 × 표를 하시오.

(1) 오각뿔의 옆면의 모양은 오각형이다. (　　)

(2) 삼각기둥의 옆면의 모양은 모두 직사각형이다. (　　)

(3) 삼각뿔대는 삼각형과 사다리꼴로 이루어진 오면체이다. (　　)

(4) n각기둥의 모서리의 개수와 꼭짓점의 개수의 비는 $2:3$이다. (　　)

03 다음 조건을 모두 만족시키는 입체도형을 구하시오.

(1)

ㄱ. 다면체이다.
ㄴ. 밑면의 모서리의 개수가 7이다.
ㄷ. 옆면의 모양은 삼각형이다.

(2)

ㄱ. 십면체이다.
ㄴ. 옆면이 모두 직사각형이다.
ㄷ. 두 밑면이 서로 평행하면서 합동인 다각형이다.

04 다음 그림과 같은 사다리꼴을 직선 l을 회전축으로 하여 1회전 시킬 때 생기는 회전체를 회전축을 포함하는 평면으로 자른 단면의 넓이를 구하시오.

(1)

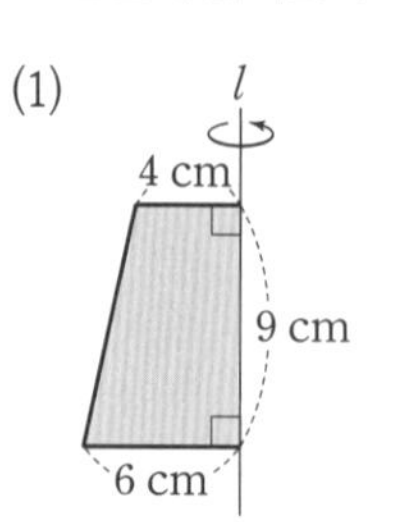

(2)

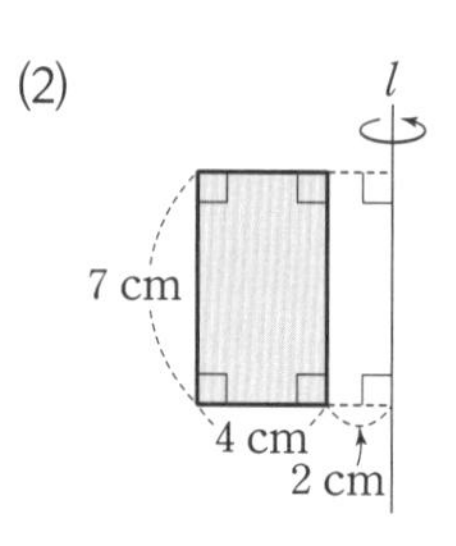

05 다음 중 회전체에 대한 설명으로 옳은 것에는 ○표, 옳지 않은 것에는 × 표를 하시오.

(1) 구의 회전축은 무수히 많다. (　　)

(2) 회전체를 회전축에 수직인 평면으로 자른 단면은 항상 원이다. (　　)

(3) 직각삼각형의 한 변을 회전축으로 하여 1회전 시키면 원뿔이 만들어진다. (　　)

(4) 구는 어떤 방향으로 잘라도 자른 단면이 모두 합동이다. (　　)

(5) 원뿔대를 회전축을 포함하는 평면으로 자른 단면은 사다리꼴이다. (　　)

06 다음 입체도형의 겉넓이와 부피를 각각 구하시오.

(1)

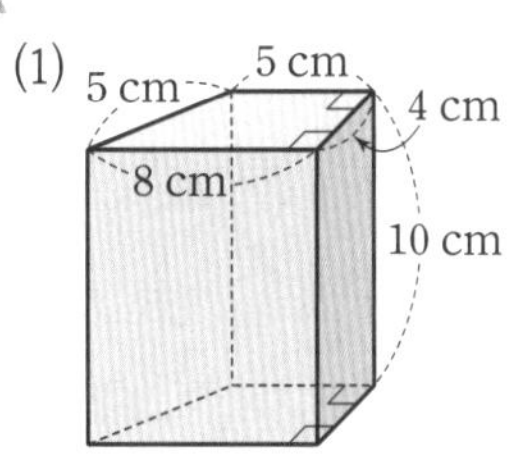

(2)

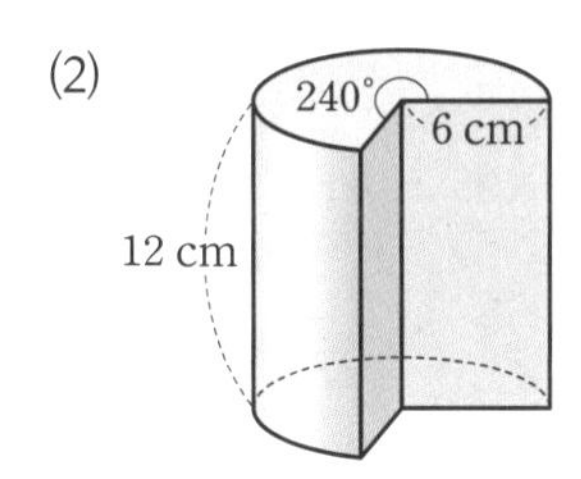

(3)

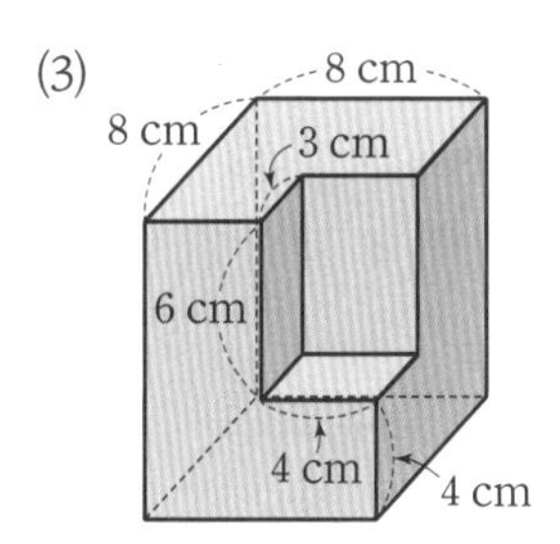

07 다음 그림과 같은 입체도형의 부피를 구하시오.

(1)

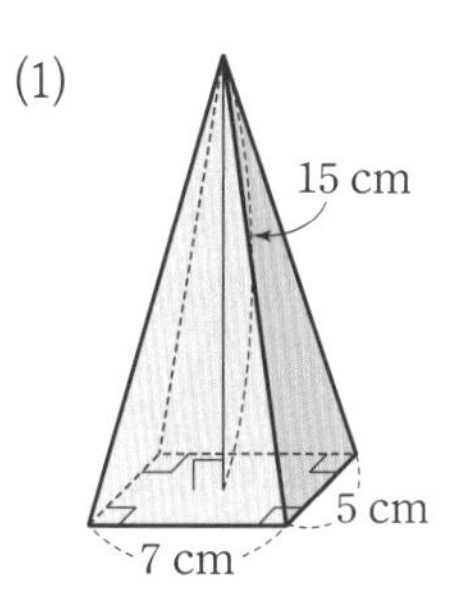

(2)

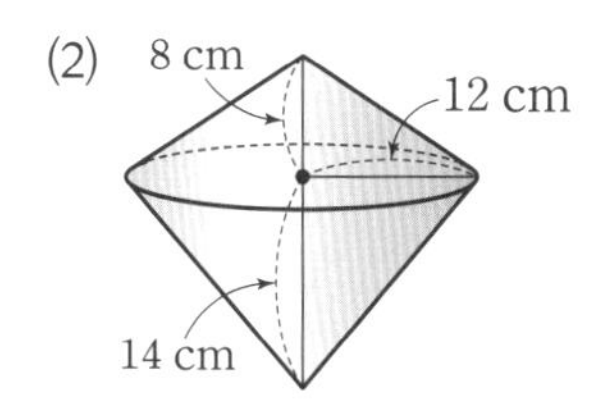

08 다음 그림과 같은 전개도로 만들어지는 뿔의 겉넓이를 구하시오.

(1)

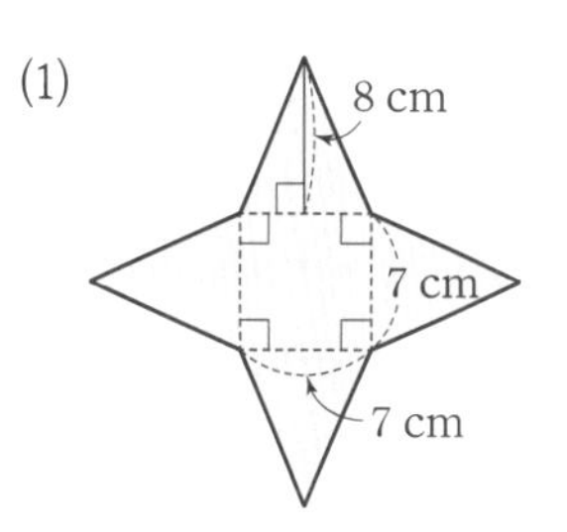

(2)

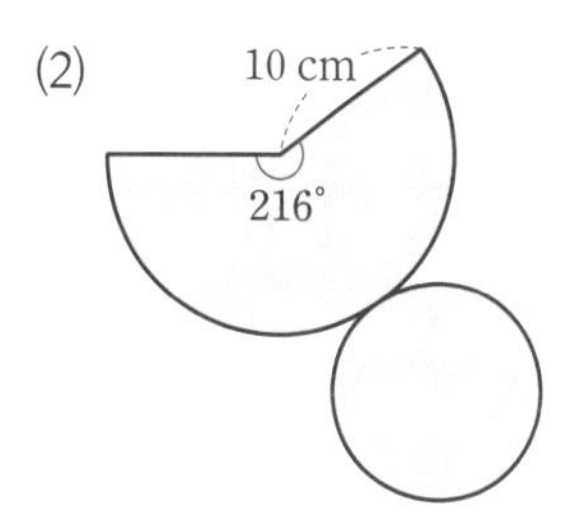

09 다음 그림과 같이 직육면체 모양의 그릇에 물을 가득 채운 후 그릇을 기울여 물을 흘려 보냈을 때 남은 물의 부피를 구하시오.

(단, 그릇의 두께는 무시한다.)

(1)

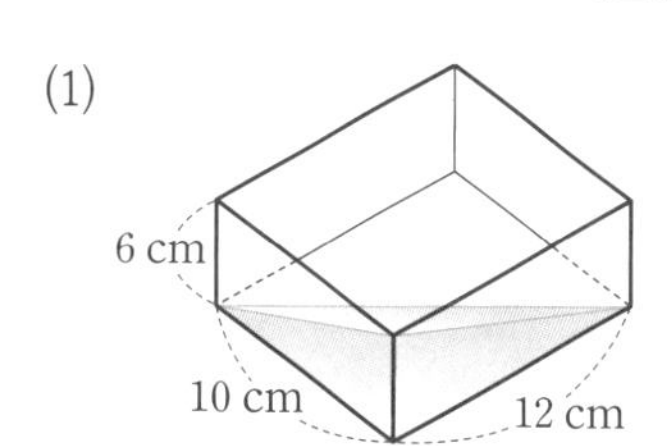

(2)

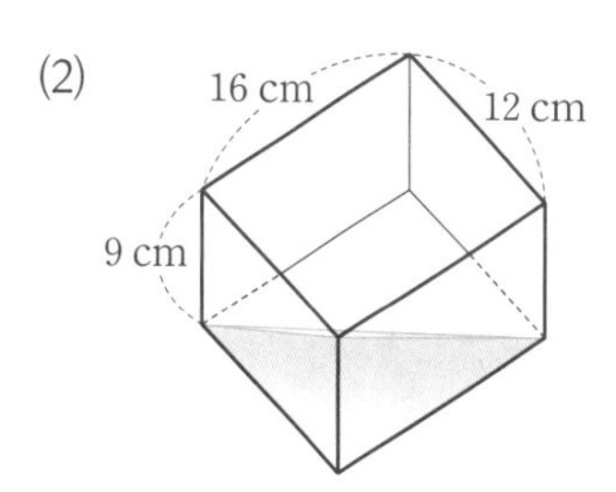

(3)

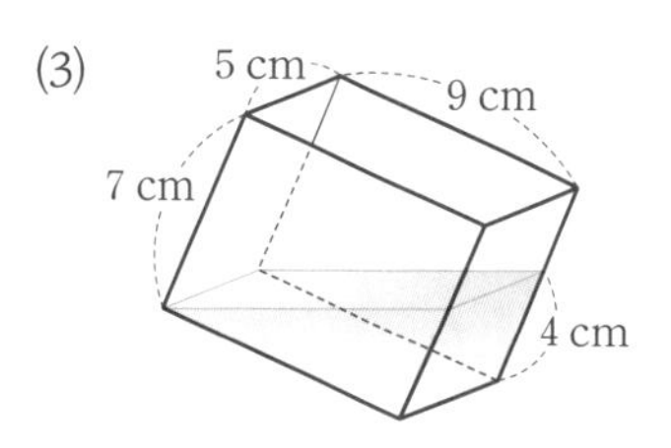

정답과 해설 _ p.39

10 다음 그림과 같은 입체도형의 겉넓이와 부피를 각각 구하시오.

(1)

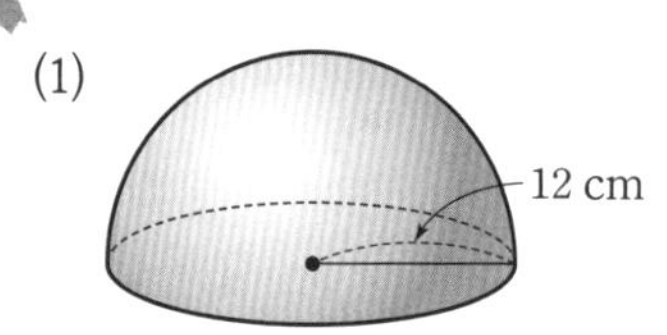

(2)

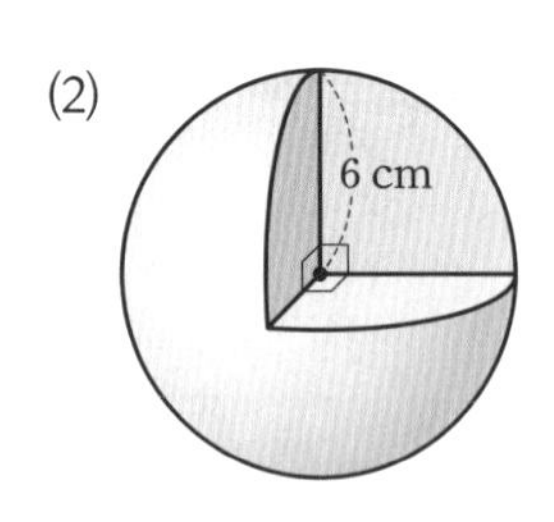

11 다음 그림과 같은 도형을 직선 l을 회전축으로 하여 1회전 시킬 때 생기는 회전체의 부피를 구하시오.

(1)

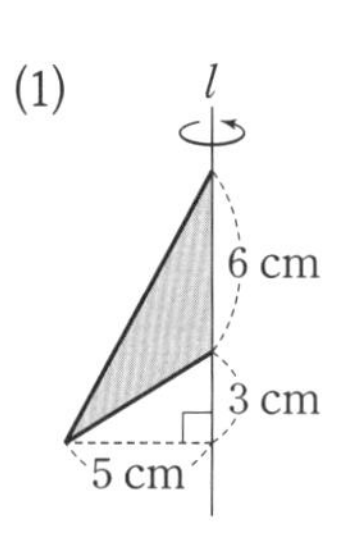

(2)

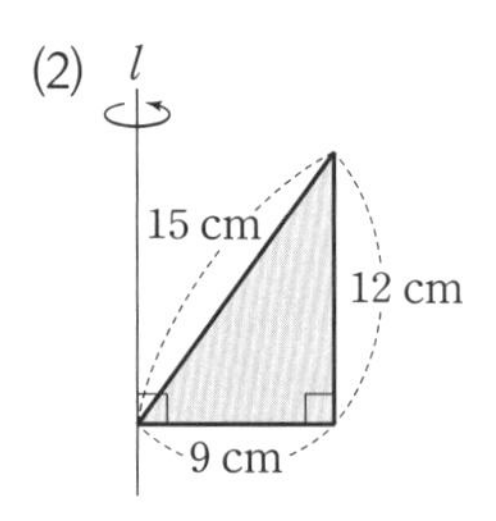

(3)

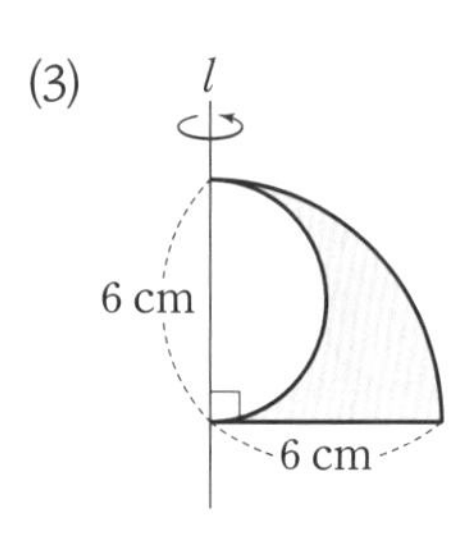

도전 100점

12 오른쪽 그림과 같은 도형을 직선 l을 회전축으로 하여 1회전 시킬 때 생기는 회전체의 겉넓이를 구하시오.

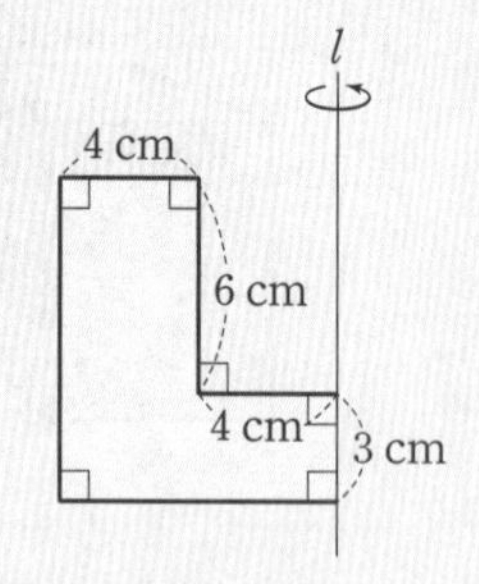

13 오른쪽 그림과 같은 직각삼각형 ABC에서 $\overline{BC}$를 회전축으로 하여 1회전 시킨 회전체의 부피와 $\overline{AC}$를 회전축으로 하여 1회전 시킨 회전체의 부피의 비를 구하시오.
(단, 가장 간단한 자연수의 비로 나타내시오.)

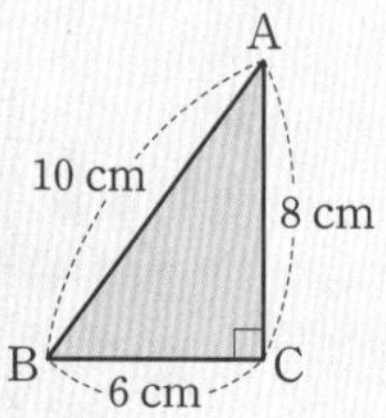

14 다음 그림과 같이 반지름의 길이가 9 cm인 구와 밑면의 반지름의 길이가 9 cm인 원뿔이 있다. 구의 부피가 원뿔의 부피의 2배일 때, 원뿔의 높이를 구하시오.

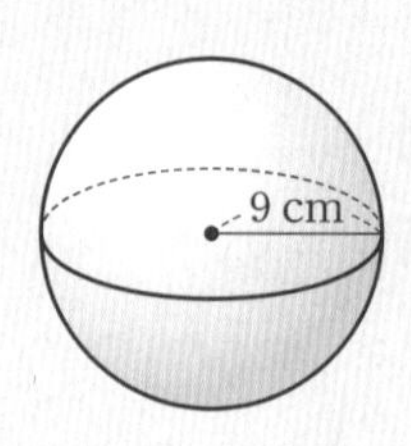

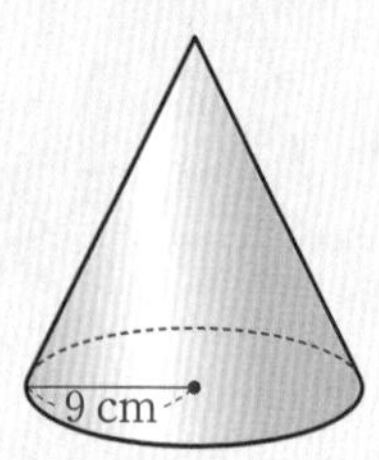

나만의 비법 노트

VI.
자료의 정리와 해석

연산 문제와 시험 대비 문제를 많이 풀어보고 개념과 원리를 확실하게 이해하자. 또한 이해도를 바탕으로 자신의 수준에 맞는 계획을 세워 반복 학습을 하자.

중단원명	강의 명	학습 날짜	이해도
1. 자료의 정리와 해석	32강 줄기와 잎 그림	월 일	
	33강 도수분포표	월 일	
	34강 히스토그램	월 일	
	35강 도수분포다각형	월 일	
	36강 상대도수	월 일	
	37강 상대도수의 분포를 나타낸 그래프	월 일	
	38강 중단원 연산 마무리	월 일	

힘수 점검

정답과 해설 p.41

막대그래프를 알고 있나요

1 초등4 다음은 민호네 학교 1학년 학생들이 좋아하는 색깔을 조사하여 나타낸 막대그래프이다. 물음에 답하시오.

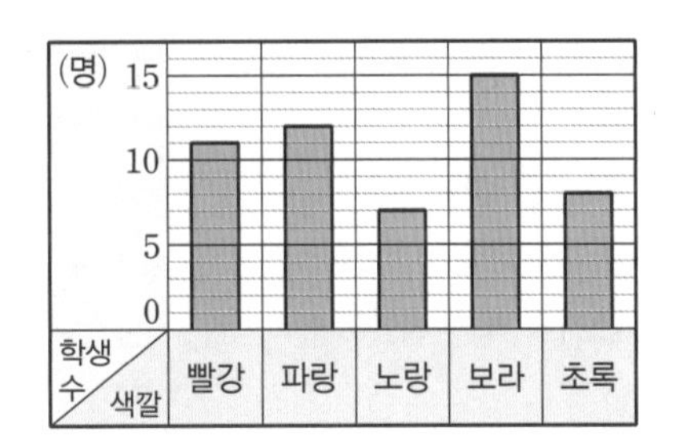

(1) 가장 많은 학생들이 좋아하는 색깔은 무엇인지 구하시오.

(2) 세로 눈금 한 칸은 몇 명을 나타내는지 구하시오.

(3) 빨강을 좋아하는 학생 수보다 적은 학생이 좋아하는 색깔을 모두 구하시오.

꺾은선그래프를 알고 있나요?

2 초등4 어느 지역의 하루 중 최고 기온을 조사하여 나타낸 꺾은선그래프이다. 물음에 답하시오.

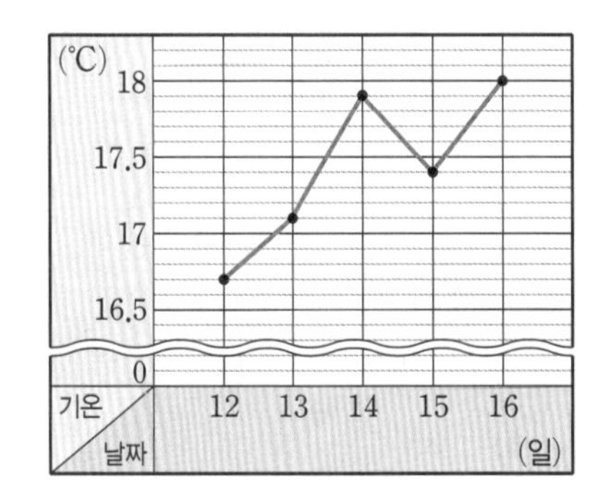

(1) 최고 기온은 몇 ℃부터 몇 ℃까지 변했는지 구하시오.

(2) 기온이 가장 많이 변한 때는 며칠과 며칠 사이인지 구하시오.

비율을 구할 수 있나요

3 초등6 두 마을의 넓이에 대한 인구의 비율을 각각 구하고, 두 마을 중 인구가 더 밀집한 곳을 쓰시오.

마을	햇빛 마을	달빛 마을
인구(명)	3200	3900
넓이(km^2)	4	6
넓이에 대한 인구의 비율		

백분율을 구할 수 있나요?

4 초등6 옷 가게에서 작년 겨울 옷을 할인해서 팔고 있다. 물음에 답하시오.

원래 가격	할인된 판매 가격
25000원	15000원

(1) 원래 가격과 할인된 가격의 차를 구하시오.

(2) 할인율은 몇 %인지 구하시오.

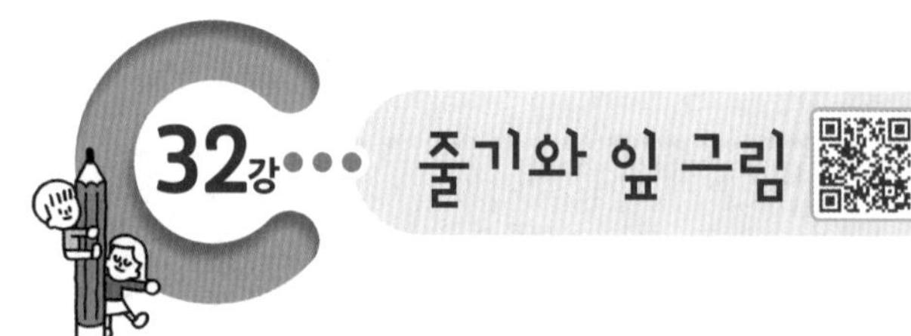

정답과 해설 _ p.41

1. 줄기와 잎 그림

(1) 변량: 점수, 나이, 길이 등의 자료를 수량으로 나타낸 것

(2) 줄기와 잎 그림: 자료의 값을 큰 자리의 숫자와 작은 자리의 숫자로 구분하여 세로선의 왼쪽에는 큰 자리의 숫자를, 오른쪽에는 작은 자리의 숫자를 적어 나타낸 그림

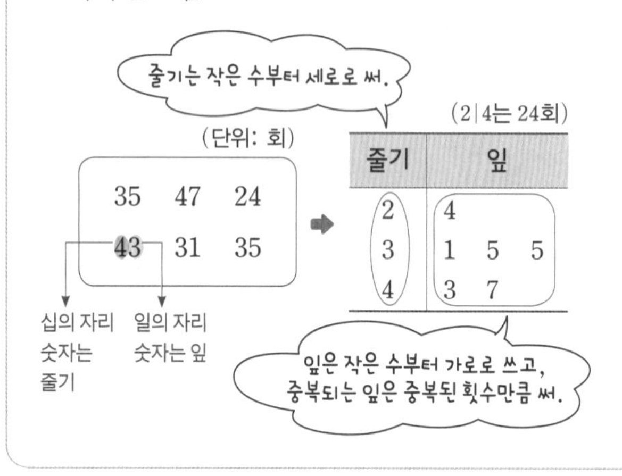

01 아래 자료는 유진이네 반 학생들의 윗몸 일으키기 기록이다. 다음 □ 안에 알맞은 수를 써넣으시오.

(단위: 회)

28	15	24	33	45	41	20
35	27	17	16	32	26	39

(1) 가장 작은 변량은 □회이고, 가장 큰 변량은 □회이다.

(2) 줄기는 1, □, □, □이다.

(3) 줄기와 잎 그림을 완성하시오.

(1|5는 15회)

줄기	잎
1	5 □ 7
2	□ 4 □ 7 8
□	□ 3 □ 9
□	1 □

02 다음 자료는 창의수학 동아리 회원 14명의 수학 시험 성적이다. 물음에 답하시오.

(단위: 점)

98	79	90	84	81	90	85
87	96	95	75	88	94	92

(1) 가장 작은 변량을 쓰시오.

(2) 가장 큰 변량을 쓰시오.

(3) 줄기를 모두 구하시오.

(4) 줄기와 잎 그림을 완성하시오.

(7|5는 75점)

줄기	잎
7	5 9
8	1 4 5 7 8

03 다음 자료는 준호네 반 학생들이 등교하는 데 걸린 시간이다. 줄기와 잎 그림으로 나타내시오.

(단위: 분)

31	23	18	32	35	17	28	19	40
32	38	20	42	15	34	23	26	27

(1|5는 15분)

줄기	잎
1	5

04 다음은 민서네 반 학생들의 국어 수행 평가 점수를 조사하여 나타낸 줄기와 잎 그림이다. 다음을 구하시오.

(1|6은 16점)

줄기	잎
1	6 9 9
2	3 6 8 9
3	2 5 6 6 6 7
4	3 3 8 9

(1) 잎이 가장 많은 줄기

(2) 점수가 가장 높은 학생의 점수

(3) 점수가 36점인 학생 수

(4) 민서네 반 전체 학생 수

05 다음은 형우가 산 귤의 무게를 조사하여 나타낸 줄기와 잎 그림이다. 다음을 구하시오.

(4|2는 42g)

줄기	잎
4	2 5 5
5	2 2 3 4 7
6	1 1 2 6
7	2 4 8

(1) 전체 귤의 개수

(2) 무게가 가장 가벼운 귤의 무게

(3) 무게가 2번째로 무거운 귤의 무게

(4) 무게가 65 g 이상인 귤의 개수

06 다음은 영호네 반 학생들의 줄넘기 횟수를 조사하여 나타낸 줄기와 잎 그림이다. 다음을 구하시오.

(4|2는 42회)

줄기	잎
4	2 5 5
5	2 2 3 4 7
6	1 1 2 6
7	2 4

(1) 잎이 가장 적은 줄기

(2) 횟수가 52회 이상 65회 이하인 학생 수

(3) 횟수가 가장 많은 학생과 가장 적은 학생의 횟수의 차

(4) 횟수가 4번째로 높은 학생의 횟수

07 다음은 희연이네 반 학생들이 갖고 있는 소설책의 권수를 조사하여 나타낸 줄기와 잎 그림이다. 물음에 답하시오.

(2|5는 25권)

줄기	잎
2	5 8 9
3	0 6 7 7
4	2 3 4 5 8 8
5	3 4 6 8
6	6 7 9

(1) 줄기가 3인 잎의 개수를 구하시오.

(2) 갖고 있는 소설책이 45권 이상 66권 이하인 학생 수를 구하시오.

(3) 갖고 있는 소설책이 54권 이상인 학생은 전체의 몇 %인지 구하시오.

정답과 해설 _ p.41

01 다음은 독서 동아리 학생 20명이 1년 동안 읽은 책의 수를 조사한 자료이다. 줄기와 잎 그림을 완성하시오.

(단위: 권)

17	25	28	32	45
29	37	43	38	40
33	29	21	18	19
57	48	20	29	36

(1|7은 17권)

줄기	잎
1	7
2	
3	
4	
5	

줄기는 중복되는 수를 한 번만 쓰고, 잎은 중복되는 수를 모두 쓴다.

02 오른쪽은 어느 등산 모임에 참가한 회원들의 나이를 조사하여 나타낸 줄기와 잎 그림이다. 나이가 가장 많은 회원과 가장 적은 회원의 나이의 차를 구하시오.

(1|4는 14살)

줄기	잎						
1	4	6	7				
2	2	5	5	7	8	8	
3	0	4	5	6	6	8	
4	1	5	5	6	7	7	9

가장 큰 줄기에서 가장 큰 잎을 찾으면 나이가 가장 많은 회원의 나이이다.

03 오른쪽은 영수네 반 학생들의 미술 수행 평가 성적을 조사하여 나타낸 줄기와 잎 그림이다. 다음을 구하시오.

(1) 잎이 가장 많은 줄기

(2) 미술 수행 평가 성적이 35점 이상인 학생 수

(3) 미술 수행 평가 성적이 30점 미만인 학생 수

(1|3은 13점)

줄기	잎						
1	3	7	8				
2	0	1	2	2	2	5	
3	0	4	4	7	8	9	
4	3	5	7	8	8	9	9

04 오른쪽은 홍기네 반 학생들의 몸무게를 조사하여 나타낸 줄기와 잎 그림이다. 다음 중 옳지 않은 것은?

(3|5는 35 kg)

줄기	잎					
3	5	7	8	9	9	
4	2	3	4	6	7	8
5	0	1	1	3	5	9
6	1	2	3			

① 홍기네 반 학생 수는 20이다.
② 잎이 가장 적은 줄기는 6이다.
③ 몸무게가 55 kg 이상인 학생은 전체의 25 %이다.
④ 몸무게가 50 kg 이상 60 kg 미만인 학생 수는 5이다.
⑤ 몸무게가 가장 많은 학생과 가장 적은 학생의 몸무게의 차는 28 kg이다.

변량의 개수는 잎의 총 개수와 같다.

33강 ••• 도수분포표

정답과 해설 _ p.42

1. 도수분포표

(1) 계급: 변량을 일정한 간격으로 나눈 구간

① 계급의 크기: 구간의 너비, 즉 계급의 양 끝 값의 차

② 계급값: 계급을 대표하는 값으로 각 계급의 가운데 값

(2) 도수: 각 계급에 속하는 자료의 개수

(3) 도수분포표: 주어진 자료를 몇 개의 계급으로 나누고 각 계급의 도수를 나타낸 표

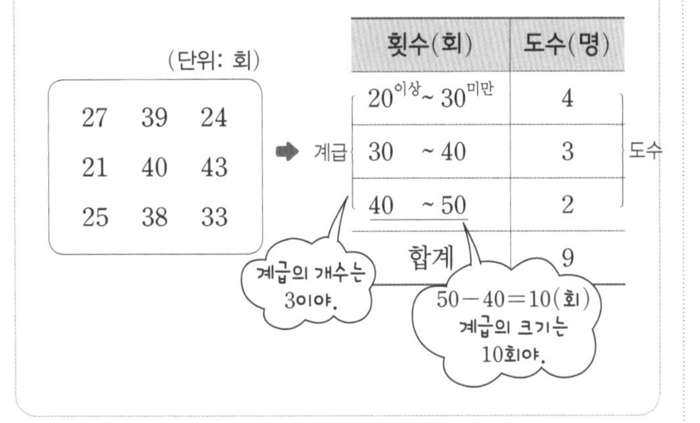

(단위: 회)

27	39	24
21	40	43
25	38	33

횟수(회)	도수(명)
$20^{이상}$~ $30^{미만}$	4
30 ~ 40	3
40 ~ 50	2
합계	9

계급
도수
계급의 개수는 3이야.
50−40=10(회) 계급의 크기는 10회야.

01 보기에서 다음을 고르시오.

보기

계급	계급값	계급의 크기
도수	변량	도수분포표

(1) 변량을 일정한 간격으로 나눈 구간

(2) 각 계급에 속하는 자료의 개수

(3) 구간의 너비, 즉 계급의 양 끝 값의 차

(4) 계급을 대표하는 값으로 각 계급의 양 끝 값의 가운데 값

(5) 주어진 자료를 몇 개의 계급으로 나누고 각 계급의 도수를 나타낸 표

02 다음 자료에 대한 도수분포표를 완성하시오.

(1) 수학 점수 (단위: 점)

75	85	90	68	72	63
85	81	67	95	78	89
65	73	76	68	79	74

수학 점수(점)	도수(명)	
$60^{이상}$~ $70^{미만}$	~~////~~	5
70 ~ 80	~~////~~ //	
80 ~ 90		
90 ~ 100		
합계	18	

(2) 줄넘기 기록 (단위: 회)

47	32	25	38	45	24	41
55	33	46	28	36	39	52

줄넘기 기록(회)	도수(명)	
$20^{이상}$~ $30^{미만}$	///	3
30 ~ 40		
40 ~ 50		
50 ~ 60		
합계		

(3) 한 달 동안 읽은 책의 수 (단위: 권)

1	3	5	8	4	6	5
3	5	7	8	6	4	2
4	5	8	6	8	7	5

책의 수(권)	도수(명)	
$1^{이상}$~ $3^{미만}$		
3 ~ 5		
5 ~ 7		
7 ~ 9		
합계		

03 다음 자료에 대한 도수분포표를 완성하시오.

(1) 체육 점수 (단위: 점)

17	26	34	25	19	25	39	24
30	15	24	36	28	27	38	35

체육 점수(점)	도수(명)
10이상~20미만	3
20 ~30	
30 ~40	
합계	

(2) 감자의 무게 (단위: g)

160	158	204	214	320	340	272
236	360	374	435	398	215	319

감자의 무게(g)	도수(개)
100이상~200미만	
200 ~300	
300 ~400	
400 ~500	
합계	

(3) 한 달 동안 하루 최고 기온 (단위: ℃)

27	26	25	30	29	24	31	30
27	32	29	26	25	21	24	30
28	23	23	21	19	19	17	18
18	25	20	21	16	17	25	

최고 기온(℃)	도수(일)
15이상~20미만	
20 ~25	
25 ~30	
30 ~35	
합계	

2. 도수분포표 이해하기

몸무게(kg)	도수(명)
40이상~45미만	4
45 ~50	8
50 ~55	10
55 ~60	7
합계	29

• 계급의 크기: $45-40=50-45=55-50$
$=60-55=5$ (kg)

• 계급의 개수: 4

(50 kg 이상 55 kg 미만)
+(55 kg 이상 60 kg 미만)

(몸무게가 50kg 이상인 학생 수)
=10+7=17

04 다음은 석찬이네 반 학생들의 제기차기 기록을 조사하여 나타낸 도수분포표이다. □ 안에 알맞은 수를 써넣으시오.

제기차기 횟수(회)	도수(명)
0이상~10미만	5
10 ~20	7
20 ~30	4
30 ~40	1
합계	17

(1) 계급의 크기는 $10-0=$ □(회)이다.

(2) 계급의 개수는 □이다.

(3) 도수가 4명인 계급은 □회 이상 □회 미만이다.

(4) 30회 이상 40회 미만인 계급의 계급값은

$\frac{\square+40}{2}=$ □(회)이다.

05 아래는 영어 동아리 학생들의 영어 듣기 평가 점수를 조사하여 나타낸 도수분포표이다. 다음을 구하시오.

점수(점)	도수(명)
60이상 ~ 70미만	10
70 ~ 80	13
80 ~ 90	19
90 ~ 100	8
합계	50

(1) 계급의 크기

(2) 계급의 개수

(3) 점수가 80점 이상인 학생 수

(4) 도수가 가장 많은 계급

(5) 점수가 75점인 학생이 속하는 계급

06 아래는 이수네 반 학생들이 일주일 동안 밥으로 식사한 횟수를 조사하여 나타낸 도수분포표이다. 다음을 구하시오.

식사 횟수(회)	도수(명)
6이상 ~ 10미만	5
10 ~ 14	15
14 ~ 18	10
18 ~ 22	7
합계	37

(1) 계급의 크기

(2) 밥으로 식사한 횟수가 6회 이상 14회 미만인 학생 수

(3) 밥으로 식사한 횟수가 10회인 학생이 속한 계급의 도수

07 다음은 연아네 반 학생들의 100 m 달리기 기록을 조사하여 나타낸 도수분포표이다. 물음에 답하시오.

달리기 기록(초)	도수(명)
16이상 ~ 17미만	1
17 ~ 18	5
18 ~ 19	A
19 ~ 20	4
20 ~ 21	1
합계	19

(1) A의 값을 구하시오.

(2) 달리기 기록이 18초 미만인 학생 수를 구하시오.

(3) 달리기 기록이 2번째로 빠른 학생이 속하는 계급을 구하시오.

08 다음은 도현이네 반 학생들의 하루 TV 시청 시간을 조사하여 나타낸 도수분포표이다. 물음에 답하시오.

TV 시청 시간(분)	도수(명)
10이상 ~ 30미만	3
30 ~ 50	A
50 ~ 70	6
70 ~ 90	4
90 ~ 110	2
합계	20

(1) A의 값을 구하시오.

(2) TV 시청 시간이 30분 이상 70분 미만인 학생 수를 구하시오.

(3) TV 시청 시간이 70분 이상인 학생은 전체의 몇 %인지 구하시오.

만점

정답과 해설 _ p.42

01 오른쪽은 어느 마을 주민 30명의 나이를 조사하여 나타낸 도수분포표이다. 다음 중 옳지 않은 것은?

① 계급의 개수는 5이다.
② 계급의 크기는 10살이다.
③ 나이가 20살 이상 30살 미만인 주민이 가장 많다.
④ 도수가 가장 적은 계급은 50살 이상 60살 미만이다.
⑤ 나이가 40살 이상인 주민은 전체의 30 %이다.

나이(살)	도수(명)
10이상~ 20미만	3
20 ~ 30	13
30 ~ 40	8
40 ~ 50	5
50 ~ 60	1
합계	30

a 이상 b 미만인 계급의 크기는 $b-a$이다.

02 오른쪽은 프로야구 선수 42명의 지난 시즌 동안 친 홈런의 개수를 조사하여 나타낸 도수분포표이다. 다음을 구하시오.

(1) A의 값

(2) 홈런을 친 개수가 10개 미만인 선수의 수

(3) 홈런을 친 개수가 17개인 선수가 속하는 계급의 도수

홈런 개수(개)	도수(명)
0이상~ 5미만	4
5 ~ 10	16
10 ~ 15	A
15 ~ 20	8
20 ~ 25	5
합계	42

03 오른쪽은 시현이네 학교 1학년 학생들의 음악 수행 평가 점수를 조사하여 나타낸 도수분포표이다. 음악 수행 평가 점수가 10점 이상인 학생은 전체의 몇 %인지 구하시오.

음악 점수(점)	도수(명)
0이상~ 5미만	3
5 ~ 10	18
10 ~ 15	22
15 ~ 20	17
합계	60

(구하는 백분율)
$=\frac{(10점\ 이상인\ 학생\ 수)}{(전체\ 학생\ 수)}\times 100$

04 오른쪽은 유진이네 반 학생들의 하루 휴대 전화 사용 시간을 조사하여 나타낸 도수분포표이다. 휴대 전화 사용 시간이 1시간 이상 2시간 미만인 학생이 전체의 30%일 때, $A-B$의 값을 구하시오.

휴대 전화 사용 시간(시간)	도수(명)
0이상~ 1미만	13
1 ~ 2	A
2 ~ 3	B
3 ~ 4	1
합계	30

전체의 30 %에 해당하는 수는 (전체의 수)$\times\frac{30}{100}$이다.

정답과 해설 _ p.43

1. 히스토그램

히스토그램: 가로축에는 계급을, 세로축에는 도수를 써넣어 직사각형으로 나타낸 그래프

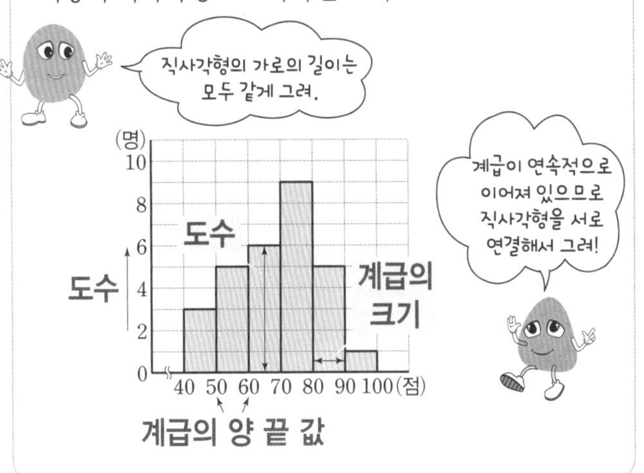

01 다음은 형민이네 반 학생 30명이 하루에 읽는 책의 쪽수를 조사하여 나타낸 도수분포표이다. 이 표를 히스토그램으로 나타내시오.

책의 쪽수(쪽)	도수(명)
20이상 ~ 30미만	7
30 ~ 40	9
40 ~ 50	10
50 ~ 60	4
합계	30

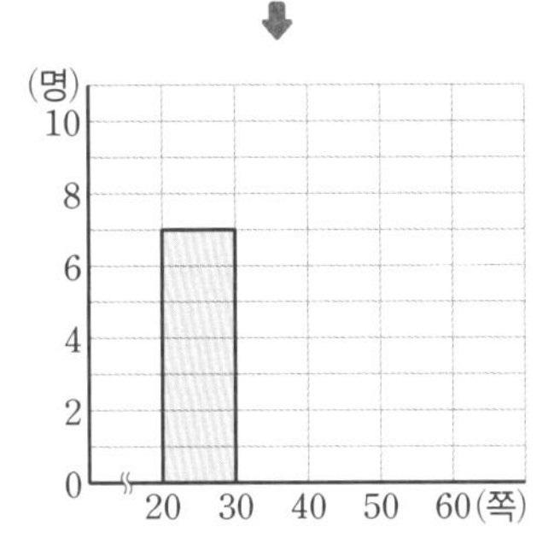

02 다음은 정호네 반 학생들의 1분당 맥박 수를 조사하여 나타낸 도수분포표이다. 이 표를 히스토그램으로 나타내시오.

맥박 수(회)	도수(명)
70이상 ~ 75미만	4
75 ~ 80	11
80 ~ 85	7
85 ~ 90	5
90 ~ 95	2
합계	29

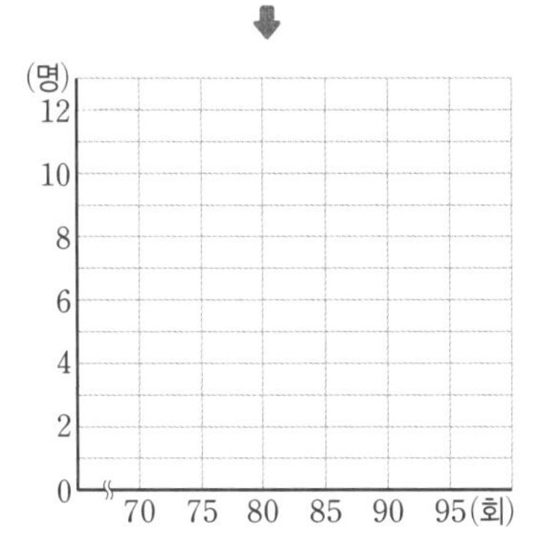

03 다음은 주형이네 반 학생들의 윗몸 일으키기 횟수를 조사하여 나타낸 도수분포표이다. 이 표를 히스토그램으로 나타내시오.

윗몸 일으키기 횟수(회)	도수(명)
10이상 ~ 20미만	4
20 ~ 30	7
30 ~ 40	12
40 ~ 50	5
합계	28

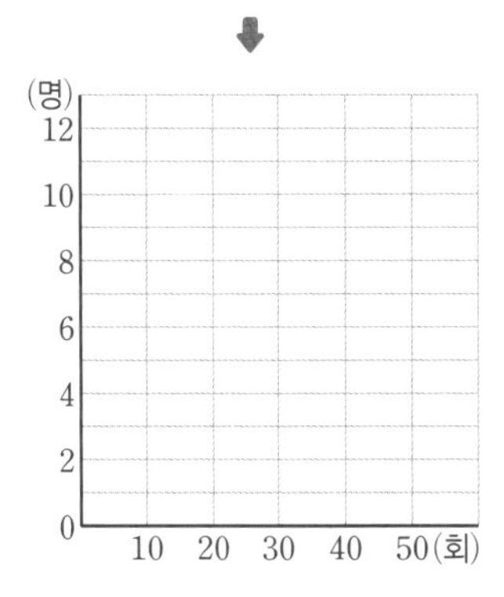

2. 히스토그램 이해하기

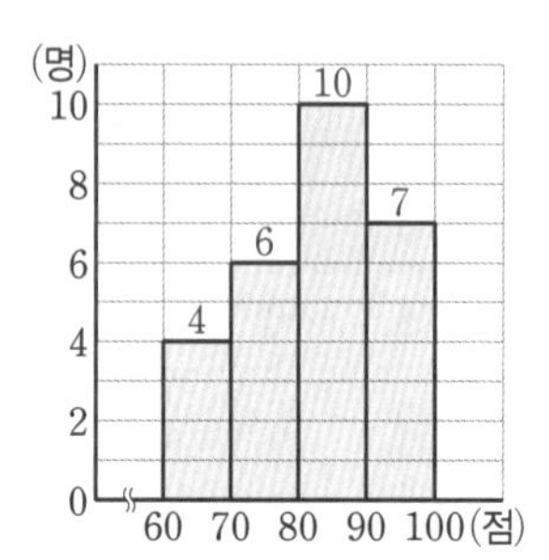

- 계급의 크기: $70-60=10$(점)
- (계급의 개수)=(직사각형의 개수)=4
- 도수가 가장 큰 계급: 80점 이상 90점 미만
- 전체 학생 수: $4+6+10+7=27$
- (직사각형의 넓이의 합)

=(계급의 크기)×(도수의 총합)$=10\times27=270$

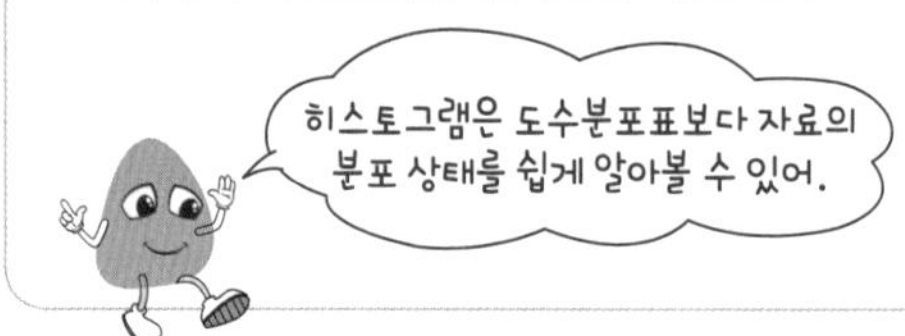

히스토그램은 도수분포표보다 자료의 분포 상태를 쉽게 알아볼 수 있어.

04 다음은 봉사 동아리 학생들의 헌혈 횟수를 조사하여 나타낸 히스토그램이다. □ 안에 알맞은 수를 써넣으시오.

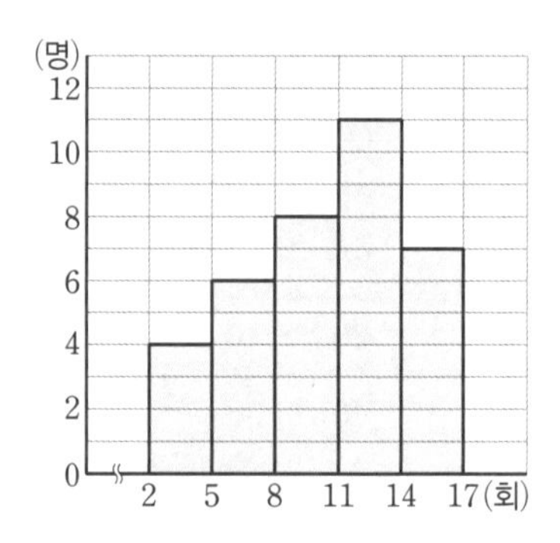

(1) (계급의 크기)=(직사각형의 가로의 길이)

=□$-2=$□(회)

(2) (계급의 개수)=(직사각형의 개수)=□

(3) (8회 이상 11회 미만인 계급의 도수)

=(해당 계급의 직사각형의 세로의 길이)=□(명)

(4) 도수가 가장 큰 계급은 □회 이상 □회 미만이다.

(5) (전체 학생 수)

$=4+$□$+8+$□$+$□$=$□

05 아래는 미희네 반 학생들의 일주일 동안 편의점 이용 횟수를 조사하여 나타낸 히스토그램이다. 다음을 구하시오.

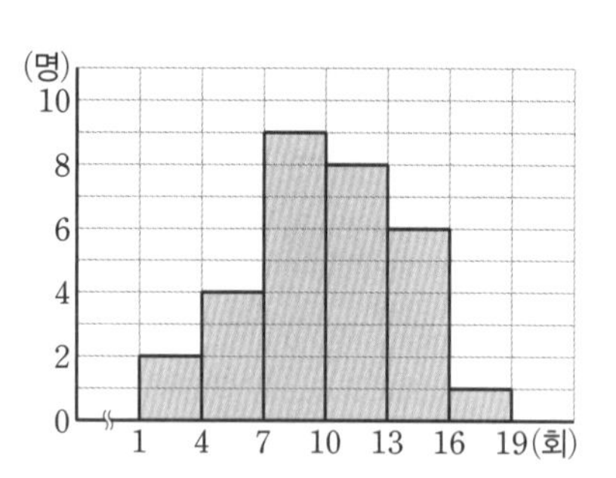

(1) 계급의 크기

(2) 계급의 개수

(3) 도수가 가장 작은 계급

(4) 편의점 이용 횟수가 7회 이상 13회 미만인 학생 수

(5) 미희네 반 전체 학생 수

06 다음은 축구부 학생들의 하루 운동 시간을 조사하여 나타낸 히스토그램이다. 다음을 구하시오.

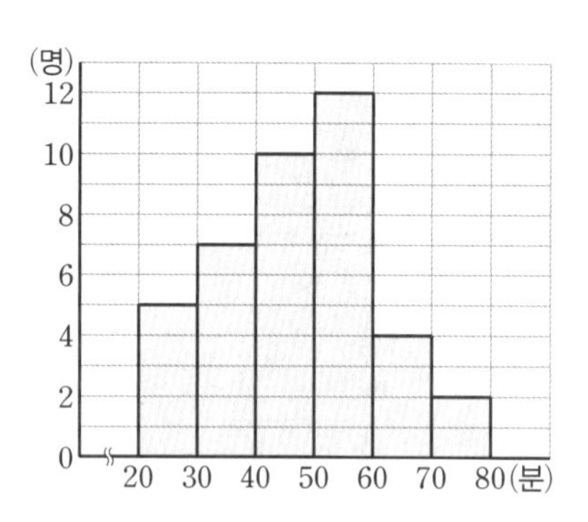

(1) 계급의 개수

(2) 축구부 전체 학생 수

(3) 하루 운동 시간이 45분인 학생이 속하는 계급

(4) 하루 운동 시간이 40분 미만인 학생 수

07 다음은 볼링 동호회 회원들의 나이를 조사하여 나타낸 히스토그램이다. 물음에 답하시오.

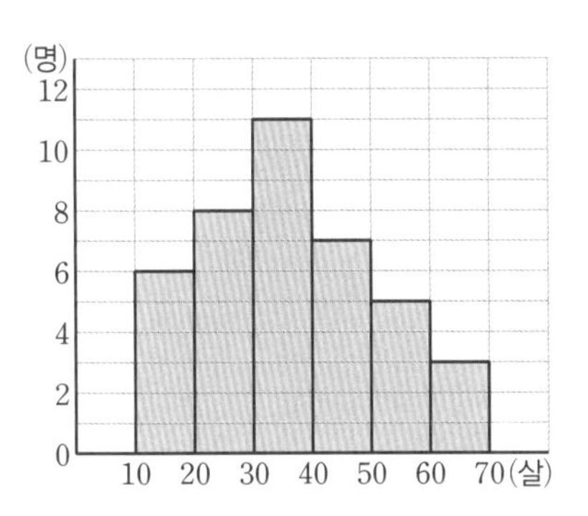

(1) 전체 회원 수를 구하시오.

(2) 도수가 가장 큰 계급을 구하시오.

(3) 도수가 가장 작은 계급의 직사각형의 넓이를 구하시오.

(4) 나이가 50살 이상인 회원은 전체의 몇 %인지 구하시오.

08 다음은 어느 지역 도시들의 소음도를 조사하여 나타낸 히스토그램이다. 물음에 답하시오.

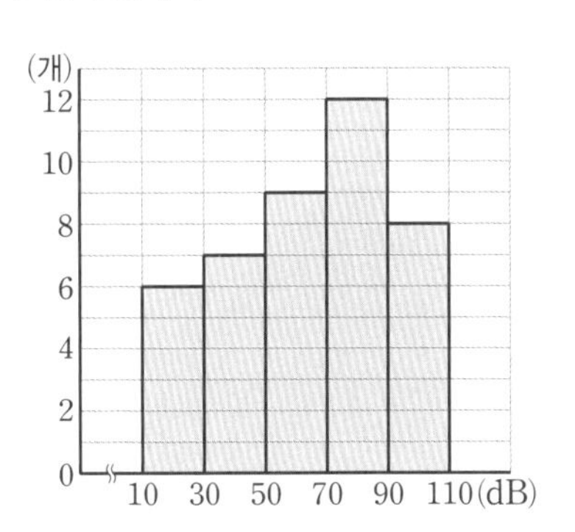

(1) 전체 도시 수를 구하시오.

(2) 소음도가 50 dB 이상 90 dB 미만인 도시는 전체의 몇 %인지 구하시오.

(3) 직사각형의 넓이의 합을 구하시오.

09 다음은 영화 감상반 학생 40명의 일 년 동안의 영화 관람 횟수를 조사하여 나타낸 히스토그램인데 일부가 찢어져서 보이지 않는다. 물음에 답하시오.

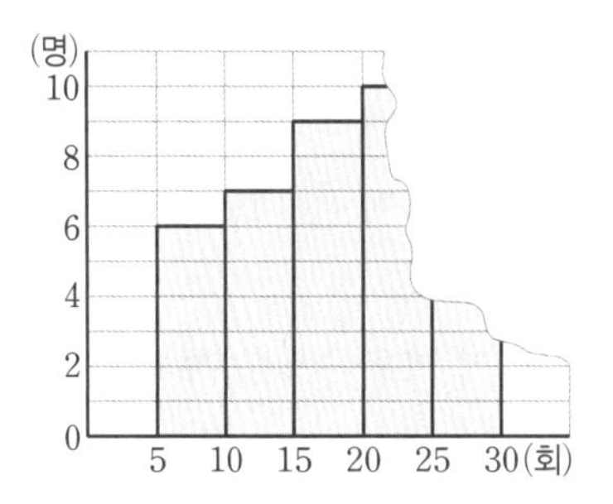

(1) 영화 관람 횟수가 25회 이상 30회 미만인 계급의 도수를 구하시오.

(2) 영화 관람 횟수가 25회 이상 30회 미만인 계급의 도수는 전체의 몇 %인지 구하시오.

10 다음은 우혁이네 반 학생 35명의 일주일 용돈을 조사하여 나타낸 히스토그램인데 일부가 찢어져서 보이지 않는다. 물음에 답하시오.

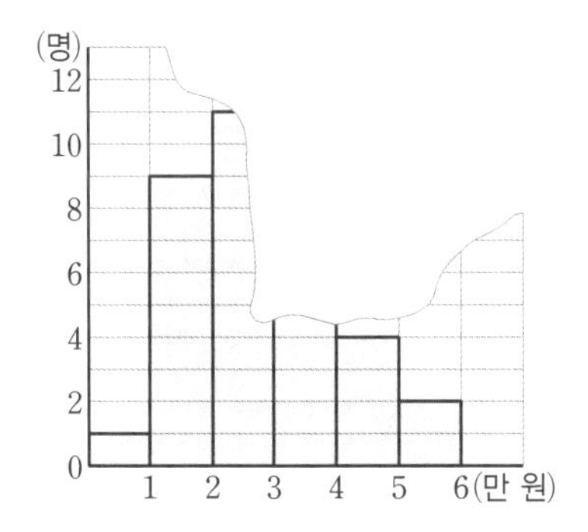

(1) 용돈이 3만 원 이상 4만 원 미만인 계급의 도수를 구하시오.

(2) 용돈이 3만 원 이상 4만 원 미만인 계급의 도수와 4만 원 이상 5만 원 미만인 계급의 도수의 차를 구하시오.

(3) 용돈이 3만 원 이상인 학생은 전체의 몇 %인지 구하시오.

정답과 해설 _ p.43

01 오른쪽은 민수네 반 학생들의 던지기 기록을 조사하여 나타낸 히스토그램이다. 다음 중 옳은 것은?

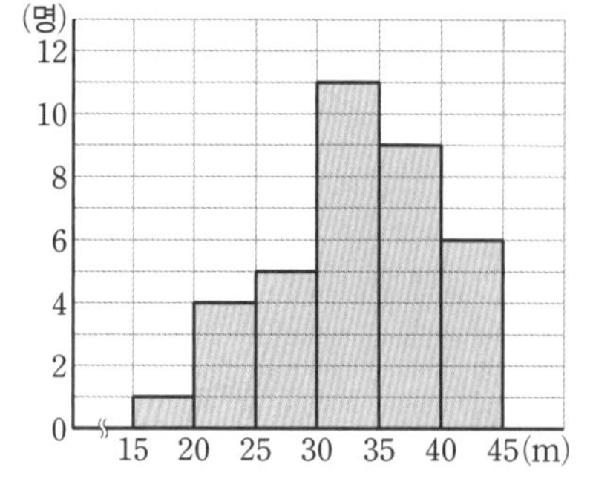

① 계급의 개수는 5이다.

② 전체 학생 수는 35이다.

③ 25 m 미만을 던진 학생 수는 6이다.

④ 도수가 가장 큰 계급은 30 m 이상 40 m 미만이다.

⑤ 던지기 기록이 좋은 쪽에서 7번째인 학생이 속하는 계급은 35 m 이상 40 m 미만이다.

계급의 개수는 직사각형의 개수와 같다.

02 오른쪽은 어느 마라톤 대회에 참가한 선수들의 나이를 조사하여 나타낸 히스토그램이다. 다음 중 히스토그램을 보고 알 수 없는 것은?

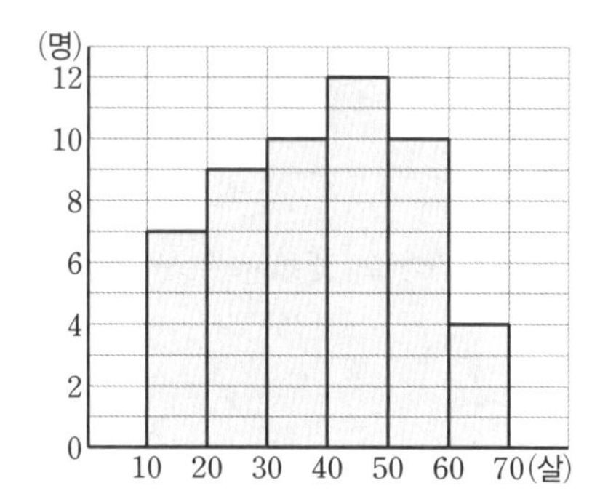

① 나이가 10살 이상 30살 미만인 선수의 수

② 나이가 50살 이상인 선수의 수

③ 마라톤 대회에 참가한 선수의 수

④ 나이가 가장 많은 선수의 나이

⑤ 선수들의 나이의 분포 상태

히스토그램은 자료의 분포는 쉽게 알 수 있지만 자료 하나하나의 특성은 알기 어렵다.

03 오른쪽은 우진이네 반 학생들의 일 년 동안의 여행 횟수를 조사하여 나타낸 히스토그램이다. 물음에 답하시오.

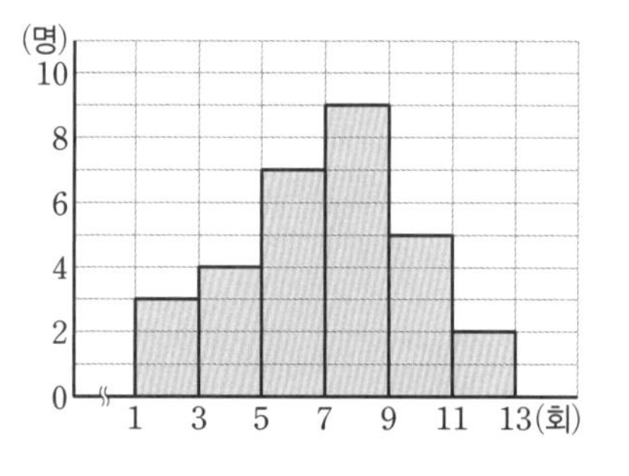

(1) 전체 학생 수를 구하시오.

(2) 도수가 가장 큰 계급의 도수를 구하시오.

(3) 여행을 7회 이상 9회 미만 간 학생은 전체의 몇 %인지 구하시오.

04 오른쪽은 독서 동아리 학생들의 국어 성적을 조사하여 나타낸 히스토그램인데 일부가 찢어져서 보이지 않는다. 국어 성적이 60점 미만인 학생이 전체의 25%일 때, 국어 성적이 70점 이상 80점 미만인 학생 수를 구하시오.

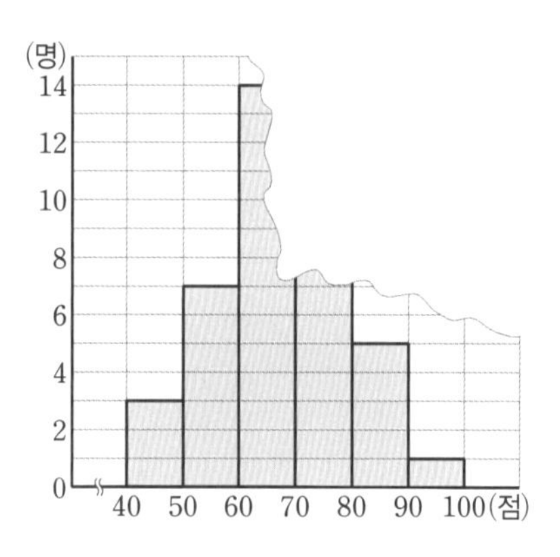

히스토그램에서 직사각형의 세로의 길이는 도수를 나타낸다.

정답과 해설 _ p.44

1. 도수분포다각형

(1) 도수분포다각형: 히스토그램에서 각 직사각형의 윗변의 중앙의 점과 히스토그램의 양 끝에 도수가 0인 계급이 하나씩 있는 것으로 생각하여 그 중앙의 점을 선분으로 연결하여 그린 다각형 모양의 그래프

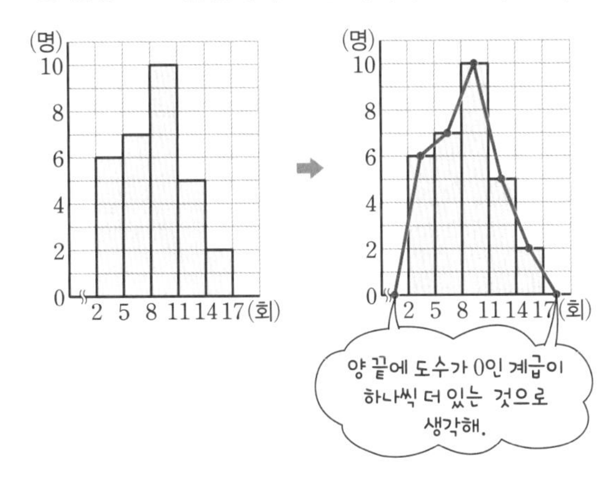

01 다음 히스토그램을 도수분포다각형으로 나타내시오.

(1)

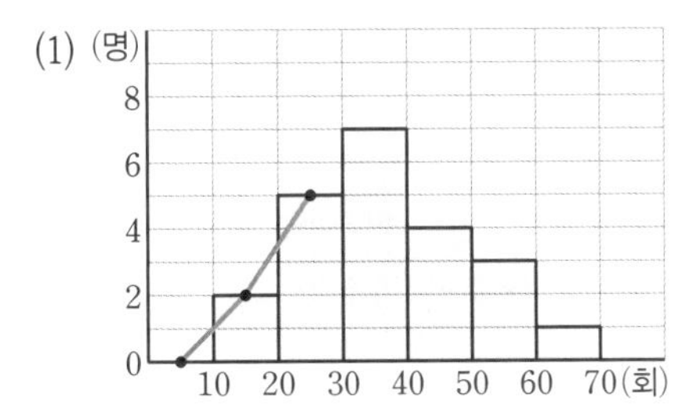

(2)

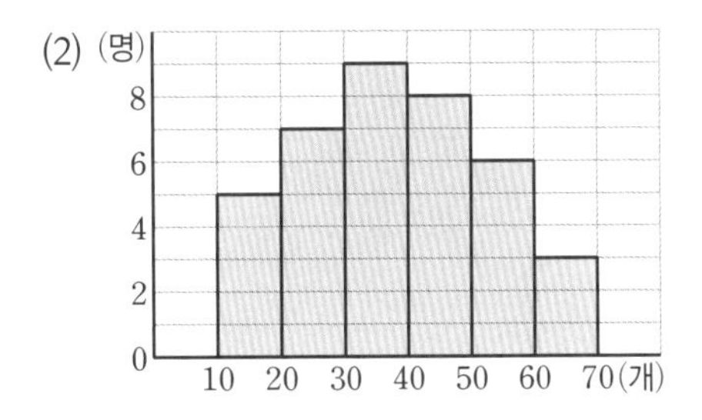

02 다음은 우정이네 반 학생들의 하루 동안 손 씻는 횟수를 조사하여 나타낸 도수분포표이다. 이 표를 히스토그램과 도수분포다각형으로 나타내시오.

손 씻는 횟수(회)	도수(명)
5^이상 ~ 10^미만	2
10 ~ 15	5
15 ~ 20	7
20 ~ 25	6
합계	20

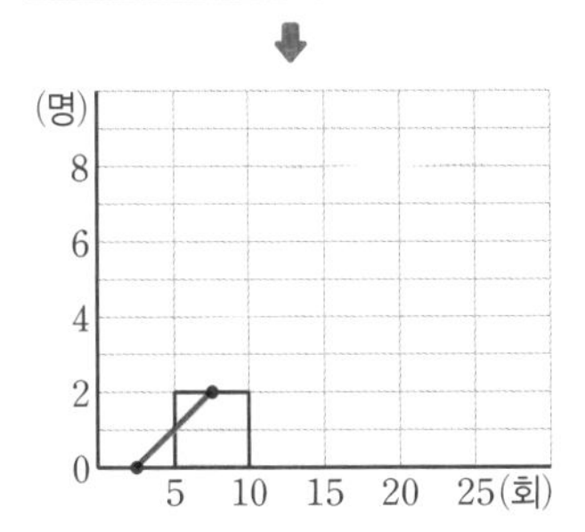

03 다음은 어느 편의점에서 지난 30일 동안 팔린 삼각김밥 수를 조사하여 나타낸 도수분포표이다. 이 표를 도수분포다각형으로 나타내시오.

삼각김밥 수(개)	도수(일)
40^이상 ~ 50^미만	4
50 ~ 60	7
60 ~ 70	10
70 ~ 80	6
80 ~ 90	3
합계	30

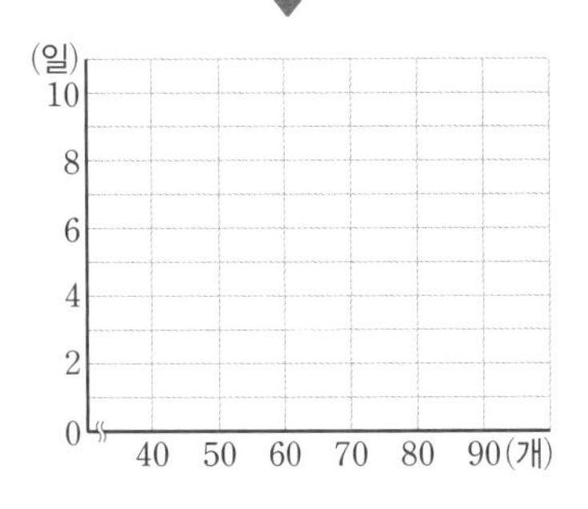

2. 도수분포다각형 이해하기

두 삼각형의 넓이는 같아.

- 계급의 크기: $150-140=10$ (cm)
- 계급의 개수: 4
- 전체 학생 수: $2+5+10+7=24$

히스토그램의 각 직사각형의 넓이의 합과 같아.

(도수분포다각형과 가로축으로 둘러싸인 부분의 넓이)
=(계급의 크기)×(도수의 총합)
=10×24=240

04 아래는 유신이네 반 학생들의 일주일 동안의 컴퓨터 사용 시간을 조사하여 나타낸 도수분포다각형이다. 다음을 구하시오.

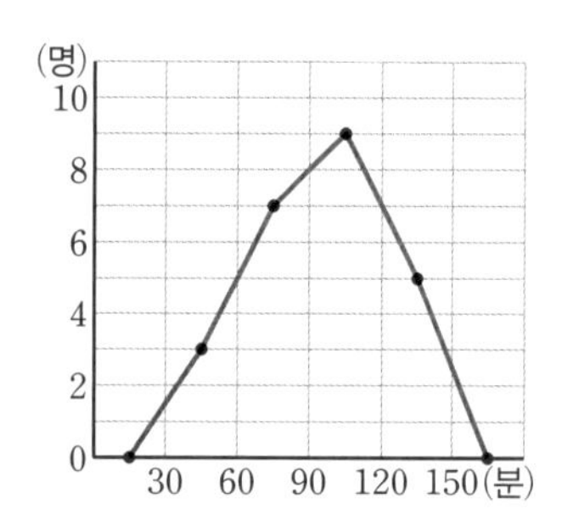

(1) 계급의 크기

(2) 계급의 개수

(3) 60분 이상 90분 미만인 계급의 도수

(4) 도수가 가장 큰 계급

(5) 컴퓨터 사용 시간이 90분 이상인 학생 수

(6) 유신이네 반 전체 학생 수

05 아래는 사진 동호회 회원들이 일주일 동안 찍은 사진 수를 조사하여 나타낸 도수분포다각형이다. 다음을 구하시오.

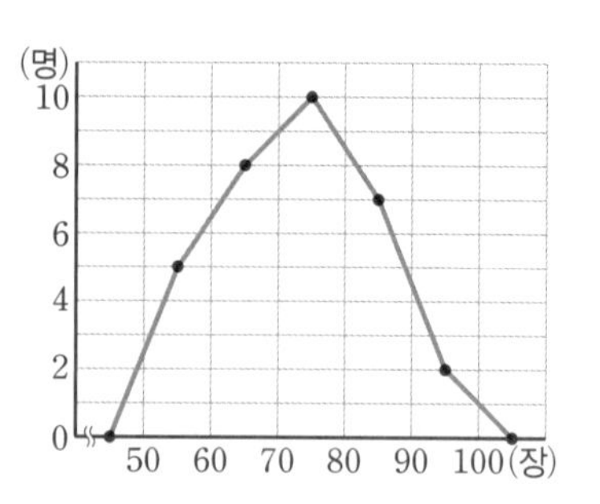

(1) 계급의 크기

(2) 계급의 개수

(3) 찍은 사진 수가 80장 이상 90장 미만인 계급의 도수

(4) 도수가 가장 작은 계급

(5) 사진 동호회 회원 수

06 아래는 미령이네 반 학생들의 휴대 전화에 저장된 연락처 수를 조사하여 나타낸 도수분포다각형이다. 다음을 구하시오.

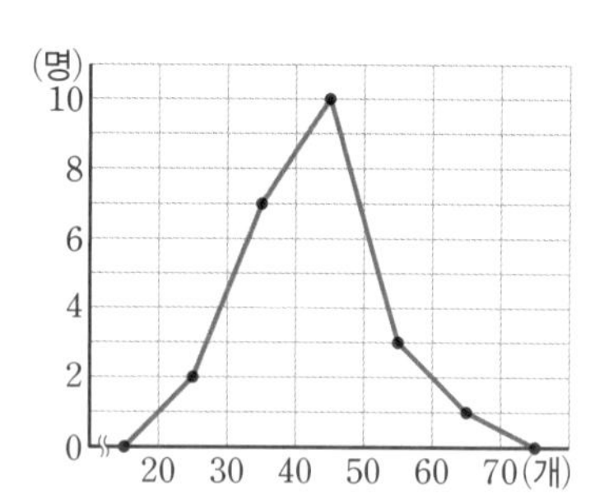

(1) 계급의 크기

(2) 계급의 개수

(3) 저장된 연락처 수가 30개 이상 60개 미만인 학생 수

(4) 미령이네 반 학생 수

07 아래는 재영이네 반 학생들의 일 년 동안 자란 키를 조사하여 나타낸 도수분포다각형이다. 다음을 구하시오.

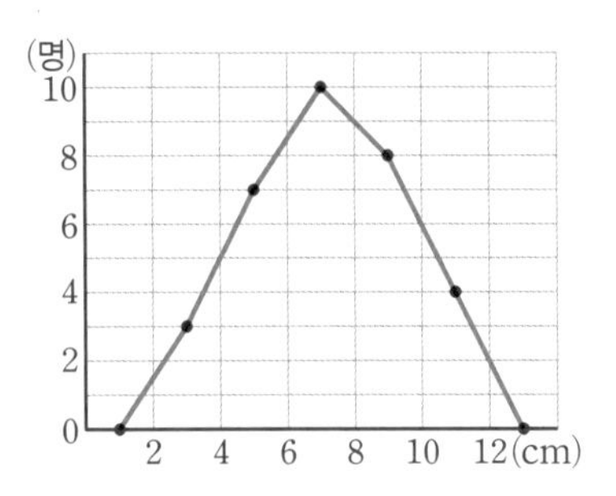

(1) 계급의 크기

(2) 키가 6 cm 미만으로 자란 학생 수

(3) 재영이네 반 학생 수

(4) 도수분포다각형과 가로축으로 둘러싸인 부분의 넓이

08 아래는 독서반 회원들이 갖고 있는 소설책의 수를 조사하여 나타낸 도수분포다각형이다. 다음을 구하시오.

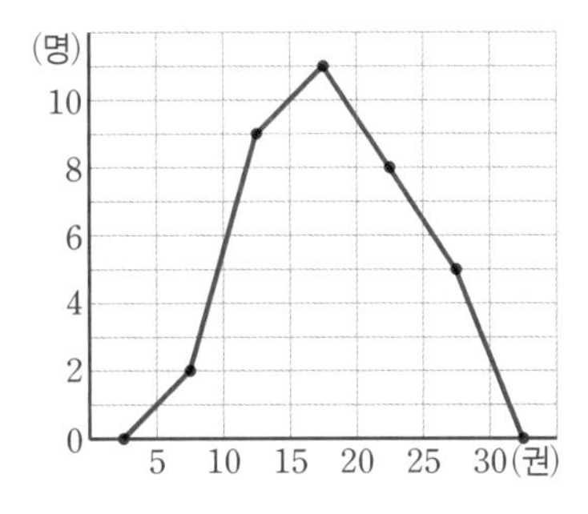

(1) 계급의 크기

(2) 독서반 회원 수

(3) 소설책을 20권 이상 갖고 있는 회원 수

(4) 도수분포다각형과 가로축으로 둘러싸인 부분의 넓이

09 다음은 자영이네 반 학생 35명이 하루 동안 받은 문자의 개수를 조사하여 나타낸 도수분포다각형인데 일부가 찢어져서 보이지 않는다. 물음에 답하시오.

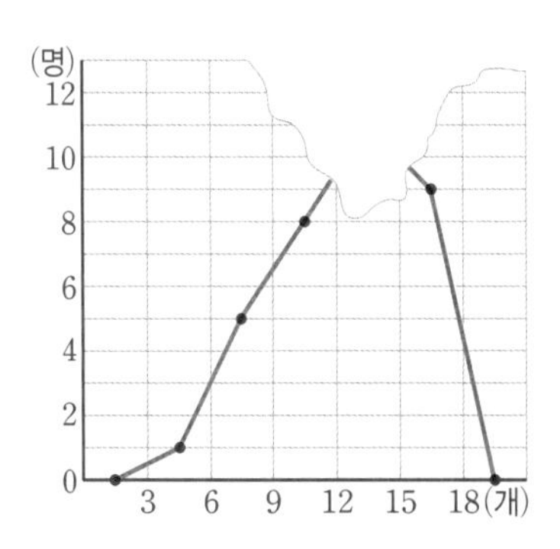

(1) 문자의 개수가 12개 이상 15개 미만인 계급의 도수를 구하시오.

(2) 도수가 가장 큰 계급을 구하시오.

(3) 하루 동안 받은 문자의 개수가 12개 이상인 학생은 전체의 몇 %인지 구하시오.

(보이지 않는 계급의 도수)
=(도수의 총합)−(보이는 계급의 도수의 합)

10 다음은 주호네 학교 운동부 학생 40명의 몸무게를 조사하여 나타낸 도수분포다각형인데 일부가 찢어져서 보이지 않는다. 몸무게가 55 kg 이상인 학생이 10명일 때, 물음에 답하시오.

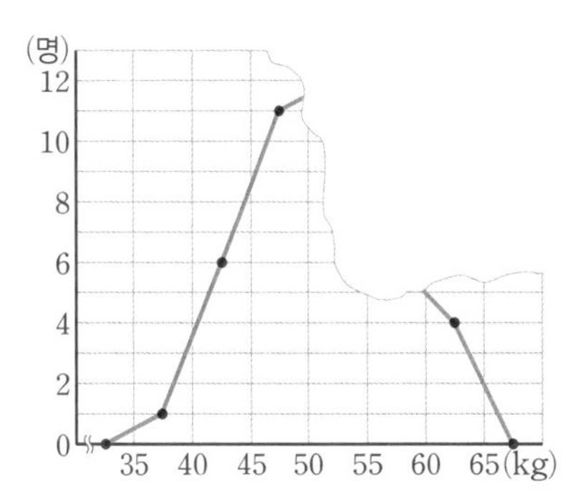

(1) 몸무게가 55 kg 이상 60 kg 미만인 계급의 도수를 구하시오.

(2) 몸무게가 50 kg 이상 55 kg 미만인 계급의 도수를 구하시오.

정답과 해설 _ p.44

01 오른쪽은 성현이네 반 학생들의 하루 동안의 공부 시간을 조사하여 나타낸 도수분포다각형이다. 다음 중 옳지 않은 것을 모두 고르면?(정답 2개)

① 성현이네 반 학생 수는 34이다.

② 도수가 가장 큰 계급은 7시간 이상 8시간 미만이다.

③ 공부 시간이 7시간 미만인 학생 수와 공부 시간이 8시간 이상인 학생 수는 같다.

④ 공부 시간이 가장 긴 학생의 공부 시간은 10시간이다.

⑤ 공부 시간이 8시간인 학생이 속하는 계급의 도수는 12명이다.

도수분포다각형은 자료의 분포는 쉽게 알 수 있지만 자료 하나하나의 특성은 알기 어렵다.

02 오른쪽은 진이네 반 학생들의 제기차기 기록을 조사하여 나타낸 도수분포다각형이다. 제기를 많이 찬 쪽에서 30 %에 해당하는 학생은 제기를 최소한 몇 회 찼는지 구하시오.

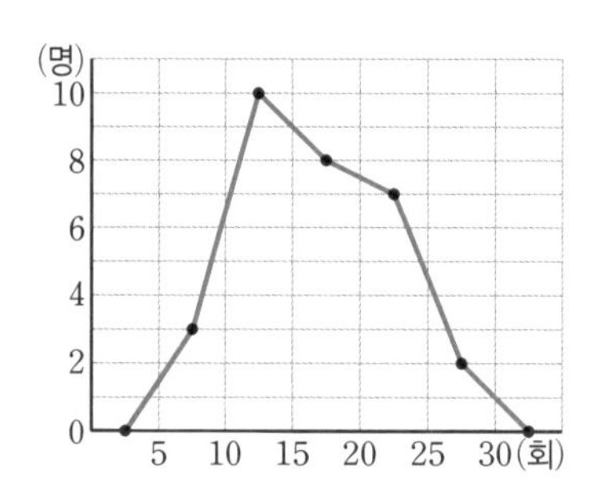

a회 이상 b회 미만인 계급에 속하는 학생은 제기를 최소 a회 이상 찼다.

03 오른쪽은 로아네 반 학생들의 1분당 한글 타수를 조사하여 나타낸 히스토그램과 도수분포다각형이다. 다음을 구하시오.

(1) 한글 타수가 200타 미만인 학생 수

(2) 히스토그램의 각 직사각형의 넓이의 합

(3) 도수분포다각형과 가로축으로 둘러싸인 부분의 넓이

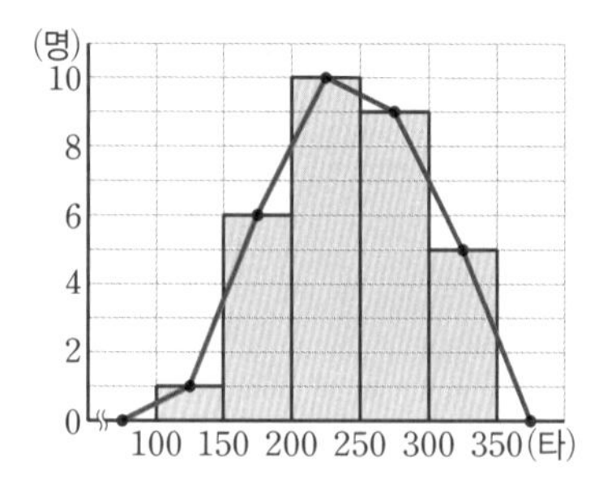

히스토그램의 각 직사각형의 넓이의 합과 도수분포다각형과 가로축으로 둘러싸인 부분의 넓이의 합은 같다.

정답과 해설 _ p.45

1. 상대도수

(1) 상대도수: 도수의 총합에 대한 각 계급의 도수의 비율

$$(\text{어떤 계급의 상대도수}) = \frac{(\text{그 계급의 도수})}{(\text{도수의 총합})}$$

(2) 상대도수의 특징

① 상대도수의 총합은 항상 1이다.

② 각 계급의 상대도수는 그 계급의 도수에 정비례 한다.

③ 도수의 총합이 다른 두 가지 이상의 자료의 분포 상태를 비교할 때 편리하다.

(3) 상대도수의 분포표: 각 계급의 상대도수를 나타낸 표

횟수(회)	도수(명)	상대도수
$10^{\text{이상}} \sim 20^{\text{미만}}$	2	$\frac{2}{20}=0.1$
20 ~ 30	8	$\frac{8}{20}=0.4$
30 ~ 40	10	$\frac{10}{20}=0.5$
합계	20	1

도수가 4배가 되니 (4배)
상대도수도 4배가 되는구나. (4배)
상대도수의 총합은 1이야.

01 다음을 소수로 나타내시오.

(1) 5명의 손님 중 물건을 산 손님이 1명일 때, 물건을 산 손님의 비율

(2) 전체 도수가 300이고 어느 계급의 도수가 90일 때, 전체 도수에 대한 이 계급의 도수의 비율

02 다음 중 옳은 것에는 ○표, 옳지 않은 것에는 ×표를 하시오.

(1) 상대도수의 총합은 도수이 총합에 상관없이 일정하다. ( )

(2) 상대도수는 0 이상 0.1 이하인 수이다. ( )

(3) 한 도수분포표에서 도수가 가장 큰 계급의 상대도수가 가장 크다. ( )

03 다음 상대도수의 분포표를 완성하시오.

(1) 미현이네 반 학생들의 일주일 동안 독서 시간

독서 시간(시간)	도수(명)	상대도수
$1^{\text{이상}} \sim 3^{\text{미만}}$	6	0.2
3 ~ 5	9	
5 ~ 7	12	
7 ~ 9	3	
합계	30	

(2) 재일이네 반 학생들이 1분 동안 넘은 줄넘기 횟수

줄넘기 횟수(회)	도수(명)	상대도수
$70^{\text{이상}} \sim 80^{\text{미만}}$	3	0.15
80 ~ 90	4	
90 ~ 100	6	
100 ~ 110	5	
110 ~ 120	2	
합계	20	

(3) 수영 강습반 회원들의 나이

나이(살)	도수(명)	상대도수
$10^{\text{이상}} \sim 20^{\text{미만}}$	6	
20 ~ 30	8	
30 ~ 40	16	
40 ~ 50	13	
50 ~ 60	7	
합계	50	

04 다음은 봉사 동아리 학생들이 방학 동안 봉사 활동을 한 시간을 조사하여 나타낸 상대도수의 분포표이다. 표를 완성하시오.

봉사 시간(시간)	도수(명)	상대도수
0이상 ~ 5미만	4	0.1
5 ~ 10		0.15
10 ~ 15		0.25
15 ~ 20		0.3
20 ~ 25		0.2
합계	40	1

05 다음은 미율이네 반 학생들의 미술 점수를 조사하여 나타낸 상대도수의 분포표이다. 표를 완성하시오.

점수(점)	도수(명)	상대도수
50이상 ~ 60미만		0.04
60 ~ 70		0.2
70 ~ 80		0.28
80 ~ 90		0.36
90 ~ 100		0.12
합계	25	1

06 다음은 정아네 학교 1학년 학생들의 키를 조사하여 나타낸 상대도수의 분포표이다. 표를 완성하시오.

키(cm)	도수(명)	상대도수
145이상 ~ 150미만	5	0.1
150 ~ 155		0.18
155 ~ 160		0.24
160 ~ 165		0.36
165 ~ 170		0.08
170 ~ 175		0.04
합계		1

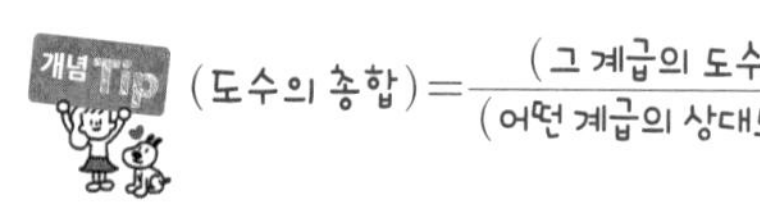

개념 Tip (도수의 총합)$=\dfrac{\text{(그 계급의 도수)}}{\text{(어떤 계급의 상대도수)}}$

07 다음을 구하시오.

(1) 어떤 계급의 상대도수가 0.3이고 도수의 총합이 40일 때, 이 계급의 도수

(2) 어떤 계급의 상대도수가 0.16이고 도수의 총합이 50일 때, 이 계급의 도수

(3) 어떤 계급의 도수가 8이고 상대도수가 0.05일 때, 도수의 총합

개념 Tip (어떤 계급의 도수)=(도수의 총합)×(그 계급의 상대도수)

08 한 상자에 들어 있는 감의 무게를 조사하여 나타낸 상대도수의 분포표이다. 물음에 답하시오.

감의 무게(g)	상대도수
220이상 ~ 230미만	0.06
230 ~ 240	0.14
240 ~ 250	0.24
250 ~ 260	0.36
260 ~ 270	0.2
합계	1

(1) 무게가 220 g 이상 230 g 미만인 감은 전체의 몇 %인지 구하시오.

(2) 무게가 250 g 이상 260 g 미만인 감은 전체의 몇 %인지 구하시오.

(3) 무게가 240 g 미만인 감은 전체의 몇 %인지 구하시오.

09 어느 지역 중학교 선생님들의 나이를 조사하여 나타낸 상대도수의 분포표이다. 물음에 답하시오.

나이(살)	상대도수
25이상~30미만	0.05
30 ~35	0.2
35 ~40	0.35
40 ~45	A
45 ~50	0.05
합계	B

(1) B의 값을 구하시오.

(2) A의 값을 구하시오.

10 어느 빵집에서 판매하는 빵의 100 g당 열량을 조사하여 나타낸 상대도수의 분포표이다. 다음을 구하시오.

빵의 열량(kcal)	도수(개)	상대도수
100이상~120미만	4	0.1
120 ~140	8	A
140 ~160	B	0.4
160 ~180	10	C
180 ~200	D	0.05
합계	40	E

(1) E의 값

(2) A의 값

(3) C의 값

(4) B의 값

(5) D의 값

(6) 도수가 가장 큰 계급의 상대도수

11 다음은 영어 동아리 학생들의 영어 성적을 조사하여 나타낸 상대도수의 분포표이다. 물음에 답하시오.

영어 성적(점)	도수(명)	상대도수
50이상~ 60미만	2	0.05
60 ~ 70	A	0.2
70 ~ 80	14	C
80 ~ 90	10	0.25
90 ~100	6	D
합계	B	E

(1) E의 값을 구하시오.

(2) B의 값을 구하시오.

(3) A의 값을 구하시오.

(4) C의 값을 구하시오.

(5) D의 값을 구하시오.

(6) 도수가 가장 작은 계급의 상대도수를 구하시오.

(7) 상대도수가 가장 큰 계급의 도수를 구하시오.

(8) 상위 15 %에 속하는 학생의 점수는 최소 몇 점인지 구하시오.

정답과 해설 _ p.46

01 오른쪽은 영주네 반 학생들의 멀리 던지기 기록을 조사하여 나타낸 도수분포표이다. 멀리 던지기 기록이 30 m 이상 40 m 미만인 계급의 상대도수를 구하시오.

멀리 던지기 기록(m)	도수(명)
10이상 ~ 20미만	3
20 ~ 30	6
30 ~ 40	A
40 ~ 50	6
50 ~ 60	3
합계	30

(상대도수) $=\dfrac{(\text{그 계급의 도수})}{(\text{도수의 총합})}$

02 다음은 어느 중학교 남학생과 여학생들의 수학 점수를 조사하여 나타낸 상대도수의 분포표이다. 표를 완성하시오.

점수(점)	남학생		여학생	
	도수(명)	상대도수	도수(명)	상대도수
50이상 ~ 60미만	3	0.06	6	0.15
60 ~ 70	9		8	
70 ~ 80	14		14	
80 ~ 90	19		8	
90 ~ 100	5		4	
합계	50		40	

상대도수의 총합은 항상 1이다.

03 어떤 상대도수의 분포표에서 도수가 10인 계급의 상대도수가 0.4이다. 상대도수가 0.28인 계급의 도수를 구하시오.

도수의 총합을 먼저 구한 후 구하는 계급의 도수를 구한다.

04 오른쪽은 어느 농구부 학생들이 자유투를 던져 성공한 횟수를 조사하여 나타낸 상대도수의 분포표이다. A, B, C, D, E, F의 값을 각각 구하시오.

자유투 성공 횟수(회)	도수(명)	상대도수
0이상 ~ 3미만	7	0.14
3 ~ 6	14	C
6 ~ 9	17	0.34
9 ~ 12	A	D
12 ~ 15	5	E
합계	B	F

(도수의 총합) $=\dfrac{(\text{그 계급의 도수})}{(\text{어떤 계급의 상대도수})}$

37강 상대도수의 분포를 나타낸 그래프

정답과 해설 _ p.46

1. 상대도수의 분포를 나타낸 그래프 up+

상대도수의 분포를 나타낸 그래프: 상대도수의 분포를 히스토그램이나 도수분포다각형 모양으로 나타낸 그래프

점수(점)	상대도수
60이상 ~ 70미만	0.25
70 ~ 80	0.3
80 ~ 90	0.25
90 ~ 100	0.2
합계	1

(상대도수) 0.3, 0.2, 0.1, 0
60 70 80 90 100(점)

역시 분포 상태를 한눈에 비교할 수 있어.

계급의 양 끝 값

01 다음은 찬영이네 반 학생들의 팔 굽혀 펴기 기록을 조사하여 나타낸 상대도수의 분포표이다. 이 표를 히스토그램 모양의 그래프로 나타내시오.

팔 굽혀 펴기(회)	상대도수
5이상 ~ 10미만	0.2
10 ~ 15	0.4
15 ~ 20	0.25
20 ~ 25	0.15
합계	1

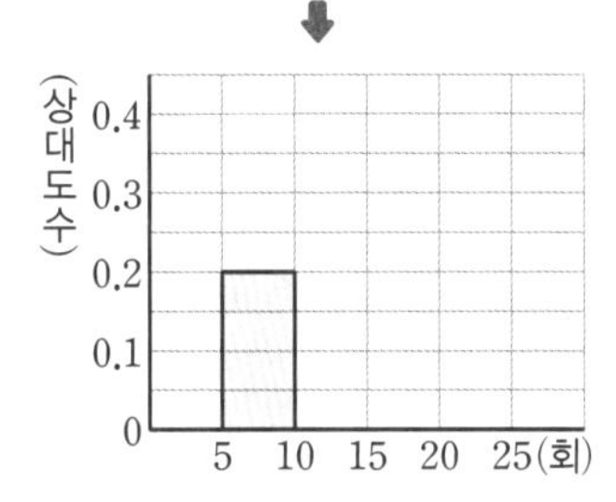

02 다음은 어느 은행에서 고객의 대기 시간을 조사하여 나타낸 상대도수의 분포표이다. 이 표를 히스토그램 모양의 그래프로 나타내시오.

대기 시간(분)	상대도수
5이상 ~ 10미만	0.24
10 ~ 15	0.28
15 ~ 20	0.26
20 ~ 25	0.14
25 ~ 30	0.08
합계	1

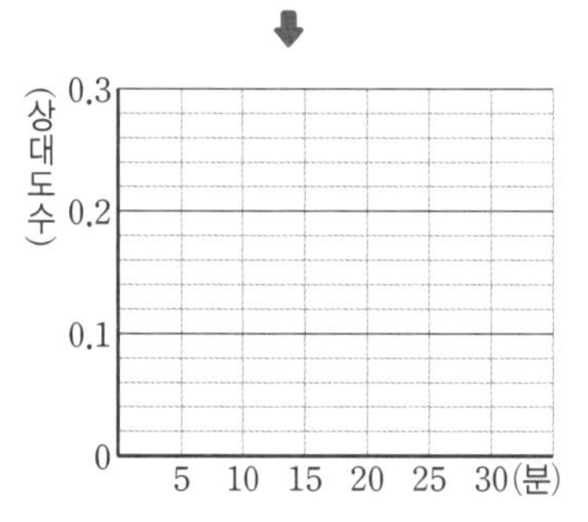

03 다음은 성인 500명의 하루 평균 수면 시간을 조사하여 나타낸 상대도수의 분포표이다. 이 표를 도수분포다각형 모양의 그래프로 나타내시오.

수면 시간(시간)	상대도수
4이상 ~ 5미만	0.05
5 ~ 6	0.15
6 ~ 7	0.3
7 ~ 8	0.35
8 ~ 9	0.15
합계	1

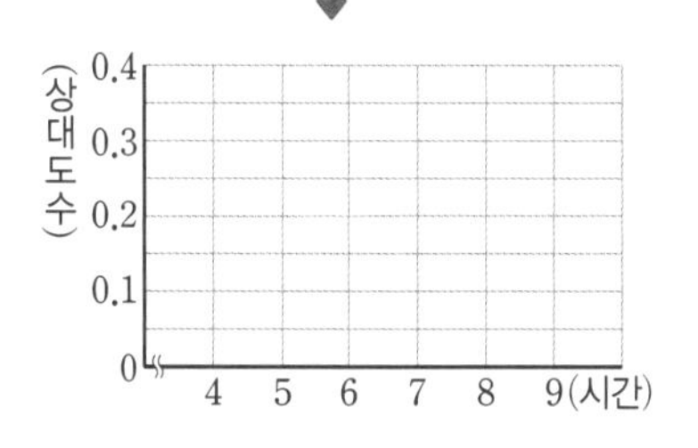

04 다음은 건우네 학교 학생 50명의 일주일 동안 운동한 시간에 대한 상대도수의 분포를 나타낸 그래프이다. 물음에 답하시오.

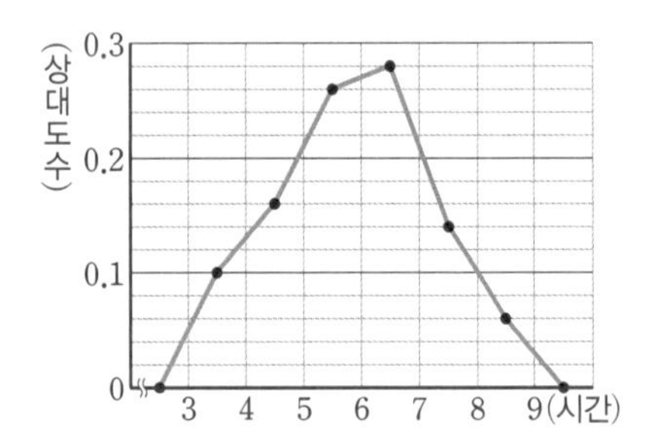

(1) 상대도수가 가장 큰 계급을 구하시오.

(2) 운동한 시간이 7시간 이상 8시간 미만인 계급의 상대도수를 구하시오.

(3) 운동한 시간이 3시간 이상 4시간 미만인 학생 수를 구하시오.

(4) 운동한 시간이 6시간 미만인 학생은 전체의 몇 %인지 구하시오.

05 다음은 어느 회사 직원들의 연봉에 대한 상대도수의 분포를 나타낸 그래프이다. 물음에 답하시오.

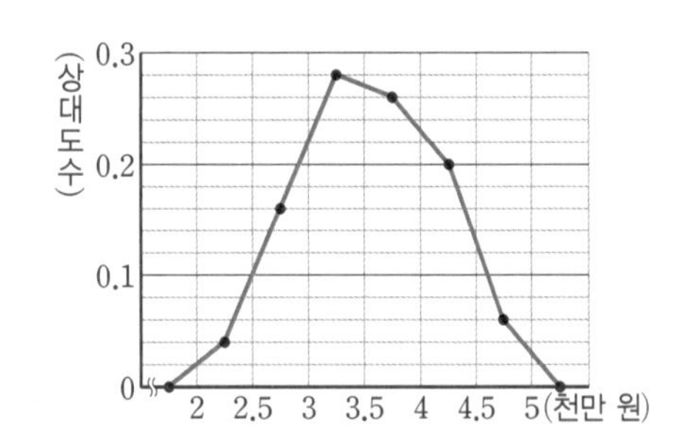

(1) 연봉이 2500만 원 이상 3000만 원 미만인 계급의 상대도수를 구하시오.

(2) 연봉이 3500만 원 미만인 직원은 전체의 몇 %인지 구하시오.

(3) 도수가 가장 작은 계급의 상대도수를 구하시오.

06 다음은 A 중학교와 B 중학교 학생들의 통학 거리에 대한 상대도수의 분포를 나타낸 그래프이다. 물음에 답하시오.

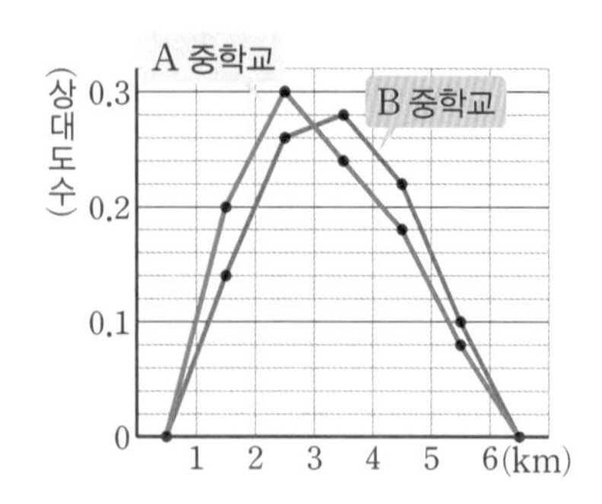

(1) A 중학교에서 통학 거리가 2 km 이상 3 km 미만인 계급의 상대도수를 구하시오.

(2) B 중학교에서 통학 거리가 2 km 이상 3 km 미만인 계급의 상대도수를 구하시오.

(3) A 중학교와 B 중학교 중 통학 거리가 3 km 이상 4 km 미만인 학생의 비율이 더 높은 중학교를 구하시오.

(4) A 중학교와 B 중학교 중 통학 거리가 1 km 이상 2 km 미만인 학생의 비율이 더 높은 중학교를 구하시오.

(5) A 중학교의 상대도수가 B 중학교의 상대도수보다 더 큰 계급을 모두 구하시오.

(6) A 중학교와 B 중학교 중 어느 중학교의 통학 거리가 더 가깝다고 할 수 있는지 구하시오.

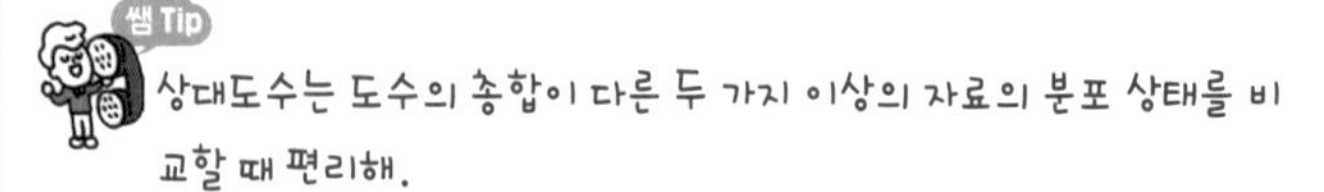

상대도수는 도수의 총합이 다른 두 가지 이상의 자료의 분포 상태를 비교할 때 편리해.

정답과 해설 _ p.47

01 오른쪽은 현미네 반 학생들의 하루 동안 마시는 물의 양에 대한 상대도수의 분포를 나타낸 그래프이다. 이때 하루 동안 마시는 물의 양이 1500 mL 미만인 학생은 전체의 몇 %인지 구하시오.

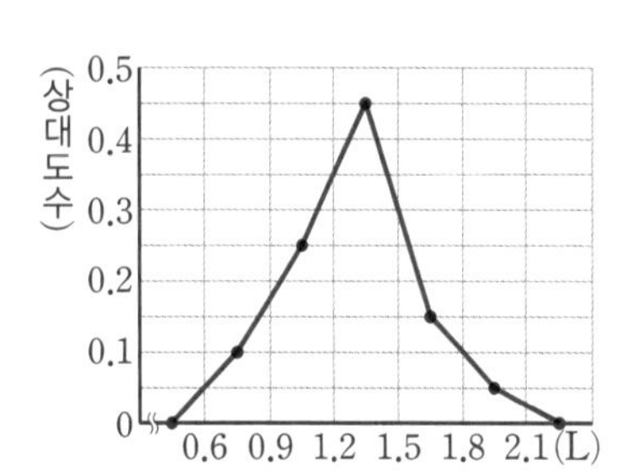

상대도수가 a인 계급의 백분율은 $a \times 100$(%)이다.

02 오른쪽은 어느 박물관의 입장객 500명의 나이에 대한 상대도수를 나타낸 그래프이다. 다음 중 옳지 않은 것은?

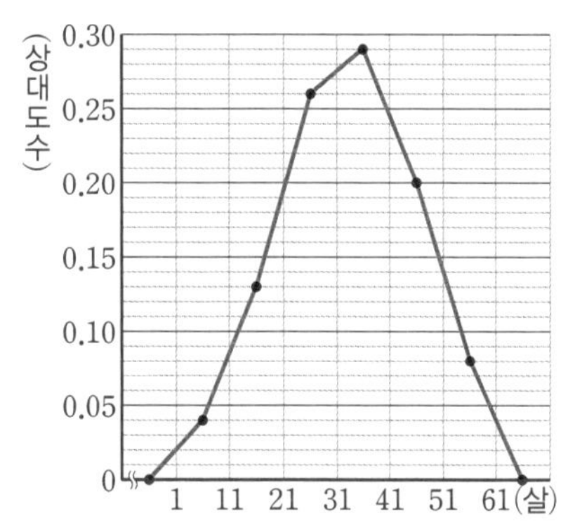

① 계급의 크기는 10살이다.
② 41살 이상 51살 미만인 계급의 도수는 100명이다.
③ 11살 이상 21살 미만인 계급의 상대도수는 0.13이다.
④ 도수가 가장 큰 계급은 31살 이상 41살 미만이다.
⑤ 나이가 31살 미만인 입장객 수는 200이다.

(각 계급의 입장객 수)
=(전체 입장객 수)
×(그 계급의 상대도수)

03 오른쪽은 성규네 반 학생들의 사회 성적에 대한 상대도수의 분포를 그래프로 나타낸 것인데 일부가 찢어져서 보이지 않는다. 이때 80점 이상 90점 미만인 계급의 상대도수를 구하시오.

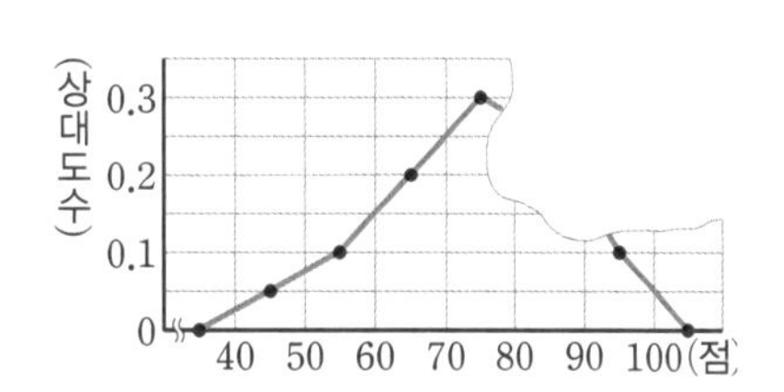

상대도수의 총합은 1이다.

중단원 연산 마무리

01 다음은 어느 영화관의 제1 상영관과 제2 상영관에서 최근 6개월 동안 상영한 영화의 상영 시간을 조사하여 줄기와 잎 그림으로 나타낸 것이다. 물음에 답하시오.

(2|8|3은 제1 상영관에서는 82분, 제2 상영관에서는 83분)

잎(제1 상영관)	줄기	잎(제2 상영관)
3 2	8	3 5 4
9 8 7 5 0	9	5 7
5 4 3 1	10	1 2 6
6 5 2	11	1 4 5 7
9 3	12	0 5

(1) 상영 시간이 가장 긴 영화는 어느 상영관에서 상영했는지 구하시오.

(2) 제1 상영관에서 잎이 가장 많은 줄기를 말하시오.

(3) 상영 시간이 110분 이상인 영화의 수를 구하시오.

02 다음은 어느 중학교 1학년 학생들의 제자리 멀리뛰기 기록을 조사하여 나타낸 자료이다. 왼쪽에 남학생의 기록, 오른쪽에 여학생의 기록을 적어 줄기와 잎 그림으로 나타내시오.

(단위: cm)

남학생			
157	135	145	162
166	175	153	132
169	147	173	179
150	168	165	178

(단위: cm)

여학생			
131	140	157	142
130	155	172	165
134	159	168	147
146	152	150	170

(2|13|0은 남학생에서는 132 cm, 여학생에서는 130 cm)

잎(남학생)	줄기	잎(여학생)
5 2	13	0
	14	
	15	
	16	
	17	

03 아래 표는 종우네 반 학생들의 체육 점수를 조사하여 나타낸 도수분포표이다. □ 안에 알맞은 수를 써넣고, 다음을 구하시오.

체육 점수(점)	학생 수(명)
60이상 ~ 70미만	4
□ ~ □	7
80 ~ 90	□
□ ~ 100	5
합계	25

(1) 체육 점수가 80점 미만인 학생 수

(2) 도수가 가장 작은 계급

(3) 체육 점수가 15번째로 높은 학생이 속하는 계급

04 오른쪽 표는 영제네 반 학생들이 지난 주말 동안 공부한 시간을 조사하여 나타낸 도수분포표이다. 다음을 구하시오.

시간(시간)	학생 수(명)
4이상 ~ 5미만	7
5 ~ 6	A
6 ~ 7	5
7 ~ 8	3
8 ~ 9	2
합계	35

(1) A의 값

(2) 공부한 시간이 7시간 이상인 학생 수

05 오른쪽 표는 시윤이네 반 학생 30명이 한 달 동안 학교 홈페이지에 접속한 횟수를 조사하여 나타낸 도수분포표이다. 물음에 답하시오.

접속 횟수(회)	학생 수(명)
0이상 ~ 2미만	3
2 ~ 4	5
4 ~ 6	A
6 ~ 8	9
8 ~ 10	6
합계	30

(1) A의 값을 구하시오.

(2) 도수가 가장 큰 계급을 구하시오.

(3) 접속 횟수가 6회 이상인 학생은 전체의 몇 %인지 구하시오.

06 다음은 악기 동아리 회원들의 나이를 조사하여 나타낸 히스토그램이다. 물음에 답하시오.

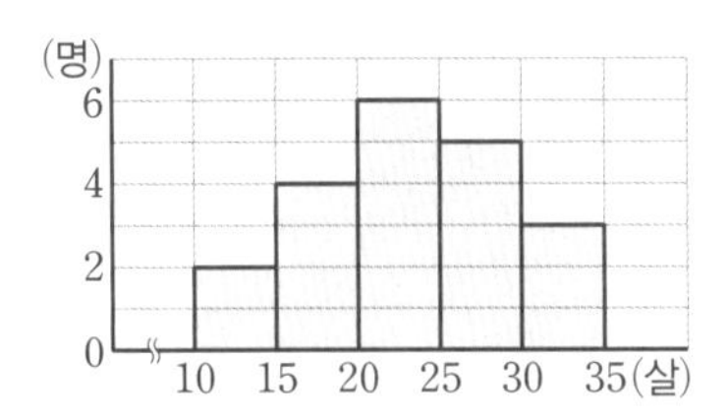

(1) 계급의 크기

(2) 악기 동아리의 회원 수를 구하시오.

(3) 직사각형의 넓이의 합을 구하시오.

(4) 나이가 10살 이상 20살 미만인 회원 수를 구하시오.

(5) 도수가 가장 큰 계급의 직사각형의 넓이는 도수가 가장 작은 계급의 직사각형의 넓이의 몇 배인지 구하시오.

07 다음은 체육부 학생 40명의 원반 던지기 기록을 조사하여 나타낸 것인데 일부가 찢어져서 보이지 않는다. 물음에 답하시오.

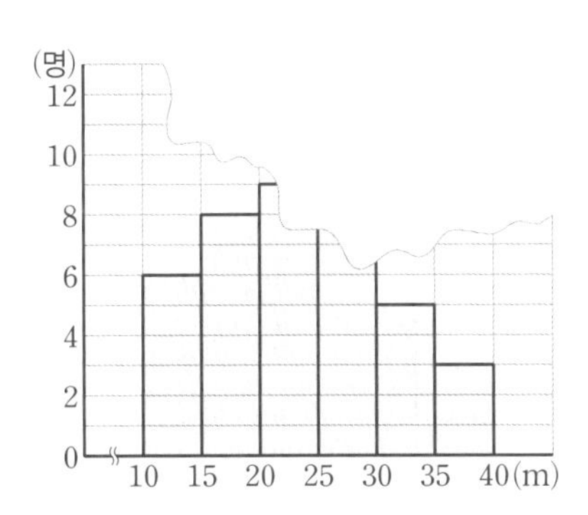

(1) 원반 던지기 기록이 25 m 이상 30 m 미만인 학생 수를 구하시오.

(2) 원반 던지기 기록이 30 m 이상인 학생이 예선 대회에 참가한다고 한다. 예선 대회에 참가하는 학생 수를 구하시오.

(3) 원반 던지기 기록이 20 m 이하인 학생은 전체의 몇 %인지 구하시오.

08 아래는 인수네 반 학생 30명이 한 학기 동안 도서관을 이용한 횟수를 조사하여 나타낸 도수분포다각형인데 일부가 찢어져서 보이지 않는다. 다음을 구하시오.

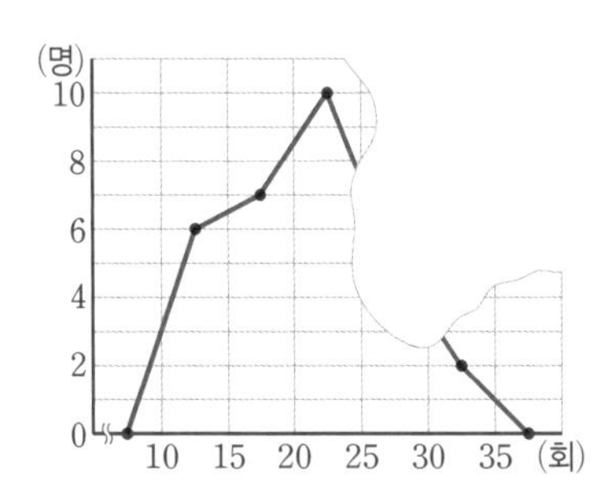

(1) 도서관을 이용한 횟수가 25회 이상 30회 미만인 계급의 도수

(2) 도서관을 가장 많이 이용한 학생이 속하는 계급의 도수

(3) 도서관을 이용한 횟수가 많은 쪽에서 8번째인 학생이 속하는 계급

(4) 도수분포다각형과 가로축으로 둘러싸인 부분의 넓이

09 아래는 현지네 반 학생들의 한 달 용돈을 조사하여 나타낸 도수분포다각형이다. 다음 설명 중 옳은 것에는 ○표, 옳지 않은 것에는 ×표를 하시오.

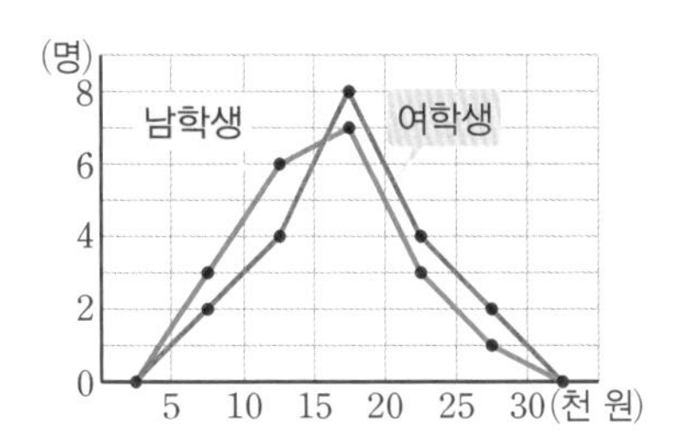

(1) 남학생 수가 여학생 수보다 적다. ( )

(2) 여학생이 남학생보다 대체로 용돈이 더 많다. ( )

(3) 용돈이 가장 많은 학생은 여학생 중에 있다. ( )

(4) 용돈이 2만 원 이상인 학생은 전체의 20 %이다. ( )

10 아래는 어느 중학교 1학년 학생들의 가방 무게를 조사하여 나타낸 상대도수의 분포표이다. 다음을 구하시오.

가방 무게(kg)	상대도수
$1^{이상} \sim 2^{미만}$	0.15
2 ~ 3	0.3
3 ~ 4	A
4 ~ 5	0.2
합계	

(1) A의 값

(2) 도수가 가장 큰 계급

(3) 전체 학생 수가 200명일 때, 가방 무게가 3 kg 미만인 학생 수

11 다음은 연호네 반 학생들이 한 달 동안 분식점에 간 횟수를 조사하여 나타낸 상대도수의 분포표이다. 물음에 답하시오.

분식점에 간 횟수(회)	도수(명)	상대도수
$3^{이상} \sim 5^{미만}$	4	0.1
5 ~ 7	6	B
7 ~ 9	A	C
9 ~ 11	12	0.3
11 ~ 13	4	0.1
합계		D

(1) 도수의 총합을 구하시오.

(2) A, B, C, D의 값을 각각 구하시오.

(3) 분식점에 간 횟수가 7회 이상인 학생은 전체의 몇 %인지 구하시오.

12 아래는 어느 음식점에서 저녁 식사 시간의 손님 수에 대한 상대도수의 분포를 그래프로 나타낸 것이다. 물음에 답하시오.

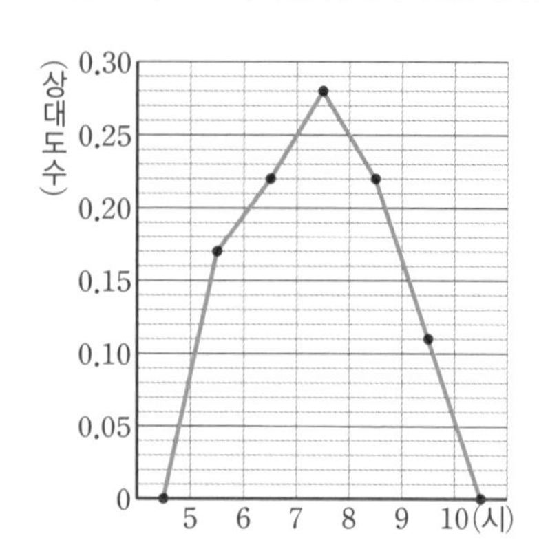

(1) 손님 수가 가장 많은 계급을 구하시오.

(2) 8시 이후에 온 손님은 전체의 몇 %인지 구하시오.

(3) 상대도수의 분포를 나타낸 그래프와 가로축으로 둘러싸인 부분의 넓이를 구하시오.

13 아래는 어느 중학교 학생들의 수학 성적에 대한 상대도수의 분포를 나타낸 그래프인데 일부가 찢어져서 보이지 않는다. 80점 이상 90점 미만인 계급의 학생 수가 9일 때, 다음을 구하시오.

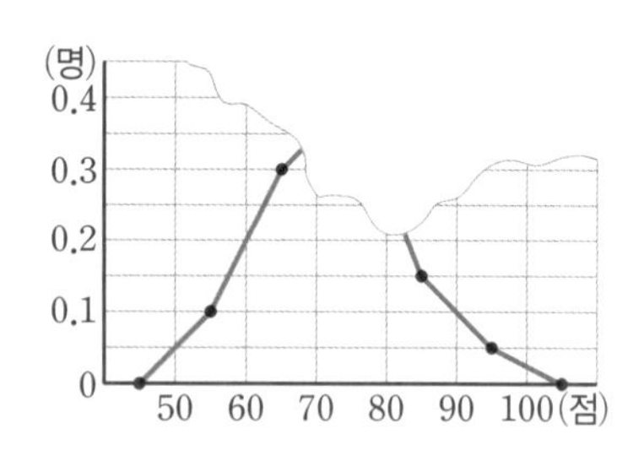

(1) 수학 성적이 70점 이상 80점 미만인 계급의 상대도수

(2) 전체 학생 수

(3) 수학 성적이 상위 20 %에 포함되는 학생 수

정답과 해설 _ p.47

도전 100점

14 다음은 과학관과 미술관을 방문한 방문객의 나이를 조사하여 나타낸 상대도수의 분포표이다. 물음에 답하시오.

방문객의 나이(살)	과학관		미술관	
	도수(명)	상대도수	도수(명)	상대도수
10이상~ 20미만	150		200	
20 ~ 30	250		300	
30 ~ 40	350		400	
40 ~ 50	150		400	
50 ~ 60	100		700	
합계	1000		2000	

(1) 나이가 30살 이상 40살 미만인 방문객의 비율은 어느 곳이 더 높은지 구하시오.

(2) 나이가 40살 이상인 방문객의 비율은 어느 곳이 더 높은지 구하시오.

15 아래는 지영이네 반 학생들의 1학기 체육 수행평가 점수에 대한 상대도수의 분포를 그래프로 나타낸 것이다. 다음 설명 중 옳은 것에는 ○표, 옳지 않은 것에는 ×표를 하시오.

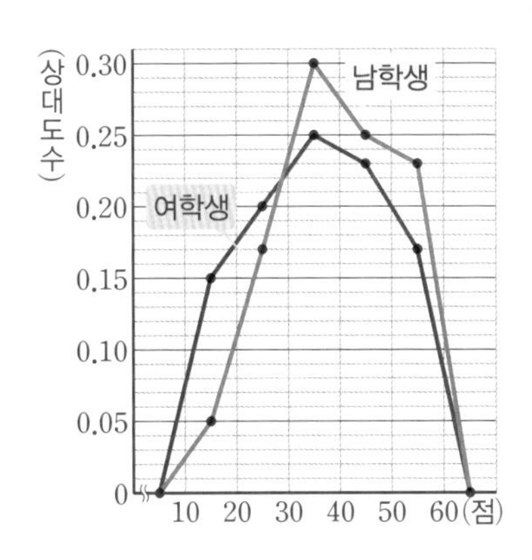

(1) 남학생 수와 여학생 수는 같다. ( )

(2) 여학생의 상대도수의 총합이 남학생의 상대도수의 총합보다 크다. ( )

(3) 20점 이상 30점 미만인 계급에서 남학생보다 여학생의 상대도수가 더 높다. ( )

(4) 체육 수행평가 점수는 남학생이 여학생보다 높은 편이다. ( )

16 오른쪽은 어느 학교 학생 50명의 영어 듣기 평가 점수를 조사하여 나타낸 도수분포표이다. 점수가 높은 쪽에서 25번째인 학생이 속하는 계급을 구하시오.

점수(점)	학생 수(명)
0이상~ 4미만	3
4 ~ 8	$2x$
8 ~ 12	15
12 ~ 16	$5x$
16 ~ 20	x
합계	50

17 다음은 어느 중학교 1학년 학생 40명의 농구 자유투 성공 횟수를 조사하여 나타낸 히스토그램인데 일부가 찢어져서 보이지 않는다. 자유투 성공 횟수가 8회 미만인 학생이 전체의 60 %일 때, 자유투 성공 횟수가 8회 이상 10회 미만인 학생 수를 구하시오.

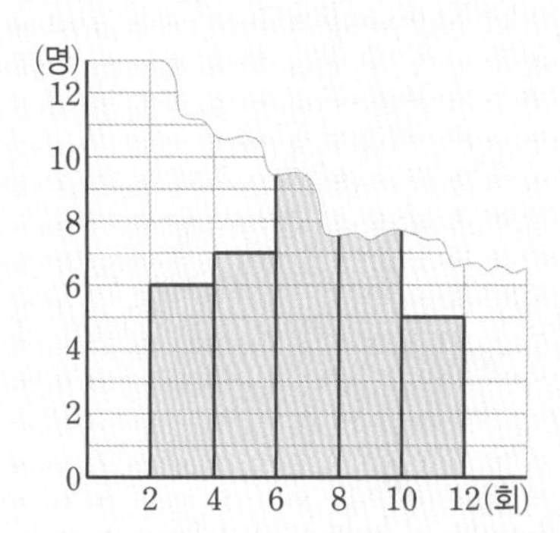

18 다음은 어느 중학교 학생들의 발의 크기에 대한 상대도수의 분포표인데 일부가 찢어져서 보이지 않는다. 발의 크기가 235 mm 이상인 학생이 전체의 75 %일 때, 발의 크기가 230 mm 이상 235 mm 미만인 학생 수를 구하시오.

발의 크기(mm)	도수(명)	상대도수
225이상~ 230미만	8	0.05
230 ~ 235		
235 ~ 240		

나만의 비법 노트

힘수 연산으로 **수학** 기초 체력 **UP!**

힘이 붙는 수학 연산

정답과 해설

중등 1-2

금성출판사

푸르넷 에듀 소개

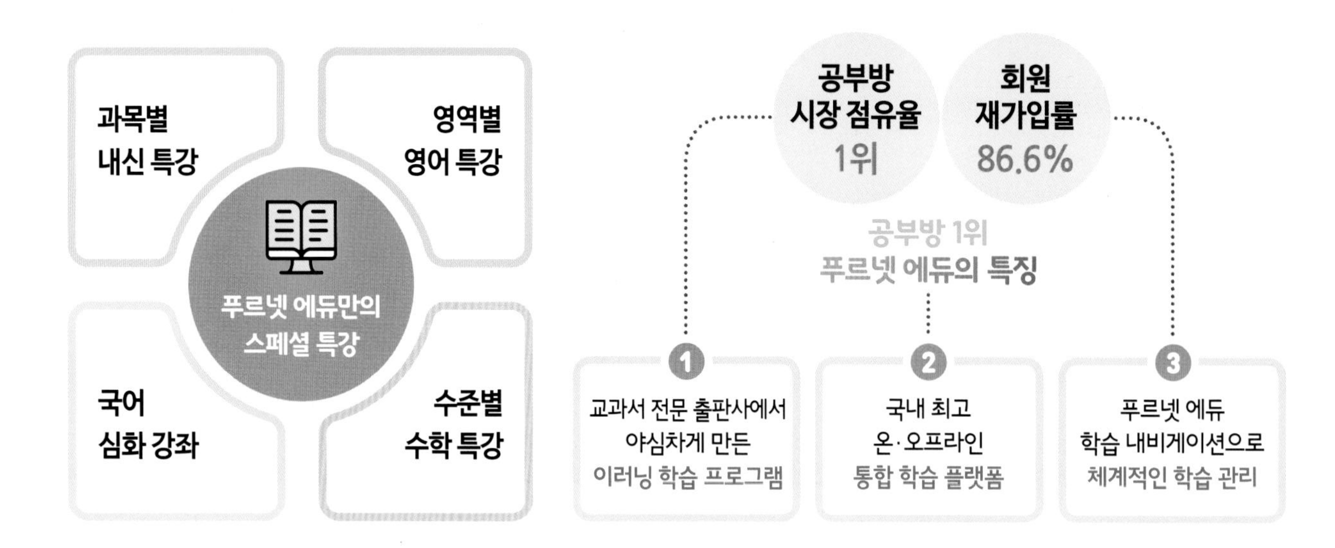

과목별
내신 특강
영역별
영어 특강
푸르넷 에듀만의
스페셜 특강
국어
심화 강좌
수준별
수학 특강
공부방
시장 점유율
1위
회원
재가입률
86.6%
공부방 1위
푸르넷 에듀의 특징
1
교과서 전문 출판사에서
야심차게 만든
이러닝 학습 프로그램
2
국내 최고
온·오프라인
통합 학습 플랫폼
3
푸르넷 에듀
학습 내비게이션으로
체계적인 학습 관리

푸르넷 에듀 상품

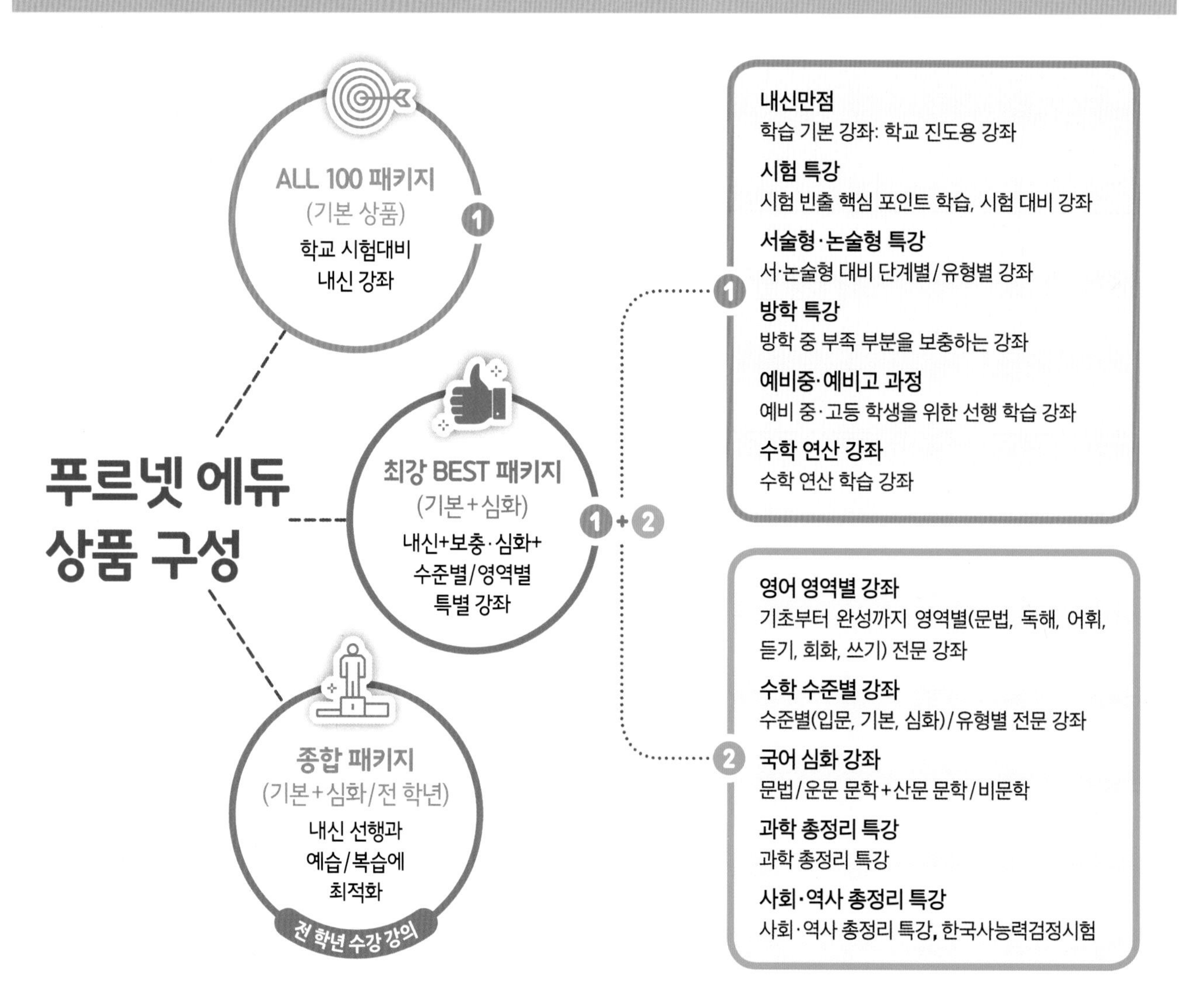

푸르넷 에듀
상품 구성
ALL 100 패키지
(기본 상품)
학교 시험대비
내신 강좌
1
최강 BEST 패키지
(기본+심화)
내신+보충·심화+
수준별/영역별
특별 강좌
1+2
종합 패키지
(기본+심화/전 학년)
내신 선행과
예습/복습에
최적화
전 학년 수강 강의
1
내신만점
학습 기본 강좌: 학교 진도용 강좌
시험 특강
시험 빈출 핵심 포인트 학습, 시험 대비 강좌
서술형·논술형 특강
서·논술형 대비 단계별/유형별 강좌
방학 특강
방학 중 부족 부분을 보충하는 강좌
예비중·예비고 과정
예비 중·고등 학생을 위한 선행 학습 강좌
수학 연산 강좌
수학 연산 학습 강좌
2
영어 영역별 강좌
기초부터 완성까지 영역별(문법, 독해, 어휘, 듣기, 회화, 쓰기) 전문 강좌
수학 수준별 강좌
수준별(입문, 기본, 심화)/유형별 전문 강좌
국어 심화 강좌
문법/운문 문학+산문 문학/비문학
과학 총정리 특강
과학 총정리 특강
사회·역사 총정리 특강
사회·역사 총정리 특강, 한국사능력검정시험

정답과 해설

중등 1-2

정답과 해설

IV 기본 도형

힘수 점검 7쪽

1. (1) 점 ㅇ (2) 변 ㅅㅂ (3) 각 ㅅㅂㅁ

2. (1) 6 cm (2) 40° (3) 65° (4) 75°

3. (1) 점 ㅅ (2) 변 ㅅㅂ (3) 각 ㄱㅇㅅ

4. (1)

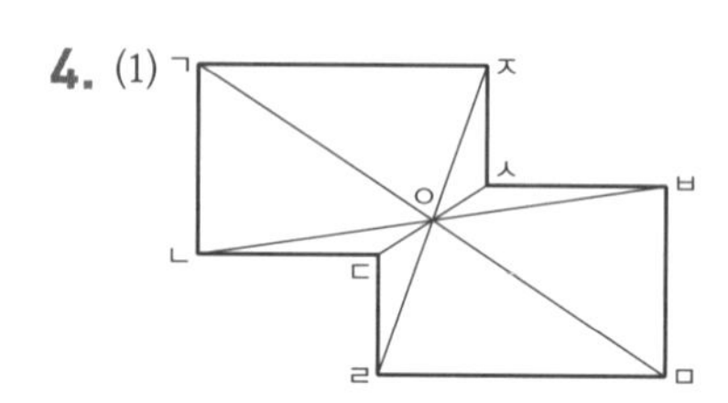

(2) 예 길이가 서로 같다.

1강 + 점, 선, 면 8~10쪽

01 (1) 평 (2) 입 (3) 입 (4) 평 (5) 입 (6) 입
02 (1) ○ (2) × (3) ○ (4) ×
03 (1) 점 B (2) 점 D (3) 모서리 CD (또는 모서리 DC)
(4) 모서리 EF (또는 모서리 FE)
04 (1) 6 (2) ① 4, ② 6 (3) ① 10, ② 15
05 (1) $\overleftrightarrow{PQ}$ (또는 $\overleftrightarrow{QP}$) (2) $\overrightarrow{PQ}$
(3) $\overline{PQ}$ (4) $\overrightarrow{QP}$
06 (1) = (2) ≠ (3) = **07** 해설 참조
08 (1) $\overleftrightarrow{AB}$, $\overleftrightarrow{DB}$, $\overleftrightarrow{CA}$ (2) $\overrightarrow{AB}$, $\overrightarrow{AC}$ (3) $\overline{AB}$
09 (1) $\overleftrightarrow{AB}$, $\overleftrightarrow{AC}$, $\overleftrightarrow{BC}$ (또는 $\overleftrightarrow{BA}$, $\overleftrightarrow{CA}$, $\overleftrightarrow{CB}$)
(2) $\overrightarrow{AB}$, $\overrightarrow{AC}$, $\overrightarrow{BA}$, $\overrightarrow{BC}$, $\overrightarrow{CA}$, $\overrightarrow{CB}$
(3) $\overline{AB}$, $\overline{AC}$, $\overline{BC}$ (또는 $\overline{BA}$, $\overline{CA}$, $\overline{CB}$
10 (1) 7 cm (2) 12 cm (3) 4 cm
11 (1) 3 cm (2) 5 cm (3) 8 cm
12 (1) $\frac{1}{2}$, 7 / $\frac{1}{2}$, 7 (2) 6 / 2, 12
13 (1) 8 (2) 9 **14** (1) 10 cm (2) 5 cm (3) 15 cm

01 오각형, 반원 등과 같이 한 평면 위에 있는 도형은 평면도형이다. 직육면체, 삼각기둥, 구, 사각뿔 등과 같이 한 평면 위에 있지 않은 도형은 입체도형이다.

02 (2) 선은 곡선일 수도 있다.
(3) 점이 움직인 자리는 선이 되고, 선이 움직인 자리는 면이 된다.
(4) 원뿔과 같은 입체도형은 평면과 곡면으로 둘러싸여 있다.

03 (1) 모서리 BC와 모서리 BF는 점 B에서 만난다.
(2) 모서리 CD와 면 AEHD는 점 D에서 만난다.
(3) 면 ABCD와 면 CGHD는 모서리 CD에서 만난다.
(4) 면 EFGH와 면 ABFE는 모서리 EF에서 만난다.

04 (1) (교점의 개수) = (꼭짓점의 개수) = 6
(2) ① (교점의 개수) = (꼭짓점의 개수) = 4
② (교선의 개수) = (모서리의 개수) = 6
(3) ① (교점의 개수) = (꼭짓점의 개수) = 10
② (교선의 개수) = (모서리의 개수) = 15

05 (1) 서로 다른 두 점 P, Q를 지나는 직선이다. ⇨ $\overleftrightarrow{PQ}$
(2) 점 P에서 출발하여 점 Q 방향으로 뻗은 반직선이다. ⇨ $\overrightarrow{PQ}$
(3) 점 P에서 점 Q까지 이은 선분이다. ⇨ $\overline{PQ}$
(4) 점 Q에서 출발하여 점 P 방향으로 뻗은 반직선이다.
⇨ $\overrightarrow{QP}$

06 (2) $\overrightarrow{PQ}$와 $\overrightarrow{QP}$는 시작점과 뻗은 방향이 다르므로
$\overrightarrow{PQ} \neq \overrightarrow{QP}$이다.
[참고] 두 반직선이 같으려면 시작점과 뻗는 방향이 모두 같아야 한다.

07 (1) A B C
(2) A B C
(3) A B C
(4) A B C
(5) A B C
(6) A B C

12 (1) $\overline{AM} = \overline{MB} = \frac{1}{2}\overline{AB}$ 이므로
$\overline{AM} = \overline{MB} = \frac{1}{2} \times 14 = 7\,(\text{cm})$
(2) $\overline{AM} = \overline{MB}$ 이고, $\overline{AB} = 2\overline{AM} = 2\overline{MB}$ 이므로
$\overline{AB} = 2\overline{AM} = 2 \times 6 = 12\,(\text{cm})$

13 (1) $\overline{AM} = \overline{MN} = \overline{NB} = \frac{1}{3}\overline{AB}$ 이므로
$\overline{AM} = \overline{MN} = \overline{NB} = \frac{1}{3} \times 24 = 8\,(\text{cm})$
(2) $\overline{AB} = 3\overline{AM} = 3\overline{MN} = 3\overline{NB}$ 이므로
$\overline{AB} = 3 \times 3 = 9\,(\text{cm})$

14 (1) $\overline{AM} = \overline{MB} = \frac{1}{2}\overline{AB}$ 이므로
$\overline{AM} = \frac{1}{2} \times 20 = 10\,(\text{cm})$
(2) $\overline{MN} = \overline{NB} = \frac{1}{2}\overline{MB}$ 이므로
$\overline{MN} = \frac{1}{2} \times 10 = 5\,(\text{cm})$
(3) $\overline{AN} = \overline{AM} + \overline{MN} = 10 + 5 = 15\,(\text{cm})$

힘수 만점 11쪽

01 15 02 ④ 03 ㄱ, ㄹ
04 (1) 14 cm (2) 7 cm (3) 21 cm

01 (교점의 개수)=(꼭짓점의 개수)이므로 $a=6$
(교선의 개수)=(모서리의 개수)이므로 $b=9$
$\therefore a+b=6+9=15$

02 직선은 $\overleftrightarrow{AB}$, $\overleftrightarrow{AC}$, $\overleftrightarrow{AD}$, $\overleftrightarrow{BC}$, $\overleftrightarrow{BD}$, $\overleftrightarrow{CD}$의 6개이다.

03 ㄱ. $\overleftrightarrow{AB}=\overleftrightarrow{CD}$
ㄴ. 시작점과 뻗어 나가는 방향이 모두 다르므로 두 반직선은 같지 않다.
$\therefore \overrightarrow{BC}\neq\overrightarrow{CB}$
ㄷ. $\overline{AB}\neq\overline{BC}$
ㄹ. 시작점과 뻗어 나가는 방향이 모두 같으므로 두 반직선은 같다.
$\therefore \overrightarrow{BC}=\overrightarrow{BD}$

04 (1) $\overline{MB}=\frac{1}{2}\overline{AB}$
$=\frac{1}{2}\times 28=14\,(\text{cm})$
(2) $\overline{AM}=\overline{MB}=14$ cm이므로
$\overline{NM}=\frac{1}{2}\overline{AM}=\frac{1}{2}\times 14=7\,(\text{cm})$
(3) $\overline{NB}=\overline{NM}+\overline{MB}$
$=7+14=21\,(\text{cm})$

2강 + 각 12~14쪽

01 ∠CBA / ∠ACB, ∠BCA
02 (1) ㄱ, ㄷ, ㅂ, ㅇ (2) ㄹ (3) ㄴ, ㅁ (4) ㅅ
03 (1) 45° (2) 60° (3) 18° (4) 20° (5) 25° (6) 10°
04 (1) 105° (2) 25° (3) 20° (4) 15° (5) 25° (6) 8°
05 (1) ∠DOE (2) ∠DOC (3) ∠EOA
(4) ∠BOF (5) ∠COB (6) ∠AOC
06 (1) $\angle x=65°$, $\angle y=55°$
(2) $\angle x=70°$, $\angle y=30°$
(3) $\angle x=25°$, $\angle y=90°$
07 (1) 14° (2) 25° (3) 20°
08 (1) $\angle x=50°$, $\angle y=130°$
(2) $\angle x=45°$, $\angle y=135°$
(3) $\angle x=36°$, $\angle y=54°$
09 (1) 25° (2) 35° (3) 23°

01 각의 꼭짓점은 항상 가운데에 쓴다.

03 (1) $\angle x+45°=90°$이므로 $\angle x=90°-45°=45°$
(2) $\angle x+30°=90°$이므로 $\angle x=90°-30°=60°$
(3) $2\angle x+3\angle x=90°$이므로 $5\angle x=90°$
$\therefore \angle x=18°$
(4) $2\angle x+15°+35°=90°$이므로 $2\angle x+50°=90°$,
$2\angle x=40°$ $\quad\therefore \angle x=20°$
(5) $2\angle x+5°+20°+\angle x-10°=90°$이므로
$3\angle x+15°=90°$, $3\angle x=75°$ $\quad\therefore \angle x=25°$
(6) $2\angle x+1°+3\angle x+10°+3\angle x-1°=90°$이므로
$8\angle x+10°=90°$, $8\angle x=80°$ $\quad\therefore \angle x=10°$

04 (1) $\angle x+75°=180°$이므로 $\angle x=180°-75°=105°$
(2) $\angle x+90°+65°=180°$이므로 $\angle x+155°=180°$
$\therefore \angle x=25°$
(3) $4\angle x+5\angle x=180°$이므로 $9\angle x=180°$
$\therefore \angle x=20°$
(4) $3\angle x+75°+60°=180°$이므로 $3\angle x+135°=180°$,
$3\angle x=45°$ $\quad\therefore \angle x=15°$
(5) $40°+\angle x+5\angle x-10°=180°$이므로
$6\angle x+30°=180°$, $6\angle x=150°$ $\quad\therefore \angle x=25°$
(6) $10\angle x+60°+2\angle x+3\angle x=180°$이므로
$15\angle x+60°=180°$, $15\angle x=120°$
$\therefore \angle x=8°$

07 (1) $35°=2\angle x+7°$이므로 $2\angle x=28°$ $\quad\therefore \angle x=14°$
(2) $4\angle x-30°=\angle x+45°$이므로 $3\angle x=75°$
$\therefore \angle x=25°$
(3) $7\angle x-10°=6\angle x+10°$
$\therefore \angle x=20°$

08 (1) $\angle x=50°$(맞꼭지각)
$\angle y+50°=180°$이므로 $\angle y=130°$
(2) $135°+\angle x=180°$이므로 $\angle x=45°$
$\angle y=135°$(맞꼭지각)
(3) $\angle x=36°$(맞꼭지각)
$\angle y=90°-36°=54°$

09 (1) $30°+125°+\angle x=180°$이므로 $155°+\angle x=180°$
$\therefore \angle x=25°$
(2) $90°+55°+\angle x=180°$이므로 $145°+\angle x=180°$
$\therefore \angle x=35°$
(3) $3\angle x+6°+4\angle x-10°+\angle x=180°$이므로
$8\angle x-4°=180°$, $8\angle x=184°$
$\therefore \angle x=23°$

힘수 만점 15쪽

01 (1) 직각 (2) 둔각 (3) 평각 (4) 예각
02 (1) 35° (2) 27° **03** 50° **04** 6쌍 **05** 52°

01 (1) $\angle AOB$는 90°이므로 직각이다.
(2) $\angle AOC$는 90°보다 크고 180°보다 작으므로 둔각이다.
(3) $\angle AOD$는 평각이다.
(4) $\angle BOC$는 0°보다 크고 90°보다 작으므로 예각이다.

02 (1) $\angle x+145°=180°$이므로 $\angle x=35°$
(2) $\angle x+63°=90°$이므로 $\angle x=27°$

03 $\angle y=\frac{5}{4+5}\times 90°=50°$

04

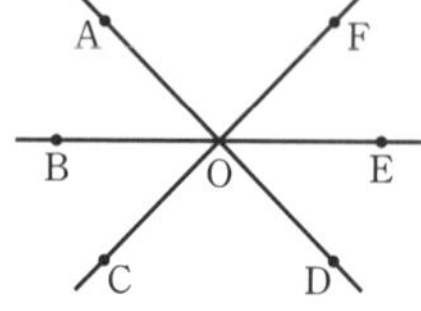

$\overleftrightarrow{AD}$ 와 $\overleftrightarrow{BE}$ 가 만나서 생기는 맞꼭지각:
$\angle AOB=\angle DOE$, $\angle AOE=\angle DOB$ ⇨ 2쌍
$\overleftrightarrow{AD}$ 와 $\overleftrightarrow{CF}$ 가 만나서 생기는 맞꼭지각:
$\angle AOC=\angle DOF$, $\angle AOF=\angle DOC$ ⇨ 2쌍
$\overleftrightarrow{BE}$ 와 $\overleftrightarrow{CF}$ 가 만나서 생기는 맞꼭지각:
$\angle BOC=\angle EOF$, $\angle BOF=\angle EOC$ ⇨ 2쌍
따라서 맞꼭지각은 모두 $2\times 3=6$(쌍)이 생긴다.
[참고] 서로 다른 n개의 직선이 한 점에서 만날 때 생기는 맞꼭지각의 쌍의 수 ⇨ $n(n-1)$쌍

05 $15°+90°+\angle y=180°$이므로 $105°+\angle y=180°$
$\therefore \angle y=75°$
$5\angle x-10°+\angle y=180°$이므로 $5\angle x-10°+75°=180°$,
$5\angle x+65°=180°$, $5\angle x=115°$ $\therefore \angle x=23°$
$\therefore \angle y-\angle x=75°-23°=52°$

3강 + 수직과 수선 16~17쪽

01 (1) 직교 (2) ⊥ (3) 수직이등분선 (4) 4
02 (1) 14 cm (2) 90°
03 (1) O (2) $\overline{AO}$
04 (1) $\overline{AB}$, $\overline{DC}$ (2) 점 B (3) 점 C (4) 7 cm
05 (1) $\overline{AD}$, $\overline{BC}$ (2) $\overline{DC}$ (3) 점 C (4) 5 cm (5) 4 cm
06 (1) 점 C (2) 8 cm (3) 9 cm
07 (1) 점 B (2) 7.2 cm (3) 9 cm
08 (1) 점 H (2) 3.6 cm (3) 4.5 cm

01 (1) 두 선분의 교각이 직각일 때, 두 선분은 직교한다고 한다.
(2) $\overleftrightarrow{AB}$와 $\overleftrightarrow{CD}$는 직교한다. ⇨ $\overleftrightarrow{AB}\perp\overleftrightarrow{CD}$
(3) $\overleftrightarrow{CD}$는 $\overline{AB}$의 중점을 지나고 $\overline{AB}$에 수직이므로 $\overleftrightarrow{CD}$는 $\overline{AB}$의 수직이등분선이다.
(4) $\overline{AO}=\frac{1}{2}\overline{AB}=\frac{1}{2}\times 8$
$=4$(cm)

02 (1) $\overleftrightarrow{CD}$는 $\overline{AB}$ 의 수직이등분선이므로 $\overline{DB}=\overline{AD}=7$ cm이다.
$\therefore \overline{AB}=2\times 7=14$(cm)
(2) $\angle CDB=90°$

04 (4) 점 B와 $\overline{DC}$ 사이의 거리는 $\overline{BC}=7$ cm

05 (4) 점 D와 $\overline{BC}$ 사이의 거리는 $\overline{DC}=5$ cm
(5) 점 A와 $\overline{DC}$ 사이의 거리는 $\overline{AD}=4$ cm

06 (2) 점 A와 $\overline{BD}$ 사이의 거리는 $\overline{AC}=8$ cm
(3) 점 B와 $\overline{AD}$ 사이의 거리는 $\overline{BE}=9$ cm

07 (2) 점 B와 $\overline{AC}$ 사이의 거리는 $\overline{BH}=7.2$ cm
(3) 점 C와 $\overline{AB}$ 사이의 거리는 $\overline{BC}=9$ cm

08 (2) 점 C와 $\overline{AB}$ 사이의 거리는 $\overline{CH}=3.6$ cm
(3) 점 B와 $\overline{AC}$ 사이의 거리는 $\overline{BC}=4.5$ cm

힘수 만점 18쪽

01 (1) $\overleftrightarrow{PM}\perp\overleftrightarrow{AB}$ (2) 11 cm (3) 22 cm
02 ② **03** (1) 점 C (2) 10 cm **04** 6 cm

01 (2) $\overline{MB}=\overline{AM}=11$ cm
(3) $\overline{AB}=2\overline{AM}=2\times 11=22$(cm)

02 ② $\overline{CD}=2\overline{CO}=2\overline{OD}$ 이지만 $\overline{AB}=2\overline{OA}$ 인지는 알지 못한다.
③ $\angle AOC=\angle AOD=90°$

03 (2) 점 B와 $\overline{DC}$ 사이의 거리는 $\overline{BC}=10$ cm

04 점 D에서 $\overline{BC}$ 에 수선의 발을 내리면 그림과 같다.

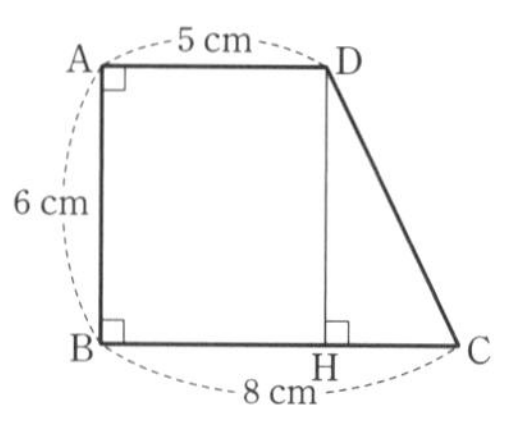

따라서 점 D와 $\overline{BC}$ 사이의 거리는 $\overline{DH}=\overline{AB}=6$ cm

4강 두 직선의 위치 관계 19~21쪽

01 (1) × (2) ○ (3) ○ (4) × (5) ○
02 (1) $\overline{AB}$, $\overline{AD}$, $\overline{AE}$ (2) 점 D, 점 H
(3) 점 A, 점 B, 점 E, 점 F
(4) 점 E, 점 F, 점 G, 점 H
03 (1) $\overline{AB}$, $\overline{BC}$, $\overline{BE}$ (2) 점 D, 점 F
(3) 점 A, 점 B, 점 C
(4) 점 A, 점 D
(5) 면 ABC, 면 BEFC, 면 ADFC
(6) 면 ABC, 면 ADEB
04 (1) ㄱ (2) ㄴ (3) ㄱ (4) ㄷ (5) ㄴ
05 (1) 평행하다. (2) 평행하다. (3) 한 점에서 만난다.
06 (1) $\overline{AB}$, $\overline{CD}$ (2) $\overline{CD}$
(3) $\overline{AD}$와 $\overline{CD}$ (4) $\overline{BC}$
07 (1) $\overline{AF}$ (2) $\overline{EF}$ (3) $\overline{BC}$
(4) $\overline{AF}$ (5) $\overline{EF}$와 $\overline{DE}$
08 (1) × (2) ○ (3) ○ (4) ○ (5) × (6) ○ (7) ×
09 (1) $\overline{AB}$, $\overline{AE}$, $\overline{CD}$, $\overline{DH}$ (2) $\overline{BF}$, $\overline{CG}$, $\overline{DH}$
(3) $\overline{AB}$, $\overline{AE}$, $\overline{CD}$, $\overline{DH}$
10 (1) $\overline{CD}$ (2) $\overline{AC}$ (3) $\overline{BC}$
11 (1) $\overline{CF}$, $\overline{DF}$, $\overline{EF}$ (2) $\overline{BC}$, $\overline{EF}$ (3) $\overline{AB}$, $\overline{BC}$, $\overline{BE}$

01 (1) 점 C는 직선 l 위에 있다.
(4) 점 D는 직선 m 위에 있지 않다.

08 (1) $\overline{AB}$와 $\overline{IJ}$는 꼬인 위치에 있다.
(5) $\overline{AF}$와 평행한 모서리는 $\overline{BG}$, $\overline{CH}$, $\overline{DI}$, $\overline{EJ}$의 4개이다.
(7) $\overline{EJ}$와 꼬인 위치에 있는 모서리는 $\overline{AB}$, $\overline{BC}$, $\overline{CD}$, $\overline{FG}$, $\overline{GH}$, $\overline{HI}$의 6개이다.

09 (3) 모서리 FG와 꼬인 위치에 있는 모서리를 찾는다.

힘수 만점 22쪽

01 (1) 점 B, 점 C (2) 점 A, 점 D (3) 점 A, 점 B
02 ⑤
03 (1) $\overline{BC}$ (2) $\overline{AD}$, $\overline{CD}$
(3) $\overline{AB}$, $\overline{CD}$
04 (1) $\overline{CF}$, $\overline{CG}$, $\overline{DG}$, $\overline{EF}$
(2) $\overline{AD}$, $\overline{AC}$, $\overline{CG}$, $\overline{DG}$, $\overline{DE}$
(3) $\overline{AB}$, $\overline{EF}$, $\overline{BF}$, $\overline{DE}$
05 11

01 직선 l 위에 있는 점은 점 B, 점 C이고, 직선 l 위에 있지 않은 점은 점 A, 점 D이다.
평면 P 위에 있는 점은 점 C, D이고, 평면 P 위에 있지 않은 점은 점 A, 점 B이다.

02 ⑤ 꼬인 위치에 있는 두 직선은 한 평면 위에 있지 않다.

04 꼬인 위치에 있는 모서리는 한 점에서 만나는 모서리와 평행한 모서리를 지우면 구할 수 있다.

05 $\overline{GH}$와 평행한 모서리는 $\overline{AB}$, $\overline{DE}$, $\overline{JK}$의 3개이므로 $a=3$
$\overline{FL}$과 꼬인 위치에 있는 모서리는 $\overline{AB}$, $\overline{BC}$, $\overline{CD}$, $\overline{DE}$, $\overline{GH}$, $\overline{HI}$, $\overline{IJ}$, $\overline{JK}$의 8개이므로 $b=8$
$\therefore a+b=3+8=11$

5강 직선과 평면, 두 평면의 위치 관계 23~24쪽

01 (1) $\overline{AD}$, $\overline{BC}$, $\overline{FG}$, $\overline{EH}$
(2) $\overline{AE}$, $\overline{BF}$, $\overline{CG}$, $\overline{DH}$
(3) $\overline{EF}$, $\overline{FG}$, $\overline{GH}$, $\overline{EH}$
(4) $\overline{AB}$, $\overline{BC}$, $\overline{CD}$, $\overline{AD}$
02 (1) $\overline{FG}$, $\overline{GH}$, $\overline{HI}$, $\overline{IJ}$, $\overline{FJ}$
(2) $\overline{AF}$, $\overline{BG}$, $\overline{CH}$, $\overline{DI}$, $\overline{EJ}$
(3) 점 J
03 (1) 면 ADEB, 면 ADFC
(2) 면 ABC, 면 ADFC
(3) $\overline{BC}$, $\overline{BE}$, $\overline{EF}$, $\overline{CF}$
(4) $\overline{BC}$, $\overline{EF}$ (5) 9 cm (6) 8 cm
04 (1) 면 ABCD, 면 ABFE, 면 EFGH, 면 CGHD
(2) 면 BFGC
(3) 면 ABFE, 면 BFGC, 면 CGHD, 면 AEHD
(4) 면 BFGC와 면 CGHD
05 (1) 면 DEF
(2) 면 ABED, 면 BEFC, 면 ACFD
(3) $\overline{AC}$
(4) 면 ABED와 면 BEFC
06 (1) 1 (2) 1 (3) 4 (4) 3

01 (2) 직육면체이므로 면 ABCD와 한 점에서 만나는 모서리는 모두 수직인 모서리이다.

03 (5) 점 C와 면 DEF 사이의 거리는 $\overline{CF}$이므로 9 cm이다.
(6) 점 C와 면 ADEB 사이의 거리는 $\overline{CB}$ 이므로 8 cm이다.

04 (3) 직육면체이므로 면 ABCD와 만나는 면은 모두 수직인 면이다.

06 (1) 면 ABPQ와 면 BFGP의 교선은 $\overline{BP}$ 의 1개이다.
(2) 면 AEHQ와 만나지 않는 면은 면 AEHQ와 평행한 면이므로 면 BFGP의 1개이다.
(3) 면 BFGP와 수직인 면은 면 ABFE, 면 EFGH, 면 QPGH, 면 ABPQ의 4개이다.
(4) 면 ABPQ와 수직인 면은 면 ABFE, 면 BFGP, 면 AEHQ의 3개이다.

힘수 만점 25쪽

01 ②, ④ **02** 5 **03** 4쌍 **04** ㄹ

01 ① $\overline{AD}$ 와 평행한 면은 면 BFGC, 면 EFGH의 2개이다.
② $\overline{AE}$ 를 포함하는 면은 면 ABFE, 면 AEHD의 2개이다.
③ 면 BFGC와 $\overline{EH}$ 는 평행하다.
④ $\overline{FG}$와 한 점에서 만나는 면은 면 ABFE, 면 CGHD의 2개이다.
⑤ 면 ABCD와 면 BFGC는 $\overline{BC}$ 를 교선으로 하므로 한 직선에서 만난다.

02 모서리 BF와 만나지 않는 면은 면 ADGC의 1개이므로 $a=1$, 면 ABC와 평행한 모서리는 $\overline{DE}$, $\overline{EF}$, $\overline{FG}$, $\overline{DG}$ 의 4개이므로 $b=4$
$\therefore a+b=1+4=5$

03 면 ABCDEF와 면 GHIJKL, 면 ABHG와 면 DJKE, 면 BHIC와 면 FLKE, 면 CIJD와 면 AGLF ⇨ 4쌍

04 ㄱ. $l /\!/ m$, $l /\!/ P$이면 m은 P에 평행하거나 m이 P에 포함된다.

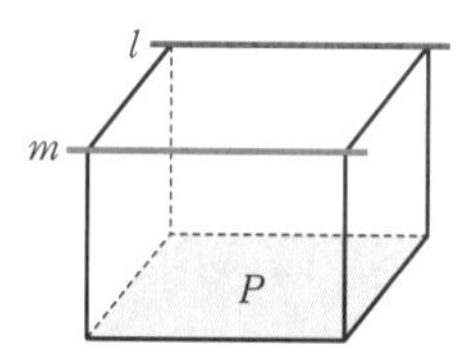

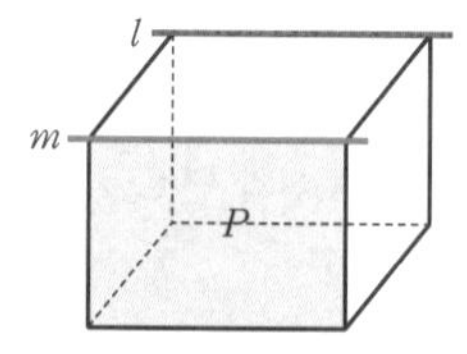

ㄴ. $l /\!/ P$, $l /\!/ Q$이면 두 평면 P와 Q는 한 직선에서 만나거나 평행하다.

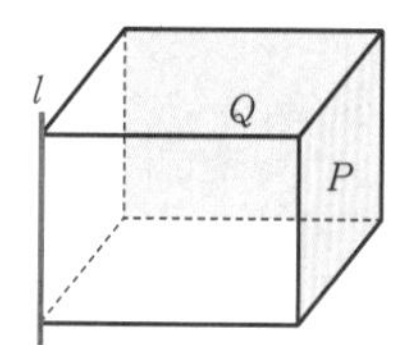

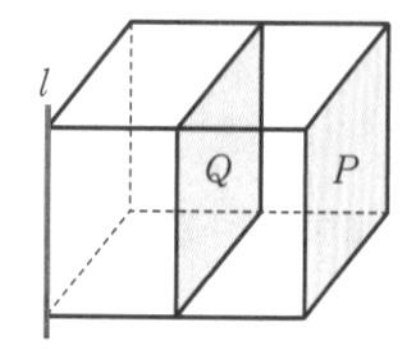

ㄷ. $l /\!/ m$, $l \perp n$이면 m과 n은 한 점에서 만나거나 꼬인 위치에 있다.

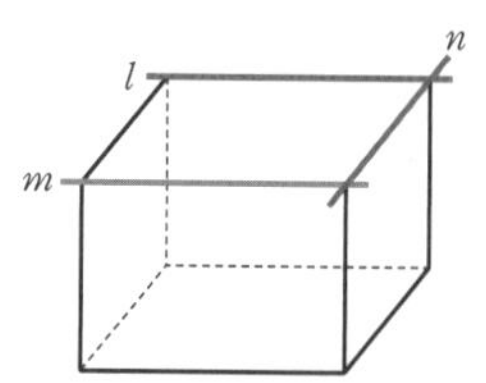

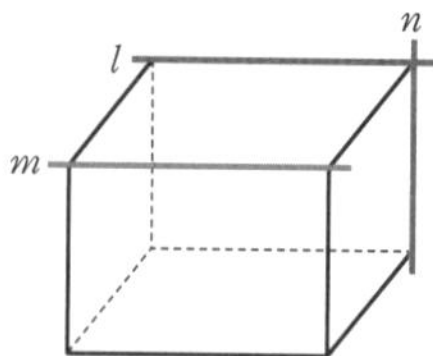

ㄹ. $l \perp P$, $P /\!/ Q$이면 l과 Q는 수직이다.

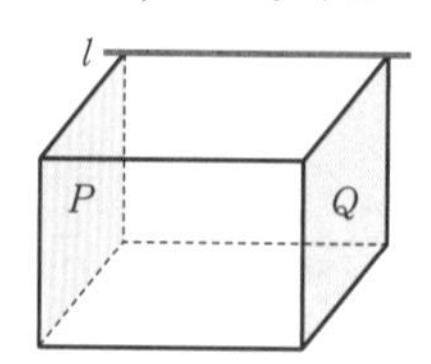

6강 동위각과 엇각 26~28쪽

01 (1) ○ (2) × (3) ○
02 (1) $\angle e$ (2) $\angle h$ (3) $\angle f$ (4) $\angle c$
03 (1) $105°$ (2) $85°$ (3) $105°$
04 (1) $45°$ (2) $100°$
05 (1) $16°$ (2) $47°$
06 (1) $\angle x=45°$, $\angle y=45°$
(2) $\angle x=105°$, $\angle y=105°$
(3) $\angle x=60°$, $\angle y=78°$
(4) $\angle x=65°$, $\angle y=145°$
07 (1) $40°$, $25°$/$40°$, $25°$, $65°$ (2) $87°$ (3) $68°$ (4) $85°$
08 (1) $38°$, $38°$/$38°$, $38°$, $76°$ (2) $94°$ (3) $120°$ (4) $71°$
09 (1) $l /\!/ n$ (2) $l /\!/ n$ (3) $a /\!/ b$ (4) $l /\!/ n$

03 (2) $\angle e$의 동위각은 $\angle b$이다.
$\therefore \angle b=85°$ (맞꼭지각)

05 (1) $2\angle x+13°=45°$이므로 $2\angle x=32°$
$\therefore \angle x=16°$
(2) $2\angle x-24°=70°$이므로 $2\angle x=94°$
$\therefore \angle x=47°$

06 (1) $135°+\angle x=180°$이므로 $\angle x=45°$
$\angle y=\angle x=45°$
(2) $\angle x+75°=180°$이므로 $\angle x=105°$
$\angle y=\angle x=105°$
(3) $\angle x=180°-120°=60°$
$\angle y=78°$

(4)

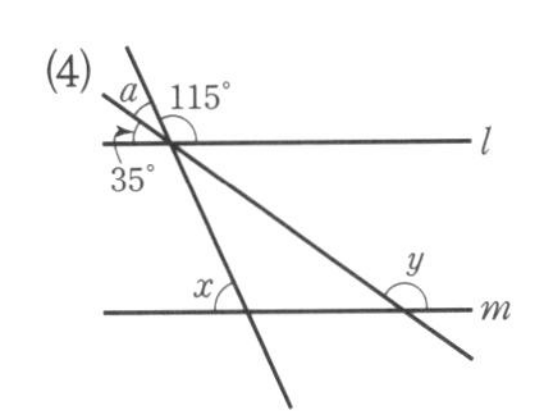

$35°+\angle a+115°=180°$이므로 $150°+\angle a=180°$

$\therefore\ \angle a=30°$

$\angle x=35°+\angle a=35°+30°=65°$

$\angle y=\angle a+115°=30°+115°=145°$

07 (1) $\angle x=40°+25°=65°$

(2) 오른쪽 그림과 같이 두 직선 l, m에 평행한 직선 n을 그으면

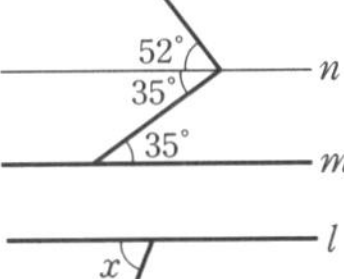

$\angle x=52°+35°=87°$

(3) 오른쪽 그림과 같이 두 직선 l, m에 평행한 직선 n을 그으면

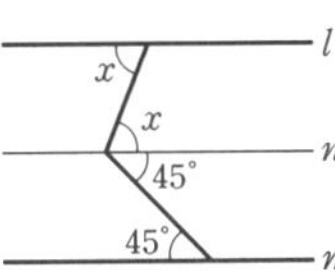

$\angle x+45°=113°$

$\therefore\ \angle x=68°$

(4) 오른쪽 그림과 같이 두 직선 l, m에 평행한 직선 n, p를 그으면

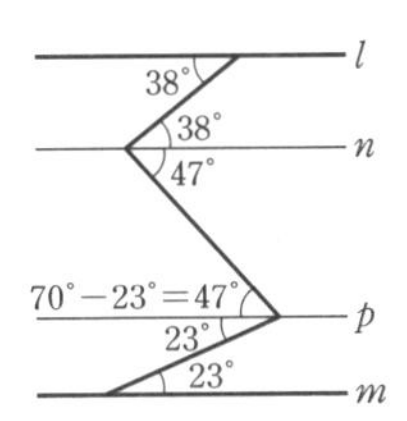

$\angle x=38°+47°=85°$

08 (1) 오른쪽 그림에서

$\angle x=38°+38°=76°$

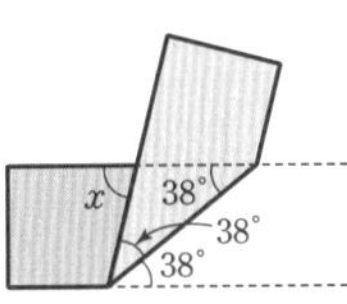

(2) 오른쪽 그림에서

$\angle x=47°+47°=94°$

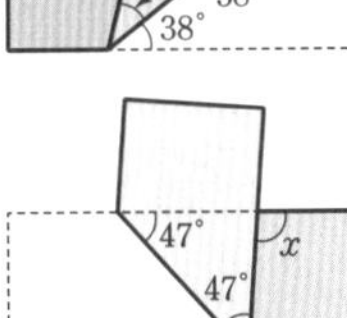

(3) 오른쪽 그림에서

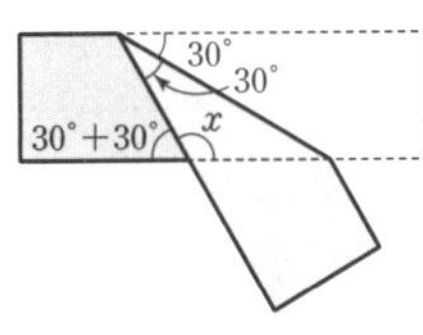

$30°+30°+\angle x=180°$,

$60°+\angle x=180°$

$\therefore\ \angle x=120°$

(4) 오른쪽 그림에서

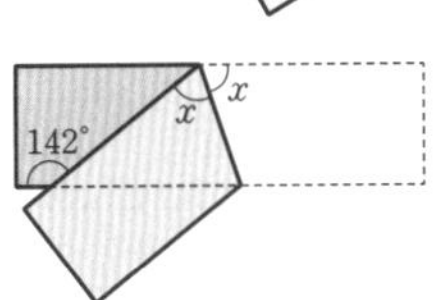

$\angle x+\angle x=142°$,

$2\angle x=142°$

$\therefore\ \angle x=71°$

09 (1) 두 직선 l과 n은 동위각의 크기가 같으므로 평행하다.

⇨ $l /\!/ n$

(2) 두 직선 l과 n은 엇각의 크기가 같으므로 평행하다.

⇨ $l /\!/ n$

(3) 오른쪽 그림에서 두 직선 a와 b는 동위각(또는 엇각)의 크기가 같으므로 평행하다.

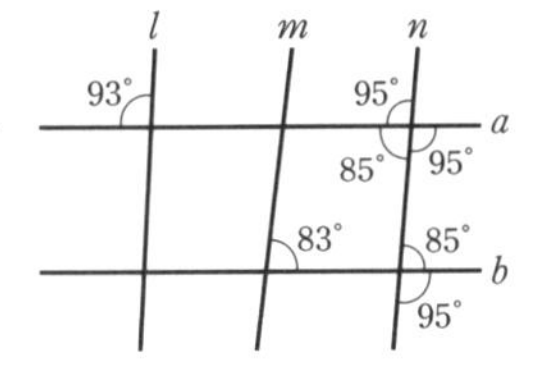

⇨ $a /\!/ b$

(4) 오른쪽 그림에서 두 직선 l과 n은 엇각의 크기가 같으므로 평행하다.

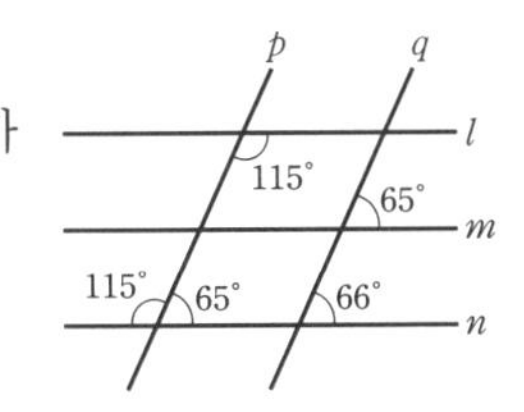

⇨ $l /\!/ n$

힘수 만점 29쪽

01 ②, ⑤ **02** 215° **03** 44° **04** 124°
05 ②, ④

01 ① $\angle a$와 $\angle d$가 동위각이다.

③ $\angle c$의 동위각은 $\angle f$이므로 $180°-80°=100°$이다.

④ $\angle d$의 엇각은 $\angle b$이므로 $180°-63°=117°$이다.

⑤ $\angle a$의 동위각은 $\angle d$이므로 $80°$이다.

02 $\angle a=180°-47°-98°$
$=35°$

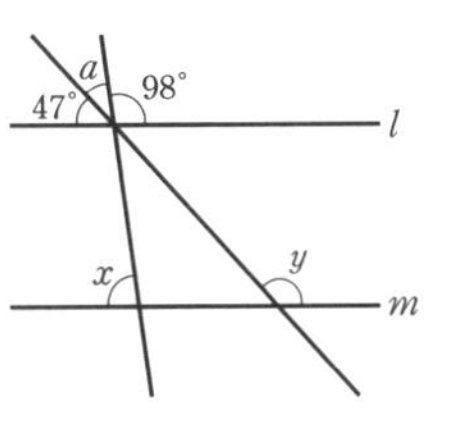

$\angle x=47°+35°=82°$

$\angle y=35°+98°=133°$

$\therefore\ \angle x+\angle y=82°+133°$
$=215°$

03 오른쪽 그림과 같이 두 직선 l, m에 평행한 두 직선 n, p를 그으면

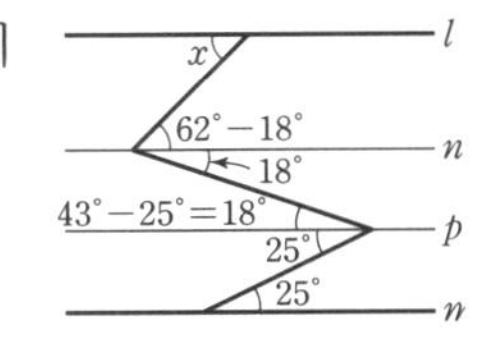

$\angle x=62°-18°=44°$

04 $\angle x+28°+28°=180°$

$\angle x+56°=180°$

$\therefore\ \angle x=124°$

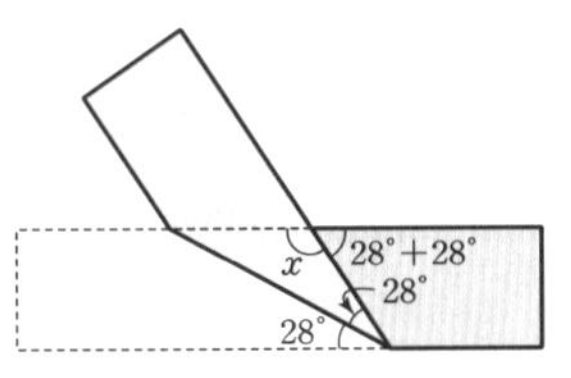

05 두 직선 p, q가 직선 n과 만나서 생기는 엇각의 크기가 $69°$로 같으므로 두 직선 p, q는 서로 평행하다.

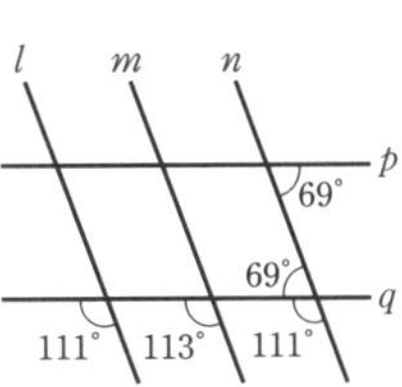

⇨ $p /\!/ q$

두 직선 l, n이 직선 q와 만나서 생기는 동위각의 크기가 $111°$로 같으므로 두 직선 l, n은 서로 평행하다.

⇨ $l /\!/ n$

7강 중단원 연산 마무리 30~32쪽

01 (1) $\overline{BA}$ (2) $\overleftrightarrow{BA}$, $\overleftrightarrow{DC}$ (3) $\overrightarrow{AC}$, $\overrightarrow{AD}$
02 (1) 8 cm (2) 9 cm (3) 5 cm (4) 20 cm
03 (1) $75°$ (2) $20°$ (3) $42°$
04 (1) $200°$ (2) $81°$ (3) $60°$
05 (1) ○ (2) × (3) ○ (4) ×
06 (1) × (2) × (3) ○ (4) × (5) ○
07 (1) 점 D (2) 7.2 cm (3) 12 cm
08 (1) 점 E (2) 12 cm (3) 12 cm
09 (1) $\overline{AD}$, $\overline{BC}$ (2) $\overline{AD} /\!/ \overline{BC}$
10 (1) $\overline{AD}$, $\overline{BC}$ (2) $\overline{AD}$, $\overline{BC}$ (3) $\overline{AD} /\!/ \overline{BC}$
11 (1) ○ (2) × (3) × (4) ○ (5) ×
12 (1) $75°$ (2) $38°$ (3) $120°$
13 (1) $86°$ (2) $48°$ **14** 32 **15** 12 cm
16 (1) 2개 (2) $\overline{JC}$ (3) 면 IJH **17** $60°$

02 (1) $\overline{AM}=\overline{MB}=\frac{1}{2}\overline{AB}$ 이므로 $\overline{AM}=\frac{1}{2}\times16=8\,(\text{cm})$

(2) $\overline{AB}=3\overline{AM}=3\overline{MN}=3\overline{NB}$ 이므로 $\overline{AB}=3\times3=9\,(\text{cm})$

(3) $\overline{AM}=\overline{MB}=\frac{1}{2}\overline{AB}$ 이므로 $\overline{MB}=\frac{1}{2}\times20=10\,(\text{cm})$

$\overline{MN}=\overline{NB}=\frac{1}{2}\overline{MB}$ 이므로 $\overline{MN}=\frac{1}{2}\times10=5\,(\text{cm})$

(4) $\overline{AB}=2\overline{MB}$, $\overline{BC}=2\overline{BN}$이므로 $\overline{AC}=2\overline{MN}=30$ cm

한편 $\overline{AB}=2\overline{BC}$ 이고 점 M은 $\overline{AB}$ 의 중점이므로

$\overline{AM}=\overline{MB}=\overline{BC}=\frac{1}{3}\overline{AC}$

$\therefore \overline{AB}=\frac{2}{3}\overline{AC}=\frac{2}{3}\times30=20\,(\text{cm})$

03 (1) $15°+90°+\angle x=180°$이므로

$105°+\angle x=180°$ $\therefore \angle x=75°$

(2) $4\angle x+2\angle x+3\angle x=180°$이므로

$9\angle x=180°$ $\therefore \angle x=20°$

(3) $2\angle x+\angle x+20°+2\angle x-50°=180°$이므로

$5\angle x-30°=180°$, $5\angle x=210°$

$\therefore \angle x=42°$

04 (1) $35°+\angle x+90°=180°$, $125°+\angle x=180°$

$\therefore \angle x=55°$

$35°+\angle y=180°$ $\therefore \angle x=145°$

$\therefore \angle x+\angle y=55°+145°=200°$

(2) 오른쪽 그림에서

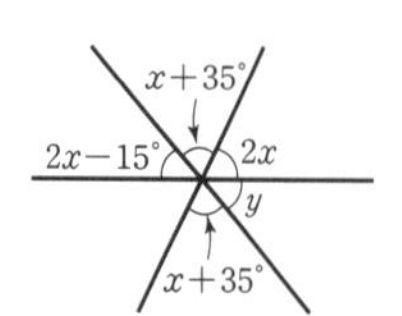

$2\angle x-15°+\angle x+35°+2\angle x$

$=180°$

$5\angle x+20°=180°$,

$5\angle x=160°$ $\therefore \angle x=32°$

$\angle y=2\angle x-15°$(맞꼭지각)

$=2\times32°-15°=49°$

$\therefore \angle x+\angle y=32°+49°=81°$

(3) $2\angle x+5°=4\angle x-25°$(맞꼭지각)이므로

$2\angle x=30°$ $\therefore \angle x=15°$

$2\angle x+5°+90°+\angle y+10°=180°$이므로

$\angle y+135°=180°$ $\therefore \angle y=45°$

$\therefore \angle x+\angle y=15°+45°=60°$

05 (2) 점 D에서 $\overline{AB}$ 에 내린 수선의 발은 A이다.

(3) 점 A와 $\overline{BC}$ 사이의 거리는 $\overline{AB}=3$ cm이다.

(4) 점 C와 $\overline{AD}$ 사이의 거리는 $\overline{AB}=3$ cm이다.

06 (1) $\overline{AD} /\!/ \overline{BC}$

(2) $\overline{BC}$와 $\overline{DC}$는 한 점에서 만나지만 수직으로 만나지는 않는다.

(4) 점 A와 $\overline{BC}$ 사이의 거리는 $\overline{AB}=9$ cm이다.

(5) 점 C와 $\overline{AB}$ 사이의 거리는 $\overline{BC}=12$ cm이다.

07 (2) 점 C와 $\overline{AB}$ 사이의 거리는 $\overline{CD}=7.2$ cm이다.

(3) 점 A와 $\overline{BC}$ 사이의 거리는 $\overline{AC}=12$ cm이다.

08 (2) 점 D와 $\overline{BE}$ 사이의 거리는 $\overline{DE}=12$ cm이다.

(3) 점 B와 $\overline{CD}$ 사이의 거리는 $\overline{DE}=12$ cm이다.

11 (1) $P\perp l$, $P\perp m$이면 $l /\!/ m$이다.

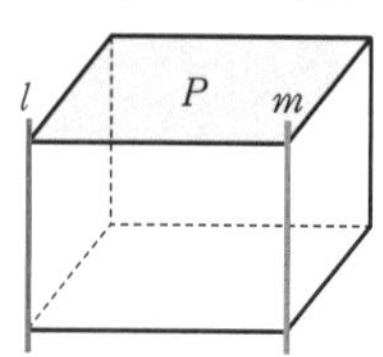

(2) $P /\!/ l$, $P /\!/ m$이면 l과 m은 평행하거나 한 점에서 만난다.

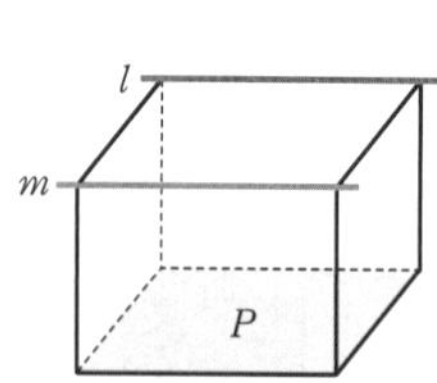

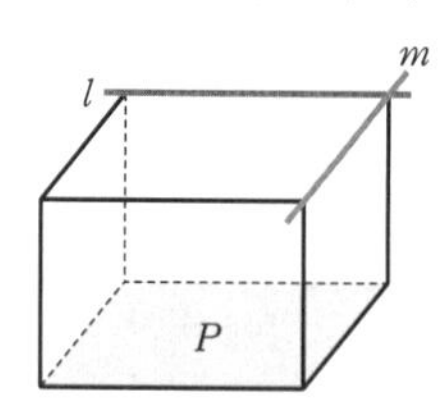

(3) $l\perp m$, $m\perp n$이면 l과 n은 평행하거나 한 점에서 만나거나 꼬인 위치에 있다.

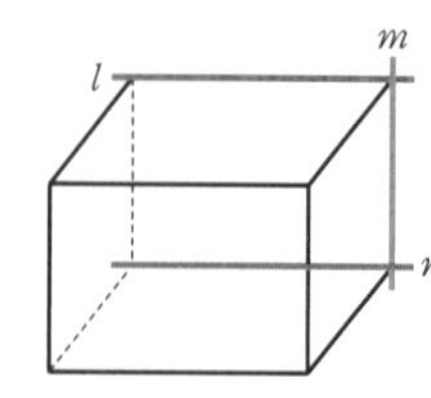

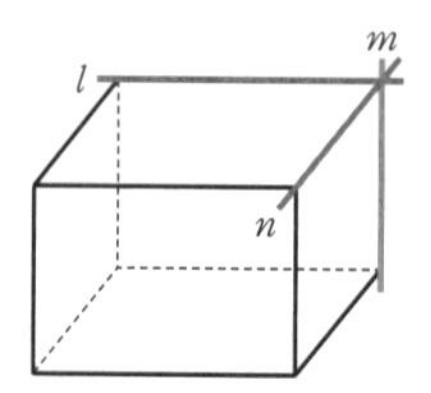

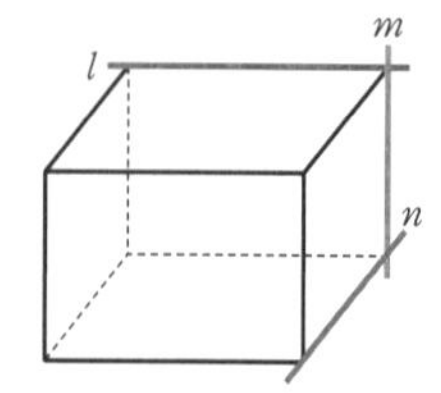

(4) $P\perp l$, $l /\!/ m$이면 $P\perp m$이다.

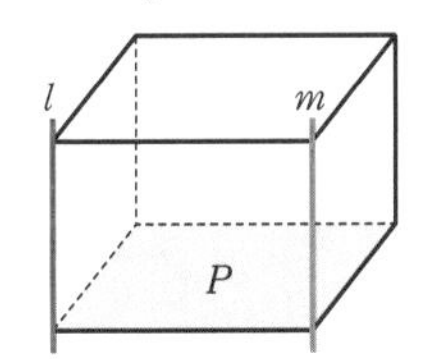

(5) $P\perp l$, $P /\!/ Q$이면 $Q\perp l$이다.

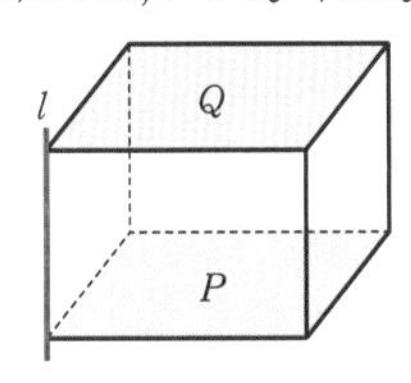

12 (1) 오른쪽 그림과 같이 두 직선 l, m에 평행한 직선 n, p를 그으면
$\angle x=25°+50°=75°$

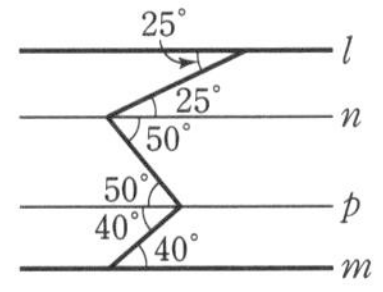

(2) 오른쪽 그림과 같이 두 직선 l, m에 평행한 직선 n, p를 그으면
$35°+\angle x=73°$이므로
$\angle x=38°$

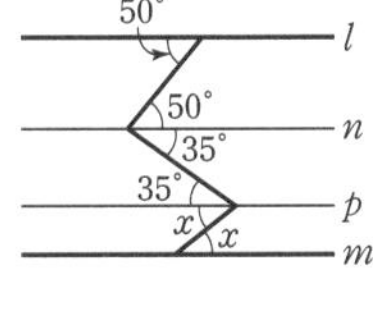

(3) 오른쪽 그림과 같이 두 직선 l, m에 평행한 직선 n, p를 그으면
$\angle x=35°+85°=120°$

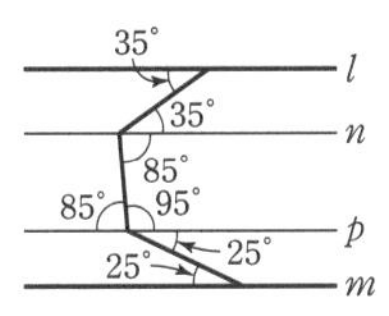

13 (1) 오른쪽 그림에서
$\angle x=43°+43°$(엇각)
$\therefore \angle x=86°$

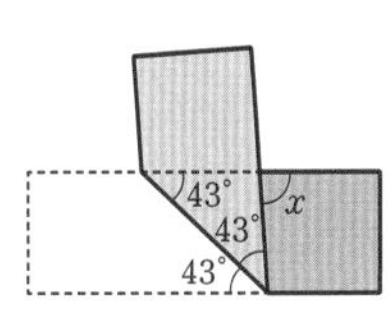

(2) 오른쪽 그림에서
$\angle x+\angle x=48°+48°$(엇각)
이므로 $2\angle x=96°$
$\therefore \angle x=48°$

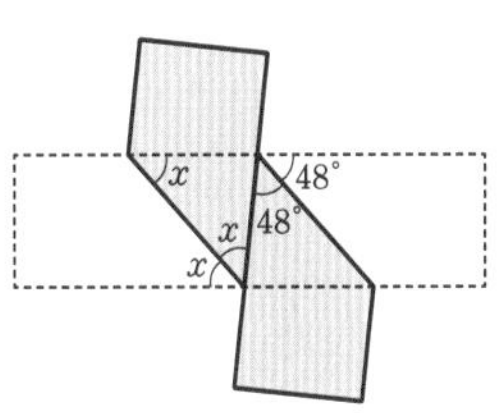

14 (교점의 개수)=(꼭짓점의 개수)=10 ⇨ $a=10$
(교선의 개수)=(모서리의 개수)=15 ⇨ $b=15$
(면의 개수)=7 ⇨ $c=7$
$\therefore a+b+c=10+15+7=32$

15 $\overline{AC}=\frac{1}{3}\overline{AB}=\frac{1}{3}\times 36=12$(cm)이므로
$\overline{DC}=\frac{3}{4}\overline{AC}=\frac{3}{4}\times 12=9$(cm)
$\overline{CB}=\overline{AB}-\overline{AC}=36-12=24$(cm)이므로
$\overline{CE}=\frac{1}{8}\overline{CB}=\frac{1}{8}\times 24=3$(cm)
$\therefore \overline{DE}=\overline{DC}+\overline{CE}=9+3=12$(cm)

16

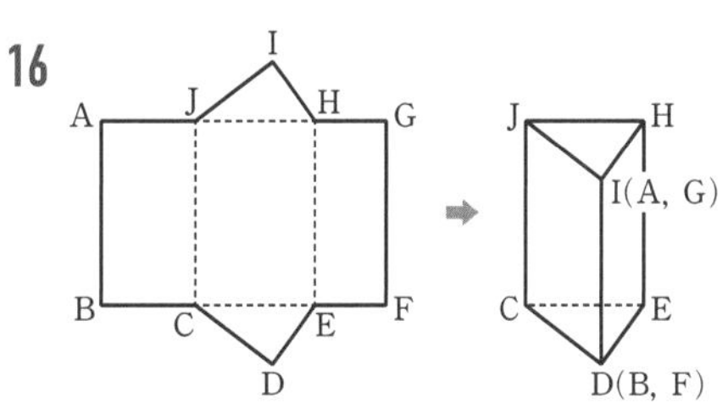

(1) 모서리 HE와 꼬인 위치에 있는 모서리는 $\overline{JI}$, $\overline{CD}$의 2개이다.
(2) 면 HEFG와 평행한 모서리는 $\overline{JC}$이다.
(3) 모서리 CD와 평행한 면은 면 IJH이다.

17 오른쪽 그림과 같이 두 직선 l, m에 평행한 직선 n을 긋고
$\angle DAC=\angle a$,
$\angle EBC=\angle b$라 하면

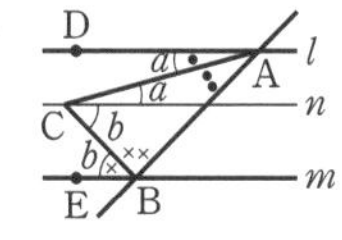

삼각형 ACB의 세 각의 크기의 합은 180°이므로
$2\angle a+(\angle a+\angle b)+2\angle b=180°$
$\therefore \angle a+\angle b=60°$
$\therefore \angle ACB=\angle a+\angle b=60°$

8강 간단한 작도 33~34쪽

01 (1) × (2) ○ (3) ×
02 해설 참조 **03** ② 컴퍼스, $\overline{AB}$ ③ D
04 해설 참조
05 (1) ○ (2) ○ (3) ○ (4) ×
06 ㉠ A, B ㉡ D ㉢ $\overline{AB}$ ㉣ C ㉤ $\overrightarrow{PC}$
07 해설 참조

01 (1) 눈금 없는 자와 컴퍼스만을 이용하여 도형을 그리는 것을 작도라고 한다.
(3) 선분의 길이를 재어 다른 직선으로 옮길 때에는 컴퍼스를 사용한다.

02

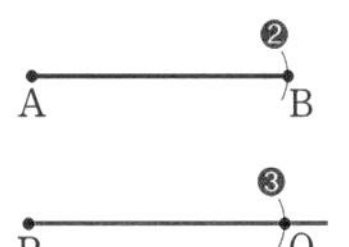

04

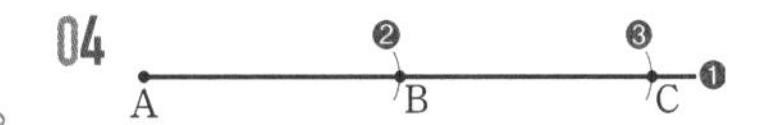

07 (1)

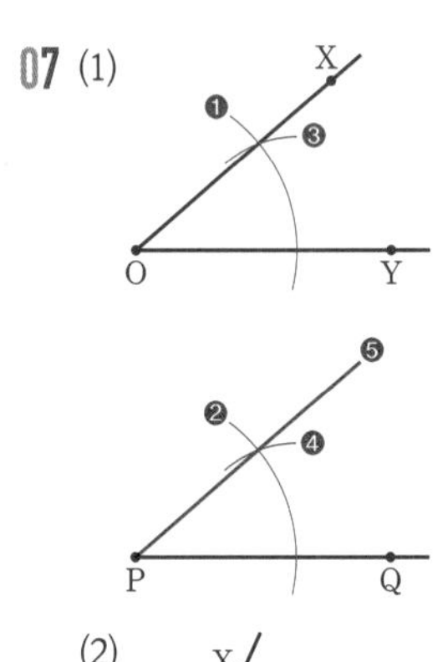

(2)

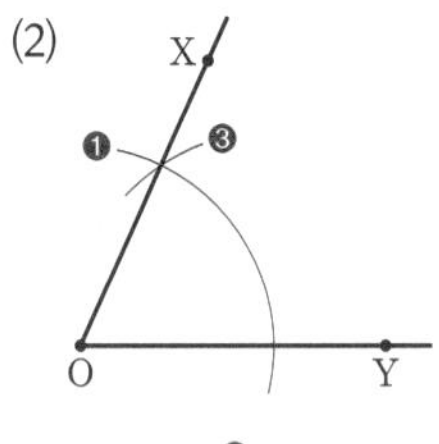

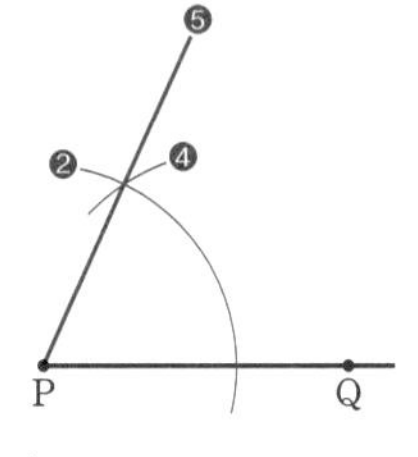

(3)

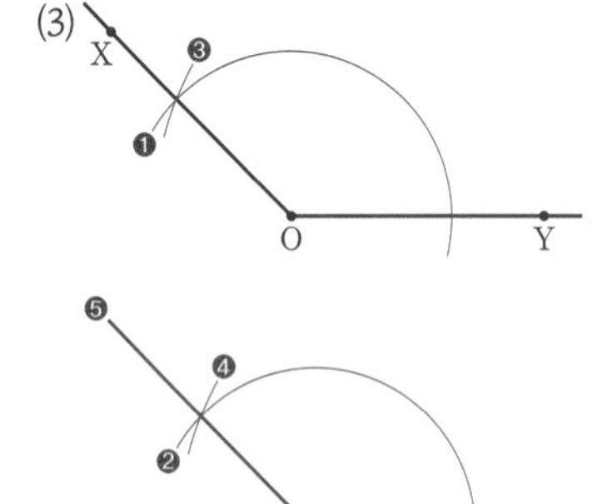

01 ㉡, ㉢ **02** ㉡→㉠→㉣→㉤→㉢ **03** ③

01 작도는 눈금 없는 자와 컴퍼스만을 사용하여 도형을 그리는 것이다.

[참고] 눈금 있는 자 또는 각도기를 사용하여 도형을 그리는 것은 작도가 아니다.

02

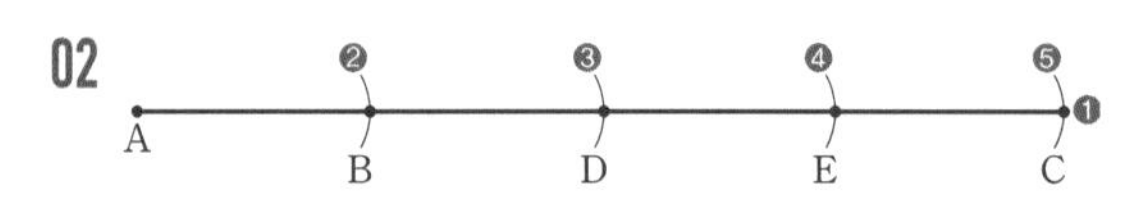

03

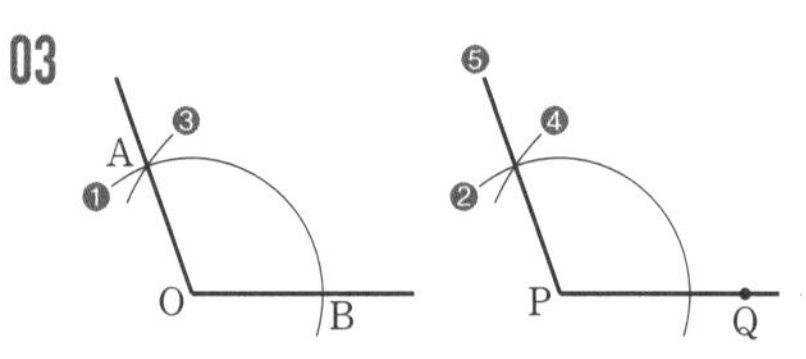

9강 + 삼각형의 작도 36~38쪽

01 (1) 10 cm (2) 9 cm (3) 40° (4) 65°

02 (1) × (2) ○ (3) ○

03 ❶ a ❷ B, c, A ❸ $\overline{AC}$

04 $\overline{AB}$ **05** 해설 참조 **06** ❷ c ❸ a ❹ $\overline{AC}$

07 $\overline{AC}$, $\overline{CB}$ **08** 해설 참조

09 ❶ a ❷ ∠B ❸ A

10 해설 참조 **11** (1) ○ (2) × (3) × (4) ○

12 (1) ○ (2) × (3) ○ (4) × (5) ○ (6) ○

01 (1) ∠A의 대변은 $\overline{BC}$ 이므로 10 cm이다.

(2) ∠C의 대변은 $\overline{AB}$ 이므로 9 cm이다.

(3) $\overline{AB}$ 의 대각은 ∠C이므로 40°이다.

(4) $\overline{AC}$ 의 대각은 ∠B이므로 65°이다.

02 (1) $3=1+2$에서

(가장 긴 변의 길이)=(나머지 두 변의 길이의 합)이므로 삼각형을 만들 수 없다.

05 예

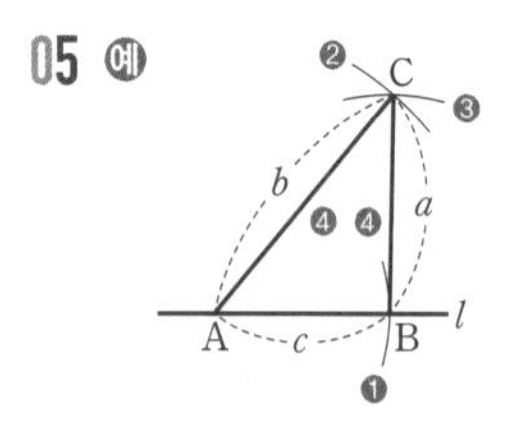

08 예

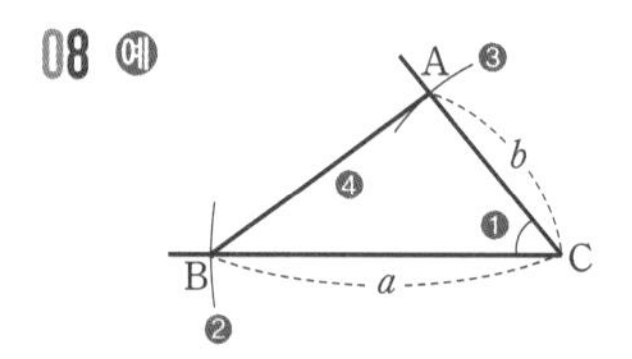

10 예

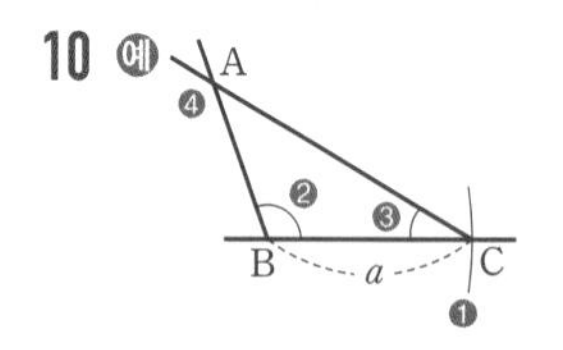

11 (1) 세 변의 길이가 주어지고 $4+10>11$이므로 삼각형이 하나로 정해진다.

(2) $6+3=9$에서

(가장 긴 변의 길이)=(나머지 두 변의 길이의 합)

이므로 삼각형이 하나로 정해지지 않는다.

(3) ∠A가 주어진 두 변의 끼인각이 아니므로 삼각형이 하나로 정해지지 않는다.

(4) 한 변의 길이와 그 양 끝 각의 크기가 주어졌으므로 삼각형이 하나로 정해진다.

12 (1) 세 변의 길이가 주어졌으므로 삼각형이 하나로 정해진다.
(2) $\angle B$가 $\overline{AB}$와 $\overline{AC}$의 끼인각이 아니므로 삼각형이 하나로 정해지지 않는다.
(3) 두 변의 길이와 그 끼인각의 크기가 주어졌으므로 삼각형이 하나로 정해진다.
(4) $\angle C$가 $\overline{AB}$와 $\overline{BC}$의 끼인각이 아니므로 삼각형이 하나로 정해지지 않는다.
(5) 한 변의 길이와 그 양 끝 각의 크기가 주어졌으므로 삼각형이 하나로 정해진다.
(6) $\angle A$와 $\angle C$의 크기를 알면 $\angle B$의 크기를 구할 수 있다. 따라서 한 변의 길이와 그 양 끝 각의 크기를 알 수 있으므로 삼각형이 하나로 정해진다.

힘수 만점 39쪽

01 ④ **02** 3개 **03** 9개 **04** ③ **05** ㉠, ㉢, ㉣

01 ① $7=5+2$에서 (가장 긴 변의 길이)$=$(나머지 두 변의 길이의 합)이므로 삼각형의 세 변의 길이가 될 수 없다.
② $9=8+1$에서 (가장 긴 변의 길이)$=$(나머지 두 변의 길이의 합)이므로 삼각형의 세 변의 길이가 될 수 없다.
③ $6>3+2$에서 (가장 긴 변의 길이)$>$(나머지 두 변의 길이의 합)이므로 삼각형의 세 변의 길이가 될 수 없다.
④ $5<3+4$에서 (가장 긴 변의 길이)$<$(나머지 두 변의 길이의 합)이므로 삼각형의 세 변의 길이가 될 수 있다.
⑤ $12>6+5$에서 (가장 긴 변의 길이)$>$(나머지 두 변의 길이의 합)이므로 삼각형의 세 변의 길이가 될 수 없다.

02 (2 cm, 3 cm, 4 cm)인 경우 ➪ $4<2+3$ (○)
(2 cm, 3 cm, 5 cm)인 경우 ➪ $5=2+3$ (×)
(2 cm, 4 cm, 5 cm)인 경우 ➪ $5<2+4$ (○)
(3 cm, 4 cm, 5 cm)인 경우 ➪ $5<3+4$ (○)
따라서 만들 수 있는 삼각형은 3개이다.

03 (i) x가 가장 긴 변의 길이인 경우
$x<8+5$이므로 $x<13$
(ii) 8이 가장 긴 변의 길이인 경우
$8<x+5$이므로 $x>3$
(i), (ii)에서 x의 값이 될 수 있는 자연수는 4, 5, 6, 7, 8, 9, 10, 11, 12의 9개이다.

04 한 변의 길이와 그 양 끝 각의 크기가 주어졌을 때 삼각형을 작도하는 순서는 다음과 같다.
(i) 한 변의 길이 옮기기 ➪ 한 각의 크기 옮기기 ➪ 다른 한 각의 크기 옮기기 (①, ②)
(ii) 한 각의 크기 옮기기 ➪ 한 변의 길이 옮기기 ➪ 다른 한 각의 크기 옮기기 (④, ⑤)

05 ㉠ 두 변의 길이와 그 끼인각의 크기가 주어졌으므로 삼각형을 하나로 정할 수 있다.
㉢ 한 변의 길이와 그 양 끝 각의 크기가 주어졌으므로 삼각형을 하나로 정할 수 있다.
㉣ $\angle B$와 $\angle C$의 크기를 알면 $\angle A$의 크기를 구할 수 있다. 따라서 한 변의 길이와 그 양 끝 각의 크기를 알 수 있으므로 삼각형을 하나로 정할 수 있다.

10강+ 삼각형의 합동 40~41쪽

01 (1) $\triangle ABC \equiv \triangle HIG$ (2) $\triangle DEF \equiv \triangle IGH$
(3) $\triangle ABC \equiv \triangle DEF$
02 (1) 점 D (2) $\overline{EF}$ (3) $\angle F$
03 (1) 점 C (2) $\overline{AB}$ (3) $\angle E$
04 (1) 점 H (2) $\overline{BC}$ (3) $\angle D$
05 (1) 7 cm (2) 5 cm (3) 80° (4) 65° (5) 35°
06 (1) 4 cm (2) 9 cm (3) 70° (4) 80° (5) 75°
07 (1) ○ (2) × (3) ○ (4) × (5) ○
08 (1) ○ (2) ○ (3) × (4) × (5) ○ (6) ○ (7) ×

02

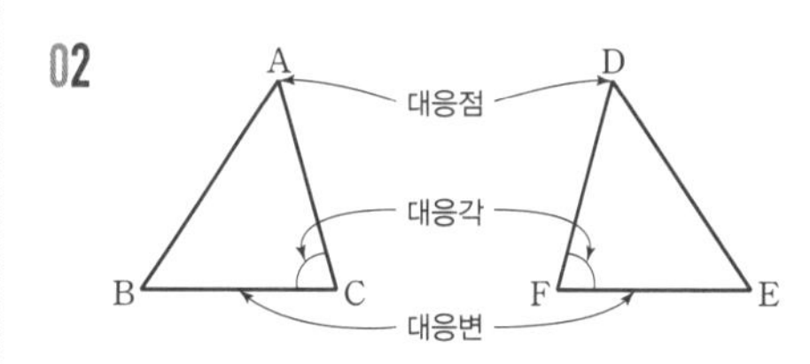

05 (1) $\overline{BC}$의 대응변은 $\overline{EF}$ 이므로 $\overline{BC}=\overline{EF}=7$ cm
(2) $\overline{DE}$ 의 대응변은 $\overline{AB}$ 이므로 $\overline{DE}=\overline{AB}=5$ cm
(3) $\angle A$의 대응각은 $\angle D$이므로 $\angle A=\angle D=80°$
(4) $\angle E$의 대응각은 $\angle B$이므로 $\angle E=\angle B=65°$
(5) $\triangle DEF$에서 $\angle D=80°$, $\angle E=65°$이므로
$\angle F=180°-80°-65°=35°$

06 (1) $\overline{AD}$의 대응변은 $\overline{EH}$ 이므로 $\overline{AD}=\overline{EH}=4$ cm

(2) $\overline{FG}$의 대응변은 $\overline{BC}$ 이므로 $\overline{FG}=\overline{BC}=9$ cm

(3) $\angle C$의 대응각은 $\angle G$이므로 $\angle C=\angle G=70°$

(4) $\angle B$의 대응각은 $\angle F$이므로 $\angle B=\angle F=80°$

(5) $\angle E$의 대응각은 $\angle A$이므로 $\angle E=\angle A=135°$이고,
사각형 EFGH에서
$\angle H=360°-70°-80°-135°=75°$

07 (1) 합동인 두 도형은 모양과 크기가 같다.

(2) 모양이 같아도 크기가 다르면 서로 합동이 아니다.

(3) 합동인 두 도형에서 대응각의 크기와 대응변의 길이는 각각 같다.

(4) (5) 합동인 두 도형의 넓이는 서로 같지만 넓이가 같은 두 도형이 모두 합동은 아니다.

08 (1) 정삼각형은 모양이 모두 같으므로 한 변의 길이가 같은 두 정삼각형은 서로 합동이다.

(2) 정사각형은 모양이 모두 같으므로 넓이가 같은 두 정사각형은 서로 합동이다.

(3) 다음 그림의 두 직사각형은 넓이가 같지만 합동이 아니다.

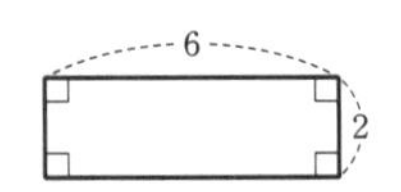

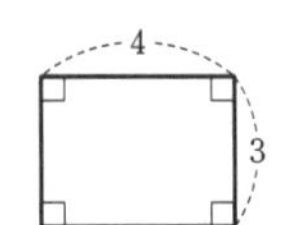

(4) 다음 그림의 두 삼각형은 세 각의 크기가 각각 같지만 합동이 아니다.

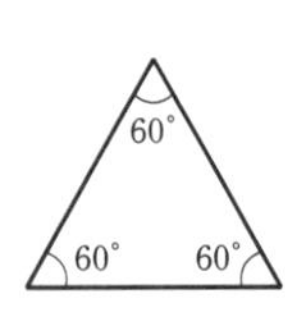

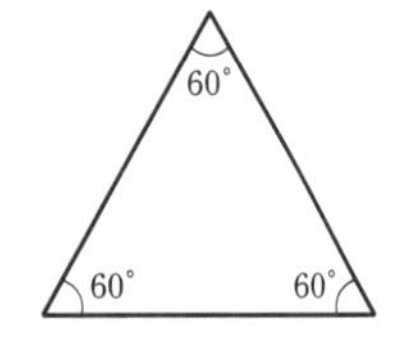

(5) 원은 모양이 모두 같으므로 반지름의 길이가 같은 두 원은 서로 합동이다.

(6) 정오각형은 모양이 모두 같으므로 둘레의 길이가 같은 두 정오각형은 서로 합동이다.

(7) 다음 그림의 두 삼각형은 밑변의 길이와 높이가 각각 같지만 합동이 아니다.

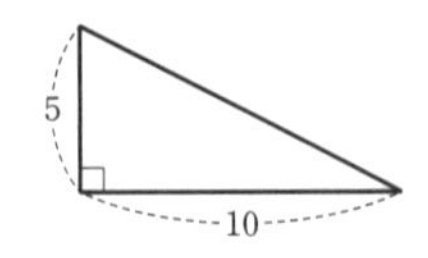

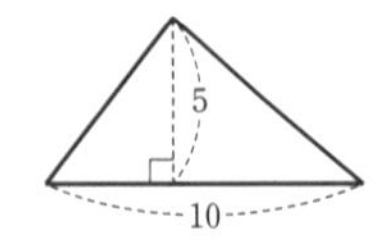

힘수 만점 42쪽

01 $x=13$, $y=137$ **02** ⑤ **03** ①, ③ **04** ②

01 $\overline{BC}$의 대응변은 $\overline{FG}$이므로 $x=13$
$\angle H$의 대응각은 $\angle D$이므로
$y°=360°-95°-55°-73°=137°$ $\therefore y=137$

02 ① $\angle F$의 대응각은 $\angle C$이므로 $\angle F=\angle C=90°$

② $\angle E$의 대응각은 $\angle B$이므로 $\angle E=\angle B=30°$

③ $\angle D$의 대응각은 $\angle A$이므로
$\angle D=\angle A=180°-30°-90°=60°$이다.

④ $\overline{AC}$의 대응변은 $\overline{DF}$ 이므로 $\overline{AC}=\overline{DF}=7$ cm

⑤ $\overline{EF}$의 대응변은 $\overline{BC}$ 이므로 $\overline{EF}$의 길이는 14 cm가 아니다.

03 ① 합동인 도형은 모양과 크기가 모두 같다.

③ 넓이가 같은 두 도형이 모두 합동은 아니다.

04 ② 평행사변형의 모양은 모두 같지 않으므로 넓이가 같은 두 평행사변형이 모두 합동은 아니다.

11강 삼각형의 합동 조건 43~44쪽

01 (1) $\overline{DE}$, $\overline{EF}$, $\overline{AC}$, SSS
(2) $\overline{DE}$, $\angle D$, $\overline{AC}$, SAS
(3) $\angle D$, $\overline{AB}$, $\angle B$, ASA

02 (1) $\triangle KLJ$, SAS (2) $\triangle RPQ$, SSS
(3) $\triangle OMN$, ASA

03 (1) $\overline{EF}$, SSS (2) $\angle D$, SAS

04 (1) $\overline{DF}$, SAS (2) $\angle E$, ASA (3) $\angle F$, ASA

05 (1) $\overline{EF}$, ASA (2) $\overline{DF}$, ASA (3) $\overline{DE}$, ASA

06 (1) $\triangle ABC\equiv\triangle DBC$ (SSS 합동)
(2) $\triangle ACM\equiv\triangle BDM$ (SAS 합동)
(3) $\triangle ABD\equiv\triangle CDB$ (SAS 합동)
(4) $\triangle AEF\equiv\triangle DEC$ (ASA 합동)

01 (1) $\overline{AB}=\overline{DE}=8$ cm, $\overline{BC}=\overline{EF}=12$ cm,
$\overline{AC}=\overline{DF}=9$ cm
$\therefore \triangle ABC\equiv\triangle DEF$ (SSS 합동)

(2) $\overline{AB}=\overline{DE}=5$ cm, $\angle A=\angle D=35°$,
$\overline{AC}=\overline{DF}=8$ cm
$\therefore \triangle ABC\equiv\triangle DEF$ (SAS 합동)

(3) $\angle A=\angle D=70°$, $\overline{AB}=\overline{DE}=10$ cm,
$\angle B=\angle E=35°$
$\therefore \triangle ABC\equiv\triangle DEF$ (ASA 합동)

02 (1) $\triangle ABC$와 $\triangle KLJ$에서
$\overline{AB}=\overline{KL}=9$ cm, $\overline{AC}=\overline{KJ}=5$ cm,
$\angle A=\angle K=65°$이므로
$\triangle ABC\equiv\triangle KLJ$ (SAS 합동)
(2) $\triangle DEF$와 $\triangle RPQ$에서
$\overline{DE}=\overline{RP}=9$ cm, $\overline{EF}=\overline{PQ}=7$ cm,
$\overline{DF}=\overline{RQ}=11$ cm이므로
$\triangle DEF\equiv\triangle RPQ$ (SSS 합동)
(3) $\triangle OMN$에서 $\angle N=180°-70°-60°=50°$
$\triangle GHI$와 $\triangle OMN$에서
$\overline{GH}=\overline{OM}=13$ cm, $\angle H=\angle M=70°$,
$\angle I=\angle N=50°$이므로
$\triangle GHI\equiv\triangle OMN$ (ASA 합동)

03 (1) $\triangle ABC$와 $\triangle DEF$에서
$\overline{AB}=\overline{DE}$, $\overline{AC}=\overline{DF}$, $\overline{BC}=\overline{EF}$
$\therefore$ $\triangle ABC\equiv\triangle DEF$ (SSS 합동)
(2) $\triangle ABC$와 $\triangle DEF$에서
$\overline{AB}=\overline{DE}$, $\overline{AC}=\overline{DF}$, $\angle A=\angle D$
$\therefore$ $\triangle ABC\equiv\triangle DEF$ (SAS 합동)

04 (1) $\triangle ABC$와 $\triangle DEF$에서
$\overline{AB}=\overline{DE}$, $\angle A=\angle D$, $\overline{AC}=\overline{DF}$
$\therefore$ $\triangle ABC\equiv\triangle DEF$ (SAS 합동)
(2) $\triangle ABC$와 $\triangle DEF$에서
$\overline{AB}=\overline{DE}$, $\angle A=\angle D$, $\angle B=\angle E$
$\therefore$ $\triangle ABC\equiv\triangle DEF$ (ASA 합동)
(3) $\triangle ABC$와 $\triangle DEF$에서
$\overline{AB}=\overline{DE}$, $\angle A=\angle D$,
$\angle C=\angle F$이므로 $\angle B=\angle E$
$\therefore$ $\triangle ABC\equiv\triangle DEF$ (ASA 합동)

05 (1) $\triangle ABC$와 $\triangle DEF$에서
$\angle B=\angle E$, $\angle C=\angle F$, $\overline{BC}=\overline{EF}$
$\therefore$ $\triangle ABC\equiv\triangle DEF$ (ASA 합동)
(2) $\triangle ABC$와 $\triangle DEF$에서
$\angle B=\angle E$, $\angle C=\angle F$이므로 $\angle A=\angle D$, $\overline{AC}=\overline{DF}$
$\therefore$ $\triangle ABC\equiv\triangle DEF$ (ASA 합동)
(3) $\triangle ABC$와 $\triangle DEF$에서
$\angle B=\angle E$, $\angle C=\angle F$이므로 $\angle A=\angle D$, $\overline{AB}=\overline{DE}$
$\therefore$ $\triangle ABC\equiv\triangle DEF$ (ASA 합동)

06 (1) $\triangle ABC$와 $\triangle DBC$에서
$\overline{AB}=\overline{DB}$, $\overline{AC}=\overline{DC}$, $\overline{BC}$는 공통이므로
$\triangle ABC\equiv\triangle DBC$ (SSS 합동)
(2) $\triangle ACM$과 $\triangle BDM$에서
$\overline{AM}=\overline{BM}$, $\overline{CM}=\overline{DM}$,
$\angle AMC=\angle BMD$(맞꼭지각)이므로
$\triangle ACM\equiv\triangle BDM$ (SAS 합동)
(3) $\triangle ABD$와 $\triangle CDB$에서
$\overline{AB}=\overline{CD}$, $\overline{DB}$는 공통,
$\angle ABD=\angle CDB$(엇각)이므로
$\triangle ABD\equiv\triangle CDB$ (SAS 합동)
(4) $\triangle AEF$와 $\triangle DEC$에서
$\overline{AE}=\overline{DE}$, $\angle FAE=\angle CDE$(엇각)
$\angle AEF=\angle DEC$(맞꼭지각)이므로
$\triangle AEF\equiv\triangle DEC$ (ASA 합동)

01 ④ **02** ③ **03** 17 cm **04** ④

01 $\triangle ABC$와 $\triangle DEF$에서
① $\overline{AB}=\overline{DE}$, $\overline{BC}=\overline{EF}$, $\overline{AC}=\overline{DF}$
⇨ $\triangle ABC\equiv\triangle DEF$ (SSS 합동)
② $\overline{AB}=\overline{DE}$, $\overline{AC}=\overline{DF}$, $\angle A=\angle D$
⇨ $\triangle ABC\equiv\triangle DEF$ (SAS 합동)
③ $\overline{AB}=\overline{DE}$, $\overline{BC}=\overline{EF}$, $\angle B=\angle E$
⇨ $\triangle ABC\equiv\triangle DEF$ (SAS 합동)
④ 주어진 각이 끼인각이 아니므로 합동이 아니다.
⑤ $\overline{AC}=\overline{DF}$, $\angle A=\angle D$, $\angle C=\angle F$
⇨ $\triangle ABC\equiv\triangle DEF$ (ASA 합동)

02 $\triangle ABO$와 $\triangle CDO$에서
$\overline{OA}=\overline{OC}$, $\overline{OB}=\overline{OD}$, $\angle O$는 공통이므로
$\triangle ABO\equiv\triangle CDO$ (SAS 합동)
따라서 $\triangle ABO$와 $\triangle CDO$의 대응각의 크기가 서로 같고(①, ②), 대응변의 길이가 서로 같다. (④, ⑤)

03 $\triangle BCE$와 $\triangle DCF$에서
$\overline{BC}=\overline{DC}$, $\overline{CE}=\overline{CF}$, $\angle BCE=\angle DCF=90°$
따라서 $\triangle BCE\equiv\triangle DCF$ (SAS 합동)이므로
$\overline{BE}=\overline{DF}=17$ cm

04 $\triangle AOD$와 $\triangle COB$에서
$\overline{AO}=\overline{CO}$, $\angle DAO=\angle BCO$,
$\angle AOD=\angle COB$(맞꼭지각)이므로
$\triangle AOD\equiv\triangle COB$ (ASA 합동)

12강 중단원 연산 마무리 46~48쪽

01 해설 참조
02 ㉠ → ㉢ → ㉡ → ㉣ → ㉤
03 해설 참조
04 (1) 2 (2) 3 (3) 5 (4) 7
05 (1) $2<x<10$ (2) $5<x<15$
(3) $6<x<20$ (4) $2<x<14$
06 (1) × (2) ○ (3) ○ (4) ○ (5) ×
07 (1) ○
(2) ×, 예 ∠C는 $\overline{AB}$ 와 $\overline{BC}$ 의 끼인각이 아니다.
(3) ○
(4) ×, 예 ∠B+∠C=180°이므로 △ABC를 작도할 수 없다.
08 (1) △KJL, SAS (2) △MON, SSS
(3) △PQR, ASA
09 $\overline{BC}=\overline{EF}$, SAS 합동,
∠A=∠D, ASA 합동,
∠C=∠F, ASA 합동
10 $\overline{OB}$, ∠DOA, $\overline{OC}$, SAS
11 ∠BOP, ∠OPB, $\overline{OP}$, ASA, $\overline{PB}$
12 △ADB≡△CEA (ASA 합동)
13 3쌍
14 (1) △ABF≡△DAE (SAS 합동) (2) 60° (3) 90°
15 60°

01
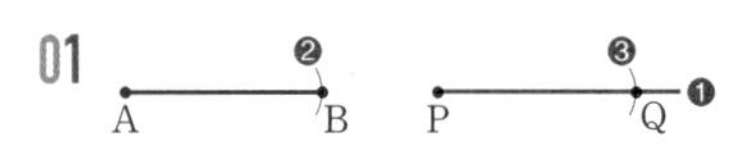

02
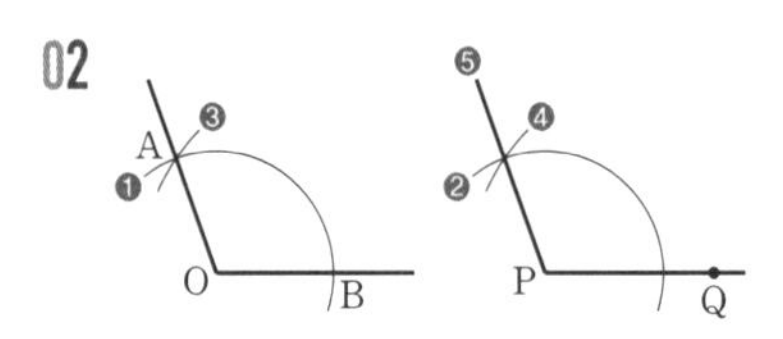

03
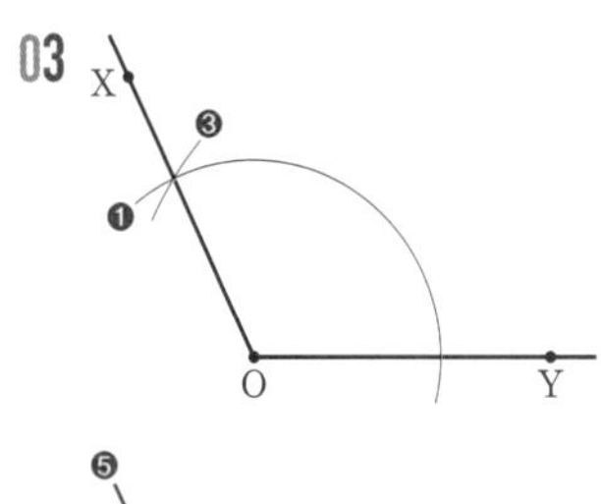

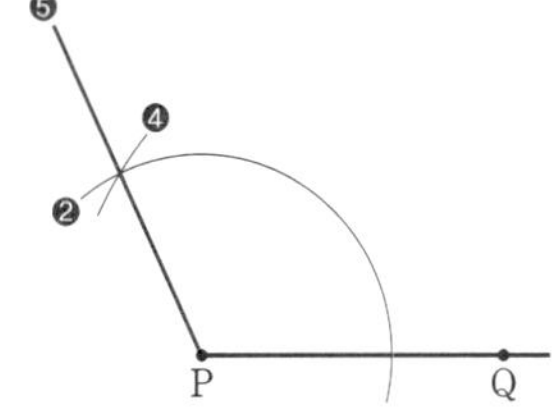

04 (1) (2 cm, 3 cm, 4 cm), (3 cm, 4 cm, 6 cm)의 2개이다.
(2) (3 cm, 5 cm, 7 cm), (3 cm, 7 cm, 9 cm),
(5 cm, 7 cm, 9 cm)의 3개이다.
(3) (5 cm, 11 cm, 14 cm), (5 cm, 14 cm, 17 cm),
(6 cm, 11 cm, 14 cm), (6 cm, 14 cm, 17 cm),
(11 cm, 14 cm, 17 cm)의 5개이다.
(4) (4 cm, 6 cm, 8 cm), (4 cm, 8 cm, 11 cm),
(4 cm, 11 cm, 13 cm), (6 cm, 8 cm, 11 cm),
(6 cm, 8 cm, 13 cm), (6 cm, 11 cm, 13 cm),
(8 cm, 11 cm, 13 cm)의 7개이다.

05 (1) (i) x cm가 가장 긴 변의 길이인 경우:
$x<4+6$이므로 $x<10$
(ii) 6 cm가 가장 긴 변의 길이인 경우:
$6<4+x$이므로 $x>2$
$\therefore 2<x<10$
(2) (i) x cm가 가장 긴 변의 길이인 경우:
$x<5+10$이므로 $x<15$
(ii) 10 cm가 가장 긴 변의 길이인 경우:
$10<5+x$이므로 $x>5$
$\therefore 5<x<15$
(3) (i) x cm가 가장 긴 변의 길이인 경우:
$x<7+13$이므로 $x<20$
(ii) 13 cm가 가장 긴 변의 길이인 경우:
$13<7+x$이므로 $x>6$
$\therefore 6<x<20$
(4) (i) $(x+1)$cm가 가장 긴 변의 길이인 경우:
$x+1<6+9$이므로 $x<14$
(ii) 9 cm가 가장 긴 변의 길이인 경우:
$9<6+x+1$이므로 $x>2$
$\therefore 2<x<14$

06 (1) ∠B가 주어진 두 변의 끼인각이 아니므로 삼각형이 하나로 정해지지 않는다.
(2) 한 변의 길이와 그 양 끝 각의 크기가 주어졌으므로 삼각형이 하나로 정해진다.
(3) 세 변의 길이가 주어졌으므로 삼각형이 하나로 정해진다.
(4) 두 변의 길이와 그 끼인각의 크기가 주어졌으므로 삼각형이 하나로 정해진다.
(5) 세 각의 크기만 주어지면 삼각형을 하나로 정할 수 없다.

07 (1) 세 변의 길이가 주어졌으므로 삼각형을 하나로 작도할 수 있다.
(2) ∠C는 $\overline{AB}$ 와 $\overline{BC}$ 의 끼인각이 아니므로 삼각형을 작도할 수 없다.

(3) $\angle B$와 $\angle C$의 크기를 알면 $\angle A$의 크기를 알 수 있다. 따라서 한 변의 길이와 그 양 끝 각의 크기가 주어졌으므로 삼각형을 작도할 수 있다.

(4) $\angle B+\angle C=180^\circ$이므로 $\triangle ABC$를 작도할 수 없다.

08 (1) $\triangle ABC$와 $\triangle KJL$에서
$\overline{AB}=\overline{KJ}=3\text{ cm}$, $\overline{BC}=\overline{JL}=6\text{ cm}$,
$\angle B=\angle J=75^\circ$이므로
$\triangle ABC\equiv\triangle KJL$ (SAS 합동)

(2) $\triangle DEF$와 $\triangle MON$에서
$\overline{DE}=\overline{MO}=3\text{ cm}$, $\overline{DF}=\overline{MN}=4\text{ cm}$,
$\overline{EF}=\overline{ON}=5\text{ cm}$이므로
$\triangle DEF\equiv\triangle MON$ (SSS 합동)

(3) $\triangle PQR$에서 $\angle R=180^\circ-90^\circ-30^\circ=60^\circ$
$\triangle GHI$와 $\triangle PQR$에서
$\overline{HI}=\overline{QR}=7\text{ cm}$, $\angle H=\angle Q=30^\circ$,
$\angle I=\angle R=60^\circ$이므로
$\triangle GHI\equiv\triangle PQR$ (ASA 합동)

09 $\triangle ABC$와 $\triangle DEF$에서
(i) $\overline{AB}=\overline{DE}$, $\angle B=\angle E$, $\overline{BC}=\overline{EF}$ 이면
$\triangle ABC\equiv\triangle DEF$ (SAS 합동)
(ii) $\overline{AB}=\overline{DE}$, $\angle B=\angle E$, $\angle A=\angle D$이면
$\triangle ABC\equiv\triangle DEF$ (ASA 합동)
(iii) $\overline{AB}=\overline{DE}$, $\angle B=\angle E$, $\angle C=\angle F$이면
$\angle A=\angle D$이므로
$\triangle ABC\equiv\triangle DEF$ (ASA 합동)

10 $\triangle OAD$와 $\triangle OBC$에서
$\overline{OA}=\overline{OB}$,
$\angle DOA=\angle COB$ (공통),
$\overline{OD}=\overline{OB}+\overline{BD}$
$=\overline{OA}+\overline{AC}=\overline{OC}$
$\therefore$ $\triangle OAD\equiv\triangle OBC$ (SAS 합동)

11 $\triangle PAO$와 $\triangle PBO$에서
$\overline{OP}$가 $\angle XOY$의 이등분선이므로
$\angle AOP=\angle BOP$,
$\angle PAO=\angle PBO=90^\circ$이므로
$\angle OPA=\angle OPB$, $\overline{OP}$는 공통
따라서 $\triangle PAO\equiv\triangle PBO$ (ASA 합동)
$\therefore$ $\overline{PA}=\overline{PB}$

12 $\triangle ADB$와 $\triangle CEA$에서
$\angle DAB+\angle DBA=\angle DAB+\angle EAC=90^\circ$이므로
$\angle DBA=\angle EAC$
같은 방법으로 $\angle DAB=\angle ECA$
즉, $\triangle ADB$와 $\triangle CEA$에서
$\overline{AB}=\overline{AC}$, $\angle DBA=\angle EAC$, $\angle DAB=\angle ECA$이므로
$\triangle ADB\equiv\triangle CEA$ (ASA 합동)

13 $\triangle ABC$와 $\triangle DCB$에서
$\overline{AB}=\overline{DC}$, $\overline{BC}$는 공통, $\overline{AC}=\overline{DB}$이므로
$\triangle ABC\equiv\triangle DCB$ (SSS 합동),
$\triangle ABD$와 $\triangle DCA$에서
$\overline{AB}=\overline{DC}$, $\overline{BD}=\overline{CA}$, $\overline{AD}$는 공통이므로
$\triangle ABD\equiv\triangle DCA$ (SSS 합동),
$\triangle AOB$와 $\triangle DOC$에서
$\overline{AB}=\overline{DC}$, $\triangle ABC\equiv\triangle DCB$에서 $\angle BAO=\angle CDO$,
$\triangle ABD\equiv\triangle DCA$에서 $\angle ABO=\angle DCO$이므로
$\triangle AOB\equiv\triangle DOC$ (ASA 합동) ⇨ 3쌍

14 (1) $\triangle ABF$와 $\triangle DAE$에서
$\overline{BF}=\overline{AE}$, $\angle ABF=\angle DAE=90^\circ$, $\overline{AB}=\overline{DA}$
$\therefore$ $\triangle ABF\equiv\triangle DAE$ (SAS 합동)

(2) $\triangle ABF\equiv\triangle DAE$이므로 $\angle BAF=\angle ADE=30^\circ$
$\therefore$ $\angle DAG=\angle DAE-\angle BAF$
$=90^\circ-30^\circ=60^\circ$

(3) $\triangle AGD$에서 $\angle AGD=180^\circ-(60^\circ+30^\circ)=90^\circ$
$\therefore$ $\angle DGF=180^\circ-\angle AGD=180^\circ-90^\circ=90^\circ$

15 $\triangle AEC$와 $\triangle CDB$에서 $\overline{AC}=\overline{CB}$, $\overline{EC}=\overline{DB}$,
$\angle ACE=\angle CBD=60^\circ$이므로
$\triangle AEC\equiv\triangle CDB$ (SAS 합동)
$\therefore$ $\angle x=\angle EPC$
$=180^\circ-(\angle PEC+\angle PCE)$
$=180^\circ-(\angle PEC+\angle EAC)$
$=\angle ACE=60^\circ$

V 도형의 성질

힘수 점검 51쪽

1. (1) $108\ \text{cm}^2$ (2) $40\ \text{cm}^2$

2. (1) $88\ \text{cm}^2$ (2) $24\ \text{cm}^2$

3.

도형	꼭짓점의 수	면의 수	모서리의 수
삼각기둥	6	5	9
사각기둥	8	6	12
육각기둥	12	8	18

4. (1) 나 (2) 가, 다 (3) 나, 라, 마, 바

13강 다각형 52~53쪽

01 (1) ○ (2) × (3) ○ (4) × (5) × (6) ○
02 (1) ㉡ (2) ㉠ (3) ㉢ (4) ㉣
03 (1) $120°$ (2) $60°$ (3) $90°$ (4) $95°$ (5) $85°$
04 (1) 내각: $55°$, 외각: $125°$
(2) 내각: $100°$, 외각: $80°$
(3) 내각: $134°$, 외각: $46°$
05 (1) $\angle x=125°$, $\angle y=42°$
(2) $\angle x=105°$, $\angle y=78°$
06 (1) 정오각형 (2) 정팔각형
07 (1) ○ (2) ○ (3) ○ (4) ×

03 (2) $180°-120°=60°$
(4) $180°-85°=95°$

04 (1) $125°+(\angle\text{B}$의 내각의 크기$)=180°$이므로
$(\angle\text{B}$의 내각의 크기$)=180°-125°=55°$
(2) $100°+(\angle\text{B}$의 외각의 크기$)=180°$이므로
$(\angle\text{B}$의 외각의 크기$)=180°-100°=80°$
(3) $46°+(\angle\text{B}$의 내각의 크기$)=180°$이므로
$(\angle\text{B}$의 내각의 크기$)=180°-46°=134°$

05 (1) $\angle x=\angle 180°-55°=125°$, $\angle y=\angle 180°-138°=42°$
(2) $\angle x=\angle 180°-75°=105°$, $\angle y=\angle 180°-102°=78°$

07 (3) 삼각형은 세 변의 길이만 같거나 세 내각의 크기만 같아도 정삼각형이 된다.
(4) 네 각의 크기도 같고, 네 변의 길이도 같아야 정사각형이다.

힘수 만점 54쪽

01 ①, ④ **02** ④ **03** $155°$ **04** 정칠각형

01 다각형은 선분으로만 둘러싸인 평면도형이다.
① 직육면체는 평면도형이 아니므로 다각형이 아니다.
④ 반원은 선분과 곡선으로 둘러싸여 있으므로 다각형이 아니다.
따라서 다각형이 아닌 것은 ①, ④이다

02 ④ 모든 변의 길이가 같고, 모든 내각의 크기가 같은 육각형을 정육각형이라 한다.

03 $\angle x=180°-130°=50°$, $\angle y=180°-75°=105°$
$\therefore \angle x+\angle y=50°+105°=155°$

04 조건 ㄴ을 만족시키는 다각형은 칠각형이고, 조건 ㄱ을 만족시키는 다각형은 정다각형이므로 구하는 다각형은 정칠각형이다.

14강 다각형의 대각선 55~56쪽

01 해설 참조
02 (1) 칠각형 (2) 구각형 (3) 십각형 (4) 십이각형
03 (1) 20 (2) 44 (3) 65 (4) 90
04 (1) 20 (2) 35 (3) 54 (4) 65 (5) 77 (6) 119 (7) 152
05 (1) 사각형 (2) 오각형 (3) 육각형 (4) 칠각형
(5) 구각형 (6) 십각형 (7) 십이각형 (8) 십삼각형

01

다각형	꼭짓점의 개수	한 꼭짓점에서 그을 수 있는 대각선의 개수	대각선의 개수
A	4	$4-\boxed{3}=1$	$\frac{4\times1}{\boxed{2}}=\boxed{2}$
A	5	$5-3=2$	$\frac{5\times2}{2}=5$
A	6	$6-3=3$	$\frac{6\times3}{2}=9$
A	7	$7-3=4$	$\frac{7\times4}{2}=14$

02 (1) 구하려는 다각형을 n각형이라 하면

$n-3=4$에서 $n=7$

따라서 구하는 다각형은 칠각형이다.

(2) 구하려는 다각형을 n각형이라 하면

$n-3=6$에서 $n=9$

따라서 구하는 다각형은 구각형이다.

(3) 구하려는 다각형을 n각형이라 하면

$n-3=7$에서 $n=10$

따라서 구하는 다각형은 십각형이다.

(4) 구하려는 다각형을 n각형이라 하면

$n-3=9$에서 $n=12$

따라서 구하는 다각형은 십이각형이다.

03 (1) $\frac{8(8-3)}{2}=20$

(2) $\frac{11(11-3)}{2}=44$

(3) $\frac{13(13-3)}{2}=65$

(4) $\frac{15(15-3)}{2}=90$

04 (1) 조건을 만족하는 다각형을 n각형이라 하면

$n-3=5$, $n=8$

대각선의 개수: $\frac{8\times5}{2}=20$

(2) 조건을 만족하는 다각형을 n각형이라 하면

$n-3=7$, $n=10$

대각선의 개수: $\frac{10\times7}{2}=35$

(3) 조건을 만족하는 다각형을 n각형이라 하면

$n-3=9$, $n=12$

대각선의 개수: $\frac{12\times9}{2}=54$

(4) 조건을 만족하는 다각형을 n각형이라 하면

$n-3=10$, $n=13$

대각선의 개수: $\frac{13\times10}{2}=65$

(5) 조건을 만족하는 다각형을 n각형이라 하면

$n-3=11$, $n=14$

대각선의 개수: $\frac{14\times11}{2}=77$

(6) 조건을 만족하는 다각형을 n각형이라 하면

$n-3=14$, $n=17$

대각선의 개수: $\frac{17\times14}{2}=119$

(7) 조건을 만족하는 다각형을 n각형이라 하면

$n-3=16$, $n=19$

대각선의 개수: $\frac{19\times16}{2}=152$

05 (1) 구하려는 다각형을 n각형이라 하면

$\frac{n(n-3)}{2}=2$에서

$n(n-3)=4$, $4=4\times1$ $\quad\therefore n=4$

따라서 구하는 다각형은 사각형이다.

(2) 구하려는 다각형을 n각형이라 하면

$\frac{n(n-3)}{2}=5$에서

$n(n-3)=10$, $10=5\times2$ $\quad\therefore n=5$

따라서 구하는 다각형은 오각형이다.

(3) 구하려는 다각형을 n각형이라 하면

$\frac{n(n-3)}{2}=9$에서

$n(n-3)=18$, $18=6\times3$ $\quad\therefore n=6$

따라서 구하는 다각형은 육각형이다.

(4) 구하려는 다각형을 n각형이라 하면

$\frac{n(n-3)}{2}=14$에서

$n(n-3)=28$, $28=7\times4$ $\quad\therefore n=7$

따라서 구하는 다각형은 칠각형이다.

(5) 구하려는 다각형을 n각형이라 하면

$\frac{n(n-3)}{2}=27$에서

$n(n-3)=54$, $54=9\times6$ $\quad\therefore n=9$

따라서 구하는 다각형은 구각형이다.

(6) 구하려는 다각형을 n각형이라 하면

$\frac{n(n-3)}{2}=35$에서

$n(n-3)=70$, $70=10\times7$ $\quad\therefore n=10$

따라서 구하는 다각형은 십각형이다.

(7) 구하려는 다각형을 n각형이라 하면

$\frac{n(n-3)}{2}=54$에서

$n(n-3)=108$, $108=12\times9$ $\quad\therefore n=12$

따라서 구하는 다각형은 십이각형이다.

(8) 구하려는 다각형을 n각형이라 하면

$\frac{n(n-3)}{2}=65$에서

$n(n-3)=130$, $130=13\times10$ $\quad\therefore n=13$

따라서 구하는 다각형은 십삼각형이다.

힘수 만점 57쪽

01 3, 7, 7, 70, 70, 35 **02** ④ **03** 33

04 십일각형 **05** 90

01 n각형의 대각선의 개수는 $\frac{n(n-3)}{2}$이다.

02 한 꼭짓점에서 그을 수 있는 대각선의 개수가 8인 다각형을 n각형이라 하면 $n-3=8$, $n=11$
따라서 구하는 다각형은 ④ 십일각형이다.

03 구각형의 한 꼭짓점에서 그을 수 있는 대각선의 개수는 $9-3=6$이므로 $a=6$
구각형의 대각선의 개수는 $\frac{9\times6}{2}=27$이므로
$b=27$
$\therefore a+b=6+27=33$

04 구하려는 다각형을 n각형이라 하면 $\frac{n(n-3)}{2}=44$,
$n(n-3)=88$, $88=11\times8$ $\therefore n=11$
따라서 구하는 다각형은 십일각형이다.

05 한 꼭짓점에서 그을 수 있는 대각선의 개수가 12인 다각형을 n각형이라 하면
$n-3=12$, $n=15$이므로 십오각형이다.
따라서 구하는 대각선의 개수는 $\frac{15\times12}{2}=90$

15강+ 삼각형의 내각의 크기의 합 58~59쪽

01 (1) $75°$ (2) $55°$ (3) $105°$ (4) $30°$
02 (1) $30°$ (2) $48°$ (3) $50°$ (4) $25°$ (5) $24°$
03 (1) $55°$ (2) $55°$ (3) $75°$ (4) $50°$ (5) $23°$
04 (1) $30°$ (2) $36°$ (3) $24°$
05 (1) $90°$ (2) $80°$ (3) $75°$

01 (1) 삼각형의 세 내각의 크기의 합은 $180°$이므로
$\angle x+65°+40°=180°$, $\angle x+105°=180°$
$\therefore \angle x=75°$
(2) 삼각형의 세 내각의 크기의 합은 $180°$이므로
$\angle x+90°+35°=180°$, $\angle x+125°=180°$
$\therefore \angle x=55°$
(3) 삼각형의 세 내각의 크기의 합은 $180°$이므로
$\angle x+40°+35°=180°$, $\angle x+75°=180°$
$\therefore \angle x=105°$
(4) 삼각형의 세 내각의 크기의 합은 $180°$이므로
$\angle x+50°+100°=180°$, $\angle x+150°=180°$
$\therefore \angle x=30°$

02 (1) $\angle x+\angle x+80°+40°=180°$이므로
$2\angle x=60°$ $\therefore \angle x=30°$
(2) $2\angle x+\angle x+36°=180°$이므로
$3\angle x=144°$ $\therefore \angle x=48°$
(3) $\angle x+25°+\angle x+5°+\angle x=180°$이므로
$3\angle x+30°=180°$, $3\angle x=150°$
$\therefore \angle x=50°$
(4) $2\angle x+35°+2\angle x+45°=180°$이므로
$4\angle x+80°=180°$, $4\angle x=100°$
$\therefore \angle x=25°$
(5) $3\angle x+3\angle x+\angle x+12°=180°$이므로
$7\angle x+12°=180°$, $7\angle x=168°$
$\therefore \angle x=24°$

03 (1) $\angle BAC=180°-130°=50°$,
$\angle ACB=180°-105°=75°$이므로
$\triangle ABC$에서 $\angle x+75°+50°=180°$,
$\angle x+125°=180°$ $\therefore \angle x=55°$
(2) $\angle ABC=95°$(맞꼭지각)이므로
$\triangle ABC$에서 $\angle x+95°+30°=180°$
$\angle x+125°=180°$ $\therefore \angle x=55°$
(3) $\angle BAC=180°-120°=60°$,
$\angle ACB=45°$(맞꼭지각)이므로
$\triangle ABC$에서 $\angle x+45°+60°=180°$,
$\angle x+105°=180°$ $\therefore \angle x=75°$
(4) $\triangle AED$에서
$\angle AED=180°-(55°+25°)=100°$
$\therefore \angle BEC=100°$(맞꼭지각)
$\triangle EBC$에서 $\angle x+30°+100°=180°$이므로
$\angle x+130°=180°$ $\therefore \angle x=50°$
(5) $\triangle DEC$에서
$\angle DEC=180°-(75°+28°)=77°$
$\therefore \angle AEB=77°$(맞꼭지각)
$\triangle ABE$에서 $\angle x+77°+80°=180°$이므로
$\angle x+157°=180°$ $\therefore \angle x=23°$

04 (1) $\triangle ADC$에서
$\angle DAC+90°+30°=180°$이므로
$\angle DAC+120°=180°$ $\therefore \angle DAC=60°$
따라서 $\angle x+60°=90°$이므로 $\angle x=30°$
(2) $\triangle ABD$에서
$\angle ABD+90°+36°=180°$이므로
$\angle ABD+126°=180°$ $\therefore \angle ABD=54°$
따라서 $54°+\angle x=90°$이므로 $\angle x=36°$
(3) $\angle BAD+24°=90°$이므로 $\angle BAD=66°$
$\triangle ABD$에서
$\angle x+90°+66°=180°$이므로
$\angle x+156°=180°$ $\therefore \angle x=24°$

05 (1) 세 내각의 크기를 $\angle x$, $2\angle x$, $3\angle x$라 하면

$\angle x+2\angle x+3\angle x=180°$

$6\angle x=180°$ $\quad\therefore \angle x=30°$

따라서 가장 큰 내각의 크기는

$3\angle x=3\times 30°=90°$

[다른 풀이]

$180°\times\dfrac{3}{1+2+3}=180°\times\dfrac{1}{2}=90°$

(2) 세 내각의 크기를 $3\angle x$, $2\angle x$, $4\angle x$라 하면

$3\angle x+2\angle x+4\angle x=180°$

$9\angle x=180°$ $\quad\therefore \angle x=20°$

따라서 가장 큰 내각의 크기는

$4\angle x=4\times 20°=80°$

[다른 풀이]

$180°\times\dfrac{4}{3+2+4}=180°\times\dfrac{4}{9}=80°$

(3) 세 내각의 크기를 $5\angle x$, $4\angle x$, $3\angle x$라 하면

$5\angle x+4\angle x+3\angle x=180°$

$12\angle x=180°$ $\quad\therefore \angle x=15°$

따라서 가장 큰 내각의 크기는

$5\angle x=5\times 15°=75°$

[다른 풀이]

$180°\times\dfrac{5}{5+4+3}=180°\times\dfrac{5}{12}=75°$

힘수 만점  60쪽

01 (1) 55° (2) 70° **02** 65° **03** 70°
04 105° **05** 125°

01 (1) $\angle x+70°+55°=180°$에서

$\angle x+125°=180°$ $\quad\therefore \angle x=55°$

(2) $\triangle ABC$에서 $\angle ABC+45°+65°=180°$

$\angle ABC+110°=180°$ $\quad\therefore \angle ABC=70°$

$\therefore \angle x=70°$(맞꼭지각)

02 $2\angle x+2\angle y+50°=180°$이므로

$2\angle x+2\angle y=130°$, $2(\angle x+\angle y)=130°$

$\therefore \angle x+\angle y=65°$

03 $\triangle ABE$에서

$\angle AEB=180°-(85°+45°)=50°$

$\therefore \angle DEC=50°$(맞꼭지각)

$\triangle DEC$에서 $\angle x+50°+60°=180°$이므로

$\angle x+110°=180°$ $\quad\therefore \angle x=70°$

04 세 내각의 크기를 $2\angle x$, $3\angle x$, $7\angle x$라 하면

$2\angle x+3\angle x+7\angle x=180°$

$12\angle x=180°$ $\quad\therefore \angle x=15°$

따라서 가장 큰 내각의 크기는

$7\angle x=7\times 15°=105°$

[다른 풀이]

$180°\times\dfrac{7}{2+3+7}=180°\times\dfrac{7}{12}=105°$

05 $\angle DBC=\angle a$, $\angle DCB=\angle b$라 하면

$\triangle ABC$에서

$80°+(20°+\angle a)+(25°+\angle b)=180°$,

$\angle a+\angle b+125°=180°$

$\therefore \angle a+\angle b=55°$

$\triangle DBC$에서

$\angle x+\angle a+\angle b=180°$이므로

$\angle x+55°=180°$ $\quad\therefore \angle x=125°$

16강+ 삼각형의 내각과 외각 사이의 관계 61~63쪽

01 (1) 135° (2) 107° (3) 80°
02 (1) 27° (2) 35° (3) 30° (4) 135° (5) 135°
03 (1) $\angle x=65°$, $\angle y=95°$
(2) $\angle x=66°$, $\angle y=54°$
(3) $\angle x=145°$, $\angle y=107°$
(4) $\angle x=138°$, $\angle y=152°$
(5) $\angle x=70°$, $\angle y=35°$
04 (1) 93° (2) 70° (3) 94°
05 (1) 35° (2) 34° (3) 18° (4) 36°
06 (1) 96° (2) 84° (3) 90° (4) 126°

01 (1) $\angle x=95°+40°=135°$

(2) $\angle x=47°+60°=107°$

(3) $\angle x+45°=125°$이므로 $\angle x=80°$

02 (1) $5\angle x=108°+\angle x$이므로 $4\angle x=108°$

$\therefore \angle x=27°$

(2) $\angle x+2\angle x=105°$이므로 $3\angle x=105°$

$\therefore \angle x=35°$

(3) $\angle x+15°+3\angle x=135°$이므로 $4\angle x=120°$

$\therefore \angle x=30°$

(4) $\angle x=90°+(180°-135°)$

$=90°+45°=135°$

(5) $\angle x=(180°-95°)+(180°-130°)$

$=85°+50°=135°$

03 (1) $\angle x+55°=120°$이므로 $\angle x=65°$

$\angle y+25°=120°$이므로 $\angle y=95°$

(2) $\angle x+30°=96°$이므로 $\angle x=66°$

$\angle y+42°=96°$이므로 $\angle y=54°$

(3) $\angle x=110°+35°=145°$

$\angle y+38°=145°$이므로 $\angle y=107°$

(4) $\angle x=18°+120°=138°$

$\angle y=14°+138°=152°$

(5) $\angle x+35°=105°$이므로 $\angle x=70°$

$\angle y+105°=140°$이므로 $\angle y=35°$

04 (1) $\triangle ABC$에서 $\angle BAC+46°+40°=180°$이므로

$\angle BAC+86°=180°$, $\angle BAC=94°$

$\therefore \angle BAD=\frac{1}{2}\angle BAC=\frac{1}{2}\times 94°=47°$

$\triangle ABD$에서 $\angle x=46°+47°=93°$

(2) $\triangle ABC$에서 $\angle BCA+70°+30°=180°$이므로

$\angle BCA+100°=180°$, $\angle BCA=80°$

$\therefore \angle BCD=\frac{1}{2}\angle BCA=\frac{1}{2}\times 80°=40°$

$\triangle DBC$에서 $\angle x=30°+40°=70°$

(3) $\triangle ABC$에서 $\angle BAC+58°=130°$이므로

$\angle BAC=72°$

$\therefore \angle BAD=\frac{1}{2}\angle BAC=\frac{1}{2}\times 72°=36°$

$\triangle ABD$에서 $\angle x=58°+36°=94°$

05 (1) $\angle ABD=\angle DBC=\angle a$,

$\angle ACD=\angle DCE=\angle b$라 하면

$\triangle ABC$에서 $2\angle b=2\angle a+70°$

$\therefore \angle b=\angle a+\angle 35°$ …… ㉠

$\triangle DBC$에서 $\angle b=\angle a+\angle x$ …… ㉡

㉠, ㉡에서 $\angle x=35°$

(2) $\angle ABD=\angle DBC=\angle a$,

$\angle ACD=\angle DCE=\angle b$라 하면

$\triangle ABC$에서 $2\angle b=2\angle a+68°$

$\therefore \angle b=\angle a+\angle 34°$ …… ㉠

$\triangle DBC$에서 $\angle b=\angle a+\angle x$ …… ㉡

㉠, ㉡에서 $\angle x=34°$

(3) $\angle ABD=\angle DBC=\angle a$,

$\angle ACD=\angle DCE=\angle b$라 하면

$\triangle ABC$에서 $2\angle b=2\angle a+36°$

$\therefore \angle b=\angle a+\angle 18°$ …… ㉠

$\triangle DBC$에서 $\angle b=\angle a+\angle x$ …… ㉡

㉠, ㉡에서 $\angle x=18°$

(4) $\angle DCA=\angle ACB=\angle a$,

$\angle EBA=\angle ABD=\angle b$라 하면

$\triangle DBC$에서 $2\angle b=72°+2\angle a$

$\therefore \angle b=36°+\angle a$ …… ㉠

$\triangle ABC$에서 $\angle b=\angle x+\angle a$ …… ㉡

㉠, ㉡에서 $\angle x=36°$

06 (1) $\triangle ABC$에서 $\angle ACB=\angle ABC=32°$

$\therefore \angle DAC=32°+32°=64°$

$\triangle ACD$에서 $\angle CDA=\angle CAD=64°$

$\triangle DBC$에서 $\angle x=32°+64°=96°$

(2) $\triangle ABC$에서 $\angle ACB=\angle ABC=28°$

$\therefore \angle DAC=28°+28°=56°$

$\triangle ACD$에서 $\angle CDA=\angle CAD=56°$

$\triangle DBC$에서 $\angle x=28°+56°=84°$

(3) $\triangle ABD$에서 $\angle BAD=\angle ABD=30°$

$\therefore \angle ADC=30°+30°=60°$

$\triangle ADC$에서 $\angle ACD=\angle ADC=60°$

$\triangle ABC$에서 $\angle x=30°+60°=90°$

(4) $\triangle ABD$에서 $\angle BAD=\angle ABD=42°$

$\therefore \angle ADC=42°+42°=84°$

$\triangle ADC$에서 $\angle ACD=\angle ADC=84°$

$\triangle ABC$에서 $\angle x=42°+84°=126°$

힘수 만점 64쪽

01 ② **02** 73° **03** 42° **04** 60°

01 $\angle x+60°=4\angle x-39°$

$3\angle x=99°$ $\therefore \angle x=33°$

02 $\triangle ABC$에서 $\angle BAC+34°+68°=180°$

$\therefore \angle BAC=78°$

이때 $\angle BAD=\frac{1}{2}\angle BAC=39°$이므로

$\triangle ABD$에서 $\angle x=34°+39°=73°$

03 $\triangle EAD$에서 $\overline{EA}=\overline{ED}$이므로

$\angle EDA=\angle EAD=23°$,

$\angle DEC=23°+23°=46°$

$\triangle DCE$에서 $\overline{DC}=\overline{DE}$이므로

$\angle DCE=\angle DEC=46°$

$\triangle ADC$에서 $\angle CDB=23°+46°=69°$

$\triangle CDB$에서 $\overline{CD}=\overline{CB}$이므로

$\angle CBD=\angle CDB=69°$

$\therefore \angle x=180°-(69°+69°)=42°$

04 $\angle ABD = \angle DBC = \angle a$,

$\angle ACD = \angle DCE = \angle b$라 하면

$\triangle ABC$에서 $2\angle b = 2\angle a + \angle x$

$\therefore \angle b = \angle a + \frac{1}{2}\angle x$ …… ㉠

$\triangle DBC$에서 $\angle b = \angle a + 30°$ …… ㉡

㉠, ㉡에서 $\frac{1}{2}\angle x = 30°$ $\therefore \angle x = 60°$

17강+ 다각형의 내각의 크기의 합 65~67쪽

01 해설 참조

02 (1) 900° (2) 1260° (3) 1440° (4) 1800° (5) 2340° (6) 2520°

03 (1) 오각형 (2) 팔각형 (3) 구각형 (4) 십삼각형 (5) 십사각형 (6) 이십이각형

04 (1) 80° (2) 85° (3) 60° (4) 120° (5) 115°

05 (1) 90° (2) 108° (3) 135° (4) 144° (5) 150° (6) 162°

06 (1) 정삼각형 (2) 정육각형 (3) 정팔각형 (4) 정구각형 (5) 정십이각형 (6) 정십팔각형

01

다각형	변의 개수	한 꼭짓점에서 대각선을 모두 그어 만들 수 있는 삼각형의 개수	내각의 크기의 합
사각형	4	2	$180° \times 2 = 360°$
오각형	5	3	$180° \times 3 = 540°$
육각형	6	4	$180° \times 4 = 720°$
n각형	n	$n-2$	$180° \times (n-2)$

02 (1) 한 꼭짓점에서 대각선을 모두 그어 만들 수 있는 삼각형의 개수: $7-2=5$

내각의 크기의 합: $180° \times 5 = 900°$

(2) 한 꼭짓점에서 대각선을 모두 그어 만들 수 있는 삼각형의 개수: $9-2=7$

내각의 크기의 합: $180° \times 7 = 1260°$

(3) 한 꼭짓점에서 대각선을 모두 그어 만들 수 있는 삼각형의 개수: $10-2=8$

내각의 크기의 합: $180° \times 8 = 1440°$

(4) 한 꼭짓점에서 대각선을 모두 그어 만들 수 있는 삼각형의 개수: $12-2=10$

내각의 크기의 합: $180° \times 10 = 1800°$

(5) 한 꼭짓점에서 대각선을 모두 그어 만들 수 있는 삼각형의 개수: $15-2=13$

내각의 크기의 합: $180° \times 13 = 2340°$

(6) 한 꼭짓점에서 대각선을 모두 그어 만들 수 있는 삼각형의 개수: $16-2=14$

내각의 크기의 합: $180° \times 14 = 2520°$

03 (1) 구하려는 다각형을 n각형이라 하면

$180° \times (n-2) = 540°$

$n-2 = 540 \div 180 = 3$ $\therefore n=5$

따라서 구하는 다각형은 오각형이다.

(2) 구하려는 다각형을 n각형이라 하면

$180° \times (n-2) = 1080°$

$n-2 = 1080 \div 180 = 6$ $\therefore n=8$

따라서 구하는 다각형은 팔각형이다.

(3) 구하려는 다각형을 n각형이라 하면

$180° \times (n-2) = 1260°$

$n-2 = 1260 \div 180 = 7$ $\therefore n=9$

따라서 구하는 다각형은 구각형이다.

(4) 구하려는 다각형을 n각형이라 하면

$180° \times (n-2) = 1980°$

$n-2 = 1980 \div 180 = 11$ $\therefore n=13$

따라서 구하는 다각형은 십삼각형이다.

(5) 구하려는 다각형을 n각형이라 하면

$180° \times (n-2) = 2160°$

$n-2 = 2160 \div 180 = 12$ $\therefore n=14$

따라서 구하는 다각형은 십사각형이다.

(6) 구하려는 다각형을 n각형이라 하면

$180° \times (n-2) = 3600°$

$n-2 = 3600 \div 180 = 20$ $\therefore n=22$

따라서 구하는 다각형은 이십이각형이다.

04 (1) 사각형의 내각의 크기의 합은

$180° \times (4-2) = 360°$이므로

$\angle x + 60° + 125° + 95° = 360°$,

$\angle x + 280° = 360°$ $\therefore \angle x = 80°$

(2) 오각형의 내각의 크기의 합은

$180° \times (5-2) = 540°$이므로

$110° + 140° + 95° + 110° + \angle x = 540°$,

$455° + \angle x = 540°$ $\therefore \angle x = 85°$

(3) $180^\circ-105^\circ=75^\circ$
사각형의 내각의 크기의 합은
$180^\circ\times(4-2)=360^\circ$이므로
$75^\circ+125^\circ+100^\circ+\angle x=360^\circ$,
$300^\circ+\angle x=360^\circ \qquad \therefore \angle x=60^\circ$

(4) 육각형의 내각의 크기의 합은
$180^\circ\times(6-2)=720^\circ$이므로
$\angle x+115^\circ+135^\circ+115^\circ+110^\circ+125^\circ=720^\circ$,
$\angle x+600^\circ=720^\circ \qquad \therefore \angle x=120^\circ$

(5) 육각형의 내각의 크기의 합은
$180^\circ\times(6-2)=720^\circ$이므로
$\angle x+120^\circ+130^\circ+105^\circ+140^\circ+110^\circ=720^\circ$,
$\angle x+605^\circ=720^\circ \qquad \therefore \angle x=115^\circ$

05 (1) $\frac{180^\circ\times(4-2)}{4}=\frac{360^\circ}{4}=90^\circ$
(2) $\frac{180^\circ\times(5-2)}{5}=\frac{540^\circ}{5}=108^\circ$
(3) $\frac{180^\circ\times(8-2)}{8}=\frac{1080^\circ}{8}=135^\circ$
(4) $\frac{180^\circ\times(10-2)}{10}=\frac{1440^\circ}{10}=144^\circ$
(5) $\frac{180^\circ\times(12-2)}{12}=\frac{1800^\circ}{12}=150^\circ$
(6) $\frac{180^\circ\times(20-2)}{20}=\frac{3240^\circ}{20}=162^\circ$

06 (1) 구하려는 정다각형을 정n각형이라 하면
$\frac{180^\circ\times(n-2)}{n}=60^\circ$에서
$180^\circ\times n-360^\circ=60^\circ\times n$
$120^\circ\times n=360^\circ \qquad \therefore n=3$
따라서 구하는 정다각형은 정삼각형이다.

(2) 구하려는 정다각형을 정n각형이라 하면
$\frac{180^\circ\times(n-2)}{n}=120^\circ$에서
$180^\circ\times n-360^\circ=120^\circ\times n$
$60^\circ\times n=360^\circ \qquad \therefore n=6$
따라서 구하는 정다각형은 정육각형이다.

(3) 구하려는 정다각형을 정n각형이라 하면
$\frac{180^\circ\times(n-2)}{n}=135^\circ$에서
$180^\circ\times n-360^\circ=135^\circ\times n$
$45^\circ\times n=360^\circ \qquad \therefore n=8$
따라서 구하는 정다각형은 정팔각형이다.

(4) 구하려는 정다각형을 정n각형이라 하면
$\frac{180^\circ\times(n-2)}{n}=140^\circ$에서
$180^\circ\times n-360^\circ=140^\circ\times n$
$40^\circ\times n=360^\circ \qquad \therefore n=9$
따라서 구하는 정다각형은 정구각형이다.

(5) 구하려는 정다각형을 정n각형이라 하면
$\frac{180^\circ\times(n-2)}{n}=150^\circ$에서
$180^\circ\times n-360^\circ=150^\circ\times n$
$30^\circ\times n=360^\circ \qquad \therefore n=12$
따라서 구하는 정다각형은 정십이각형이다.

(6) 구하려는 정다각형을 정n각형이라 하면
$\frac{180^\circ\times(n-2)}{n}=160^\circ$에서
$180^\circ\times n-360^\circ=160^\circ\times n$
$20^\circ\times n=360^\circ \qquad \therefore n=18$
따라서 구하는 정다각형은 정십팔각형이다.

힘수 만점 68쪽

01 ④ **02** ③ **03** 60° **04** 130°

01 n각형의 한 꼭짓점에서 대각선을 모두 그어 만들 수 있는 삼각형의 개수는 $(n-2)$이고, n각형의 내각의 크기의 합은 $180^\circ\times(n-2)$이므로 이 다각형의 내각의 크기의 합은
$180^\circ\times5=900^\circ$

02 대각선의 개수가 9인 정다각형을 정n각형이라 하면
$\frac{n(n-3)}{2}=9,\ n(n-3)=18$
$n(n-3)=6\times3$
$\therefore n=6$, 즉 정육각형
따라서 정육각형의 내각의 크기의 합은
$180^\circ\times(6-2)=720^\circ$이므로
한 내각의 크기는 $\frac{720^\circ}{6}=120^\circ$

03 사각형의 내각의 크기의 합은
$180^\circ\times(4-2)=360^\circ$이므로
$\angle x+60^\circ+110^\circ+130^\circ=360^\circ$, $\angle x+300^\circ=360^\circ$
$\therefore \angle x=60^\circ$

04 오각형의 내각의 크기의 합은
$180^\circ\times(5-2)=540^\circ$이므로
$\angle x+(180^\circ-95^\circ)+120^\circ+65^\circ+140^\circ=540^\circ$
$\angle x+410^\circ=540^\circ \qquad \therefore \angle x=130^\circ$

18강 다각형의 외각의 크기의 합 69~70쪽

01 (1) 360° (2) 360° (3) 360° (4) 360°
02 (1) 120° (2) 50° (3) 114° (4) 35° (5) 53°
03 (1) 36° (2) 52° (3) 34°
04 (1) 120° (2) 60° (3) 36°
05 (1) 정십오각형 (2) 정팔각형
(3) 정십이각형 (4) 정오각형
06 (1) 정팔각형 (2) 정삼각형 (3) 정십이각형

01 다각형의 외각의 크기의 합은 변의 개수와 상관없이 항상 360°이다.

02 (1) $\angle x+125°+115°=360°$이므로
$\angle x+240°=360°$ $\therefore \angle x=120°$
(2) $\angle x+55°+80°+85°+90°=360°$이므로
$\angle x+310°=360°$ $\therefore \angle x=50°$
(3) $\angle x+110°+50°+52°+34°=360°$이므로
$\angle x+246°=360°$ $\therefore \angle x=114°$
(4) $\angle x+40°+70°+80°+60°+75°=360°$이므로
$\angle x+325°=360°$ $\therefore \angle x=35°$
(5)
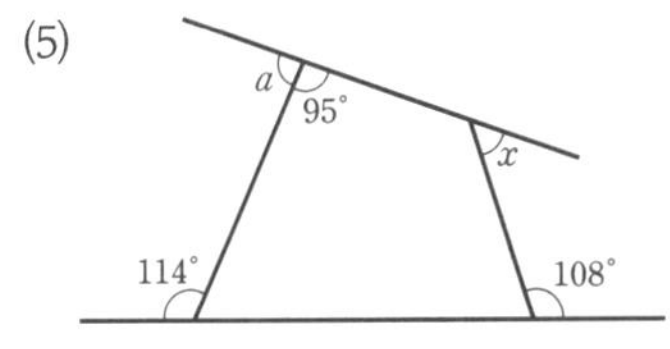

위 그림에서 $\angle a=180°-95°=85°$이므로
$\angle x+85°+114°+108°=360°$,
$\angle x+307°=360°$
$\therefore \angle x=53°$

03 (1) $\angle x+3\angle x+76°+140°=360°$,
$4\angle x+216°=360°$, $4\angle x=144°$
$\therefore \angle x=36°$
(2) $\angle x+77°+\angle x+2\angle x+75°=360°$,
$4\angle x+152°=360°$, $4\angle x=208°$
$\therefore \angle x=52°$
(3) $\angle x+16°+38°+\angle x+58°+90°+90°=360°$,
$2\angle x+292°=360°$, $2\angle x=68°$
$\therefore \angle x=34°$

04 (1) $\frac{360°}{3}=120°$
(2) $\frac{360°}{6}=60°$
(3) $\frac{360°}{10}=36°$

05 (1) 구하려는 정다각형을 정n각형이라 하면
$\frac{360°}{n}=24°$ $\therefore n=15$
따라서 구하는 정다각형은 정십오각형이다.
(2) 구하려는 정다각형을 정n각형이라 하면
$\frac{360°}{n}=45°$ $\therefore n=8$
따라서 구하는 정다각형은 정팔각형이다.
(3) 구하려는 정다각형을 정n각형이라 하면
$\frac{360°}{n}=30°$ $\therefore n=12$
따라서 구하는 정다각형은 정십이각형이다.
(4) 구하려는 정다각형을 정n각형이라 하면
$\frac{360°}{n}=72°$ $\therefore n=5$
따라서 구하는 정다각형은 정오각형이다.

06 (1) 구하려는 정다각형을 정n각형이라 하면
정n각형의 한 외각의 크기는
$180°\times\frac{1}{3+1}=45°$
$\frac{360°}{n}=45°$이므로 $n=8$
따라서 구하는 정다각형은 정팔각형이다.
(2) 구하려는 정다각형을 정n각형이라 하면
정n각형의 한 외각의 크기는
$180°\times\frac{2}{1+2}=120°$
$\frac{360°}{n}=120°$이므로 $n=3$
따라서 구하는 정다각형은 정삼각형이다.
(3) 구하려는 정다각형을 정n각형이라 하면
정n각형의 한 외각의 크기는
$180°\times\frac{1}{5+1}=30°$
$\frac{360°}{n}=30°$이므로 $n=12$
따라서 구하는 정다각형은 정십이각형이다.

힘수 만점 71쪽

01 ③ **02** (1) 27 (2) 30° **03** ④
04 72° **05** ③

01 오각형의 외각의 크기의 합은 360°이므로
$\angle x+45°+85°+65°+95°=360°$
$\angle x+290°=360°$ $\therefore \angle x=70°$

02 (1) 한 외각의 크기가 40°인 정다각형을 정n각형이라 하면

$\frac{360°}{n}=40°$ $\therefore n=9$, 즉 정구각형

따라서 정구각형의 대각선의 개수는

$\frac{9\times(9-3)}{2}=27$

(2) 내각의 크기의 합이 1800°인 정다각형을 정n각형이라 하면

$180°\times(n-2)=1800°$, $n-2=10$

$\therefore n=12$, 즉 정십이각형

따라서 정십이각형의 한 외각의 크기는

$\frac{360°}{12}=30°$

03 한 외각의 크기가 36°인 정다각형을 정n각형이라 하면

$\frac{360°}{n}=36°$ $\therefore n=10$, 즉 정십각형

따라서 정십각형의 내각의 크기의 합은

$180°\times(10-2)=1440°$

04 조건을 만족하는 정다각형을 정n각형이라 하면

$180°\times(n-2)+360°=900°$

$\therefore n=5$, 즉 정오각형

따라서 정오각형의 한 외각의 크기는

$\frac{360°}{5}=72°$

05 (한 외각의 크기)$=180°\times\frac{2}{7+2}=40°$

이때 구하려는 정다각형을 정n각형이라 하면

$\frac{360°}{n}=40°$ $\therefore n=9$

따라서 구하는 정다각형은 정구각형이다.

19강+ 원과 부채꼴 72~74쪽

01 해설 참조

02 (1) $\overline{DB}$ (또는 $\overline{BD}$) (2) $\widehat{AB}$ (또는 $\widehat{BA}$)
(3) ∠BOC (또는 ∠COB) (4) $\overline{AC}$ (또는 $\overline{CA}$)

03 (1) ○ (2) ○ (3) × (4) ×

04 (1) 7 (2) 60 (3) 10

05 (1) $x=8$, $y=135$ (2) $x=9$, $y=90$

06 (1) 12 (2) 6 (3) 10

07 (1) 10 (2) 35 (3) 160 (4) 100

08 (1) 4 (2) 60

09 (1) ○ (2) × (3) × (4) ○

01 (1)

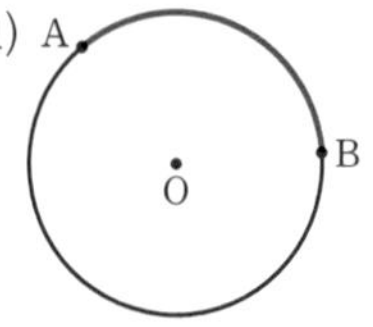

(2)

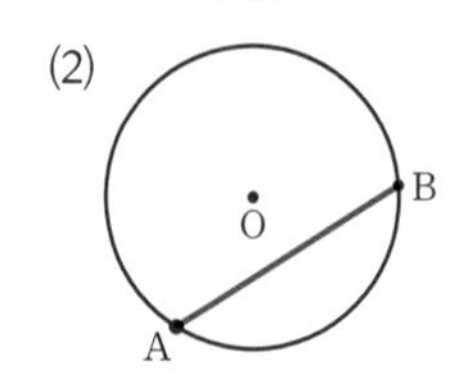

03 (3) 활꼴은 호와 현으로 이루어진 도형이다.

두 반지름과 호로 이루어진 도형은 부채꼴이다.

(4) 중심각의 크기가 180°인 부채꼴이 활꼴이다.

04 (3) $30:60=5:x$이므로 $1:2=5:x$

$\therefore x=10$

05 (1) $15:30=4:x$이므로 $1:2=4:x$

$\therefore x=8$

$15:y=4:36=1:9$

$\therefore y=135$

(2) $30:45=6:x$이므로 $2:3=6:x$

$\therefore x=9$

$30:y=6:18=1:3$ $\therefore y=90$

06 (1) $\overline{AD}\,/\!/\,\overline{OC}$ 이므로

$\angle OAD=\angle BOC=30°$(동위각)

오른쪽 그림과 같이

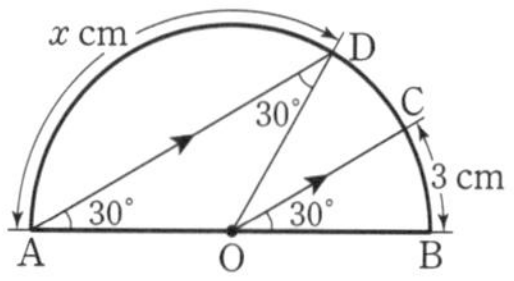

$\overline{OD}$를 그으면

$\overline{OA}=\overline{OD}$ 이므로

$\angle ODA=\angle OAD$

$=30°$

$\therefore \angle AOD=180°-(30°+30°)=120°$

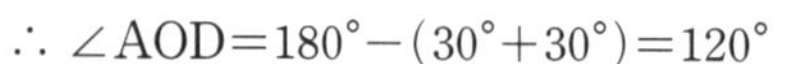

부채꼴의 호의 길이는 중심각의 크기에 정비례하므로

$120:30=x:3$, $4:1=x:3$

$\therefore x=12$

(2) $\overline{AD}\,/\!/\,\overline{OC}$ 이므로

$\angle OAD=\angle BOC=60°$(동위각)

오른쪽 그림과 같이

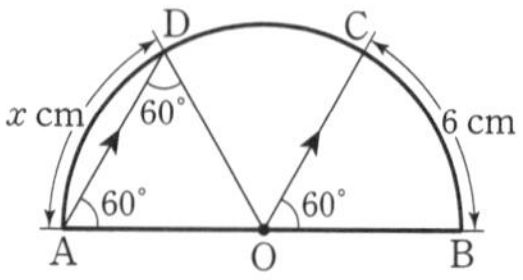

$\overline{OD}$를 그으면

$\overline{OA}=\overline{OD}$ 이므로

$\angle ODA=\angle OAD$

$=60°$

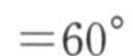

$\therefore \angle AOD=180°-(60°+60°)=60°$

중심각의 크기가 같은 두 부채꼴의 호의 길이는 같으므로

$x=6$

(3) $\overline{AD} /\!/ \overline{OC}$ 이므로

$\angle OAD = \angle BOC = 45°$(동위각)

오른쪽 그림과 같이

$\overline{OD}$ 를 그으면

$\overline{OA} = \overline{OD}$ 이므로

$\angle ODA = \angle OAD$

$= 45°$

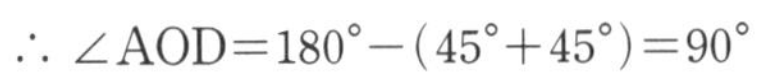

$\therefore \angle AOD = 180° - (45° + 45°) = 90°$

부채꼴의 호의 길이는 중심각의 크기에 정비례하므로

$90 : 45 = x : 5$, $2 : 1 = x : 5$

$\therefore x = 10$

07 (1) 한 원에서 중심각의 크기가 같은 두 부채꼴의 넓이는 같다.

(2) 한 원에서 넓이가 같은 두 부채꼴의 중심각의 크기는 같다.

(3) $x : 40 = 120 : 30 = 4 : 1$

$\therefore x = 160$

(4) $x : 20 = 25 : 5 = 5 : 1$

$\therefore x = 100$

09 (2) 현의 길이는 중심각의 크기에 정비례하지 않는다.

(3) 중심각의 크기가 같은 두 부채꼴은 호의 길이와 현의 길이가 각각 같다.

힘수 만점 75쪽

01 ㄱ, ㄹ **02** $x=35$, $y=40$ **03** 42 cm
04 15 cm^2 **05** 14 cm

01 ㄴ. $\angle AOD$에 대한 호는 $\widehat{AD}$이다.

ㄷ. $\widehat{AB}$에 대한 중심각은 $\angle AOB$이다.

02 $20 : 140 = 5 : x$이므로 $20x = 700$ $\therefore x = 35$

$20 : y = 5 : 10$이므로 $5y = 200$ $\therefore y = 40$

03 $\overline{OA} /\!/ \overline{CB}$ 이므로 $\angle OBC = \angle AOB = 20°$(엇각)

$\triangle OCB$에서 $\overline{OC} = \overline{OB}$ 이므로

$\angle OCB = \angle OBC = 20°$

$\therefore \angle COB = 180° - (20° + 20°) = 140°$

따라서 $\widehat{AB} : \widehat{BC} = \angle AOB : \angle BOC$이므로

$6 : \widehat{BC} = 20 : 140 = 1 : 7$

$\therefore \widehat{BC} = 42$ (cm)

04 $\widehat{AB} : \widehat{BC} : \widehat{CD} : \widehat{DA} = 1 : 1 : 3 : 4$이므로

네 개의 부채꼴 AOB, BOC, COD, DOA의 넓이의 비도 $1 : 1 : 3 : 4$이다.

따라서 부채꼴 COD의 넓이는

$45 \times \frac{3}{1+1+3+4} = 45 \times \frac{3}{9} = 15$ (cm^2)

05 $\angle AOC = \angle BOD$(맞꼭지각)이므로

$\overline{BD} = \overline{AC} = 7$ cm

또, $\angle BOE = \angle BOD$이므로 $\overline{BE} = \overline{BD} = 7$ cm

$\therefore \overline{BD} + \overline{BE} = 7 + 7 = 14$ (cm)

20강+ 부채꼴의 호의 길이와 넓이 76~78쪽

01 (1) $l = 10\pi$ cm, $S = 25\pi$ cm^2
(2) $l = 18\pi$ cm, $S = 81\pi$ cm^2

02 (1) 4 cm (2) 7 cm (3) 11 cm (4) 18 cm

03 (1) 3 cm (2) 7 cm (3) 8 cm (4) 10 cm

04 (1) $l = 2\pi$ cm, $S = 6\pi$ cm^2
(2) $l = 6\pi$ cm, $S = 27\pi$ cm^2
(3) $l = 16\pi$ cm, $S = 96\pi$ cm^2

05 (1) 36° (2) 126° (3) 90°

06 (1) 4 cm (2) 5 cm (3) 10 cm

07 (1) 135° (2) 105° (3) 120°

08 (1) 4 cm (2) 6 cm (3) 10 cm

09 (1) 4π cm^2 (2) 75π cm^2 (3) 55π cm^2

01 (1) $l = 2\pi \times 5 = 10\pi$ (cm)

$S = \pi \times 5^2 = 25\pi$ (cm^2)

(2) 원의 반지름의 길이는 $18 \div 2 = 9$ (cm)이므로

$l = 2\pi \times 9 = 18\pi$ (cm)

$S = \pi \times 9^2 = 81\pi$ (cm^2)

02 (1) 원의 반지름의 길이를 r cm라 하면

$2\pi r = 8\pi$ $\therefore r = 4$

따라서 구하는 반지름의 길이는 4 cm이다.

(2) 원의 반지름의 길이를 r cm라 하면

$2\pi r = 14\pi$ $\therefore r = 7$

따라서 구하는 반지름의 길이는 7 cm이다.

(3) 원의 반지름의 길이를 r cm라 하면

$2\pi r = 22\pi$ $\therefore r = 11$

따라서 구하는 반지름의 길이는 11 cm이다.

(4) 원의 반지름의 길이를 r cm라 하면

$2\pi r = 36\pi$ $\therefore r = 18$

따라서 구하는 반지름의 길이는 18 cm이다.

03 (1) 원의 반지름의 길이를 r cm라 하면

$\pi r^2=9\pi$, $r^2=9$ $\therefore r=3(\because r>0)$

따라서 구하는 반지름의 길이는 3 cm이다.

(2) 원의 반지름의 길이를 r cm라 하면

$\pi r^2=49\pi$, $r^2=49$ $\therefore r=7(\because r>0)$

따라서 구하는 반지름의 길이는 7 cm이다.

(3) 원의 반지름의 길이를 r cm라 하면

$\pi r^2=64\pi$, $r^2=64$ $\therefore r=8(\because r>0)$

따라서 구하는 반지름의 길이는 8 cm이다.

(4) 원의 반지름의 길이를 r cm라 하면

$\pi r^2=100\pi$, $r^2=100$ $\therefore r=10(\because r>0)$

따라서 구하는 반지름의 길이는 10 cm이다.

04 (1) $l=2\pi\times6\times\frac{60}{360}=2\pi(\text{cm})$

$S=\pi\times6^2\times\frac{60}{360}=6\pi(\text{cm}^2)$

(2) $l=2\pi\times9\times\frac{120}{360}=6\pi(\text{cm})$

$S=\pi\times9^2\times\frac{120}{360}=27\pi(\text{cm}^2)$

(3) $l=2\pi\times12\times\frac{240}{360}=16\pi(\text{cm})$

$S=\pi\times12^2\times\frac{240}{360}=96\pi(\text{cm}^2)$

05 (1) 부채꼴의 중심각의 크기를 $x°$라 하면

$2\pi\times5\times\frac{x}{360}=\pi$ $\therefore x=36$

따라서 구하는 부채꼴의 중심각의 크기는 36°이다.

(2) 부채꼴의 중심각의 크기를 $x°$라 하면

$2\pi\times10\times\frac{x}{360}=7\pi$ $\therefore x=126$

따라서 구하는 부채꼴의 중심각의 크기는 126°이다.

(3) 부채꼴의 중심각의 크기를 $x°$라 하면

$2\pi\times6\times\frac{x}{360}=3\pi$ $\therefore x=90$

따라서 구하는 부채꼴의 중심각의 크기는 90°이다.

06 (1) 부채꼴의 반지름의 길이를 r cm라 하면

$2\pi\times r\times\frac{45}{360}=\pi$ $\therefore r=4$

따라서 구하는 부채꼴의 반지름의 길이는 4 cm이다.

(2) 부채꼴의 반지름의 길이를 r cm라 하면

$2\pi\times r\times\frac{108}{360}=3\pi$ $\therefore r=5$

따라서 구하는 부채꼴의 반지름의 길이는 5 cm이다.

(3) 부채꼴의 반지름의 길이를 r cm라 하면

$2\pi\times r\times\frac{72}{360}=4\pi$ $\therefore r=10$

따라서 구하는 부채꼴의 반지름의 길이는 10 cm이다.

07 (1) 부채꼴의 중심각의 크기를 $x°$라 하면

$\pi\times8^2\times\frac{x}{360}=24\pi$ $\therefore x=135$

따라서 구하는 부채꼴의 중심각의 크기는 135°이다.

(2) 부채꼴의 중심각의 크기를 $x°$라 하면

$\pi\times12^2\times\frac{x}{360}=42\pi$ $\therefore x=105$

따라서 구하는 부채꼴의 중심각의 크기는 105°이다.

(3) 부채꼴의 중심각의 크기를 $x°$라 하면

$\pi\times6^2\times\frac{x}{360}=12\pi$ $\therefore x=120$

따라서 구하는 부채꼴의 중심각의 크기는 120°이다.

08 (1) 부채꼴의 반지름의 길이를 r cm라 하면

$\pi\times r^2\times\frac{45}{360}=2\pi$, $r^2=16$

$\therefore r=4(\because r>0)$

따라서 구하는 부채꼴의 반지름의 길이는 4 cm이다.

(2) 부채꼴의 반지름의 길이를 r cm라 하면

$\pi\times r^2\times\frac{240}{360}=24\pi$, $r^2=36$

$\therefore r=6(\because r>0)$

따라서 구하는 부채꼴의 반지름의 길이는 6 cm이다.

(3) 부채꼴의 반지름의 길이를 r cm라 하면

$\pi\times r^2\times\frac{108}{360}=30\pi$, $r^2=100$

$\therefore r=10(\because r>0)$

따라서 구하는 부채꼴의 반지름의 길이는 10 cm이다.

09 (1) $\frac{1}{2}\times4\times2\pi=4\pi(\text{cm}^2)$

(2) $\frac{1}{2}\times10\times15\pi=75\pi(\text{cm}^2)$

(3) $\frac{1}{2}\times11\times10\pi=55\pi(\text{cm}^2)$

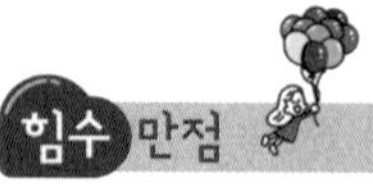

힘수 만점 79쪽

01 (1) $l=\frac{4}{3}\pi$ cm, $S=\frac{8}{3}\pi$ cm^2

(2) $l=8\pi$ cm, $S=36\pi$ cm^2

02 ④ **03** (1) 5 cm (2) 6π cm (3) 8π cm

04 144

01 (1) $l=2\pi\times4\times\frac{60}{360}$

$=\frac{4}{3}\pi(\text{cm})$

$S=\pi\times4^2\times\frac{60}{360}=\frac{8}{3}\pi(\text{cm}^2)$

(2) $l=2\pi\times9\times\dfrac{160}{360}$

$=8\pi$ (cm)

$S=\pi\times9^2\times\dfrac{160}{360}=36\pi$ (cm²)

02 부채꼴의 중심각의 크기를 $x°$라 하면

$2\pi\times8\times\dfrac{x}{360}=6\pi$이므로 $x=135$

따라서 구하는 중심각의 크기는 135°이다.

03 (1) 부채꼴의 반지름의 길이를 r cm라 하면

$\pi\times r^2\times\dfrac{72}{360}=5\pi$, $r^2=25$ $\quad\therefore r=5(\because r>0)$

따라서 부채꼴의 반지름의 길이는 5 cm이다.

(2) 부채꼴의 호의 길이를 l cm라 하면

$\dfrac{1}{2}\times8\times l=24\pi$ $\quad\therefore l=6\pi$

따라서 부채꼴의 호의 길이는 6π cm이다.

(3) 부채꼴의 반지름의 길이를 r cm, 호의 길이를 l cm라 하면

$\pi\times r^2\times\dfrac{120}{360}=48\pi$, $r^2=144$ $\quad\therefore r=12(\because r>0)$

따라서 중심각의 크기가 120°이고 반지름의 길이가 12 cm인 부채꼴의 호의 길이는

$2\pi\times12\times\dfrac{120}{360}=8\pi$ (cm)

04 반지름의 길이가 10 cm이고 호의 길이가 2π cm인 부채꼴의 넓이는 $\dfrac{1}{2}\times10\times2\pi=10\pi$ (cm²)

즉, $\pi\times5^2\times\dfrac{x}{360}=10\pi$이므로 $x=144$

21강+ 색칠한 부분의 둘레의 길이와 넓이 80~81쪽

01 (1) 24π cm (2) 36π cm (3) 20π cm
(4) 10π cm (5) $(10\pi+10)$cm
(6) $(7\pi+6)$ cm (7) $\left(\dfrac{9}{2}\pi+18\right)$cm

02 (1) 80π cm² (2) 14π cm² (3) $\dfrac{25}{2}\pi$ cm²
(4) 30π cm² (5) $(288-72\pi)$ cm²
(6) $(18\pi-36)$ cm² (7) $(49\pi-98)$cm²

01 (1) (색칠한 부분의 둘레의 길이)

=(반지름의 길이가 8 cm인 원의 둘레의 길이)
+(반지름의 길이가 4 cm인 원의 둘레의 길이)

$=2\pi\times8+2\pi\times4$

$=16\pi+8\pi=24\pi$ (cm)

(2) (색칠한 부분의 둘레의 길이)

=(반지름의 길이가 9 cm인 원의 둘레의 길이)
+(반지름의 길이가 6 cm인 원의 둘레의 길이)
+(반지름의 길이가 3 cm인 원의 둘레의 길이)

$=2\pi\times9+2\pi\times6+2\pi\times3$

$=18\pi+12\pi+6\pi=36\pi$ (cm)

(3) (색칠한 부분의 둘레의 길이)

$=\dfrac{1}{2}\times$(반지름의 길이가 10 cm인 원의 둘레의 길이)
$+\dfrac{1}{2}\times$(반지름의 길이가 6 cm인 원의 둘레의 길이)
$+\dfrac{1}{2}\times$(반지름의 길이가 4 cm인 원의 둘레의 길이)

$=\dfrac{1}{2}\times2\pi\times10+\dfrac{1}{2}\times2\pi\times6+\dfrac{1}{2}\times2\pi\times4$

$=10\pi+6\pi+4\pi=20\pi$ (cm)

(4) (색칠한 부분의 둘레의 길이)

$=\dfrac{1}{2}\times$(반지름의 길이가 5 cm인 원의 둘레의 길이)
$+\dfrac{1}{2}\times$(반지름의 길이가 2 cm인 원의 둘레의 길이)
$+\dfrac{1}{2}\times$(반지름의 길이가 3 cm인 원의 둘레의 길이)

$=\dfrac{1}{2}\times2\pi\times5+\dfrac{1}{2}\times2\pi\times2+\dfrac{1}{2}\times2\pi\times3$

$=5\pi+2\pi+3\pi=10\pi$ (cm)

(5) (색칠한 부분의 둘레의 길이)

$=\dfrac{1}{4}\times$(반지름의 길이가 10 cm인 원의 둘레의 길이)
$+\dfrac{1}{2}\times$(반지름의 길이가 5 cm인 원의 둘레의 길이)
$+10$

$=\dfrac{1}{4}\times2\pi\times10+\dfrac{1}{2}\times2\pi\times5+10$

$=5\pi+5\pi+10=10\pi+10$ (cm)

(6) (색칠한 부분의 둘레의 길이)

$=\dfrac{60}{360}\times$(반지름의 길이가 12 cm인 원의 둘레의 길이)
$+\dfrac{60}{360}\times$(반지름의 길이가 9 cm인 원의 둘레의 길이)
$+(12-9)\times2$

$=\dfrac{1}{6}\times2\pi\times12+\dfrac{1}{6}\times2\pi\times9+3\times2$

$=4\pi+3\pi+6=7\pi+6$ (cm)

(7) (색칠한 부분의 둘레의 길이)

$=\dfrac{1}{4}\times$(반지름의 길이가 9 cm인 원의 둘레의 길이)
$+9\times2$

$=\dfrac{1}{4}\times2\pi\times9+18$

$=\dfrac{9}{2}\pi+18$ (cm)

02 (1) (색칠한 부분의 넓이)

$=$(반지름의 길이가 12 cm인 원의 넓이)

$-$(반지름의 길이가 8 cm인 원의 넓이)

$=\pi\times12^2-\pi\times8^2$

$=144\pi-64\pi=80\pi\,(\text{cm}^2)$

(2) (색칠한 부분의 넓이)

$=\frac{1}{2}\times$(반지름의 길이가 7 cm인 원의 넓이)

$-\frac{1}{2}\times$(반지름의 길이가 5 cm인 원의 넓이)

$+\frac{1}{2}\times$(반지름의 길이가 2 cm인 원의 넓이)

$=\frac{1}{2}\times\left(\pi\times7^2-\pi\times5^2+\pi\times2^2\right)$

$=\frac{1}{2}\times\left(49\pi-25\pi+4\pi\right)=14\pi\,(\text{cm}^2)$

(3) (색칠한 부분의 넓이)

$=\frac{1}{4}\times$(반지름의 길이가 10 cm인 원의 넓이)

$-\frac{1}{2}\times$(반지름의 길이가 5 cm인 원의 넓이)

$=\frac{1}{4}\times\pi\times10^2-\frac{1}{2}\times\pi\times5^2$

$=25\pi-\frac{25}{2}\pi=\frac{25}{2}\pi\,(\text{cm}^2)$

(4) (색칠한 부분의 넓이)

$=\frac{240}{360}\times$(반지름의 길이가 9 cm인 원의 넓이)

$-\frac{240}{360}\times$(반지름의 길이가 6 cm인 원의 넓이)

$=\frac{2}{3}\times\pi\times9^2-\frac{2}{3}\times\pi\times6^2$

$=54\pi-24\pi=30\pi\,(\text{cm}^2)$

(5) (색칠한 부분의 넓이)

$=2\times\Big\{$(한 변의 길이가 12 cm인 정사각형의 넓이)

$-\frac{1}{4}\times$(반지름의 길이가 12 cm인 원의 넓이)$\Big\}$

$=2\times\left(12\times12-\frac{1}{4}\times\pi\times12^2\right)$

$=2\times(144-36\pi)$

$=288-72\pi\,(\text{cm}^2)$

(6) 구하는 넓이는 오른쪽 그림의 색칠한 부분의 넓이의 8배와 같다.

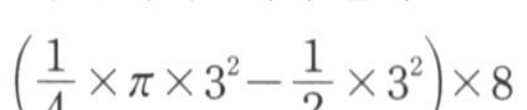

$\left(\frac{1}{4}\times\pi\times3^2-\frac{1}{2}\times3^2\right)\times8$

$=\left(\frac{9}{4}\pi-\frac{9}{2}\right)\times8=18\pi-36\,(\text{cm}^2)$

(7) 모양이 같은 부분이 보이도록 보조선을 그려 보면 오른쪽 그림과 같다.

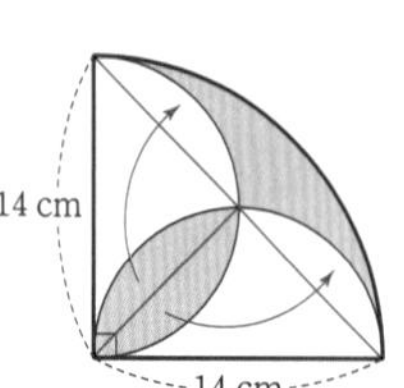

(색칠한 부분의 넓이)

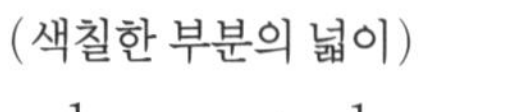

$=\frac{1}{4}\times\pi\times14^2-\frac{1}{2}\times14\times14$

$=49\pi-98\,(\text{cm}^2)$

힘수 만점 82쪽

01 $(18\pi+16)$ cm **02** $(4\pi+8)$ cm

03 ③ **04** ②

01 (색칠한 부분의 둘레의 길이)

$=\frac{135}{360}\times2\pi\times16+\frac{135}{360}\times2\pi\times8+8\times2$

$=12\pi+6\pi+16=18\pi+16\,(\text{cm})$

02 색칠한 부분의 둘레의 길이는 지름이 4 cm인 원의 둘레의 길이에 4 cm를 2번 더한 값과 같다.

$2\pi\times2+4\times2=4\pi+8\,(\text{cm})$

03 (색칠한 부분의 둘레의 길이)

$=\frac{240}{360}\times2\pi\times9+\frac{240}{360}\times2\pi\times6+3+3$

$=12\pi+8\pi+6=20\pi+6\,(\text{cm})$

04 오른쪽 그림과 같이 빗금친 부분을 옮기면

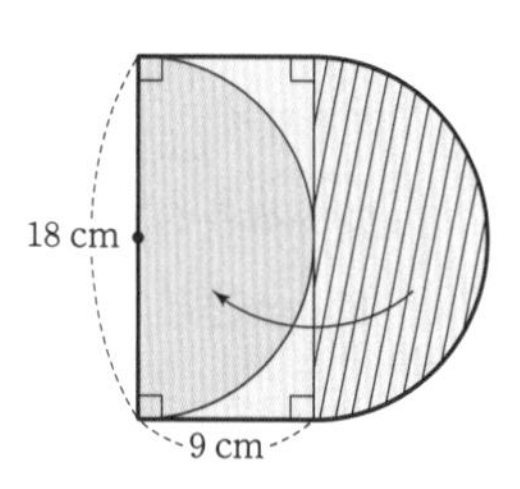

(색칠한 부분의 넓이)

$=9\times18=162\,(\text{cm}^2)$

22강 중단원 연산 마무리 83~85쪽

01 (1) ○ (2) ○ (3) × (4) ○ (5) ×

02 (1) 20 (2) 44 (3) 77

03 (1) $43°$ (2) $57°$

04 (1) $122°$ (2) $116°$ (3) $129°$ (4) $34°$ (5) $122°$

05 (1) $1260°$ (2) 칠각형 (3) 8 (4) 20

06 (1) $130°$ (2) $26°$ (3) $44°$

07 (1) 12 cm (2) $\frac{35}{2}$ cm (3) 100 cm^2 (4) 7 cm^2

08 (1) $l=8\pi$ cm, $S=(64-16\pi)$ cm^2

(2) $l=(7\pi+6)$ cm, $S=\frac{21}{2}\pi$ cm^2

09 (1) 50 cm^2 (2) $(32\pi-64)$ cm^2

10 $75°$

11 $120°$

12 (1) 32π cm (2) 32π cm^2

01 (3) 모든 변의 길이와 모든 각의 크기가 같은 사각형을 정사각형이라 한다.
(5) 정육각형의 모든 대각선의 길이가 같지는 않다.

02 (1) 한 꼭짓점에서 그을 수 있는 대각선의 개수가 5인 다각형을 n각형이라 하면
$n-3=5$
$\therefore n=8$, 즉 팔각형
따라서 팔각형의 대각선의 개수는
$\frac{8\times(8-3)}{2}=20$
(2) 한 꼭짓점에서 그을 수 있는 대각선의 개수가 8인 다각형을 n각형이라 하면
$n-3=8$
$\therefore n=11$, 즉 십일각형
따라서 십일각형의 대각선의 개수는
$\frac{11\times(11-3)}{2}=44$
(3) 한 꼭짓점에서 그을 수 있는 대각선의 개수가 11인 다각형을 n각형이라 하면
$n-3=11$
$\therefore n=14$, 즉 십사각형
따라서 십사각형의 대각선의 개수는
$\frac{14\times(14-3)}{2}=77$

03 (1) $\angle x+60^\circ=4\angle x-69^\circ$
$3\angle x=129^\circ \qquad \therefore \angle x=43^\circ$
(2) $\triangle$ABO에서 $\angle AOD=74^\circ+45^\circ=119^\circ$
$\triangle$DOC에서 $\angle AOD=\angle x+62^\circ=119^\circ$
$\therefore \angle x=57^\circ$

04 (1) $\triangle$ABC에서
$\angle DBC+\angle DCB$
$=180^\circ-(70^\circ+24^\circ+28^\circ)$
$=58^\circ$
따라서 $\triangle$DBC에서
$\angle x=180^\circ-(\angle DBC+\angle DCB)$
$=180^\circ-58^\circ=122^\circ$
(2) 사각형 ABCD에서
$\angle ABC+\angle DCB$
$=360^\circ-(124^\circ+108^\circ)=128^\circ$
따라서 $\triangle$OBC에서
$\angle x=180^\circ-(\angle OBC+\angle OCB)$
$=180^\circ-\frac{1}{2}(\angle ABC+\angle DCB)$
$=180^\circ-\frac{1}{2}\times128^\circ=116^\circ$
(3) $\angle DBC=\angle a$라 하면
$\triangle$ABC에서 $\overline{AB}=\overline{AC}$ 이므로
$\angle ACB=\angle ABC=\angle a$,
$\angle CAD=\angle a+\angle a=2\angle a$
$\triangle$CAD에서 $\overline{CD}=\overline{CA}$ 이므로
$\angle CDA=\angle CAD=2\angle a$
이때 $2\angle a=86^\circ$이므로 $\angle a=43^\circ$
따라서 $\triangle$DBC에서
$\angle x=86^\circ+\angle a=86^\circ+43^\circ=129^\circ$
(4) $\angle ABD=\angle DBC=\angle a$,
$\angle ACD=\angle DCE=\angle b$라 하면
$\triangle$ABC에서 $2\angle b=2\angle a+68^\circ$
$\therefore \angle b=\angle a+34^\circ$ …… ㉠
$\triangle$DBC에서 $\angle b=\angle a+\angle x$ …… ㉡
㉠, ㉡에서 $\angle x=34^\circ$
(5)
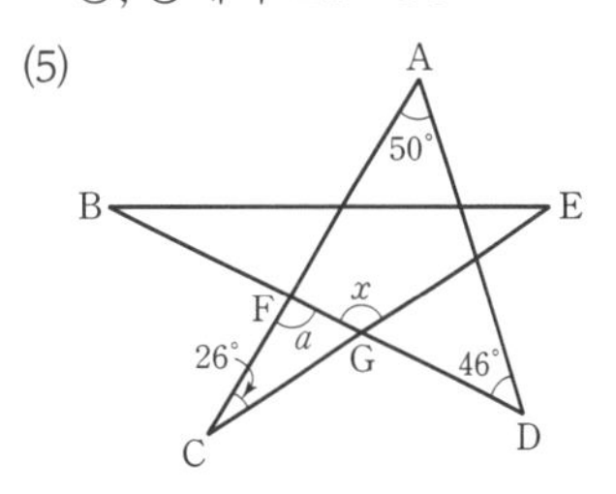

$\angle CFD=\angle a$라 하면
$\triangle$AFD에서 $\angle a=50^\circ+46^\circ=96^\circ$
$\triangle$FCG에서 $\angle x=26^\circ+\angle a=26^\circ+96^\circ=122^\circ$

05 (1) 한 꼭짓점에서 그을 수 있는 대각선의 개수가 6인 다각형을 n각형이라 하면
$n-3=6 \qquad \therefore n=9$, 즉 구각형
따라서 구각형의 내각의 크기의 합은
$180^\circ\times(9-2)=1260^\circ$
(2) 구하려는 다각형을 n각형이라 하면
$180^\circ\times(n-2)=900^\circ$
$n-2=5 \qquad \therefore n=7$
따라서 구하는 다각형은 칠각형이다.
(3) 대각선의 개수가 35인 다각형을 n각형이라 하면
$\frac{n(n-3)}{2}=35$, $n(n-3)=70$
$n(n-3)=10\times7 \qquad \therefore n=10$, 즉 십각형
따라서 십각형의 한 꼭짓점에서 대각선을 모두 그었을 때 생기는 삼각형의 개수는 $10-2=8$
(4) 내각의 크기의 합이 1080°인 다각형을 n각형이라 하면
$180^\circ\times(n-2)=1080^\circ$
$n-2=6 \qquad \therefore n=8$, 즉 팔각형
따라서 팔각형의 대각선의 개수는
$\frac{8(8-3)}{2}=20$

06 (1) 오각형의 내각의 크기의 합은

$180^\circ \times (5-2) = 540^\circ$이므로

$\angle x + (180^\circ - 65^\circ) + 85^\circ + 80^\circ + 130^\circ = 540^\circ$

$\angle x + 410^\circ = 540^\circ$

$\therefore \angle x = 130^\circ$

(2) 육각형의 외각의 크기의 합은 360°이므로

$(\angle x + 50^\circ) + 90^\circ + \angle x + 90^\circ + 30^\circ + 48^\circ = 360^\circ$

$2\angle x + 308^\circ = 360^\circ$

$2\angle x = 52^\circ$

$\therefore \angle x = 26^\circ$

(3)

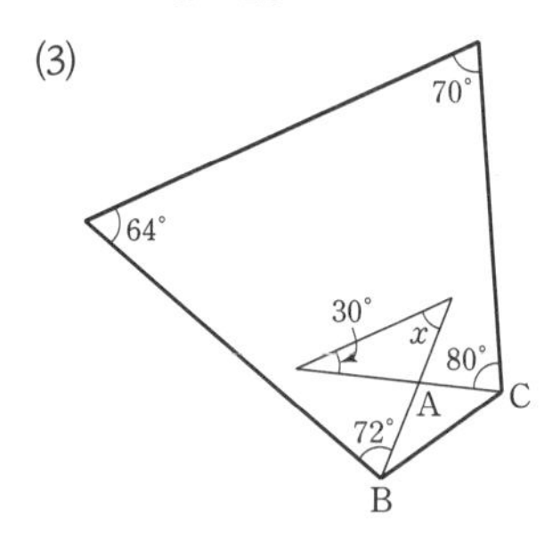

$\angle ABC + \angle ACB = 30^\circ + \angle x$

사각형의 내각의 크기의 합은

$180^\circ \times (4-2) = 360^\circ$이므로

$64^\circ + 72^\circ + (30^\circ + \angle x) + 80^\circ + 70^\circ = 360^\circ$

$316^\circ + \angle x = 360^\circ$

$\therefore \angle x = 44^\circ$

07 (1) $\overline{AC} = \overline{OC} = \overline{OA}$ 에서 $\triangle CAO$는 정삼각형이므로

$\angle AOC = 60^\circ$

$\therefore \angle COD = 180^\circ - (60^\circ + 80^\circ) = 40^\circ$

따라서 $\widehat{AC} : \widehat{CD} = \angle AOC : \angle COD$이므로

$18 : \widehat{CD} = 60 : 40 = 3 : 2$

$\therefore \widehat{CD} = 12\,(\text{cm})$

(2) $\overline{AD} /\!/ \overline{OC}$ 이므로

$\angle DAO = \angle COB = 40^\circ$(동위각)

$\triangle ODA$에서 $\overline{OA} = \overline{OD}$ 이므로

$\angle ODA = \angle DAO = 40^\circ$

$\therefore \angle AOD = 180^\circ - (40^\circ + 40^\circ)$

$= 100^\circ$

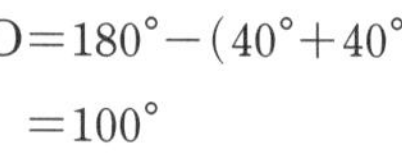

따라서 $\widehat{BC} : \widehat{AD} = \angle COB : \angle AOD$이므로

$7 : \widehat{AD} = 40 : 100 = 2 : 5$

$\therefore \widehat{AD} = \frac{35}{2}\,(\text{cm})$

(3) 부채꼴 COD의 넓이를 $x\,\text{cm}^2$라 하면

$26 : 130 = 20 : x$이므로 $26x = 2600$

$\therefore x = 100$

따라서 부채꼴 COD의 넓이는 $100\,\text{cm}^2$이다.

(4) $\widehat{AB} : \widehat{BC} : \widehat{CD} : \widehat{DA} = 1 : 4 : 3 : 4$이므로 네 개의 부채꼴 AOB, BOC, COD, DOA의 넓이의 비도

$1 : 4 : 3 : 4$이다.

따라서 부채꼴 AOB의 넓이는

$84 \times \frac{1}{1+4+3+4} = 84 \times \frac{1}{12} = 7\,(\text{cm}^2)$

08 (1) 색칠한 부분의 둘레의 길이는 반지름의 길이가 4 cm인 원의 둘레의 길이와 같다.

$l = \frac{1}{4} \times$(반지름의 길이가 4 cm인 원의 둘레의 길이)$\times 4$

$= \frac{1}{4} \times (2\pi \times 4) \times 4$

$= 8\pi\,(\text{cm})$

$S =$(한 변의 길이가 8 cm인 정사각형의 넓이)

$-$(반지름의 길이가 4 cm인 원의 넓이)

$= 8^2 - \pi \times 4^2 = 64 - 16\pi\,(\text{cm}^2)$

(2) $l = \frac{60}{360} \times$(반지름의 길이가 12 cm인 부채꼴의 호의 길이)

$+ \frac{60}{360} \times$(반지름의 길이가 9 cm인 부채꼴의 호의 길이)

$+3+3$

$= \frac{60}{360} \times 2\pi \times 12 + \frac{60}{360} \times 2\pi \times 9 + 3 + 3$

$= 4\pi + 3\pi + 6$

$= 7\pi + 6\,(\text{cm})$

$S = \frac{60}{360} \times$(반지름의 길이가 12 cm인 부채꼴의 넓이)

$- \frac{60}{360} \times$(반지름의 길이가 9 cm인 부채꼴의 넓이)

$= \frac{60}{360} \times \pi \times 12^2 - \frac{60}{360} \times \pi \times 9^2$

$= 24\pi - \frac{27}{2}\pi$

$= \frac{21}{2}\pi\,(\text{cm}^2)$

09 (1) 오른쪽 그림과 같이 빗금친 부분을 옮기면

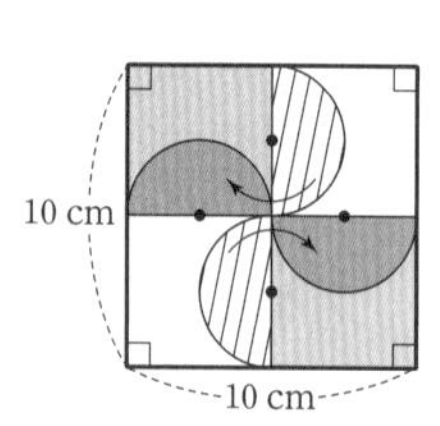

(색칠한 부분의 넓이)

$= (5 \times 5) \times 2$

$= 50\,(\text{cm}^2)$

(2) 오른쪽 그림과 같이 빗금친 부분을 옮기면

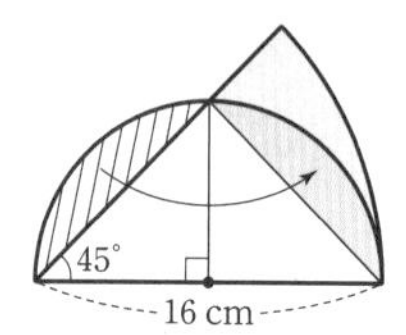

(색칠한 부분의 넓이)

$= \pi \times 16^2 \times \frac{45}{360} - \frac{1}{2} \times 16 \times 8$

$= 32\pi - 64\,(\text{cm}^2)$

10 △ABC에서 $\angle ABC=112°-38°=74°$

이때 $\angle DBC=\frac{1}{2}\angle ABC=37°$이므로

△DBC에서 $\angle x=37°+38°=75°$

11 정육각형의 한 내각의 크기는

$\frac{180°\times(6-2)}{6}=120°$

△ABF에서 $\overline{AB}=\overline{AF}$ 이므로

$\angle AFB=\frac{1}{2}\times(180°-120°)=30°$

△AEF에서 $\overline{AF}=\overline{FE}$이므로

$\angle FAE=\frac{1}{2}\times(180°-120°)=30°$

△AGF에서

$\angle AGF=180°-(30°+30°)=120°$

$\therefore\ \angle x=120°$(맞꼭지각)

12 (1) (색칠한 부분의 둘레의 길이)

$=2\pi\times2+2\pi\times4+2\pi\times6+\frac{1}{2}\times2\pi\times8$

$=32\pi$ (cm)

(2) 오른쪽 그림과 같이 빗금친 부분을 옮기면 색칠한 부분의 넓이는 반원의 넓이과 같다.

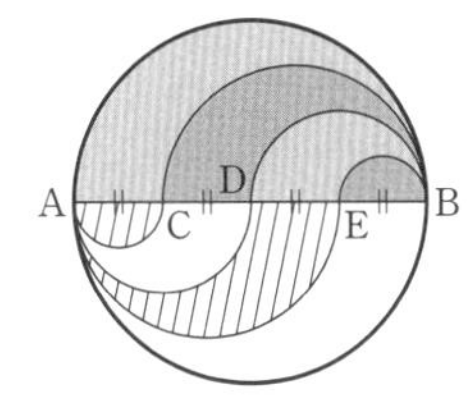

$\therefore\ \frac{1}{2}\times\pi\times8^2$

$=32\pi\ (cm^2)$

23강+ 다면체 86~87쪽

01 (1) ○ (2) × (3) × (4) ○ (5) ○ (6) ×
02 해설 참조
03 (1) 육면체 (2) 육면체 (3) 오면체 (4) 칠면체 (5) 칠면체 (6) 팔면체
04 (1) ㄱ, ㄷ, ㅁ, ㅂ (2) ㄷ (3) ㄷ, ㅂ
05 해설 참조
06 (1) 팔각뿔 (2) 육각뿔대

01 (2) 원기둥은 원과 곡면으로 둘러싸여 있으므로 다면체가 아니다.

(3) 평면도형은 입체도형이 아니므로 다면체가 아니다.

(6) 곡면으로 둘러싸여 있는 입체도형은 다면체가 아니다.

02

다면체			
면의 개수	5	6	8
모서리의 개수	9	12	12
꼭짓점의 개수	6	8	6

03 다면체는 면의 개수에 따라 사면체, 오면체, 육면체, …라 한다.

05 (1)

	밑면의 수	면의 수	꼭짓점의 수	모서리의 수
삼각기둥	2	5	6	9
사각기둥	2	6	8	12
오각기둥	2	7	10	15
육각기둥	2	8	12	18
n각기둥	2	$n+2$	$2n$	$3n$

(2)

	밑면의 수	면의 수	꼭짓점의 수	모서리의 수
삼각뿔	1	4	4	6
사각뿔	1	5	5	8
오각뿔	1	6	6	10
육각뿔	1	7	7	12
n각뿔	1	$n+1$	$n+1$	$2n$

(3)

	밑면의 수	면의 수	꼭짓점의 수	모서리의 수
삼각뿔대	2	5	6	9
사각뿔대	2	6	8	12
오각뿔대	2	7	10	15
육각뿔대	2	8	12	18
n각뿔대	2	$n+2$	$2n$	$3n$

06 (1) ㄱ, ㄴ ⇨ 밑면이 1개이고, 옆면이 삼각형이므로 각뿔이다.

ㄷ ⇨ 면이 9개이므로 팔각뿔이다.

(2) ㄱ, ㄴ ⇨ 두 밑면이 서로 평행하지만 합동은 아니고, 옆면의 모양이 사다리꼴이므로 각뿔대이다.

ㄷ ⇨ 밑면의 모양이 육각형이므로 육각뿔대이다.

힘수 만점 88쪽

01 4개 **02** ⑤ **03** 22 **04** 25 **05** 구각기둥

01 다각형인 면으로만 이루어진 입체도형은 다면체이고, 삼각기둥, 직육면체, 칠각뿔대, 오각뿔의 4개이다.

02 각 입체도형의 꼭짓점의 개수를 구하면
① $8+1=9$　② $2\times5=10$　③ $2\times6=12$
④ $2\times7=14$　⑤ $2\times8=16$
따라서 꼭짓점의 개수가 가장 많은 입체도형은
⑤ 팔각기둥이다.

03 오각뿔의 모서리의 개수는 $2\times5=10$이므로
$a=10$
육각뿔대의 꼭짓점의 개수는 $2\times6=12$이므로
$b=12$
$\therefore a+b=10+12=22$

04 면의 개수가 9인 각뿔을 n각뿔이라 하면
$n+1=9$이므로 $n=8$, 즉 팔각뿔
따라서 팔각뿔의 모서리의 개수는 $2\times8=16$이므로 $a=16$,
꼭짓점의 개수는 $8+1=9$이므로 $b=9$
$\therefore a+b=16+9=25$

05 ㄱ, ㄴ ⇨ 옆면이 직사각형이고, 두 밑면이 평행하면서 합동인 다면체는 각기둥이다.
구하려는 각기둥을 n각기둥이라 하면
꼭짓점의 개수가 18이므로 $2n=18$
$\therefore n=9$, 즉 구각기둥

24강+ 정다면체　89~90쪽

01 (1) ○　(2) ○　(3) ×
02 (1) ㄱ, ㄷ, ㅁ　(2) ㄴ　(3) ㄱ, ㄴ, ㄹ　(4) ㅁ
03 (1) ① 정사면체　② 4　③ 4
(2) ① 정육면체　② 12　③ 정사각형
04 (1) ① 정팔면체　② 6　③ 4
(2) ① 정십이면체　② 면 ㉤　③ 3　④ 3
(3) ① 정이십면체　② 30　③ 5
05 (1) 정사면체, 정육면체, 정팔면체, 정십이면체, 정이십면체
(2) 정십이면체　(3) 정팔면체
(4) 정십이면체, 정이십면체
06 (1) 정사면체　(2) 정십이면체　(3) 정육면체

01 (2) 정오각형으로 이루어진 정다면체는 정십이면체이고, 정십이면체의 한 꼭짓점에 모인 면의 개수는 3이다.
(3) 한 꼭짓점에 모인 각의 크기의 합은 360°보다 작아야 한다.

02 (1) 면의 모양이 모두 정삼각형인 정다면체는 정사면체, 정팔면체, 정이십면체이다.
(2) 각 면의 모양이 모두 정사각형인 정다면체는 정육면체이다.
(3) 한 꼭짓점에 모인 면의 개수가 3인 정다면체는 정사면체, 정육면체, 정십이면체이다.
(4) 한 꼭짓점에 모인 면의 개수가 5인 정다면체는 정이십면체이다.

06 (1) 면의 모양이 정삼각형인 정다면체는 정사면체, 정팔면체, 정이십면체이고, 이중 꼭짓점의 개수가 4인 정다면체는 정사면체이다.
(2) 한 꼭짓점에 모인 면의 개수가 3인 정다면체는 정사면체, 정육면체, 정십이면체이고, 이중 모서리의 개수가 30인 정다면체는 정십이면체이다.
(3) 한 꼭짓점에 모인 면의 개수가 3인 정다면체는 정사면체, 정육면체, 정십이면체이다. 정이십면체의 꼭짓점의 개수는 12이므로 이중 모서리의 개수가 12인 정다면체는 정육면체이다.

힘수 만점　91쪽

01 ④, ⑤　**02** 12　**03** ①, ③　**04** ④

01 ④ 정삼각형으로 이루어진 정다면체는 정사면체, 정팔면체, 정이십면체의 3가지이다.
⑤ 한 꼭짓점에 모인 면의 개수는 정다면체의 종류에 따라 다를 수도 있다.

02 각 면이 모두 합동인 정다각형이고 각 꼭짓점에 모인 면의 개수가 5이므로 정다면체이다.
정다면체 중 모서리의 개수가 30이고 한 꼭짓점에 모인 면의 개수가 5인 것은 정이십면체이다. 정이십면체의 꼭짓점의 개수는 12이다.

03 각 면이 모두 합동인 정삼각형이고 각 꼭짓점에 모인 면의 개수가 4인 입체도형은 정팔면체이다.
① 정팔면체이다.
③ 꼭짓점의 개수는 6이다.

04 주어진 전개도로 만든 정사면체는 오른쪽 그림과 같다.
따라서 $\overline{AB}$와 꼬인 위치에 있는 모서리는 ④ $\overline{CF}$이다.

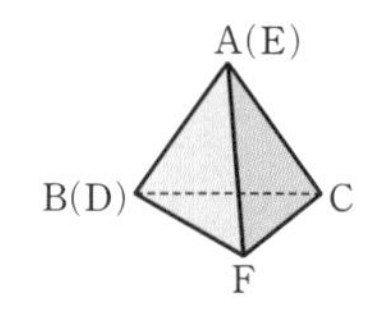

25강 회전체 92~94쪽

01 (1) × (2) ○ (3) ○ (4) × (5) ○ (6) ○
02 해설 참조
03
04 해설 참조 **05** 해설 참조
06 (1) 원뿔대 (2) 원뿔
07 해설 참조

02 (1)
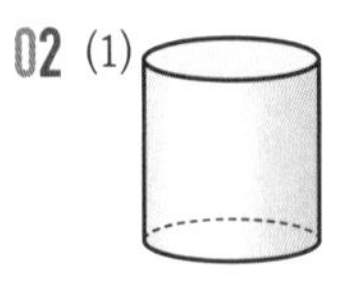
(2)
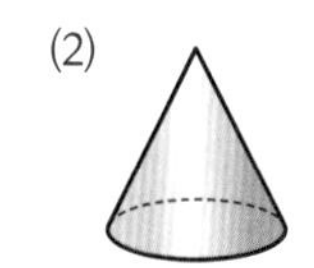
(3)
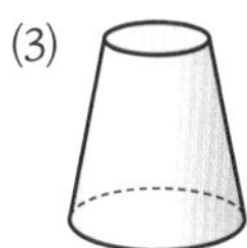
(4)
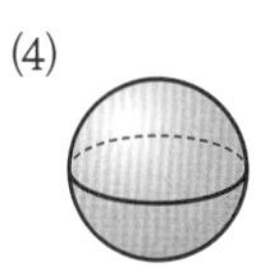

04 (1)
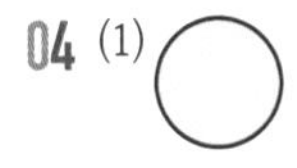
(2)
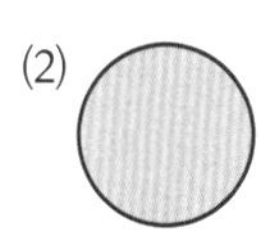
(3)
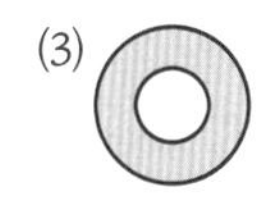

05 (1)
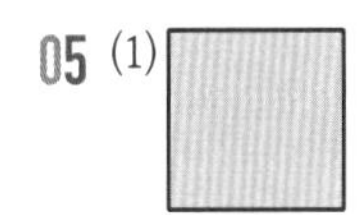
(2)
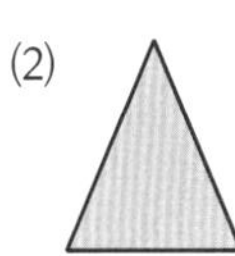
(3)
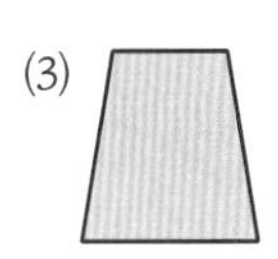
(4)
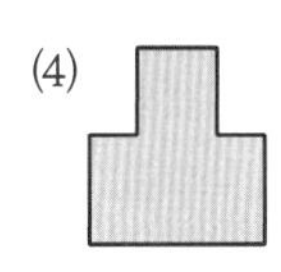
(5)
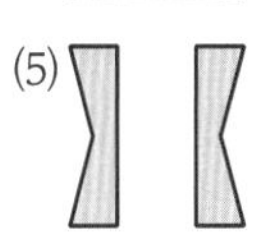

07 (1) (직사각형의 세로의 길이) = (원기둥의 높이) = 10 cm
(직사각형의 가로의 길이) = (밑면인 원의 둘레의 길이)
$= 2\pi \times 5 = 10\pi$ (cm)

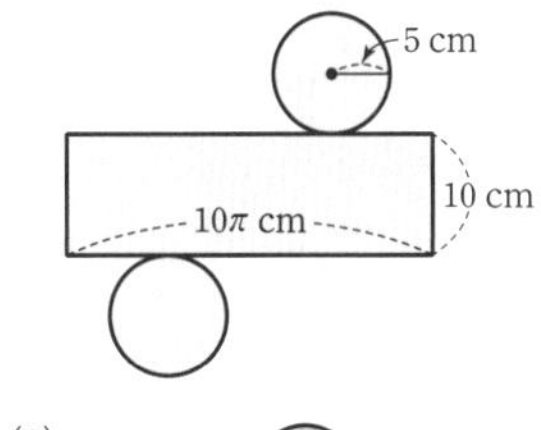

(2)
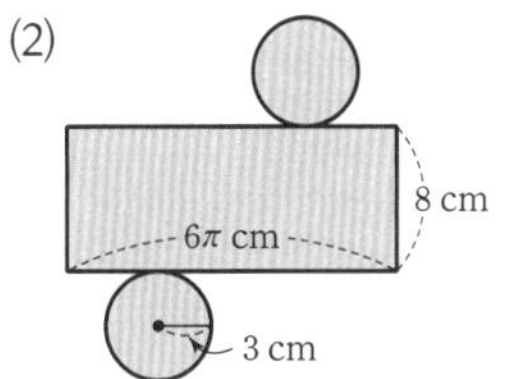

(3)
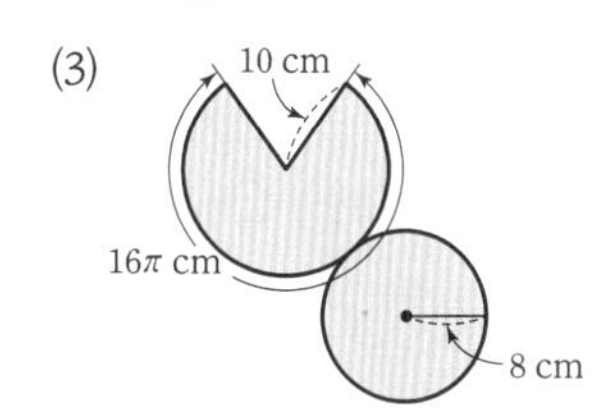

(4)
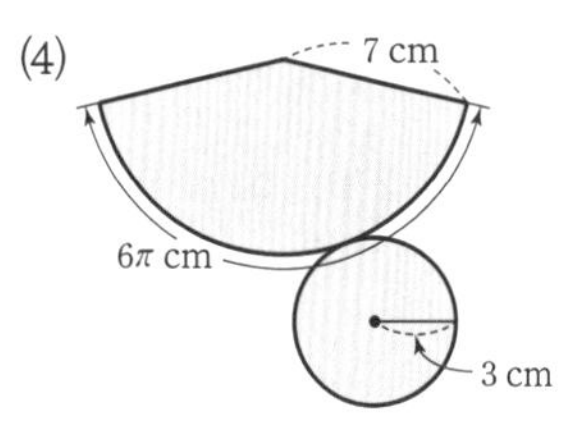

(5)
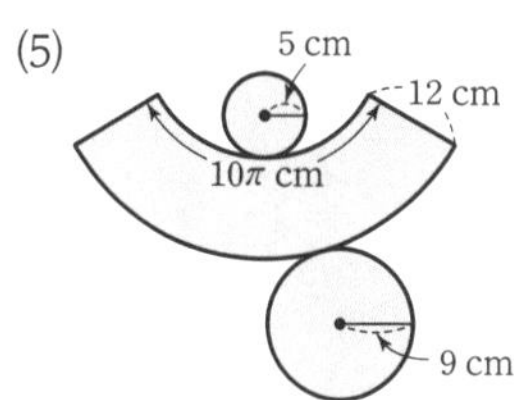

힘수 만점 95쪽

01 ③ **02** ⑤ **03** ① **04** 50 cm²

03 회전축에 수직인 평면으로 자른 단면이 항상 합동인 회전체는 원기둥이다.

04 $\left\{\frac{1}{2} \times (4+6) \times 5\right\} \times 2 = 50\,(\text{cm}^2)$

26강 기둥의 겉넓이 96~97쪽

01 (1) ① 4, 6 ② 5, 6, 72 ③ 6, 72, 84
(2) ① 30 cm² ② 240 cm² ③ 300 cm²
(3) ① 24 cm² ② 240 cm² ③ 288 cm²
(4) ① 42 cm² ② 234 cm² ③ 318 cm²
02 (1) ① 6, 36π ② 6, 8, 96π ③ 36π, 96π, 168π
(2) ① 9π cm² ② 36π cm² ③ 54π cm²
(3) ① 16π cm² ② 40π cm² ③ 72π cm²
03 (1) 284 cm² (2) 205 cm² (3) 324 cm²
(4) 284 cm² (5) 187 cm² (6) $(18\pi+36)$ cm²
(7) $(56\pi+80)$ cm² (8) $(30\pi+108)$ cm²
(9) $(228\pi+180)$ cm² (10) 156π cm²

01 (2) ① (밑넓이) $= \frac{1}{2} \times 5 \times 12 = 30\,(\text{cm}^2)$
② (옆넓이) $= (5+12+13) \times 8 = 240\,(\text{cm}^2)$
③ (겉넓이) $= 30 \times 2 + 240 = 300\,(\text{cm}^2)$

(3) ① (밑넓이) $= \frac{1}{2} \times 6 \times 8 = 24\,(\text{cm}^2)$

② (옆넓이) $= (6+8+10) \times 10 = 240\,(\text{cm}^2)$

③ (겉넓이) $= 24 \times 2 + 240 = 288\,(\text{cm}^2)$

(4) ① (밑넓이) $= 7 \times 6 = 42\,(\text{cm}^2)$

② (옆넓이) $= (7+6+7+6) \times 9 = 234\,(\text{cm}^2)$

③ (겉넓이) $= 42 \times 2 + 234 = 318\,(\text{cm}^2)$

02 (2) ① (밑넓이) $= \pi \times 3^2 = 9\pi\,(\text{cm}^2)$

② (옆넓이) $= (2\pi \times 3) \times 6 = 36\pi\,(\text{cm}^2)$

③ (겉넓이) $= 9\pi \times 2 + 36\pi = 54\pi\,(\text{cm}^2)$

(3) ① (밑넓이) $= \pi \times 4^2 = 16\pi\,(\text{cm}^2)$

② (옆넓이) $= (2\pi \times 4) \times 5 = 40\pi\,(\text{cm}^2)$

③ (겉넓이) $= 16\pi \times 2 + 40\pi = 72\pi\,(\text{cm}^2)$

03 (1) (밑넓이) $= \frac{1}{2} \times (4+7) \times 4 = 22\,(\text{cm}^2)$

(옆넓이) $= (4+4+7+5) \times 12 = 240\,(\text{cm}^2)$

$\therefore$ (겉넓이) $= 22 \times 2 + 240 = 284\,(\text{cm}^2)$

(2) (밑넓이) $= \frac{1}{2} \times 8 \times 3 = 12\,(\text{cm}^2)$

(옆넓이) $= (8+4+6.1) \times 10 = 181\,(\text{cm}^2)$

$\therefore$ (겉넓이) $= 12 \times 2 + 181 = 205\,(\text{cm}^2)$

(3) (밑넓이) $= \frac{1}{2} \times (6+12) \times 4 = 36\,(\text{cm}^2)$

(옆넓이) $= (6+5+12+5) \times 9 = 252\,(\text{cm}^2)$

$\therefore$ (겉넓이) $= 36 \times 2 + 252 = 324\,(\text{cm}^2)$

(4) (밑넓이) $= \frac{1}{2} \times (5+9) \times 3 = 21\,(\text{cm}^2)$

(옆넓이) $= (5+5+9+3) \times 11 = 242\,(\text{cm}^2)$

$\therefore$ (겉넓이) $= 21 \times 2 + 242 = 284\,(\text{cm}^2)$

(5) (밑넓이) $= \frac{1}{2} \times 8 \times 5 = 20\,(\text{cm}^2)$

(옆넓이) $= (8+6+7) \times 7 = 147\,(\text{cm}^2)$

$\therefore$ (겉넓이) $= 20 \times 2 + 147 = 187\,(\text{cm}^2)$

(6) (밑넓이) $= \frac{120}{360} \times \pi \times 3^2 = 3\pi\,(\text{cm}^2)$

(옆넓이) $= \left\{\frac{120}{360} \times (2\pi \times 3) + 3 \times 2\right\} \times 6$

$= (2\pi + 6) \times 6 = 12\pi + 36\,(\text{cm}^2)$

$\therefore$ (겉넓이) $= 3\pi \times 2 + 12\pi + 36$

$= 18\pi + 36\,(\text{cm}^2)$

(7) (밑넓이) $= \frac{1}{2} \times \pi \times 4^2 = 8\pi\,(\text{cm}^2)$

(옆넓이) $= \left\{\frac{1}{2} \times (2\pi \times 4) + 4 \times 2\right\} \times 10$

$= (4\pi + 8) \times 10 = 40\pi + 80\,(\text{cm}^2)$

$\therefore$ (겉넓이) $= 8\pi \times 2 + 40\pi + 80$

$= 56\pi + 80\,(\text{cm}^2)$

(8) (밑넓이) $= \frac{60}{360} \times \pi \times 6^2 = 6\pi\,(\text{cm}^2)$

(옆넓이) $= \left\{\frac{60}{360} \times (2\pi \times 6) + 6 \times 2\right\} \times 9$

$= (2\pi + 12) \times 9 = 18\pi + 108\,(\text{cm}^2)$

$\therefore$ (겉넓이) $= 6\pi \times 2 + 18\pi + 108$

$= 30\pi + 108\,(\text{cm}^2)$

(9) (밑넓이) $= \frac{240}{360} \times \pi \times 9^2 = 54\pi\,(\text{cm}^2)$

(옆넓이) $= \left\{\frac{240}{360} \times (2\pi \times 9) + 9 \times 2\right\} \times 10$

$= (12\pi + 18) \times 10 = 120\pi + 180\,(\text{cm}^2)$

$\therefore$ (겉넓이) $= 54\pi \times 2 + 120\pi + 180$

$= 228\pi + 180\,(\text{cm}^2)$

(10) (밑넓이) $= \pi \times 6^2 = 36\pi\,(\text{cm}^2)$

(옆넓이) $= (2\pi \times 3) \times 4 + (2\pi \times 6) \times 5$

$= 24\pi + 60\pi = 84\pi\,(\text{cm}^2)$

$\therefore$ (겉넓이) $= 36\pi \times 2 + 84\pi = 156\pi\,(\text{cm}^2)$

힘수 만점 98쪽

01 ⑤ **02** ④ **03** (1) 6 cm (2) 240π cm^2
04 8 cm

01 (밑넓이) $= \frac{1}{2} \times (4+7) \times 4 = 22\,(\text{cm}^2)$

(옆넓이) $= (4+4+7+5) \times 8 = 160\,(\text{cm}^2)$

$\therefore$ (겉넓이) $= 22 \times 2 + 160 = 204\,(\text{cm}^2)$

02 (밑넓이) $= 6 \times 4 = 24\,(\text{cm}^2)$

(옆넓이) $= (6+4+6+4) \times x = 20x\,(\text{cm}^2)$

$24 \times 2 + 20x = 188$이므로 $20x = 140$ $\quad \therefore x = 7$

03 (1) 밑면의 원의 반지름의 길이를 r cm라 하면

$2\pi \times r = 12\pi$ $\quad \therefore r = 6$

따라서 밑면의 원의 반지름의 길이는 6 cm이다.

(2) (밑넓이) $= \pi \times 6^2 = 36\pi\,(\text{cm}^2)$

(옆넓이) $= 12\pi \times 14 = 168\pi\,(\text{cm}^2)$

$\therefore$ (겉넓이) $= 36\pi \times 2 + 168\pi = 240\pi\,(\text{cm}^2)$

04 원기둥의 높이를 h cm라 하면

원기둥의 밑넓이는 $\pi \times 6^2 = 36\pi\,(\text{cm}^2)$이므로

(겉넓이) $= 36\pi \times 2 + 12\pi \times h = 168\pi$, $(72 + 12h)\pi = 168\pi$,

$72 + 12h = 168$, $12h = 96$ $\quad \therefore h = 8$

따라서 원기둥의 높이는 8 cm이다.

27강+ 기둥의 부피 99~100쪽

01 (1) ① 6, 9 ② 8 ③ 9, 8, 72
(2) ① 48 cm^2 ② 5 cm ③ 240 cm^3

02 (1) ① 5, 25π ② 7 ③ 25π, 7, 175π
(2) ① 49π cm^2 ② 5 cm ③ 245π cm^3

03 (1) 24π cm^3 (2) 256π cm^3

04 (1) 70 cm^3 (2) 225 cm^3 (3) 400 cm^3 (4) 120 cm^3
(5) 320 cm^3 (6) 105π cm^3 (7) 384π cm^3
(8) 2250π cm^3 (9) 116π cm^3 (10) 312π cm^3

01 (2) ① (밑넓이)$=8\times6=48$(cm^2)
② (높이)$=5$ cm
③ (부피)$=$(밑넓이)$\times$(높이)
$=48\times5=240$(cm^3)

02 (2) ① (밑넓이)$=\pi\times7^2=49\pi$(cm^2)
② (높이)$=5$ cm
③ (부피)$=$(밑넓이)$\times$(높이)
$=49\pi\times5=245\pi$(cm^3)

03 (1) 직사각형을 직선 l을 회전축으로 하여 1회전 시킬 때 생기는 회전체는 오른쪽 그림과 같은 원기둥이다.

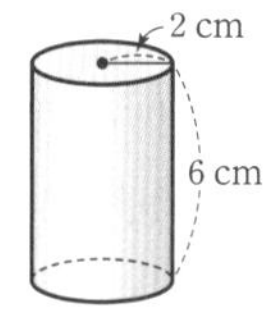

(밑넓이)$=\pi\times2^2$
$=4\pi$(cm^2)
(높이)$=6$ cm
$\therefore$ (부피)$=4\pi\times6=24\pi$(cm^3)

(2) 직사각형을 직선 l을 회전축으로 하여 1회전 시킬 때 생기는 회전체는 오른쪽 그림과 같은 원기둥이다.

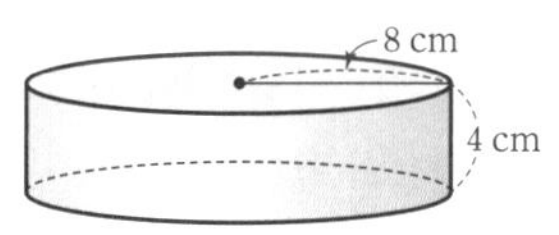

(밑넓이)$=\pi\times8^2$
$=64\pi$(cm^2)
(높이)$=4$ cm
$\therefore$ (부피)$=64\pi\times4=256\pi$(cm^3)

04 (1) (밑넓이)$=\frac{1}{2}\times5\times4=10$($cm^2$)
(높이)$=7$ cm
$\therefore$ (부피)$=10\times7=70$(cm^3)

(2) (밑넓이)$=\frac{1}{2}\times10\times5=25$($cm^2$)
(높이)$=9$ cm
$\therefore$ (부피)$=25\times9=225$(cm^3)

(3) (밑넓이)$=\frac{1}{2}\times(6+10)\times5=40$($cm^2$)
(높이)$=10$ cm
$\therefore$ (부피)$=40\times10=400$(cm^3)

(4) (밑넓이)$=\frac{1}{2}\times(3+7)\times4=20$($cm^2$)
(높이)$=6$ cm
$\therefore$ (부피)$=20\times6=120$(cm^3)

(5) (밑넓이)$=6\times6-2\times2=36-4=32$($cm^2$)
(높이)$=10$ cm
$\therefore$ (부피)$=32\times10=320$(cm^3)

(6) (밑넓이)$=\frac{150}{360}\times\pi\times6^2=15\pi$($cm^2$)
(높이)$=7$ cm
$\therefore$ (부피)$=15\pi\times7=105\pi$(cm^3)

(7) (밑넓이)$=\frac{1}{2}\times\pi\times8^2=32\pi$($cm^2$)
(높이)$=12$ cm
$\therefore$ (부피)$=32\pi\times12=384\pi$(cm^3)

(8) (밑넓이)$=\frac{250}{360}\times\pi\times18^2=225\pi$($cm^2$)
(높이)$=10$ cm
$\therefore$ (부피)$=225\pi\times10=2250\pi$(cm^3)

(9) (작은 원기둥의 부피)$=\pi\times2^2\times4=16\pi$($cm^3$)
(큰 원기둥의 부피)$=\pi\times5^2\times4=100\pi$($cm^3$)
$\therefore$ (전체 부피)$=16\pi+100\pi=116\pi$(cm^3)

(10) (밑넓이)$=\pi\times8^2-\pi\times5^2=39\pi$($cm^2$)
(높이)$=8$ cm
$\therefore$ (부피)$=39\pi\times8=312\pi$(cm^3)

힘수 만점 101쪽

01 ③ **02** 1080 cm^3 **03** 200π cm^3 **04** 5 cm

01 (밑넓이)$=\frac{1}{2}\times5\times7=\frac{35}{2}$($cm^2$)
(높이)$=12$ cm
$\therefore$ (부피)$=\frac{35}{2}\times12=210$($cm^3$)

02 (밑넓이)$=\frac{1}{2}\times20\times6+\frac{1}{2}\times20\times12$
$=60+120=180$(cm^2)
(높이)$=6$ cm
$\therefore$ (부피)$=180\times6=1080$(cm^3)

03 원기둥의 높이를 h cm라 하면
밑면인 원의 둘레의 길이는 $2\pi\times5=10\pi$(cm)이므로 옆넓이는 $10\pi\times h$이다.
$10\pi\times h=80\pi$이므로 $h=8$
$\therefore$ (부피)$=\pi\times5^2\times8=200\pi$($cm^3$)

04 원의 반지름의 길이를 r cm라 하면

밑면인 원의 넓이는 $225\pi \div 9 = 25\pi$ (cm^2)이므로

$\pi \times r^2 = 25\pi$, $r^2 = 25$

$\therefore r = 5$ ($\because r > 0$)

따라서 구하는 원의 반지름의 길이는 5 cm이다.

28강 뿔의 겉넓이 102~103쪽

01 (1) ① 5, 25 ② 6, 60 ③ 25, 60, 85
(2) 224 cm^2 (3) 144 cm^2

02 (1) ① 2, 4π ② 7, 14π ③ 4π, 14π, 18π
(2) 85π cm^2 (2) 40π cm^2

03 (1) 39 cm^2 (2) 217 cm^2 (3) 126π cm^2 (4) 64π cm^2

04 (1) ① 4, 20 ② 2, 5, 60 ③ 20, 60, 80
(2) 81π cm^2

01 (2) (밑넓이)$=8\times8=64$ (cm^2)

(옆넓이)$=\left(\frac{1}{2}\times8\times10\right)\times4=160$ (cm^2)

$\therefore$ (겉넓이)$=64+160=224$ (cm^2)

(3) (밑넓이)$=6\times6=36$ (cm^2)

(옆넓이)$=\left(\frac{1}{2}\times6\times9\right)\times4=108$ (cm^2)

$\therefore$ (겉넓이)$=36+108=144$ (cm^2)

02 (2) (밑넓이)$=\pi\times5^2=25\pi$ (cm^2)

(옆넓이)$=\pi\times5\times12=60\pi$ (cm^2)

$\therefore$ (겉넓이)$=25\pi+60\pi=85\pi$ (cm^2)

(3) 밑면의 반지름의 길이는 $\frac{8}{2}=4$ (cm)이므로

(밑넓이)$=\pi\times4^2=16\pi$ (cm^2)

(옆넓이)$=\pi\times4\times6=24\pi$ (cm^2)

$\therefore$ (겉넓이)$=16\pi+24\pi=40\pi$ (cm^2)

03 (1) (밑넓이)$=3\times3=9$ (cm^2)

(옆넓이)$=\left(\frac{1}{2}\times3\times5\right)\times4=30$ (cm^2)

$\therefore$ (겉넓이)$=9+30=39$ (cm^2)

(2) (밑넓이)$=7\times7=49$ (cm^2)

(옆넓이)$=\left(\frac{1}{2}\times7\times12\right)\times4=168$ (cm^2)

$\therefore$ (겉넓이)$=49+168=217$ (cm^2)

(3) (밑넓이)$=\pi\times6^2=36\pi$ (cm^2)

(옆넓이)$=\pi\times6\times15=90\pi$ (cm^2)

$\therefore$ (겉넓이)$=36\pi+90\pi=126\pi$ (cm^2)

(4) (밑넓이)$=\pi\times4^2=16\pi$ (cm^2)

(옆넓이)$=\pi\times4\times12=48\pi$ (cm^2)

$\therefore$ (겉넓이)$=16\pi+48\pi=64\pi$ (cm^2)

04 (2) (두 밑넓이의 합)$=\pi\times3^2+\pi\times6^2=9\pi+36\pi$

$=45\pi$ (cm^2)

(옆넓이)$=\pi\times6\times8-\pi\times3\times4$

$=48\pi-12\pi=36\pi$ (cm^2)

$\therefore$ (겉넓이)$=45\pi+36\pi=81\pi$ (cm^2)

힘수 만점 104쪽

01 (1) 189 cm^2 (2) 108π cm^2 **02** 52π cm^2
03 161π cm^2 **04** 10 cm

01 (1) (밑넓이)$=7\times7=49$ (cm^2)

(옆넓이)$=\left(\frac{1}{2}\times7\times10\right)\times4=140$ (cm^2)

$\therefore$ (겉넓이)$=49+140=189$ (cm^2)

(2) (밑넓이)$=\pi\times6^2=36\pi$ (cm^2)

(옆넓이)$=\pi\times6\times12=72\pi$ (cm^2)

$\therefore$ (겉넓이)$=36\pi+72\pi=108\pi$ (cm^2)

02 (위쪽 원뿔의 옆넓이)$=\pi\times4\times6=24\pi$ (cm^2)

(아래쪽 원뿔의 옆넓이)$=\pi\times4\times7=28\pi$ (cm^2)

$\therefore$ (겉넓이)$=24\pi+28\pi=52\pi$ (cm^2)

03 직선 l을 회전축으로 하여 1회전 시킬 때 생기는 회전체는 오른쪽 그림과 같다.

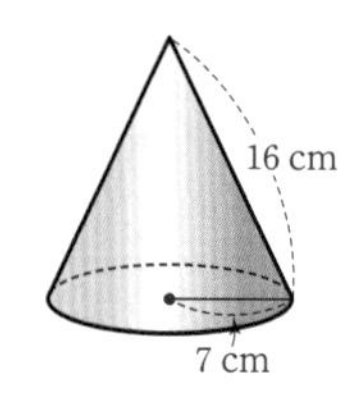

(밑넓이)$=\pi\times7^2=49\pi$ (cm^2)

(옆넓이)$=\pi\times7\times16=112\pi$ (cm^2)

$\therefore$ (겉넓이)$=49\pi+112\pi=161\pi$ (cm^2)

04 원뿔의 밑넓이는 $\pi\times3^2=9\pi$ (cm^2)이므로

원뿔의 옆넓이는 $39\pi-9\pi=30\pi$ (cm^2)이다.

원뿔의 모선의 길이를 l cm라 하면

옆넓이는 $\pi\times3\times l$이므로

$3\pi\times l=30\pi$ $\quad\therefore l=10$

따라서 원뿔의 모선의 길이는 10 cm이다.

29강 뿔의 부피 105~106쪽

01 (1) ① 6, 36 ② 12 ③ 36, 12, 144
(2) 70 cm^3 (3) 189 cm^3

02 (1) ① 5, 25π ② 12 ③ 25π, 12, 100π
(2) 108π cm^3 (3) 245π cm^3

03 (1) 40 cm^3 (2) 80π cm^3 (3) 225 cm^3 (4) 312π cm^3

04 (1) 650 cm^3 (2) 84 cm^3 (3) 126π cm^3

01 (1) ① (밑넓이)$=6\times6=36$ (cm^2)
② (높이)$=12$ cm
③ (부피)$=\frac{1}{3}\times36\times12=144$ (cm^3)
(2) (밑넓이)$=\frac{1}{2}\times6\times7=21$ (cm^2)
(높이)$=10$ cm
$\therefore$ (부피)$=\frac{1}{3}\times21\times10=70$ (cm^3)
(3) (밑넓이)$=9\times9=81$ (cm^2)
(높이)$=7$ cm
$\therefore$ (부피)$=\frac{1}{3}\times81\times7=189$ (cm^3)

02 (1) ① (밑넓이)$=\pi\times5^2=25\pi$ (cm^2)
② (높이)$=12$ cm
③ (부피)$=\frac{1}{3}\times25\pi\times12=100\pi$ (cm^3)
(2) (밑넓이)$=\pi\times6^2=36\pi$ (cm^2)
(높이)$=9$ cm
$\therefore$ (부피)$=\frac{1}{3}\times36\pi\times9=108\pi$ (cm^3)
(3) (밑넓이)$=\pi\times7^2=49\pi$ (cm^2)
(높이)$=15$ cm
$\therefore$ (부피)$=\frac{1}{3}\times49\pi\times15=245\pi$ (cm^3)

03 (1) (밑넓이)$=\frac{1}{2}\times5\times8=20$ (cm^2)
(높이)$=6$ cm
$\therefore$ (부피)$=\frac{1}{3}\times20\times6=40$ (cm^3)
(2) (위쪽 원뿔의 부피)
$=\frac{1}{3}\times(\pi\times4^2)\times6=32\pi$ (cm^3)
(아래쪽 원뿔의 부피)
$=\frac{1}{3}\times(\pi\times4^2)\times9=48\pi$ (cm^3)
$\therefore$ (전체 부피)$=32\pi+48\pi=80\pi$ (cm^3)
(3) (위쪽 사각뿔의 부피)
$=\frac{1}{3}\times5^2\times3=25$ (cm^3)
(아래쪽 사각기둥의 부피)
$=5^2\times8=200$ (cm^3)
$\therefore$ (전체 부피)$=25+200=225$ (cm^3)
(4) (위쪽 원뿔의 부피)
$=\frac{1}{3}\times(\pi\times6^2)\times5=60\pi$ (cm^3)
(아래쪽 원기둥의 부피)
$=\pi\times6^2\times7=252\pi$ (cm^3)
$\therefore$ (전체 부피)$=60\pi+252\pi=312\pi$ (cm^3)

04 (1) (큰 각뿔의 부피)$=\frac{1}{3}\times(15\times15)\times9$
$=675$ (cm^3)
(작은 각뿔의 부피)$=\frac{1}{3}\times(5\times5)\times3$
$=25$ (cm^3)
$\therefore$ (뿔대의 부피)$=675-25=650$ (cm^3)
(2) (큰 각뿔의 부피)$=\frac{1}{3}\times(6\times6)\times8$
$=96$ (cm^3)
(작은 각뿔의 부피)$=\frac{1}{3}\times(3\times3)\times4$
$=12$ (cm^3)
$\therefore$ (뿔대의 부피)$=96-12=84$ (cm^3)
(3) (큰 원뿔의 부피)$=\frac{1}{3}\times(\pi\times6^2)\times12$
$=144\pi$ (cm^3)
(작은 원뿔의 부피)$=\frac{1}{3}\times(\pi\times3^2)\times6$
$=18\pi$ (cm^3)
$\therefore$ (뿔대의 부피)$=144\pi-18\pi=126\pi$ (cm^3)

힘수 만점 107쪽

01 (1) 192 cm^3 (2) 24π cm^3 **02** 6 cm
03 88 cm^3 **04** 128π cm^3 **05** 416π cm^3

01 (1) (밑넓이)$=8\times6=48$ (cm^2)
(높이)$=12$ cm
$\therefore$ (부피)$=\frac{1}{3}\times48\times12=192$ (cm^3)
(2) (밑넓이)$=\pi\times3^2=9\pi$ (cm^2)
(높이)$=8$ cm
$\therefore$ (부피)$=\frac{1}{3}\times9\pi\times8=24\pi$ (cm^3)

02 사각뿔의 높이를 h cm라 하면
$\frac{1}{3}\times(8\times8)\times h=128$ $\quad\therefore h=6$
따라서 사각뿔의 높이는 6 cm이다.

03 $\frac{1}{3}\times\left(\frac{1}{2}\times8\times11\right)\times6=88$ (cm^3)

04 (위쪽 원뿔의 부피)$=\frac{1}{3}\times(\pi\times4^2)\times6=32\pi$ (cm^3)
(아래쪽 원기둥의 부피)$=\pi\times4^2\times6=96\pi$ (cm^3)
$\therefore$ (입체도형의 부피)$=32\pi+96\pi=128\pi$ (cm^3)

05 $\frac{1}{3}\times(\pi\times12^2)\times9-\frac{1}{3}\times(\pi\times4^2)\times3$
$=432\pi-16\pi=416\pi$ (cm^3)

30강+ 구의 겉넓이와 부피 108~110쪽

01 (1) $100\pi\ cm^2$ (2) $256\pi\ cm^2$ (3) $144\pi\ cm^2$

02 (1) $27\pi\ cm^2$ (2) $100\pi\ cm^2$ (3) $147\pi\ cm^2$ (4) $272\pi\ cm^2$ (5) $200\pi\ cm^2$

03 (1) $12\pi\ cm^2$ (2) $52\pi\ cm^2$

04 (1) $36\pi\ cm^3$ (2) $972\pi\ cm^3$

05 (1) $\frac{128}{3}\pi\ cm^3$ (2) $512\pi\ cm^3$ (3) $486\pi\ cm^3$ (4) $504\pi\ cm^3$ (5) $240\pi\ cm^3$

06 (1) $288\pi\ cm^3$ (2) $\frac{304}{3}\pi\ cm^3$ (3) $126\pi\ cm^3$ (4) $\frac{625}{3}\pi\ cm^3$

07 (1) $18\pi\ cm^3$ (2) $36\pi\ cm^3$ (3) $54\pi\ cm^3$ (4) 1 : 2 : 3

08 (1) $\frac{250}{3}\pi\ cm^3$ (2) $\frac{500}{3}\pi\ cm^3$ (3) $250\pi\ cm^3$ (4) 1 : 2 : 3

01 (1) $4\pi\times5^2=100\pi\,(cm^2)$

(2) $4\pi\times8^2=256\pi\,(cm^2)$

(3) (구의 반지름의 길이)$=12\div2=6\,(cm)$

$\therefore\ 4\pi\times6^2=144\pi\,(cm^2)$

02 (1) $\pi\times3^2+\frac{1}{2}\times(4\pi\times3^2)=9\pi+18\pi=27\pi\,(cm^2)$

(2) $\pi\times5^2+\frac{3}{4}\times(4\pi\times5^2)=25\pi+75\pi=100\pi\,(cm^2)$

(3) $\pi\times7^2+\frac{1}{2}\times(4\pi\times7^2)=49\pi+98\pi=147\pi\,(cm^2)$

(4) $\frac{3}{4}\times\pi\times8^2+\frac{7}{8}\times(4\pi\times8^2)=48\pi+224\pi$

$=272\pi\,(cm^2)$

(5) $\pi\times10^2+\frac{1}{4}\times(4\pi\times10^2)=100\pi+100\pi$

$=200\pi\,(cm^2)$

03 (1) 평면도형을 직선 l을 회전축으로 하여 1회전 시킬 때 생기는 입체도형은 오른쪽 그림과 같다.

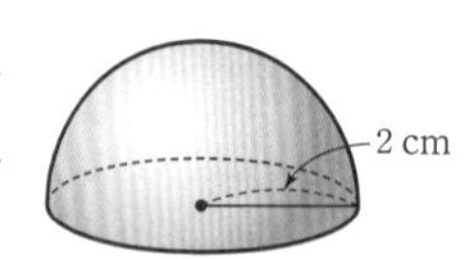

(겉넓이)$=\pi\times2^2+\frac{1}{2}\times(4\pi\times2^2)$

$=4\pi+8\pi=12\pi\,(cm^2)$

(2) 평면도형을 직선 l을 회전축으로 하여 1회전 시킬 때 생기는 입체도형은 오른쪽 그림과 같다.

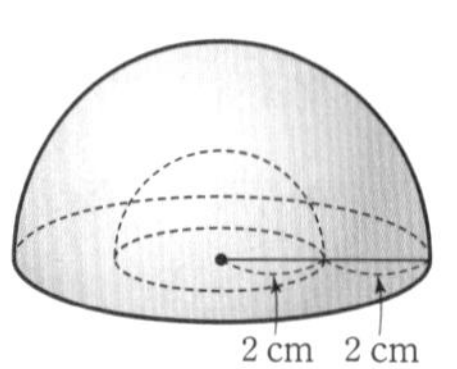

(겉넓이)

$=\pi\times4^2-\pi\times2^2+\frac{1}{2}\times(4\pi\times4^2)+\frac{1}{2}\times(4\pi\times2^2)$

$=16\pi-4\pi+32\pi+8\pi=52\pi\,(cm^2)$

04 (1) $\frac{4}{3}\pi\times3^3=36\pi\,(cm^3)$

(2) (구의 반지름의 길이)$=18\div2=9\,(cm)$

$\therefore\ \frac{4}{3}\pi\times9^3=972\pi\,(cm^3)$

05 (1) $\frac{1}{2}\times\frac{4}{3}\pi\times4^3=\frac{128}{3}\pi\,(cm^3)$

(2) $\frac{3}{4}\times\frac{4}{3}\pi\times8^3=512\pi\,(cm^3)$

(3) $\frac{1}{2}\times\frac{4}{3}\pi\times9^3=486\pi\,(cm^3)$

(4) $\frac{1}{2}\times\frac{4}{3}\pi\times6^3+\pi\times6^2\times10=144\pi+360\pi$

$=504\pi\,(cm^3)$

(5) $\frac{1}{3}\times(\pi\times6^2)\times8+\frac{1}{2}\times\frac{4}{3}\pi\times6^3=96\pi+144\pi$

$=240\pi\,(cm^3)$

06 (1) 평면도형을 직선 l을 회전축으로 하여 1회전 시킬 때 생기는 입체도형은 오른쪽 그림과 같다.

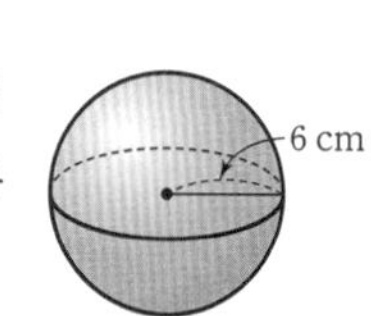

$\frac{4}{3}\pi\times6^3=288\pi\,(cm^3)$

(2) 평면도형을 직선 l을 회전축으로 하여 1회전 시킬 때 생기는 입체도형은 오른쪽 그림과 같다.

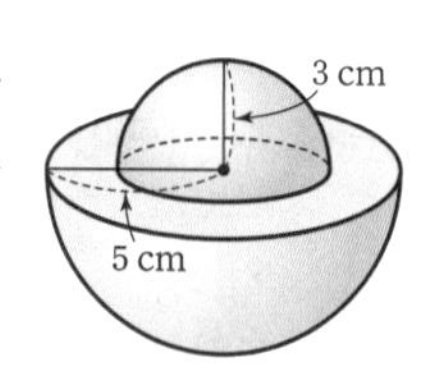

$\frac{1}{2}\times\frac{4}{3}\pi\times3^3+\frac{1}{2}\times\frac{4}{3}\pi\times5^3$

$=18\pi+\frac{250}{3}\pi=\frac{304}{3}\pi\,(cm^3)$

(3) 평면도형을 직선 l을 회전축으로 하여 1회전 시킬 때 생기는 입체도형은 오른쪽 그림과 같다.

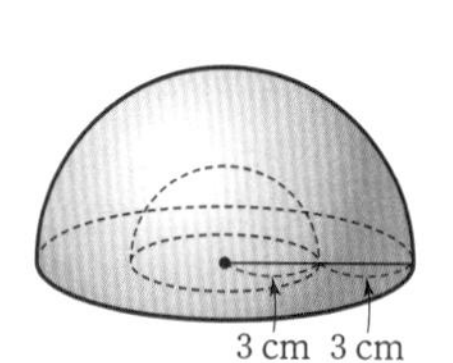

$\frac{1}{2}\times\frac{4}{3}\pi\times6^3-\frac{1}{2}\times\frac{4}{3}\pi\times3^3$

$=144\pi-18\pi=126\pi\,(cm^3)$

(4) 평면도형을 직선 l을 회전축으로 하여 1회전 시킬 때 생기는 입체도형은 오른쪽 그림과 같다.

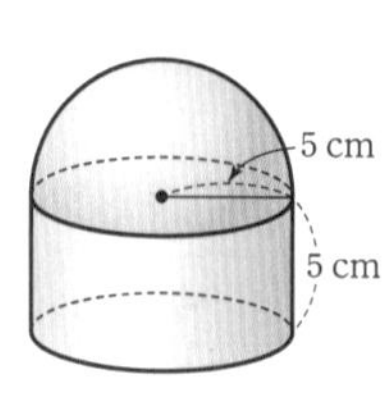

$\frac{1}{2}\times\frac{4}{3}\pi\times5^3+(\pi\times5^2)\times5$

$=\frac{250}{3}\pi+125\pi=\frac{625}{3}\pi\,(cm^3)$

07 ① (원뿔의 부피)$=\frac{1}{3}\times(\pi\times3^2)\times6$

$=18\pi\,(cm^3)$

② (구의 부피)$=\frac{4}{3}\pi\times3^3=36\pi\,(cm^3)$

③ (원기둥의 부피)$=(\pi\times3^2)\times6=54\pi\,(cm^3)$

④ (원뿔의 부피) : (구의 부피) : (원기둥의 부피)

$=18\pi : 36\pi : 54\pi = 1 : 2 : 3$

08 ① (원뿔의 부피) $=\frac{1}{3}\times(\pi\times5^2)\times10$

$=\frac{250}{3}\pi(\text{cm}^3)$

② (구의 부피) $=\frac{4}{3}\pi\times5^3=\frac{500}{3}\pi(\text{cm}^3)$

③ (원기둥의 부피) $=(\pi\times5^2)\times10=250\pi(\text{cm}^3)$

④ (원뿔의 부피) : (구의 부피) : (원기둥의 부피)

$=\frac{250}{3}\pi : \frac{500}{3}\pi : 250\pi$

$=1 : 2 : 3$

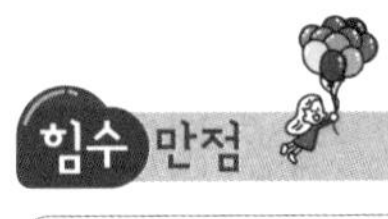

힘수 만점 111쪽

01 196π cm^2
02 겉넓이 : 162π cm^2, 부피 : 243π cm^3
03 ③ **04** 54π cm^3

01 (겉넓이)

$=\frac{3}{4}\times$(반지름의 길이가 7 cm인 구의 겉넓이)

$+$(반지름의 길이가 7 cm인 반원의 넓이)$\times2$

$=\frac{3}{4}\times4\pi\times7^2+\left(\frac{1}{2}\times\pi\times7^2\right)\times2$

$=147\pi+49\pi=196\pi(\text{cm}^2)$

02 (겉넓이) $=\frac{1}{4}\times(4\pi\times9^2)+\left(\frac{1}{2}\times\pi\times9^2\right)\times2$

$=81\pi+81\pi=162\pi(\text{cm}^2)$

(부피) $=\frac{1}{4}\times\left(\frac{4}{3}\pi\times9^3\right)=243\pi(\text{cm}^3)$

03 구의 반지름의 길이를 r cm라 하면

$4\pi\times r^2=144\pi$, $r^2=36$ $\quad\therefore r=6\ (\because r>0)$

따라서 구의 반지름의 길이는 6 cm이다.

$\therefore$ (부피) $=\frac{4}{3}\pi\times6^3=288\pi(\text{cm}^3)$

04 구의 반지름의 길이를 r cm라 하면 $\frac{4}{3}\pi r^3=36\pi$

$\therefore r^3=27$

$\therefore$ (원기둥의 부피)

$=\pi r^2\times2r=2\pi r^3=2\pi\times27=54\pi(\text{cm}^3)$

[다른 풀이]

원기둥 안에 꼭 맞게 들어 있는 구에 대해서

(원기둥의 부피) : (구의 부피) $=3 : 2$이므로

(원기둥의 부피) : $36\pi=3 : 2$

$2\times$(원기둥의 부피) $=36\pi\times3$

$\therefore$ (원기둥의 부피) $=54\pi$ cm^3

31강 중단원 연산 마무리 112~114쪽

01 (1) 34 (2) 28 (3) 14 **02** (1) × (2) ○ (3) ○ (4) ×
03 (1) 칠각뿔 (2) 팔각기둥 **04** (1) 90 cm^2 (2) 56 cm^2
05 (1) ○ (2) ○ (3) × (4) × (5) ○
06 (1) 겉넓이: 272 cm^2, 부피: 260 cm^3
(2) 겉넓이: $(144\pi+144)$ cm^2, 부피: 288π cm^3
(3) 겉넓이: 448 cm^2, 부피: 568 cm^3
07 (1) 175 cm^3 (2) 1056π cm^3
08 (1) 161 cm^2 (2) 96π cm^2
09 (1) 120 cm^3 (2) 288 cm^3 (3) 90 cm^3
10 (1) 겉넓이: 432π cm^2, 부피: 1152π cm^3
(2) 겉넓이: 153π cm^2, 부피: 252π cm^3
11 (1) 50π cm^3 (2) 648π cm^3 (3) 108π cm^3
12 320π cm^2 **13** 4 : 3 **14** 18 cm

01 (1) 꼭짓점의 개수가 16인 각기둥을 n각기둥이라 하면

$2n=16$ $\quad\therefore n=8$, 즉 팔각기둥

팔각기둥의 면의 개수는 $8+2=10$이므로 $a=10$

팔각기둥의 모서리의 개수는 $3\times8=24$이므로 $b=24$

$\therefore a+b=10+24=34$

(2) 면의 개수가 10인 각뿔을 n각뿔이라 하면

$n+1=10$ $\quad\therefore n=9$, 즉 구각뿔

구각뿔의 모서리의 개수는 $2\times9=18$이므로 $a=18$

구각뿔의 꼭짓점의 개수는 $9+1=10$이므로 $b=10$

$\therefore a+b=18+10=28$

(3) 모서리의 개수가 12인 각뿔대를 n각뿔대라 하면

$3n=12$ $\quad\therefore n=4$, 즉 사각뿔대

사각뿔대의 꼭짓점의 개수는 $2\times4=8$이므로 $a=8$

사각뿔대의 면의 개수는 $4+2=6$이므로 $b=6$

$\therefore a+b=8+6=14$

02 (1) 오각뿔의 옆면의 모양은 삼각형이다.

(4) n각기둥의 모서리의 개수와 꼭짓점의 개수의 비는

$3n : 2n=3 : 2$이다.

03 (1) 조건 ㄱ, ㄷ을 만족시키는 입체도형은 각뿔이다.

이때 조건 ㄴ에 의해 구하는 각뿔은 칠각뿔이다.

(2) 조건 ㄴ, ㄷ을 만족하는 입체도형은 각기둥이다.

구하려는 각기둥을 n각기둥이라 하면 조건 ㄱ에 의해

$n+2=10$ $\quad\therefore n=8$, 즉 팔각기둥

04 (1) $\left\{\frac{1}{2}\times(4+6)\times9\right\}\times2=90(\text{cm}^2)$

(2) $(4\times7)\times2=56(\text{cm}^2)$

05 (3) 직각삼각형에서 빗변을 회전축으로 하여 1회전 시키면 원뿔이 만들어지지 않는다.

(4) 구는 어떤 방향으로 잘라도 단면이 모두 원이지만 모두 합동은 아니다.

06 (1) (밑넓이)$=\frac{1}{2}\times(5+8)\times4=26(\text{cm}^2)$

(옆넓이)$=(5+5+8+4)\times10=220(\text{cm}^2)$

$\therefore$ (겉넓이)$=26\times2+220=272(\text{cm}^2)$

(부피)$=26\times10=260(\text{cm}^3)$

(2) (밑넓이)$=\frac{240}{360}\times\pi\times6^2=24\pi(\text{cm}^2)$

(옆넓이)$=\frac{240}{360}\times(2\pi\times6)\times12+6\times12\times2$

$=96\pi+144(\text{cm}^2)$

$\therefore$ (겉넓이)$=24\pi\times2+96\pi+144$

$=144\pi+144(\text{cm}^2)$

$\therefore$ (부피)$=24\pi\times12=288\pi(\text{cm}^3)$

(3) 주어진 입체도형의 겉넓이는 작은 직육면체를 잘라내기 전의 직육면체의 겉넓이와 같다.

(겉넓이)$=(8\times8)\times2+(8\times4)\times10$

$=128+320=448(\text{cm}^2)$

(부피)$=8\times8\times10-3\times4\times6$

$=640-72=568(\text{cm}^3)$

07 (1) $\frac{1}{3}\times(7\times5)\times15=175(\text{cm}^3)$

(2) $\frac{1}{3}\times(\pi\times12^2)\times8+\frac{1}{3}\times(\pi\times12^2)\times14$

$=384\pi+672\pi=1056\pi(\text{cm}^3)$

08 (밑넓이)$=7\times7=49(\text{cm}^2)$

(옆넓이)$=\left(\frac{1}{2}\times7\times8\right)\times4=112(\text{cm}^2)$

$\therefore$ (겉넓이)$=49+112=161(\text{cm}^2)$

(2) 밑면인 원의 반지름의 길이를 r cm라 하면

$2\pi\times10\times\frac{216}{360}=2\pi r \qquad \therefore r=6$

$\therefore$ (겉넓이)$=\pi\times6^2+\pi\times6\times10$

$=36\pi+60\pi=96\pi(\text{cm}^2)$

09 (1) $\frac{1}{3}\times\left(\frac{1}{2}\times10\times12\right)\times6=120(\text{cm}^3)$

(2) $\frac{1}{3}\times\left(\frac{1}{2}\times16\times12\right)\times9=288(\text{cm}^3)$

(3) $\left(\frac{1}{2}\times4\times9\right)\times5=90(\text{cm}^3)$

10 (1) (겉넓이)$=\frac{1}{2}\times4\pi\times12^2+\pi\times12^2$

$=288\pi+144\pi=432\pi(\text{cm}^2)$

(부피)$=\frac{1}{2}\times\left(\frac{4}{3}\pi\times12^3\right)=1152\pi(\text{cm}^3)$

(2) (겉넓이)$=\frac{7}{8}\times4\pi\times6^2+\frac{3}{4}\pi\times6^2$

$=126\pi+27\pi=153\pi(\text{cm}^2)$

(부피)$=\frac{7}{8}\times\left(\frac{4}{3}\pi\times6^3\right)=252\pi(\text{cm}^3)$

11 (1) 도형을 직선 l을 회전축으로 하여 1회전 시킬 때 생기는 회전체는 오른쪽 그림과 같다.

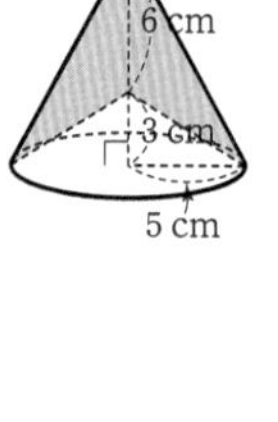

(부피)$=\frac{1}{3}\times(\pi\times5^2)\times9$

$-\frac{1}{3}\times(\pi\times5^2)\times3$

$=75\pi-25\pi=50\pi(\text{cm}^3)$

(2) 도형을 직선 l을 회전축으로 하여 1회전 시킬 때 생기는 회전체는 오른쪽 그림과 같다.

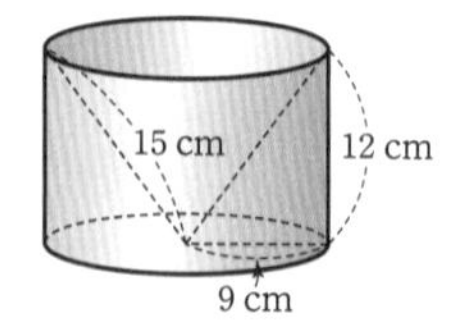

(부피)$=(\pi\times9^2)\times12$

$-\frac{1}{3}\times(\pi\times9^2)\times12$

$=972\pi-324\pi=648\pi(\text{cm}^3)$

(3) 도형을 직선 l을 회전축으로 하여 1회전 시킬 때 생기는 회전체는 오른쪽 그림과 같다.

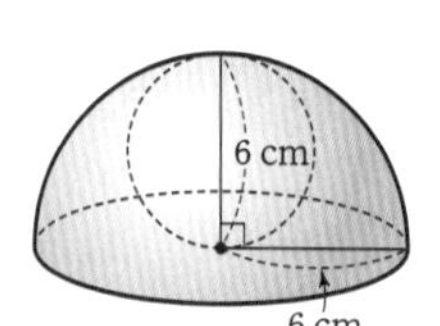

(부피)$=\frac{1}{2}\times\left(\frac{4}{3}\pi\times6^3\right)$

$-\left(\frac{4}{3}\pi\times3^3\right)$

$=144\pi-36\pi=108\pi(\text{cm}^3)$

12 도형을 직선 l을 회전축으로 하여 1회전 시킬 때 생기는 회전체는 오른쪽 그림과 같다.

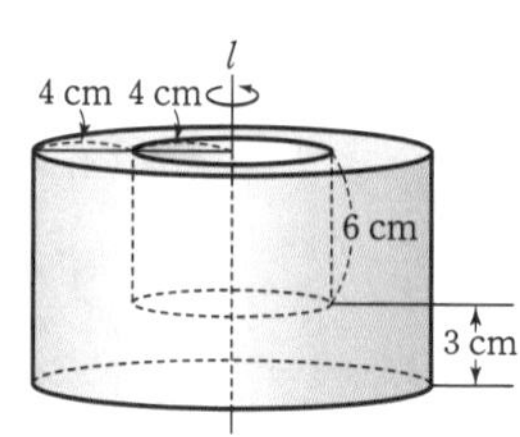

(겉넓이)

$=(\pi\times8^2)\times2+2\pi\times8\times9$

$+2\pi\times4\times6$

$=128\pi+144\pi+48\pi=320\pi(\text{cm}^2)$

13 ($\overline{BC}$를 회전축으로 하는 회전체의 부피)

$=\frac{1}{3}\times(\pi\times8^2)\times6=128\pi(\text{cm}^3)$

($\overline{AC}$를 회전축으로 하는 회전체의 부피)

$=\frac{1}{3}\times(\pi\times6^2)\times8=96\pi(\text{cm}^3)$

따라서 구하는 부피의 비는 $128\pi:96\pi=4:3$

14 (구의 부피)$=\frac{4}{3}\pi\times9^3=972\pi(\text{cm}^3)$

원뿔의 높이를 h cm라 하면

구의 부피가 원뿔의 부피의 2배이므로

$\left(\frac{1}{3}\times\pi\times9^2\times h\right)\times2=972\pi$

$54\pi h=972\pi \qquad \therefore h=18$

따라서 원뿔의 높이는 18 cm이다.

VI 자료의 정리와 해석

힘수 점검 117쪽

1. (1) 보라 (2) 1명 (3) 노랑, 초록

2. (1) 16.7 ℃부터 18 ℃까지 (2) 13일과 14일 사이

3.

마을	햇빛 마을	달빛 마을
인구(명)	3200	3900
넓이(km^2)	4	6
넓이에 대한 인구의 비율	$\frac{3200}{4}$(=800)	$\frac{3900}{6}$(=650)

, 햇빛 마을

4. (1) 10000원 (2) 40 %

32강+ 줄기와 잎 그림 118~119쪽

01 (1) 15, 45 (2) 2, 3, 4 (3) 해설 참조
02 (1) 75점 (2) 98점 (3) 7, 8, 9 (4) 해설 참조
03 해설 참조
04 (1) 3 (2) 49점 (3) 3 (4) 17
05 (1) 15 (2) 42 g (3) 74 g (4) 4
06 (1) 7 (2) 8 (3) 32회 (4) 62회
07 (1) 4 (2) 8 (3) 30 %

01 (3)

(1|5는 15회)

줄기	잎
1	5 6 7
2	0 4 6 7 8
3	2 3 5 9
4	1 5

02 (4)

(7|5는 75점)

줄기	잎
7	5 9
8	1 4 5 7 8
9	0 0 2 4 5 6 8

03

(1|5는 15분)

줄기	잎
1	5 7 8 9
2	0 3 3 6 7 8
3	1 2 2 4 5 8
4	0 2

04 (1) 줄기 3의 잎이 6개로 가장 많다.
(4) (전체 학생 수)=(잎의 총 개수)
=3+4+6+4=17

05 (1) (전체 귤의 개수)=(잎의 총 개수)
=3+5+4+3=15
(3) 무게가 가장 무거운 귤의 무게는 78 g이고, 2번째로 무거운 귤의 무게는 74 g이다.
(4) 무게가 65 g 이상인 귤은 66 g, 72 g, 74 g, 78 g의 4개이다.

06 (1) 줄기 7의 잎이 2개로 가장 적다.
(2) 횟수가 52회 이상 65회 이하인 학생 수는 52회, 52회, 53회, 54회, 57회, 61회, 61회, 62회의 8이다.
(3) 횟수가 가장 많은 학생의 횟수: 74회
횟수가 가장 적은 학생의 횟수: 42회
∴ 74−42=32(회)

07 (2) 갖고 있는 소설책이 45권 이상 66권 이하인 학생 수는 45권, 48권, 48권, 53권, 54권, 56권, 58권, 66권의 8이다.
(3) 전체 학생 수는 3+4+6+4+3=20
갖고 있는 소설책이 54권 이상인 학생 수는 3+3=6
따라서 갖고 있는 소설책이 54권 이상인 학생은 전체의
$\frac{6}{20}\times100=30$(%)

힘수 만점 120쪽

01 해설 참조 02 35살
03 (1) 4 (2) 10 (3) 9
04 ④

01

(1|7은 17권)

줄기	잎
1	7 8 9
2	0 1 5 8 9 9 9
3	2 3 6 7 8
4	0 3 5 8
5	7

02 나이가 가장 많은 회원: 49살
나이가 가장 적은 회원: 14살
∴ 49−14=35(살)

03 (1) 줄기 4의 잎이 7개로 가장 많다.
(2) 3+7=10
(3) 3+6=9

04 ① 홍기네 반 학생 수는 $5+6+6+3=20$이다.

③ 전체 학생 수는 $5+6+6+3=20$이고, 몸무게가 55 kg 이상인 학생 수는 $2+3=5$이므로
몸무게가 55 kg 이상인 학생은 전체의
$\frac{5}{20}\times 100=25(\%)$

④ 몸무게가 50 kg 이상 60 kg 미만인 학생 수는 6이다.

⑤ $63-35=28(\text{kg})$

33강+ 도수분포표 121~123쪽

01 (1) 계급 (2) 도수 (3) 계급의 크기
(4) 계급값 (5) 도수분포표
02~03 해설 참조
04 (1) 10 (2) 4 (3) 20, 30 (4) 30, 35
05 (1) 10점 (2) 4 (3) 27 (4) 80점 이상 90점 미만
(5) 70점 이상 80점 미만
06 (1) 4회 (2) 20 (3) 15명
07 (1) 8 (2) 6 (3) 17초 이상 18초 미만
08 (1) 5 (2) 11 (3) 30 %

02 (1)

수학 점수(점)	도수(명)	
60이상 ~ 70미만	𝍸	5
70 ~ 80	𝍸 //	7
80 ~ 90	////	4
90 ~ 100	//	2
합계	18	

(2)

줄넘기 기록(회)	도수(명)	
20이상 ~ 30미만	///	3
30 ~ 40	𝍸	5
40 ~ 50	////	4
50 ~ 60	//	2
합계	14	

(3)

책의 수(권)	도수(명)	
1이상 ~ 3미만	//	2
3 ~ 5	𝍸	5
5 ~ 7	𝍸 ///	8
7 ~ 9	𝍸 /	6
합계	21	

03 (1)

체육 점수(점)	도수(명)
10이상 ~ 20미만	3
20 ~ 30	7
30 ~ 40	6
합계	16

(2)

감자의 무게(g)	도수(개)
100이상 ~ 200미만	2
200 ~ 300	5
300 ~ 400	6
400 ~ 500	1
합계	14

(3)

최고 기온(℃)	도수(일)
15이상 ~ 20미만	7
20 ~ 25	8
25 ~ 30	11
30 ~ 35	5
합계	31

05 (1) $70-60=10$(점)
(3) $19+8=27$

06 (1) $10-6=4$(회)
(2) $5+15=20$
(3) 10회는 10회 이상이므로 10회 이상 14회 미만인 계급에 속하고, 이 계급의 도수는 15명이다.

07 (1) $A=19-(1+5+4+1)=8$
(2) $1+5=6$
(3) 16초 이상 17초 미만인 계급의 도수가 1명이므로 달리기 기록이 2번째로 빠른 학생이 속하는 계급은 17초 이상 18초 미만이다.

08 (1) $A=20-(3+6+4+2)=5$
(2) $5+6=11$
(3) TV 시청 시간이 70분 이상인 학생 수는 $4+2=6$이므로
전체의 $\frac{6}{20}\times 100=30(\%)$

힘수 만점 124쪽

01 ⑤ **02** (1) 9 (2) 20 (3) 8명
03 65 % **04** 2

01 ⑤ 나이가 40살 이상인 주민은 전체의 $\frac{5+1}{30}\times 100=20(\%)$

02 (1) $A=42-(4+16+8+5)=9$
(2) $4+16=20$
(3) 17개는 15개 이상 20개 미만에 속하므로 이 계급의 도수는 8명이다.

03 음악 수행 평가 점수가 10점 이상인 학생 수는 $22+17=39$이므로 전체의 $\frac{39}{60}\times 100=65(\%)$

04 $A=30\times\frac{30}{100}=9$, $B=30-(13+9+1)=7$

$\therefore A-B=9-7=2$

34강+ 히스토그램 125~127쪽

01~03 해설 참조
04 (1) 5, 3 (2) 5 (3) 8 (4) 11, 14 (5) 6, 11, 7, 36
05 (1) 3회 (2) 6 (3) 16회 이상 19회 미만 (4) 17 (5) 30
06 (1) 6 (2) 40 (3) 40분 이상 50분 미만 (4) 12
07 (1) 40 (2) 30살 이상 40살 미만 (3) 30 (4) 20 %
08 (1) 42개 (2) 50 % (3) 840
09 (1) 8명 (2) 20 % **10** (1) 8명 (2) 4명 (3) 40 %

01

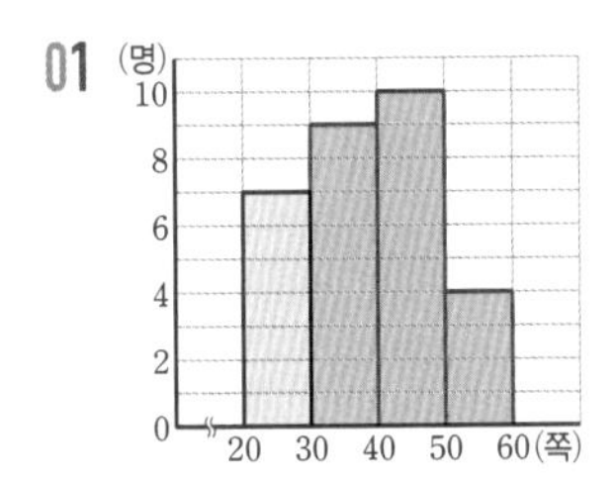

02

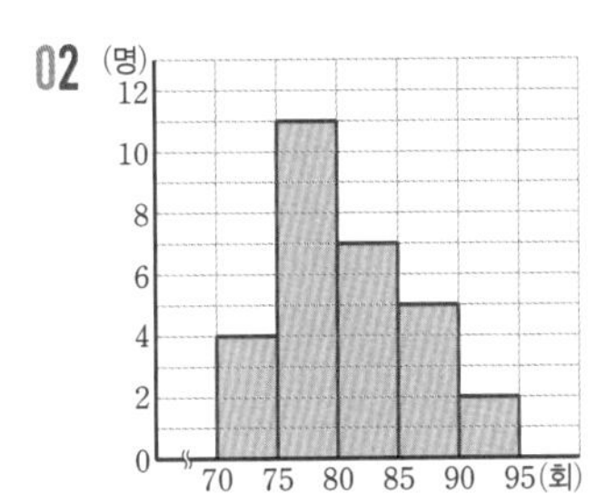

03

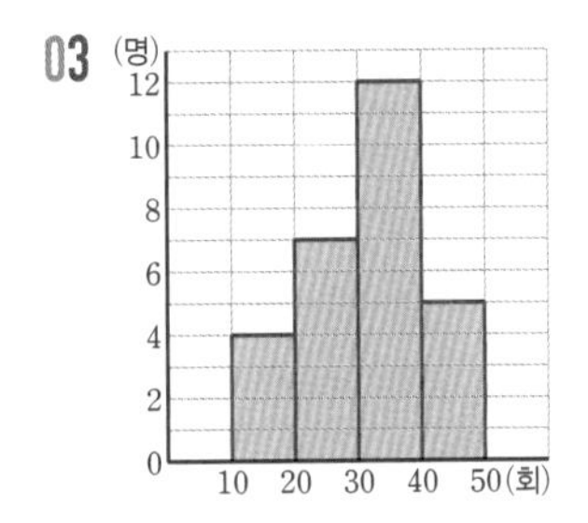

05 (1) $4-1=3$(회)
(2) 직사각형이 6개이므로 계급의 개수는 6이다.
(3) 도수가 가장 작은 계급은 도수가 1명인 16회 이상 19회 미만이다.
(4) $9+8=17$
(5) $2+4+9+8+6+1=30$

06 (1) 직사각형이 6개이므로 계급의 개수는 6이다.
(2) $5+7+10+12+4+2=40$
(3) 하루 운동 시간이 45분인 학생이 속하는 계급은 40분 이상 50분 미만이다.
(4) $5+7=12$

07 (1) $6+8+11+7+5+3=40$
(2) 30살 이상 40살 미만인 계급의 도수가 11명으로 가장 많다.
(3) 도수가 가장 작은 계급은 60살 이상 70살 미만이고, 이 계급의 도수는 3명이므로 구하는 넓이는 $10\times3=30$
(4) 나이가 50살 이상인 회원 수는 $5+3=8$이므로 전체의 $\frac{8}{40}\times100=20\,(\%)$

08 (1) $6+7+9+12+8=42$
(2) 소음도가 50 dB 이상 90 dB 미만인 도시의 수는 $9+12=21$이므로 전체의 $\frac{21}{42}\times100=50\,(\%)$
(3) $20\times42=840$

09 (1) 도수의 총합이 40명이므로 구하는 계급의 도수는 $40-(6+7+9+10)=8$(명)
(2) $\frac{8}{40}\times100=20\,(\%)$

10 (1) 도수의 총합이 35명이므로 구하는 계급의 도수는 $35-(1+9+11+4+2)=8$(명)
(2) 3만 원 이상 4만 원 미만의 계급의 도수: 8명
4만 원 이상 5만 원 미만의 계급의 도수: 4명
$\therefore 8-4=4$(명)
(3) 용돈이 3만 원 이상인 학생 수는 $8+4+2=14$이므로 전체의 $\frac{14}{35}\times100=40\,(\%)$

힘수 만점 128쪽

01 ⑤ **02** ④ **03** (1) 30 (2) 9명 (3) 30 % **04** 10

01 ① 계급의 개수는 6이다.
② 전체 학생 수는 $1+4+5+11+9+6=36$이다.
③ 25 m 미만을 던진 학생 수는 $1+4=5$이다.
④ 도수가 가장 큰 계급은 30 m 이상 35 m 미만이다.

02 ④ 선수 각자의 나이는 알 수 없으므로 나이가 가장 많은 선수의 나이는 알 수 없다.

03 (1) $3+4+7+9+5+2=30$
(3) 여행을 7회 이상 9회 미만 간 학생 수는 9이므로 전체의 $\frac{9}{30}\times100=30\,(\%)$

04 국어 성적이 60점 미만인 학생 수는 $3+7=10$이므로 전체 학생 수를 x라 하면 $x\times\frac{25}{100}=10$ $\quad\therefore x=40$
따라서 국어 성적이 70점 이상 80점 미만인 학생 수는 $40-(3+7+14+5+1)=10$

35강+ 도수분포다각형 129~131쪽

01~03 해설 참조
04 (1) 30분 (2) 4 (3) 7명
(4) 90분 이상 120분 미만 (5) 14 (6) 24
05 (1) 10장 (2) 5 (3) 7명
(4) 90장 이상 100장 미만 (5) 32
06 (1) 10개 (2) 5 (3) 20 (4) 23
07 (1) 2 cm (2) 10 (3) 32 (4) 64
08 (1) 5권 (2) 35 (3) 13 (4) 175
09 (1) 12명 (2) 12개 이상 15개 미만 (3) 60 %
10 (1) 6명 (2) 12명

01 (1)
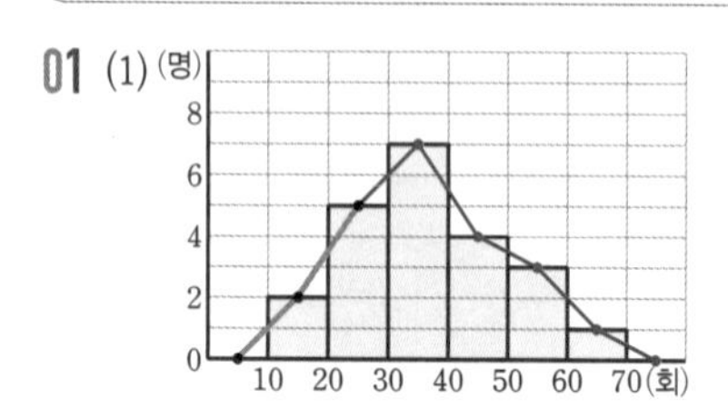

(2)
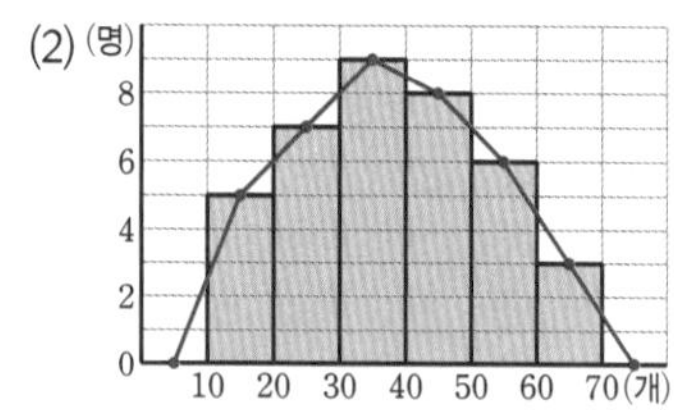

02
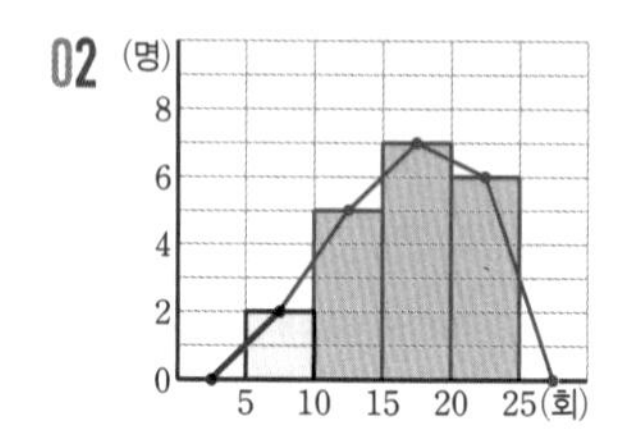

03
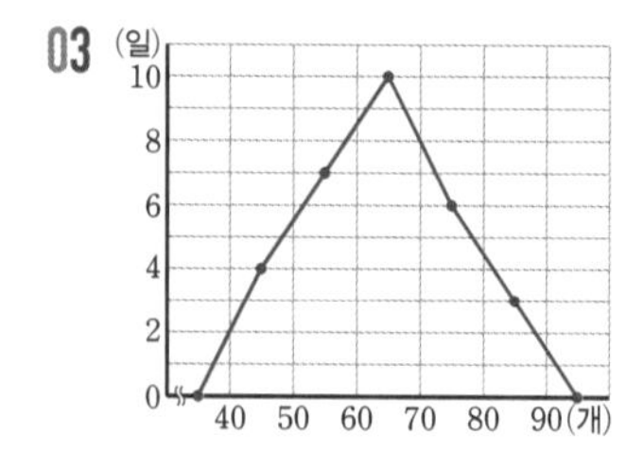

04 (1) $60-30=30$(분)
(4) 도수가 가장 큰 계급은 도수가 9명인 90분 이상 120분 미만이다.
(5) $9+5=14$
(6) $3+7+9+5=24$

05 (1) $60-50=10$(장)
(5) $5+8+10+7+2=32$

06 (1) $30-20=10$(개)
(3) $7+10+3=20$
(4) $2+7+10+3+1=23$

07 (1) $4-2=2$(cm)
(2) $3+7=10$
(3) $3+7+10+8+4=32$
(4) (계급의 크기)$\times$(도수의 총합)
$=2\times32=64$

08 (1) $10-5=5$(권)
(2) $2+9+11+8+5=35$
(3) $8+5=13$
(4) (계급의 크기)$\times$(도수의 총합)
$=5\times35=175$

09 (1) 도수의 총합이 35명이므로 구하는 계급의 도수는
$35-(1+5+8+9)=12$(명)
(2) 12개 이상 15개 미만인 계급의 도수가 12명이므로 가장 크다.
(3) 하루 동안 받은 문자의 개수가 12개 이상인 학생은
$12+9=21$이므로 전체의 $\frac{21}{35}\times100=60$(%)

10 (1) 몸무게가 55 kg 이상인 학생이 10명이므로 구하는 계급의 도수는 $10-4=6$(명)
(2) 도수의 총합이 40명이므로 구하는 계급의 도수는
$40-(1+6+11+6+4)=12$(명)

힘수 만점 132쪽

01 ④, ⑤ **02** 20회 **03** (1) 7 (2) 1550 (3) 1550

01 ① 전체 학생 수는 $4+7+12+9+2=34$이다.
② 도수가 가장 큰 계급은 도수가 12명인 7시간 이상 8시간 미만이다.
③ 공부 시간이 7시간 미만인 학생 수는 $4+7=11$이고, 공부 시간이 8시간 이상인 학생 수도 $9+2=11$이므로 학생 수는 같다.
④ 공부 시간이 가장 긴 학생의 공부 시간은 알 수 없다.
⑤ 공부 시간이 8시간인 학생이 속하는 계급은 8시간 이상 9시간 미만이므로 그 계급의 도수는 9명이다.

02 전체 학생 수는 $3+10+8+7+2=30$이고 제기를 많이 찬 쪽에서 30 %에 해당하는 학생은 제기를 많이 찬 쪽에서
$30\times\frac{30}{100}=9$(번)째 학생이다.
이때 제기를 25회 이상 찬 학생 수는 2, 20회 이상 찬 학생 수는 $7+2=9$이므로 제기를 많이 찬 쪽에서 30 %에 해당하는 학생은 제기를 최소한 20회 이상 찼다.

03 (1) $1+6=7$

(2) (계급의 크기)×(도수의 총합)

$=50\times(1+6+10+9+5)=1550$

(3) 도수분포다각형과 가로축으로 둘러싸인 부분의 넓이는 히스토그램의 각 직사각형의 넓이의 합과 같으므로 1550이다.

36강 상대도수 133~135쪽

01 (1) 0.2 (2) 0.3
02 (1) ○ (2) × (3) ○
03~06 해설 참조
07 (1) 12 (2) 8 (3) 160
08 (1) 6 % (2) 36 % (3) 20 %
09 (1) 1 (2) 0.35
10 (1) 1 (2) 0.2 (3) 0.25 (4) 16 (5) 2 (6) 0.4
11 (1) 1 (2) 40 (3) 8 (4) 0.35 (5) 0.15 (6) 0.05 (7) 14명 (8) 90점

01 (1) $\frac{1}{5}=\frac{20}{100}=0.2$

(2) $\frac{90}{300}=\frac{30}{100}=0.3$

02 (1) 상대도수의 총합은 도수의 총합에 상관없이 항상 1로 일정하다.

(2) 상대도수는 0 이상 1 이하인 수이다.

(3) 한 도수분포표에서 도수가 클수록 상대도수가 크다.

03 (1)

독서 시간(시간)	도수(명)	상대도수
1이상 ~ 3미만	6	0.2
3 ~ 5	9	0.3
5 ~ 7	12	0.4
7 ~ 9	3	0.1
합계	30	1

(2)

줄넘기 횟수(회)	도수(명)	상대도수
70이상 ~ 80미만	3	0.15
80 ~ 90	4	0.2
90 ~ 100	6	0.3
100 ~ 110	5	0.25
110 ~ 120	2	0.1
합계	20	1

(3)

나이(살)	도수(명)	상대도수
10이상 ~ 20미만	6	0.12
20 ~ 30	8	0.16
30 ~ 40	16	0.32
40 ~ 50	13	0.26
50 ~ 60	7	0.14
합계	50	1

04

봉사 시간(시간)	도수(명)	상대도수
0이상 ~ 5미만	4	0.1
5 ~ 10	6	0.15
10 ~ 15	10	0.25
15 ~ 20	12	0.3
20 ~ 25	8	0.2
합계	40	1

05

점수(점)	도수(명)	상대도수
50이상 ~ 60미만	1	0.04
60 ~ 70	5	0.2
70 ~ 80	7	0.28
80 ~ 90	9	0.36
90 ~ 100	3	0.12
합계	25	1

06 (도수의 총합) $=\frac{\text{(그 계급의 도수)}}{\text{(어떤 계급의 상대도수)}}$

$=\frac{5}{0.1}=50$(명)

키(cm)	도수(명)	상대도수
145이상 ~ 150미만	5	0.1
150 ~ 155	9	0.18
155 ~ 160	12	0.24
160 ~ 165	18	0.36
165 ~ 170	4	0.08
170 ~ 175	2	0.04
합계	50	1

07 (1) (어떤 계급의 도수)

=(도수의 총합)×(그 계급의 상대도수)

$=40\times0.3=12$

(2) $50\times0.16=8$

(3) (도수의 총합) $=\frac{\text{(그 계급의 도수)}}{\text{(어떤 계급의 상대도수)}}$

$=\frac{8}{0.05}=160$

08 (1) 무게가 220 g 이상 230 g 미만인 계급의 상대도수가 0.06이므로 전체의 $0.06\times100=6$ (%)이다.

(2) 무게가 250 g 이상 260 g 미만인 계급의 상대도수가 0.36이므로 전체의 $0.36\times100=36$ (%)이다.

(3) 무게가 240 g 미만인 계급의 상대도수의 합은 $0.06+0.14=0.2$이므로 전체의 $0.2\times100=20(\%)$이다.

09 (1) 상대도수의 총합은 1이므로 $B=1$

(2) $A=1-(0.05+0.2+0.35+0.05)=0.35$

10 (1) 상대도수의 총합은 1이므로 $E=1$

(2) $A=\frac{8}{40}=0.2$

(3) $C=\frac{10}{40}=0.25$

(4) $B=40\times0.4=16$

(5) $D=40\times0.05=2$

(6) 도수가 가장 큰 계급은 140 kcal 이상 160 kcal 미만이므로 이 계급의 상대도수는 0.4이다.

11 (1) 상대도수의 총합은 1이므로 $E=1$

(2) $B=\frac{2}{0.05}=40$

(3) $A=40-(2+14+10+6)=8$

(4) $C=\frac{14}{40}=0.35$

(5) $D=\frac{6}{40}=0.15$

(6) 도수가 가장 작은 계급은 50점 이상 60점 미만이므로 이 계급의 상대도수는 0.05이다.

(7) 상대도수가 가장 큰 계급은 70점 이상 80점 미만이므로 이 계급의 도수는 14명이다.

(8) $0.15\times100=15(\%)$이므로 상위 15 %에 속하는 학생의 점수는 최소 90점이다.

힘수 만점 136쪽

01 0.4 **02** 해설 참조 **03** 7
04 $A=7$, $B=50$, $C=0.28$, $D=0.14$, $E=0.1$, $F=1$

01 $A=30-(3+6+6+3)=12$

따라서 구하는 상대도수는 $\frac{12}{30}=0.4$

02

점수(점)	남학생		여학생	
	도수(명)	상대도수	도수(명)	상대도수
50이상 ~ 60미만	3	0.06	6	0.15
60 ~ 70	9	0.18	8	0.2
70 ~ 80	14	0.28	14	0.35
80 ~ 90	19	0.38	8	0.2
90 ~ 100	5	0.1	4	0.1
합계	50	1	40	1

03 $(\text{도수의 총합})=\frac{10}{0.4}=25$이므로

상대도수가 0.28인 계급의 도수는 $25\times0.28=7$

04 $B=\frac{7}{0.14}=50$, $A=50-(7+14+17+5)=7$,

$C=\frac{14}{50}=0.28$, $D=\frac{7}{50}=0.14$, $E=\frac{5}{50}=0.1$

상대도수의 총합은 1이므로 $F=1$

37강+ 상대도수의 분포를 나타낸 그래프 137~138쪽

01~03 해설 참조

04 (1) 6시간 이상 7시간 미만 (2) 0.14
(3) 5 (4) 52 %

05 (1) 0.16 (2) 48 % (3) 0.04

06 (1) 0.3 (2) 0.26 (3) B 중학교 (4) A 중학교
(5) 1 km 이상 2 km 미만, 2 km 이상 3 km 미만
(6) A 중학교

01

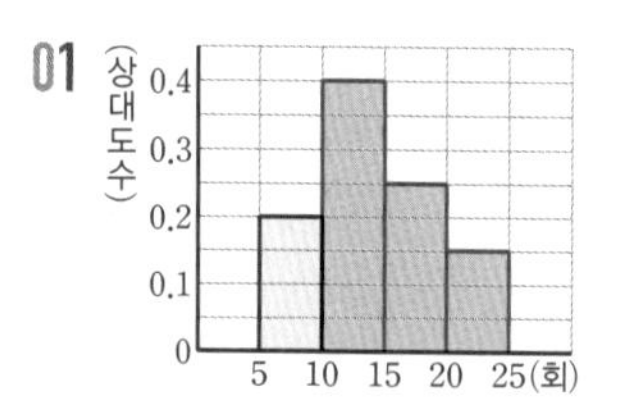

02

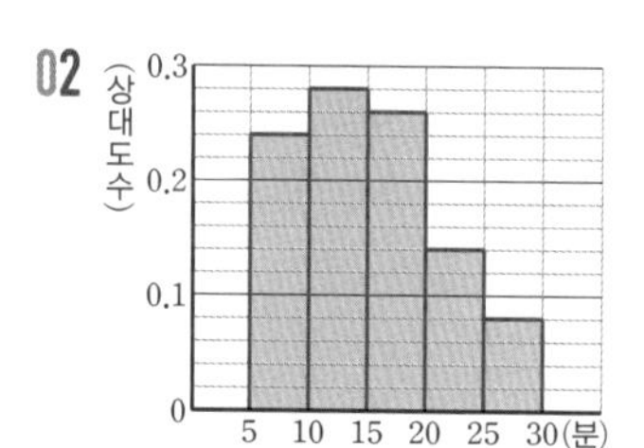

03

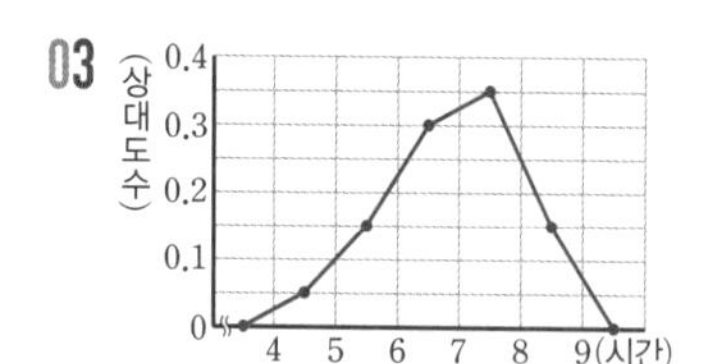

04 (1) 상대도수가 가장 큰 계급은 상대도수가 0.28인 6시간 이상 7시간 미만이다.

(3) $50\times0.1=5$

(4) $(0.1+0.16+0.26)\times100=52(\%)$

05 (2) $(0.04+0.16+0.28)\times100=48(\%)$

(3) 도수가 가장 작은 계급은 상대도수도 가장 작으므로 구하는 상대도수는 0.04이다.

06 (6) A 중학교의 그래프가 B 중학교의 그래프보다 전체적으로 왼쪽으로 치우쳐 있으므로 학생들의 통학 거리는 A 중학교가 B 중학교보다 상대적으로 더 가깝다고 할 수 있다.

힘수 만점 139쪽

01 80 % **02** ⑤ **03** 0.25

01 $(0.1+0.25+0.45)\times100=80(\%)$

02 ⑤ 나이가 31살 미만인 입장객 수는
$500\times(0.04+0.13+0.26)=500\times0.43=215$이다.

03 80점 이상 90점 미만인 계급의 상대도수는
$1-(0.05+0.1+0.2+0.3+0.1)=0.25$

38강 중단원 연산 마무리 140~143쪽

01 (1) 제1 상영관 (2) 9 (3) 11
02 해설 참조
03 표는 해설 참조, (1) 11 (2) 60점 이상 70점 미만
(3) 70점 이상 80점 미만
04 (1) 18 (2) 5
05 (1) 7 (2) 6회 이상 8회 미만 (3) 50 %
06 (1) 5살 (2) 20 (3) 100 (4) 6 (5) 3배
07 (1) 9 (2) 8 (3) 35 %
08 (1) 5 (2) 2명 (3) 20회 이상 25회 미만 (4) 150
09 (1) × (2) ○ (3) × (4) ×
10 (1) 0.35 (2) 3 kg 이상 4 kg 미만 (3) 90
11 (1) 40명 (2) $A=14$, $B=0.15$, $C=0.35$, $D=1$
(3) 75 %
12 (1) 7시 이상 8시 미만 (2) 33 % (2) 1
13 (1) 0.4 (2) 60 (3) 12
14 (1) 과학관 (2) 미술관
15 (1) × (2) × (3) ○ (4) ○
16 8점 이상 12점 미만
17 11 **18** 32

01 (1) 상영 시간이 가장 긴 영화는 129분짜리 영화이므로 제1 상영관에서 상영했다.
(2) 제1 상영관에서 줄기 9의 잎이 5개로 가장 많다.
(3) $3+2+4+2=11$

02

잎(남학생)	줄기	잎(여학생)
5 2	13	0 1 4
7 5	14	0 2 6 7
7 3 0	15	0 2 5 7 9
9 8 6 5 2	16	5 8
9 8 5 3	17	0 2

03

체육 점수(점)	학생 수(명)
60이상 ~ 70미만	4
70 ~ 80	7
80 ~ 90	9
90 ~ 100	5
합계	25

(1) $4+7=11$
(2) 60점 이상 70점 미만인 계급의 도수가 4명으로 가장 작다.
(3) $9+5=14$이므로 체육 점수가 15번째로 좋은 학생이 속하는 계급은 70점 이상 80점 미만이다.

04 (1) $A=35-(7+5+3+2)=18$
(2) $3+2=5$

05 (1) $A=30-(3+5+9+6)=7$
(2) 6회 이상 8회 미만인 계급의 도수가 9로 가장 크다.
(3) 접속 횟수가 6회 이상인 학생 수는 $9+6=15$이므로 전체의
$\frac{15}{30}\times100=50(\%)$

06 (1) $15-10=5$(살)
(2) $2+4+6+5+3=20$
(3) (직사각형의 넓이의 합)
=(계급의 크기)×(도수의 총합)
$=5\times20=100$
(4) $2+4=6$
(5) 도수가 가장 큰 계급의 직사각형의 넓이는 $5\times6=30$이고, 도수가 가장 작은 계급의 직사각형의 넓이는 $5\times2=10$이므로 30은 10의 3배이다.
[참고] 직사각형의 넓이는 도수에 비례하므로 6은 2의 3배이다.

07 (1) $40-(6+8+9+5+3)=9$
(2) $5+3=8$
(3) 원반 던지기 기록이 20 m 이하인 학생 수는
$6+8=14$이므로 전체의 $\frac{14}{40}\times100=35(\%)$

08 (1) $30-(6+7+10+2)=5$
(2) 도서관을 가장 많이 이용한 학생이 속한 계급은 30회 이상 35회 미만이므로 이 계급의 도수는 2명이다.
(3) 도서관을 이용한 횟수가 25회 이상인 학생 수가 $5+2=7$이므로 도서관을 이용한 횟수가 많은 쪽에서 8번째인 학생이 속하는 계급은 20회 이상 25회 미만이다.
(4) (도수분포다각형과 가로축으로 둘러싸인 부분의 넓이)
=(계급의 크기)×(도수의 총합)$=5\times30=150$

09 (1) 남학생 수는 $3+6+7+3+1=20$이고, 여학생 수도 $2+4+8+4+2=20$이므로 남학생 수와 여학생 수가 같다.
(2) 여학생의 그래프가 남학생의 그래프보다 전체적으로 오른쪽으로 치우쳐 있으므로 학생들의 한 달 용돈은 여학생이 남학생보다 상대적으로 용돈이 더 많은 편이다.
(3) 용돈이 가장 많은 학생은 어느 쪽에 있는지 알 수 없다.
(4) 용돈이 2만 원 이상인 학생 수는 $3+1+4+2=10$이고, 전체 학생 수는 $20+20=40$이므로 전체의
$\frac{10}{40}\times100=25(\%)$이다.

10 (1) 상대도수의 총합은 1이므로
$A=1-(0.15+0.3+0.2)=0.35$
(2) 도수가 가장 큰 계급은 상대도수가 가장 큰 계급과 같으므로 3 kg 이상 4 kg 미만이다.
(3) 가방 무게가 3 kg 미만인 학생 수의 상대도수는
$0.15+0.3=0.45$이므로 학생 수는 $0.45\times200=90$이다.

11 (1) $(\text{도수의 총합})=\frac{(\text{그 계급의 도수})}{(\text{어떤 계급의 상대도수})}$
$=\frac{4}{0.1}=40(\text{명})$
(2) $A=40-(4+6+12+4)=14$
$B=\frac{6}{40}=0.15$, $C=\frac{14}{40}=0.35$
상대도수의 총합은 1이므로 $D=1$
(3) 분식점에 간 횟수가 7회 이상인 학생 수는
$14+12+4=30$이므로 전체의 $\frac{30}{40}\times100=75(\%)$
[다른 풀이]
분식점에 간 횟수가 7회 이상인 학생의 상대도수의 합은
$0.35+0.3+0.1=0.75$이므로 전체의 $0.75\times100=75(\%)$

12 (2) 8시 이후에 온 손님 수의 상대도수의 합은
$0.22+0.11=0.33$이므로 전체의 $0.33\times100=33(\%)$
(3) 상대도수의 분포를 나타낸 그래프와 가로축으로 둘러싸인 부분의 넓이는 (계급의 크기)×(상대도수의 총합)이고 계급의 크기는 $6-5=1$, 상대도수의 총합은 1이므로 넓이는
$1\times1=1$

13 (1) 상대도수의 총합은 1이므로
$1-(0.1+0.3+0.15+0.05)=0.4$
(2) 상대도수가 0.15인 계급의 학생 수가 9이므로 전체 학생 수는 $\frac{9}{0.15}=60$
(3) 전체 학생 수가 60이므로 상위 20 %에 포함되는 학생 수는
$60\times0.2=12$

14 (1) 30살 이상 40살 미만인 방문객에 대하여 과학관의 비율은
$\frac{350}{1000}=0.35$, 미술관의 비율은 $\frac{400}{2000}=0.2$이므로 과학관의 방문객 비율이 더 높다.
(2) 나이가 40살 이상인 방문객에 대하여 과학관의 비율과 미술관의 비율은 각각
$\frac{(150+100)}{1000}=0.25$, $\frac{(400+700)}{2000}=0.55$
이므로 미술관의 방문객 비율이 더 높다.

15 (1) 상대도수의 분포를 나타낸 그래프만으로는 학생 수를 알 수 없다.
(2) 상대도수의 총합은 1로 같다.
(3) 20점 이상 30점 미만인 계급에서 남학생의 상대도수는 0.17이고, 여학생의 상대도수는 0.2이므로 여학생의 상대도수가 더 높다.
(4) 남학생의 그래프가 여학생의 그래프보다 전체적으로 오른쪽으로 치우쳐 있으므로 학생들의 체육 수행평가 점수는 남학생이 여학생보다 상대적으로 더 높은 편이다.

16 $3+2x+15+5x+x=50$이므로 $8x=32$
$\therefore x=4$
표를 완성하면 다음과 같다.

점수(점)	학생 수(명)
0이상 ~ 4미만	3
4 ~ 8	8
8 ~ 12	15
12 ~ 16	20
16 ~ 20	4
합계	50

이때 점수가 12점 이상인 학생 수가 $20+4=24$이므로 점수가 높은 쪽에서 25번째인 학생이 속하는 계급은 8점 이상 12점 미만이다.

17 자유투 성공 횟수가 8회 미만인 학생 수는
$40\times\frac{60}{100}=24$이므로
자유투 성공 횟수가 8회 이상 10회 미만인 학생 수는
$40-(24+5)=11$

18 $(\text{전체 학생 수})=\frac{8}{0.05}=160$
발의 크기가 235 mm 이상인 학생이 전체의 75 %이므로 발의 크기가 235 mm 이상인 학생들의 상대도수의 합은 0.75이다
이때 발의 크기가 230 mm 이상 235 mm 미만인 계급의 상대도수는 $1-(0.05+0.75)=0.2$이므로 구하는 학생 수는
$160\times0.2=32$

푸르넷 에듀 E-learning 사이트 학습 System

On-Off 라인 통합학습

On-Off 라인 통합학습 관리 System

푸르넷 에듀 개인별 맞춤학습 + **학생** + **푸르넷 에듀 선생님** 개인별 학습지도 및 관리

- 지도교사가 학습 스케줄 작성, 동영상 학습지도, 학습관리 및 평가를 실시합니다.
- 회원은 푸르넷 에듀 사이트에서 동영상 학습 및 여러 평가 학습을 진행합니다.
- 회원의 학습 과정 및 결과는 회원관리 프로그램을 통해 지도교사가 확인 및 점검합니다.
- 이를 바탕으로 학생 개개인에 맞는 체계적인 수업을 진행합니다.

내신 만점 학습 전략

국어 · 영어

출판사별 교과서 맞춤 강의 제공
교과서의 핵심 개념 파악 및 학교 시험대비 3단계 학습 전략

- Step1: 교과서 단원별 필수 개념 다지기
- Step2: 교과서 작품 및 지문 완전 분석
- Step3: 단원별 문제풀이 학습

수학 · 사회 · 역사 · 과학

1. **단계별 내신대비 학습:** 주제별/유형별로 기본 개념부터 보충·심화 강의까지 개념별·유형별 연계 학습이 가능

- Step1: 개념 강의 (리더스/진도플러스)
- Step2: 문제풀이 강의 (내신플러스)
- Step3: 단원별 보충·심화 강의

2. **수준별 수학 학습:** 개인별 학습 능력 수준에 맞는 학습

- Step1: **입문** 쉽고 재미있는 입문 개념 학습
- Step2: **기본** 기본 개념의 핵심 개념 학습
- Step3: **심화** 고난도 문제 유형 학습
- Step4: **유형** 핵심 유형별 문제 트레이닝 학습

힘이 붙는 수학 연산 중등 1-2

정답과 해설

힘이 붙는 수학 연산